DE LOKROEP VAN DE WOLF

PENINA KEEN SPINKA

DE LOKROEP VAN DE WOLF

the house of books

Oorspronkelijke titel
Dream weaver
Uitgave
Dutton, New York
Copyright © 2003 by Penina Keen Spinka
Copyright voor het Nederlandse taalgebied © 2004 by The House of Books,
Vianen/Antwerpen

Vertaling
Cherie van Gelder
Omslagontwerp
Studio Jan de Boer BNO, Amsterdam
Omslagdia's
Michael Javorka/Getty Images/Image Bank
Foto auteur
Jerry Walters
Kaarten
Virginia Norey
Zetwerk
Mat-zet bv, Soest

ISBN 90 443 1052 6
D/2004/8899/72
NUR 302

Ter herinnering
aan mijn geliefde broer
David Terry Keen

Dankbetuiging

Namens de Dromenweefster gaat mijn dank uit naar alle fantastische leden van mijn plaatselijke schrijversgroep, de *Phoenix Roundtable*, die voor elke keer dat we bijeenkwamen een hoofdstuk lazen. Mijn N3F Writer's Exchange Round Robin gaven mij per e-mail hun opmerkingen en mening door en dat is niet zo gemakkelijk als het klinkt. Bedankt dat jullie alles met de stofkam hebben doorgenomen, jongens. De opmerkingen van die beide bevriende groepen hielden me tijdens het herschrijven met de neus op het werk gedrukt. Ik wist dat zij er wel voor zouden zorgen dat ik geen gaten zou laten vallen. Ik ben ook veel dank verschuldigd aan Carole Baron, de president-directeur van Dutton, en aan Laurie Chittenden, mijn eindredacteur die geen detail over het hoofd zag. En mijn dank gaat eveneens uit naar de hele ploeg bij Dutton, met name naar de studio en naar de plotredacteur, die ervoor zorgden dat ik niet met tijden begon te goochelen en dat iedereen de juiste leeftijd hield.

En jij, Barry, nogmaals bedankt omdat je overal voor hebt gezorgd zodat ik me aan mijn deadlines kon houden. Ik bedank mijn agent, Meg Ruley, omdat ze er altijd is als ik haar nodig heb en zorgt dat ik antwoord krijg op mijn vragen. Ten slotte wil ik u, mijn lezers, bedanken dat u samen met mij een fantasiewereld wilt betreden en me ook laat weten hoe mooi u mijn verhalen vindt.

Inhoud

Proloog

Het was lente in het hete, vochtige gebied van de Amazone. De bladeren van grote bomen in de jungle waren aan de onderkant bedekt met samengeklonterde eitjes. Daar kropen na verloop van tijd miniatuurrupsjes uit, die zich strekten en begonnen te eten. Als ze de bladeren waarop hun eitjes hadden gezeten volledig opgevreten hadden, vielen ze naar een lager blad. Papegaaien doken omlaag en vulden hun maag met de groeiende wezentjes. Toen de rupsen klaar waren om aan hun volgende levensfase te beginnen, waren er van de ettelijke miljoenen nog maar weinig over. Die maakten zich met behulp van een zijden draad vast aan de onderkant van een blad en sponnen een cocon voor zichzelf. En in die beschermde ruimte vond een wonderbaarlijke metamorfose plaats. In de zijden pop veranderde de dikke rups in een van de meest gracieuze schepsels die de natuur kent: de vlinder.

Toen de tijd rijp was, kwam een jonge vlinder te voorschijn en spreidde haar vleugels om ze te laten drogen. Met haar mooie tekening en haar kleurenpracht waarbij alle bloemen en vogels verbleekten, zat ze te wachten tot ze op haar tere vleugels de jungle in kon vliegen, om zich daar te laven aan de nectar die haar in leven zou houden tot ze ging paren en eitjes zou gaan leggen om de kringloop in stand te houden. Maar dit zou een lente als geen ander worden. De wind was gekeerd. Hij bundelde zich uit alle richtingen en vormde geen storm, maar een zachte tunnel door de ruimte. Honderdduizenden voelsprieten begonnen te trillen.

Ik zal jullie naar een betere plek brengen, leek de wind te zeggen. *Ik breng jullie naar een land waar geen papegaaien zijn om jullie nakomelingen op te eten. Ik zal jullie bladeren en grassoorten laten zien die als voedsel voor jullie kinderen kunnen dienen. Niemand zal honger lijden, jullie noch jullie kinderen en hun kinderen. Wees maar niet bang en laat me je meenemen. Ik zal zorgen dat jullie veilig zijn.* Een voor een hoorden de vlinders de lokroep en kozen het luchtruim, tot ze vanaf de aarde een grote veelkleurige wolk leken die wegdreef naar het noorden en het oosten. En de Vrouw van de Zee glimlachte.

Tekenvrouw was elf jaar toen een oorlog haar wegrukte van haar woonplaats en haar volk, de Ganeogaono en het dorpje Doteoga op de zuidelijke oever van de St. Lawrence rivier. Ze had als eerste de vijandige krijgers van de Algonquian ontdekt op de bospaden en op de rivier. Ze had net tijd genoeg om alarm te slaan, maar kon zelf niet meer ontsnappen. Als vuige slavin te midden van haar vijanden was ze opgegroeid tot vrouw. Al haar pogingen om terug te keren naar haar familie waren mislukt. Op aanraden van de verhalenvertelster van het dorp deed ze ten slotte nog één poging, maar dit keer in de tegengestelde richting van haar geliefde thuisland en wist zo te ontsnappen. Vlak voor het aanbreken van de winter stak Tekenvrouw in haar eentje Labrador over. Dorpelingen van de Naskapi boden haar onderdak. Tijdens die lange winter, ver van haar vrienden en beminden maar vrij van onderdrukking, ontdekte Tekenvrouw dat de Schepper haar het talent had gegeven om tekeningen te maken die de toekomst voorspelden.

Het noodlot bracht Tekenvrouw bij de zeejagers uit het gebied rond de noordpool, de Inuit. Tijdens een hongersnood kon de sjamaan uit een van haar tekeningen opmaken waar ze zeehonden konden vinden. Toen ze weer genoeg te eten hadden, besloot de helft van de dorpelingen terug te keren naar hun oude land, aan de andere kant van de Davis Strait. Daar leerde Tekenvrouw Halvard kennen, een Groenlander van Noorse komaf, die haar tot zijn vrouw maakte en haar meenam naar zijn voorvaderlijk huis om hem zonen te schenken.

Tijdens haar allereerste nacht in Groenland werd het prille geluk van Tekenvrouw verstoord door een droom die een waarschuwing inhield. De woede van de Vrouw van de Zee ten opzichte van Halvards volk dat haar land was binnen gedrongen werd steeds groter en begon gelijkenis te vertonen met een donderbui die aan een zware storm voorafgaat. Als die storm uitbrak, zou dat de ondergang betekenen van de nederzetting van de Groenlanders. Tekenvrouw koesterde weinig hoop dat ze kon voorkomen dat haar man en haar kinderen dat lot zouden ondergaan, maar ze waarschuwde de Groenlanders wel dat ze hun leefwijze moesten veranderen om te voorkomen dat de Vrouw van de Zee wraak zou nemen. Er werd niet naar haar geluisterd en ze werd verbannen. Tegelijkertijd werd Europa door de ene ramp na de andere getroffen: de pest, aardbevingen en oorlogen. Vulkanen verduisterden de lucht boven IJsland en in Europa daalden asregens neer op steden en boerderijen. Tijdens de laatste decennia van de veertiende eeuw bezweek eenderde van de Europese bevolking aan mysterieuze oorzaken. Oude handelsroutes raakten in vergetelheid. Bijgeloof en angst maakten bijna evenveel slachtoffers als de pest, en de scheepvaart kwam tot stilstand. Noorwegen vergat haar verafgelegen kolonie, waardoor de Groenlanders op zichzelf waren aangewezen. De winters werden zo koud dat er weinig tijd overbleef om voedsel te verbouwen, waardoor ze steeds zwakker werden. In de zee gingen vissen op zoek naar nieuw voedsel en de zeehonden veranderden van jachtterrein. De Inuit dankten hun godin, de Vrouw van de Zee, die de vreemdelingen had verzwakt en veroverden de Westelijke Nederzetting weer op de indringers. De Noorse kolonisten hielden nog stand in de Oostelijke Nederzetting.

De lokroep van de wolf begint in een eenzaam huis aan de woeste, winderige kust van de Westelijke Nederzetting. Het gezin leeft inmiddels al drie jaar in ballingschap, maar er is verandering op komst. Om die het hoofd te kunnen bieden, geeft de moeder haar gave door aan haar dochter. Zoals Tekenvrouw de toekomst kan tekenen, zal Ingrid leren om haar dromen te weven. Ingrids dromen en haar gave zullen haar familie goede diensten bewijzen als het geduld van de Vrouw van de Zee ten slotte op is en ze haar verwoestende kracht eindelijk op zijden vleugels op Groenland loslaat.

DEEL I

Terug naar Groenland

GROENLAND

Innuit

Het dorp van Qisuk

Het dorp van Niroqaq
Westelijke Nederzetting
Ballingschapshuis

Het ouderlijk
huis van Halvard

Brattahild en de
Kerk van Thjodhild

Oostelijke
Nederzetting

Gardar en
de Althing

Innuit

Het Handelseiland

Naskapi

LABRADOR

Algonquian

St. Law-
rencebaai

Brede rivier

Algonquian

Doteoga

Ganeogaono

naar Oneida
naar Onondaga

*Halvard keert met zijn gezin
terug naar zijn ouderlijk huis*

Hoofdstuk

Groenland, 1396

Ingrid wist niet of ze wel in geesten geloofde. Wanneer ze samen met haar moeder zat te weven of aan het koken was, of als ze in de melkschuur de kazen in doeken gewikkeld te drogen legden, had ze nooit het gevoel dat er geesten aanwezig waren. Maar als er niemand in de buurt was en de zon in het hartje van de zomer de boomloze groene hellingen van de bergen in het binnenland met een gouden schijnsel overgoot, was ze daar niet meer zo zeker van. Op welke manier maakten geesten hun aanwezigheid kenbaar?

De enige kudde die op de vlakbij gelegen weidegronden graasde, was van haar vader. Met uitzondering van haar vader en haar broers waren er geen vissers die hun netten in de fjord uitgooiden. In de spookachtige Westelijke Nederzetting waren zij en haar familie de enige overlevenden.

Vroeger vormden buren een onderdeel van hun leven. Drie jaar geleden woonden ze nog in de Oostelijke Nederzetting. Vader had een behoorlijk grote hofstede gehad, waar hij zijn vee fokte. Ingrid had bij wijze van lekkernij plakjes dik met boter besmeerd gedroogd zeehondenvlees gekregen voordat zij en haar vriendinnetjes onder de met dons gevulde dekens werden gestopt. Voor het slapengaan werden verhalen verteld over de tijd waarin goden en ijsreuzen de aarde bevolkten, en over de begintijd van hun Groenland, dat was gesticht door kolonisten die samen met Erik de Rode en zijn beruchte zoon, Leif de Gelukkige uit IJsland waren gekomen.

Ingrid tuurde naar het binnenland. Het was net alsof de lucht tijdens de korte zomer glansde en extra helder was. Vroeger hadden hier vlakbij mannen en vrouwen gewoond, op de plek waar de vervallen gebouwen van de Westelijke Nederzetting stonden. Hier hadden ze hun melkvee laten grazen, hun geschillen uitgevochten, huwelijken gesloten en gezinnen grootgebracht. Maar die mensen waren nu allemaal dood of vertrokken. Verjaagd door de barre winters en de van weerhaken voorziene pijlen van de Skraelings, de wilden die de Northsetur bevolkten, het ruige gebied waar ze in ontoegankelijke dorpen aan de noordkant en langs de kustfjorden woonden.

'Ingrid!' riep Oles boze stem. 'Je moeder heeft je nodig. Ben je nog niet klaar met melken?'

'Jawel,' zei ze, terwijl ze overwoog de emmers met een klap op de grond te zetten zodat hij kon zien hoe vol ze waren. Maar ze hing ze gewoon aan de met stof omwikkelde paal die ze op haar smalle schouders droeg. 'Ik kom eraan. Je kunt de kudde meenemen.' Ze liet de laatste geit vrij, die meteen terugdraafde naar haar jong.

Ole liep met een nijdig gezicht langs haar heen. 'Kwispel!' schreeuwde hij tegen de hond. Hij zei niets tegen haar, maar vertelde de hond met fluitsignalen wat hij moest doen terwijl ze met de geiten en de schapen naar de weidegrond liepen. Eigenlijk was dat haar werk, maar de laatste paar maanden had vader besloten dat ze beter thuis kon blijven. Leif en vader waren gaan vissen. Zij moest thuisblijven voor het geval moeder haar nodig had.

Ingrid vond het heerlijk om door de heuvels te zwerven en ze miste die vrijheid, vooral nu. Op de dag dat ze uit de Oostelijke Nederzetting vertrokken, had Ingrid met de geiten en de schapen meegehuppeld en geholpen om ze in de juiste richting te drijven. Toen hadden ze nog drie honden gehad. Ze had de meeuwen horen krijsen terwijl ze boven de speelse golfjes zweefden of rondcirkelden en omlaag doken om te vissen. Zelfs nu kon ze de zilte geur nog ruiken.

Ingrid schudde haar hoofd en zette het verleden van zich af. Daar had ze nu geen tijd voor. Ze was niet langer het zorgeloze meisje van drie jaar geleden, toen hun gezin vrijwillig in ballingschap was gegaan. Nu lag haar moeder daarbinnen op het randje van de dood, mager en uitgeteerd, met ingevallen wangen.

Ingrid dacht na over haar moeder. Op de een of andere manier hadden haar goudbruine huid en haar ogen, die zo donker en indringend waren dat sommigen er niet eens in durfden te kijken, de Groenlanders nerveus gemaakt. Toen Ingrids familie de oude hofstede van vader had verlaten en op weg was gegaan naar de onbekende kust, hadden moeders donkere ogen gesprankeld van moed. Ze had hen uitgedaagd hun toekomst onder ogen te zien. Ingrid wist dat er daarginds moeilijkheden waren geweest, hoewel ze destijds nog te jong was om te begrijpen wat er precies aan de hand was. Er was een man geweest die de christenen de bisschop hadden genoemd en die in een groot, stenen huis woonde. Hij had moeder verbannen. Natuurlijk hadden vader en de anderen geweigerd haar alleen te laten gaan. Vader had gezegd dat ze een vervallen huis zouden opknappen waar hij samen met moeder op hun terugreis uit het noorden tijdens een storm had geschuild. Er hadden al een generatie lang geen mensen meer in gewoond.

Ingrids halfbroers waren het eerst vertrokken, in vaders boot, wat betekende dat Ingrid haar ouders helemaal voor zichzelf had. In plaats van de lange, stoffen jurk met de grote schort en de lelijke harde laarzen had moeder de kleren uit haar eerste wereld aan. Ze liep lichtvoetig mee in haar enkellange laarsjes. Ze droeg beenstukken die tot de zoom van haar leren jurk reikten. Het juk van de jurk was bedekt met een ingewikkeld borduurpatroon in rood, blauw en groen. 'Dat zijn geverfde stekels van het stekelvarken,' had moeder uitgelegd. Het was een dier dat het meisje nooit had gezien.

Moeder vertelde altijd verhalen over een wereld die zij Schildpadeiland noemde. Ze beschreef grote, met geweien getooide elanden, bevers en andere vreemde dieren, maar ze had het nooit over schapen of geiten. Ze zei dat paarden, pony's, koeien, schapen en geiten bij haar volk onbekend waren, maar Moeder Aarde voorzag hen wel van voedsel dat zomaar uit de grond opsproot en van een ontelbaar aantal bomen die met hun groene kronen naar de lucht reikten. Moeder zei dat de bomen in haar wereld zo groot waren en zoveel bladeren hadden dat ze het zonlicht wegnamen van alles wat eronder groeide.

Vader zei nooit dat de verhalen van moeder niet klopten, maar hij moest toegeven dat hij zelf nooit in moeders wereld was geweest. 'Wie weet?' zei hij altijd als Ingrid er met hem over begon. 'Waarom zou je moeder dat soort dingen verzinnen? Waarom zouden bomen geen zoete vruchten kunnen hebben en waarom zou de aarde geen voedsel opleveren? Het kan toch best waar zijn dat de wereld van je moeder op de rug van een gigantische zeeschildpad ligt? Wij hebben lang niet alles van de wereld gezien, dus hoe moeten we weten wat wel en wat niet waar is? Toen ze bij ons kwam, hadden wij ook dingen die ze nauwelijks kon geloven: houten boten met zeilen, dieren die gemolken konden worden en boeken vol geschreven woorden met verhalen over andere landen, grote avonturen en goden.'

Ingrid had de uitleg van haar vader geaccepteerd, maar soms betwijfelde ze of er wel zo'n andere wereld was. De verhalen die vader over het land van zijn voorouders vertelde, waren al even vreemd als die van moeder: bergen die de vorm van mensen aannamen om de goden voor de gek te houden. Hoe vaak was ze niet in slaap gevallen om in haar dromen fantastische dieren onder een dak van bladeren te zien, of Noorwegen, waar mensen boven op elkaar woonden in plaatsen die 'steden' werden genoemd?

De verhalen van haar ouders hadden in de winter het gehuil van de wind overstemd, maar nu waren er geen sprookjes die konden verhullen wat Ingrid binnen zou aantreffen. Ze duwde de deur open.

Nadat ze de melk naast het vat bij de oliekachel had gezet, liep ze naar de bedstee van haar moeder. De gordijnen waren opengetrokken. Dat zou vader wel hebben gedaan voordat hij wegging. Moeders donkere haar glansde niet langer. Haar gezicht leek klein en stak asgrauw af tegen het kussen. Ingrid zag geen teken van ademhaling onder de lappendeken. 'Ik ben er weer, moeder,' zei ze. 'Blijf alsjeblieft ademen,' bad ze in stilte. 'Laat me nog niet alleen.'

Toen de deken omhoogkwam, voelde Ingrid haar knieën knikken van opluchting. Ze tilde de emmers op en gooide de inhoud in het vat. Terwijl ze bezig was, lag haar moeder in bed te mompelen, half in het Noors en half in de taal van haar volk. Lange woorden die vreemd klonken. Ze was weer aan het ijlen.

Ingrid schepte wat melk in een kom, pakte haar moeders lepel van het haakje en liep naar het bed. 'Ik heb verse warme melk. Probeer maar of je dat lust.' Ze tilde haar moeder iets op en duwde de kussens in haar rug. Daarna slaagde ze erin haar een paar lepels te voeren.

'Genoeg. Kom maar even bij me zitten en luister,' zei haar moeder hijgend. Ingrid ging naast haar op het bed zitten. 'Ik heb nu het gevoel dat mijn leven voordat ik je vader leerde kennen niets meer is dan een droom, maar dromen zijn soms echter dan het leven. Mijn nichtjes en mijn moeder weten niet dat ik in een andere wereld leef. Ze weten niets van jouw bestaan af.' In ieder geval besefte moeder dat Ingrid bij haar was. 'Maar de kans bestaat dat ze het wel weten. Ingrid, heb je weleens "zienerdromen" gehad?'

Ingrid zette de kom melk neer, legde haar hand op haar moeders voorhoofd en voelde dat het warmer werd. Hoe lang nog, vroeg Ingrid zich af. Ze wilde maar dat vader, Leif en zelfs Ole thuis zouden komen. Als moeder doorpraatte, zou ze misschien blijven leven tot zij er weer waren. 'Zienerdromen? Wat zijn dat?' vroeg ze om haar moeder aan te sporen.

De eeltige vingers waarmee moeder Ingrids kastanjebruine krullen uit haar gezicht streek, waren gloeiend heet. Haar handen waren verschrikkelijk mager geworden. Nutteloos. 'Dromen die je je kunt herinneren. Boodschappen uit de wereld der geesten.'

Af en toe was Ingrids moeder zo koortsig dat ze wartaal uitsloeg. 'Ik droom weleens over ons eerste huis,' zei Ingrid. 'Wat wilde je me vertellen?'

'Ik heb de kinderen overgehaald om samen met mij noten en bosbessen te gaan plukken voor de teruggekeerde krijgers. Hoe konden we weten dat de Algonquian ons diezelfde dag zouden overvallen? Orenda, de Grote Geest, heeft ervoor gezorgd dat ik ze vanuit de notenboom op tijd zag. Ik heb mijn broer, Verkenner, naar de clans gestuurd om ze te waarschuwen. Vader! Pas op, achter je!' Ze tilde haar hoofd op en keek naar beelden die er niet waren. Als ze genoeg adem had gehad, was het een schreeuw geweest.

'Er is niemand hier, moeder. Vader en Leif zijn vissen. Ik ga wel even roepen dat ze snel terug moeten komen. Vader zal vast willen weten dat je... dat je zo ziek bent. Als ik naar de klif loop, kan ik ze wenken. Dan komen ze meteen thuis.'

Moeder legde haar hand op Ingrids arm. 'Laat me niet alleen,' zei ze smekend. 'Ik moet met je praten. We hebben niet veel tijd meer.' Haar ogen stonden weer helder. 'Je zult het later wel begrijpen. Nu moet je alleen goed naar me luisteren. Je moet onthouden wat je droomt. Je dromen kunnen een boodschap bevatten.'

Ingrid verzekerde haar dat ze dat zou doen.

'Zet de deur open. Ik wil de lucht zien.' Een groep meeuwen was bij het begin van de fjord aan het bakkeleien. Misschien hadden vader en Leif een grote vis in hun netten verstrikt, of zelfs een zeehond. De zon viel schuin door de deur en de smalle ramen naar binnen en bracht een vleugje roze op Astrids grauwe donkere wangen, die daardoor op wolken bij zonsondergang leken. Ze roken de kruidige geur van bloeiende klaver.

Moeder sprak snel en in korte zinnetjes. 'Maak mijn kledingkist open, ik wil je iets laten zien. Haal dat platte pakje eruit dat onderin ligt, in een wollen lap gewikkeld.' Ingrid zocht onder de jurken, de schorten en de jas, vond het pakje en haalde het te voorschijn. 'Ja, dat is het. Breng het hier en maak het open.'

Het meisje gehoorzaamde en zag opnieuw het getaande leer en de felle, gemengde kleuren op het juk. Ingrid hield even haar adem in en zei met een zucht: 'Het is echt. Ik dacht dat ik deze jurk had gedroomd. Die had je aan toen we uit vaders oude huis wegtrokken.'

'Goed zo, meisje.'

Plotseling kon Ingrid haar tranen niet inhouden.

Moeder hief haar hand op en raakte met een zwak gebaar de natte wangen van haar dochter aan. 'Niet huilen. Ik heb je geleerd dat je sterk moet zijn. Wij leren baby's dat ze niet mogen huilen. Dat trekt vijanden aan in het bos. Mijn kleine broertje begon te huilen. Als grootmoeder er niet was geweest, hadden ze ons allemaal gedood.'

Moeder verloor zich weer in herinneringen. Een beetje krampachtig zei Ingrid: 'We zijn niet in het bos. We zijn thuis. Hier is het veilig.'

'Weet je dat zeker? Kan niemand ons kwaad doen?'

'Heel zeker. Er is hier verder niemand, alleen wij tweetjes. Maar vader en Leif zijn vlakbij. Ole is met de geiten naar de weidegrond.' Ze bad dat haar vader en Leif snel terug zouden komen. Ze had het gevoel dat ze al heel lang weg waren.

Toen haar moeder weer begon te praten wist Ingrid niet of ze zich hier bij haar in de kamer bevond of weer in haar dromen ronddwaalde. 'Deze jurk maakt deel uit van wie ik ben. Ik droeg hem toen ik van Schildpadeiland vertrok om naar de Inuit te gaan. Padloq heeft hem voor me bewaard toen ik ziek was. Ik heb deze jurk in Qisuks iglo aangetrokken. In deze jurk ben ik naar je vader gebracht om zijn vrouw te worden. En ik had hem weer aan toen ik je grootvader en je broers voor het eerst ontmoette. Het is een jurk...' Ze aarzelde even, alsof ze de juiste woorden moest zoeken. '... voor een nieuw begin. Om geluk af te dwingen.' Ingrid voelde een rilling over haar rug glijden. 'Help me hem aan te trekken, Ingrid.' Het meisje legde de jurk uit en liet haar vingers over het zachte hertenleer, de franjes en het felle borduursel glijden. Ze wurmde haar moeder uit de nachtpon. 'Je wangen gloeien, maar je handen zijn ijskoud,' fluisterde Ingrid, terwijl ze snel doorwerkte. 'Zal ik de olielamp aansteken?'

'Nee. Daar heb je geen tijd voor. Gauw.'

Ingrid streek de jurk op het bed glad. De vouwen verdwenen meteen. Ze tilde haar moeder op om haar armen in de mouwen te steken en de jurk over haar hoofd te trekken. Ze trok haar de beenstukken aan en maakte ze vast aan de gordel aan de binnenkant in de taille van de jurk. Een zonnestraal viel op het bed en verlichtte de koperkleurige huid van haar moeder en het loshangende zwarte haar.

'Terwijl we op vader en Leif wachten, zal ik je haar vlechten. Ik pak je kammen en de bandjes wel.' Ze pakte de ivoren kammen van haar moeder uit de houten, met ijzer beslagen kist. Op de plank lag een pakje zeehondenvet. 'Ik zal wat vet in je haar wrijven. Weet je nog dat je dat vroeger ook altijd bij mij deed?'

'Ja. Je was een mooi kind. Je haar lijkt meer op dat van je vader, rood en golvend. Mijn moeder wreef mijn haar altijd in met eekhoornvet toen ik nog klein was, maar zeehondenvet is ook goed. Wij woonden ver van de oceaan, dus mijn moeder heeft nooit zeehonden gezien.'

Ingrid begon voorzichtig te kammen om de klitten er zonder te trekken uit te halen. Het gestolde vet werd in haar handen weer vloeibaar. Ze wreef het in het slappe haar van haar moeder en trok het glad met de kam. 'Is dat geen lekker gevoel?' Blij dat ze iets te doen had, verdeelde ze haar moeders zwarte haar in strengen, vlocht het en bond de uiteinden vast. 'Wat zie je er nu mooi uit,' zei ze, terwijl ze het resultaat bewonderde. 'Vader zal vast verbaasd zijn.'

'Ja.' Moeder lachte flauw. 'Dat denk ik ook.'

Toen Ingrid klaar was, schikte ze het kussen onder haar moeders hoofd. 'Zal ik de deken over je leggen?'

'Ik heb het niet koud,' antwoordde moeder. Ze sperde haar ogen open en tilde haar hoofd op. Ingrid draaide zich om toen ze het geluid van voetstappen hoorde.

Plotseling verscheen er een schaduw die het licht tegenhield. Vader stond in de deuropening, met gebogen schouders en een verwilderd gezicht waar de bezorgdheid op te lezen stond. 'Ingrid! Wat heb je gedaan?' vroeg hij. Ingrid sprong overeind en voelde de koude rillingen over haar rug lopen toen ze besefte dat ze haar moeder had gekleed voor haar begrafenis.

'Is het zover, Astrid?' vroeg hij met een zucht.

'Je mag het kind niets kwalijk nemen. Ik heb haar gevraagd me te helpen. Het is in orde. Ingrid, ga maar naar buiten. Ik wil even alleen met je vader praten. Je bent een lieve meid.'

Vader stapte opzij zodat ze langs hem heen kon. Nu hij zo dichtbij stond, leek hij niet zo groot als gewoonlijk en zijn haar leek meer grijs dan rood. Hij gaf Ingrid een klopje op haar arm. 'Ik ben heus niet boos op je. Het heeft al zo lang geduurd, ik had niet verwacht dat het vandaag zou gebeuren.' Hij zuchtte diep met iets wat op een snik leek. 'Ik had niet weg mogen gaan.'

Ingrid knikte dat ze het begreep en liep haastig naar buiten. Ze voelde zich bijna schuldig omdat ze blij was dat ze niet binnen hoefde te blijven. Buiten, in de frisse, schone lucht haalde ze diep adem. De dood zat verscholen te wachten in de schaduwen in het stenen huis, terwijl Ingrid haar moeder nietsvermoedend voorbereidde op haar ontmoeting met hem. Maar moeder had het wel geweten. Ingrid wreef met haar knokkels in haar ogen om haar tranen te bedwingen, terwijl ze in elkaar gedoken op het lange gras ging zitten.

De jongste van haar twee oudere broers, Leif, vond haar daar. 'Wat is er?' vroeg hij.

'Ze laat ons alleen. Ze is stervende.'

Leif deed zijn mond open, maar er kwam geen geluid uit. Hij was bijna even lang als vader en slanker dan Ole. Hij was achttien jaar en het rode haar op zijn wangen was donzig en zacht en net iets lichter dan zijn vuurrode vlechten.

Ingrid schaamde zich een beetje omdat hij haar zo aantrof, stond weer op en knikte met haar hoofd naar het huis. 'Ze begon weer zo vreemd te praten. Maar ik mag niet huilen.' Leif trok zich daar niets van aan. Hij slikte en draaide zich om.

Toen hij haar weer aankeek, zag Ingrid dat zijn blauwe ogen

rood omrand waren. 'Als je wilt, kun je me wel even helpen de vissen op te hangen zodat ze kunnen drogen,' zei hij. 'Ze zijn al schoongemaakt. Laten we maar iets gaan doen. Vader zal ons wel roepen als hij ons nodig heeft.' Ze was blij dat ze Leif mocht helpen en dat hij het fijn vond dat ze bij hem bleef. De oudste van haar halfbroers had nooit behoefte aan haar gezelschap.

Ze wist dat Leif begreep wat ze doormaakte, ook al was haar moeder niet de moeder van Leif en Ole. Hun moeder was gestorven voordat de hare naar vaders land kwam. Leif had dit allemaal al een keer meegemaakt. 'Weet je nog wat er gebeurde toen jouw moeder stierf?'

'Dat is al heel lang geleden, maar ik weet het nog precies. Vader wilde niet dat wij erbij zouden zijn. We waren bij vrienden op bezoek geweest en toen we thuiskwamen was ze dood. In zekere zin heb jij geluk. Jij hebt nog de kans gehad om afscheid van haar te nemen.'

Het kostte Ingrid moeite om er zo over te denken, maar ze veronderstelde dat hij wel gelijk zou hebben. Het zou nog veel erger zijn geweest als ze weggestuurd was en de laatste dagen van haar moeder niet had mogen meemaken.

Leif vertelde verder. 'Vader zei dat we naar binnen moesten gaan om onze moeder voor het laatst te zien. Ze stierf een paar weken nadat ze het leven had geschonken aan mijn kleine zusje. Omdat er geen melk was, stierf de baby een dag later. Er zijn te veel baby's geboren die onze moeders weggenomen hebben.' Ingrid hoorde de tranen terwijl hij zijn best deed om zijn stem in bedwang te houden. 'Ole wierp zich op haar lichaam. Vader moest hem er vanaf trekken om haar te kunnen begraven. Nadat we haar met stenen hadden bedekt, vertrok vader met zijn vrienden voor de voorjaarsjacht op zeehonden. Hij bleef zo lang weg, dat grootvader dacht dat hij ergens in het noorden de dood had gevonden en ons naar de buren bracht zodat die voor ons konden zorgen. Daar waren we ook toen hij terugkwam met jouw moeder.' Hij hield abrupt op. 'Waarom begin ik daarover? Dat weet je allemaal allang.'

Ingrid was blij dat hij zijn herinneringen met haar wilde delen. 'Ik vind het niet erg om het nog een keer te horen. Het is fijn om met elkaar te praten.' Het was een oud verhaal dat ze allebei al talloze keren hadden gehoord. 'In het noorden vond vader mijn moeder die bij de Skraelings woonde die hem na een overstroming het leven hadden gered. Ze trokken hem langs een klif omhoog. Toen mijn moeder hem voor het eerst zag, begon ze te gillen.' Ingrid probeerde te lachen. 'En toen trouwde vader met haar en nam haar mee naar huis om voor jou en Ole te zorgen,' zei ze.

Het was eigenlijk raar dat er een verhaal was dat over henzelf ging. Ze vroeg zich af of dat ook voor andere families gold. Misschien waren zij wel anders dan de families die in het zuiden waren gebleven, omdat ze elkaar meer nodig hadden.

Leif pakte de draad van het verhaal weer op. 'Ik was bijna zeven toen vader terugkwam met Astrid. Grootvader was woest dat hij het lef had om een Skraeling in huis te halen terwijl mijn moeder nog maar net in haar graf lag. Ik was ook boos, maar Ole was natuurlijk het ergst.' De tranen biggelden over zijn wangen. Hij wreef ze weg met de rug van zijn hand.

Leif had inmiddels de schoongemaakte vissen opgehangen aan de rekken die tegen stal stonden. Die werd 's zomers alleen gebruikt om hooi op te slaan en vis te drogen. Voordat het winter werd, zouden ze de gaten in het dak weer met plaggen dichten om de kudde tegen de strenge kou te beschermen.

Ingrid keek naar het kleine, eenzame huis. 'Ze is niet bang.'

'Nee. Natuurlijk niet,' antwoordde Leif.

Plotseling hoorden ze het geluid van belletjes en het getrappel van hoeven. Kwispel blafte tegen de achterblijvers. 'Waarom komt Ole al zo vroeg terug?' vroeg Ingrid terwijl ze naar de stand van de zon keek. 'De dag is pas half voorbij.'

'Hij zal het wel weten,' zei Leif.

Ingrid werd bekropen door een opwelling van woede. Hoe kon Ole het weten en waarom zou hij zich er iets van aantrekken? Ingrid had het gevoel dat ze aan de grond genageld stond, terwijl Leif zich haastte om de weg naar de schaapskooi vrij te maken. Pas toen kwam Ingrid ook weer in beweging. Er moest gewerkt worden. Ze hielp haar halfbroers de kudde naar binnen te brengen. Leif sloot het hek.

'Hoe gaat het met Astrid?' vroeg Ole aan Leif.

'Kijk zelf maar.' Leif draaide zich om en wees. Terwijl zij de schapen en de geiten in de kooi dreven, had Halvard zijn vrouw naar buiten gebracht. Hij had haar op het lange gras gelegd, tussen de klaprozen en de klavers, en was toen achter haar gaan zitten, met haar hoofd in zijn schoot. Oles mond viel open toen hij de hertenleren jurk zag. Ingrid probeerde haar halfbroer aan te kijken, maar hij wendde zich snel af. Toen hij zich weer omdraaide, stond zijn gezicht strak en hij wilde haar niet aankijken. Als hij iets voelde, liet hij daar niets van blijken.

Halvard wenkte hen. 'Kom hier, Ingrid. En jullie ook,' zei hij tegen zijn zoons. 'Ze wil ons allemaal bij zich hebben.' Hij wiegde zijn vrouw en streelde haar slanke donkere vingers en haar wang.

Ingrid rende naar hen toe en knielde naast haar ouders op het gras. Ze pakte de andere hand van haar moeder en drukte er even haar lippen op. 'Moeder,' fluisterde Ingrid. 'Ik zal nooit vergeten wat je tegen me hebt gezegd.' Moeder stak haar hand naar haar uit en haar uitgemergelde lippen wierpen haar een kus toe.

Leif en Ole volgden onzeker. Halvard wenkte dat ze dichterbij moesten komen. Samen wachtte het gezin op het einde. Toen het kwam, leek het op een zacht briesje. Moeder sloeg haar ogen op alsof ze iemand begroette die zij alleen kon zien en probeerde te glimlachen. Ingrid volgde de blik van haar moeder, maar ze zag niets. Ze vocht tegen onwillige tranen. Tegen de tijd dat haar ogen weer helder waren, was moeders hand slap geworden. Vader had zich niet bewogen. Ingrids broers kwamen nog dichterbij, maar in plaats van dat ze met hun vijven in het gouden zonlicht op het groene erf zaten, waren ze nog maar met hun vieren.

Hoofdstuk

Halvard wikkelde Astrid in schaapsvellen en legde haar lichaam in een ondiepe geul naast de grafjes van hun dode baby's. Samen bouwden ze een grafheuvel van stenen over haar laatste rustplaats. Ze werkten snel en in stilte, want niemand had behoefte om te praten. Toen ze klaar waren, liep Halvard langzaam en met gebogen schouders terug naar het huis. Hij zag er ineens veel ouder uit. Ingrid, die hem nakeek, wachtte tot hij de deur achter zich had dichtgetrokken, voordat ze zich naast de grafheuvel op de grond liet zakken. Ze drukte haar voorhoofd tegen de stenen.

Leif liep weg bij zijn zusje en ging op het gras zitten, omdat hij voor de verandering niets te doen had. Hij trok zijn knieën op en vroeg zich af wat er nu met zijn familie zou gebeuren. Het feit dat hij al eerder een moeder had verloren, maakte dit tweede verlies niet gemakkelijker. Astrid was degene die het gezin bijeen had gehouden. Moeders wisten precies hoe ze dat moesten doen. Thuis betekende Astrid en vader, de zwijgzame Ole en de kleine Ingrid. Hij had haar aan Astrids borst zien liggen en was getuige geweest van haar eerste wankele stapjes. Hun vader had van Ole en Leif mannen gemaakt die, als dat nodig was, voor zichzelf konden zorgen. Hij was inmiddels achttien en Ole twintig. Maar wie moest zijn kleine zusje leren vrouw te worden?

Zoals gewoonlijk was Ole de bergen in gevlucht om alles alleen te verwerken. Als hij verdriet had over de dood van hun stiefmoeder zou hij dat opkroppen en het aan niemand laten merken. Leif was heel anders dan Ole, die nooit iemand nodig scheen te hebben. Hij liet zijn tranen de vrije loop, omdat hem dat opluchtte. Ingrid beschouwde het als een zwakte om eraan toe te geven en Ole had het misschien niet eens nodig. Maar ondanks een dood in de familie moest er toch gemolken worden. Leif liep naar de schaapskooi. Na een poosje kwam Ingrid hem helpen. Zonder iets te zeggen liep ze met de volle emmers naar het huis. De lange dag liep langzaam ten einde. In het westen stond de zon vlak boven de horizon en veel donkerder zou het niet worden. Tegen de tijd dat ze vanaf de melkschuur bij het huis waren aangekomen dreven er oranjemet-roze wolken door de avondlucht. Boven de met ijs bedekte bergen deelden een paar sterren de hemel met een melkachtige, halve maan.

Leif liep achter Ingrid aan naar binnen. Halvard lag op zijn bed en had het gordijn dichtgetrokken. Ingrid liep met een gefluisterd 'welterusten' naar haar eigen smalle bed. Als hij hier bij hen bleef, zou het net zijn alsof hij alleen was. En trouwens, Ole was nog niet terug. Leif pakte een kom verse melk en een stuk schapenvlees. 'Ik ga nog even naar buiten om op Ole te wachten,' merkte hij op. Zijn vader noch zijn zuster reageerde.

Het maanlicht overgoot de geraamtes van de stenen huizen op de heuvels in de buurt met een zilveren gloed. De Westelijke Nederzetting was een welvarende gemeenschap geweest toen Leifs vader nog jong was. Zijn somberheid nam toe en bedrukte hem. Astrids geest zou hier in de schaduw van de Groenlanders niet gelukkig rondwaren. Bevrijd van haar ziekte en niet langer aan de aarde gebonden kon niets haar tegenhouden om terug te keren naar de geesten van haar eigen volk. Ze had tegen iemand geglimlacht, een geest die zij alleen had kunnen zien. Misschien was die vader over wie ze het zo vaak had gehad wel teruggekomen om de geest van zijn dochter naar huis te brengen.

Leif schudde zijn hoofd en keek op bij het maanlied van een eenzame wolf. Hij wenste dat hij bij die wolf was en net als zijn broer de bergen in kon trekken. De eenzaamheid vrat aan zijn ziel. Hij moest niet stil blijven zitten, anders zou hij erdoor overstelpt worden. Fluitend besloot hij omlaag te lopen naar hun steiger aan het water. Donkerblauwe golfjes kabbelden tegen de rotsen en klotsten tegen de boot. Fijne druppeltjes sproeiden omhoog als een golf tegen de klif sloeg. Hij voelde iets zouts in zijn ogen prikken, dat zilte sporen op zijn wangen achterliet. Hij hoopte dat dit geen teken van ontrouw was aan zijn eigen moeder en probeerde ook aan haar te denken.

Hij stond op het grind en keek uit over de fjord waar de zeevogels deinend op de golven zaten te slapen. Hij werd overspoeld door herinneringen. Het was bijna twaalf jaar geleden dat vader Astrid in zijn boot had meegebracht uit de Northsetur. Op weg naar huis hadden ze hier samen geschuild voor het slechte weer.

Omdat ze geen Noors sprak en niets van het werk van een Groenlandse vrouw af wist, was Astrid heel anders geweest dan de andere mensen. Ze had niet alleen nog nooit een geit gemolken, ze had zelfs nog nooit een geit gezien. Leif had zijn best gedaan haar te haten, maar dat lukte niet. Meteen die eerste dag had hij haar laten zien hoe ze een geit moest melken. Ze leerde snel, al had ze nooit accentloos Noors leren spreken. Vanaf de moord op grootvader was zij de steun en toeverlaat van hun kleine gezin geweest.

Leif leunde met zijn rug tegen de rotswand en keek omhoog naar de sterren die als speldenprikjes aan de grijze hemel stonden. Hij wenste dat zijn grootvader hem voor hij stierf meer over de dood en geesten had verteld. Grootvader was de laatste priester van Odin geweest, een goed en dapper man. Leif was acht jaar en Ingrid nog maar een zuigeling toen een fanatieke monnik grootvader vanachteren met een speer had doorboord. Halvard had meteen daarna de schedel van de dader met zijn bijl opengekliefd, uit naam van de rechtvaardigheid.

Tijdens de jaarlijkse zitting van de Althing, waar hij terecht moest staan, werd besloten dat hij geen misdaad had begaan. De meeste mensen vonden dat de rechters juist en verstandig hadden geoordeeld, hoewel een paar van de kerkpriesters hadden geklaagd dat de Althing een veel te grote bevoegdheid had. Zij beweerden dat de burgerrechtspraak in fatsoenlijke landen altijd ondergeschikt moest zijn aan het oordeel van de kerk, maar wat kon je anders verwachten van Groenlanders? Die lui hadden niet voldoende respect voor de dienaren Gods en de eigendommen van de kerk.

Leif smeet een steen over de fjord. Die zeilde uit zijn vingers omhoog, voordat hij omlaagviel en in het woelige water plonsde. Zijn ogen stonden vol tranen.

Ole kroop pas in bed toen Leif allang weer thuis was. Leif voelde het bed onder zijn gewicht zakken, maar de broers hielden allebei hun mond.

Op de een of andere manier ging de volgende dag voorbij. Toen de stoofpot klaar was, ging de olielamp uit. Ingrid had van haar moeder geleerd dat ze geen brandstof mocht verspillen. Toen ze hen allemaal een dampende kom met schapenvlees en soep overhandigde, bestudeerde Leif haar gezicht. Een dag geleden had ze zich aan hem vastgeklampt en toegegeven aan een moment van zwakte. Hij had het liefst tegen haar willen zeggen dat ze zich niet hoefde te schamen voor haar verdriet, maar alleen die opmerking zou haar al beschaamd maken, dus hij knikte alleen bij wijze van dank en begon te eten.

In de stille kamer waren alleen etensgeluiden te horen. Buiten verhief Kwispel zijn stem tegen de opkomende maan. Leif was net van plan om zijn kom weg te zetten en aan het werk voor die avond te beginnen, toen Halvard vroeg of ze allemaal nog even wilden blijven zitten. Hij moest iets met ze bespreken.

'Het is midzomer en bijna tijd om te maaien en het hooi binnen te halen,' zei vader. 'Door de dood van Astrid is er een eind gekomen aan onze ballingschap, maar ik wil pas de volgende lente naar het zuiden trekken. Anders komen we vlak voor de winter aan en dan hebben we geen huis en geen voedsel om de winter door te komen.'

'Geen huis?' vroeg Ole. 'Wat bedoelt u? U hoeft toch alleen maar tegen Osmund te zeggen dat u uw eigendom terug wilt? U denkt toch niet dat hij de boerderij wil houden?'

'Dat is niets voor Osmund,' beaamde Leif.

Halvard schudde zijn hoofd en keek even omhoog. 'Alleen de goden weten wat er tijdens onze afwezigheid met mijn land is gebeurd.' Hij zweeg en dacht met zijn handen op zijn knieën na over zijn volgende woorden. 'We mogen nergens op rekenen.' Zelfs Ole was het daarmee eens. 'Jullie zijn volwassen. We moeten samen beslissen wat we gaan doen. Ik wil niet afhankelijk zijn van onze oude vrienden als we opnieuw een boerderij beginnen.'

Leif keek zijn broer even aan. 'Toen we naar het noorden kwamen, hadden we niets anders dan een kleine kudde en we hebben drie winters overleefd. Veel erger zal het in het zuiden niet zijn. Hoe het er ook in het district voorstaat, ik vind dat we in de lente direct als de fjorden weer bevaarbaar zijn terug moeten naar het zuiden. We zullen de boot nodig hebben. Op naar het zuiden, allemaal.' Ole trok zijn vuurrode wenkbrauwen op.

'Wil jij niet naar het zuiden?' vroeg Halvard hem.

'We zullen wel moeten, anders kunnen we net zo goed aan de Skraelings vragen of we bij hen welkom zijn.'

Halvard keek Ole strak aan en probeerde te raden welke gedachten onder die boosheid schuilgingen. 'Gevoelsmatig zeg ik dat we ons niet moeten presenteren als een stel vluchtelingen of bedelaars. Misschien hebben we nu de kans om onze kudde uit te breiden. We zijn immers nog maar met ons vieren. Misschien krijgen we een zachte winter. Dat moeten we dan maar hopen. Als er in de Oostelijke Nederzetting alleen nog maar vrome christenen wonen en we komen daar aan als een stel bedelaars in lompen, zullen ze ons als een stel veroordeelde misdadigers beschouwen.'

'En afmaken waarmee ze al bezig waren toen we vertrokken?' informeerde Ole met een gezicht als een donderwolk. 'Dan kunnen we beter bij hen uit de buurt blijven.'

Halvard wuifde die verontrustende woorden weg. 'We moeten toch terug. We zullen eerst nog andere problemen uit de weg moeten ruimen voor we in dat district komen. Nu Astrid er niet meer is om een goed woordje voor ons te doen, zoals op de heenweg, zullen de Skraelings hier in de buurt misschien proberen ons te doden zodra we deze beschermde vallei van ons verlaten.'

'Denk je dat echt, vader?' vroeg Ingrid. 'We hebben ze toch gezien in hun boten van zeehondenvel. Ze weten dat we hier zijn. Ze laten ons met rust en ze jagen ook niet op onze schapen en geiten. Waarschijnlijk zullen ze blij zijn als we hier voorgoed weggaan.'

'Ik denk dat ze bang zijn voor de geesten die ze zelf hebben verzonnen. Daarom laten ze ons met rust. De meeste Skraelings zouden een viking op het eerste gezicht doden.'

'Dat is hun goed recht. De meesten van ons zouden hetzelfde met hen doen,' zei Leif.

'Als we de boot nemen, kunnen we hen omzeilen,' zei Halvard. 'Ik ben er nog niet uit hoe we dan ons vee mee moeten nemen, maar we hebben nog genoeg tijd om daarover na te denken. Goed, komende lente gaan we dus terug en proberen in het zuiden weer een bestaan op te bouwen. Het zal niet meevallen, maar onmogelijk is het niet.' Hij keek omhoog naar het kleine raampje in de stenen muur waardoor hij nog net een stukje van de blauwe hemel kon zien. 'Ingrid moet wollen kleren voor ons maken, zodat we er niet als Skraelings uit zullen zien. Als de mensen ons zo langs Brattahild en door Eriks Fjord zien zeilen, denken ze nog dat we de boot gestolen hebben.'

'Dat is veel werk,' zei Ingrid terwijl ze van haar vader naar haar broers keek. 'Ik wil niet klagen, maar ik weet niet of ik dat wel op tijd klaar krijg.'

'Ik wil wel leren weven,' zei Leif. 'Dan kun jij je beperken tot knippen en naaien. We moeten ook een nieuw zeil maken. We zullen het grootste deel van de winter toch binnen zitten. Dan hebben we meer dan genoeg tijd.'

Het scheelde een haartje of het meisje begon te lachen. 'Zou je dat echt willen?' vroeg ze. 'Weven is vrouwenwerk.'

'Als ik me goed herinner, help jij ook bij het vissen, het hooien en het hoeden van vee. Omdat we maar met zo weinig zijn, moeten we ons wel aanpassen.'

Ingrid grinnikte. 'De Groenlanders zullen ons dan misschien niet voor Skraelings aanzien als we in het zuiden komen, maar ik weet zo weinig van kleren maken af dat ze zich zullen afvragen waar we vandaan komen.'

Ole hield zijn mond, maar Halvard was blij dat zijn jongste zoon en zijn dochter zo goed met elkaar konden opschieten. Toen ze naar het noorden waren vertrokken, hadden ze allemaal hun oude leven en hun vrienden moeten opgeven en geleerd dat ze op elkaar aangewezen waren. 'Dank je wel, Leif. Ondertussen moeten we alle voorzorgsmaatregelen nemen om de winter door te komen.'

Hoewel het niet donker werd, was het toch tijd om naar bed te gaan. Leif stond op en knikte de anderen toe. 'Ik moet vroeg op om de geiten te melken. Welterusten allemaal, ik ga slapen.'

De dieren schraapten met hun poten door het smerige stro en stonden te blaten van de honger terwijl de wind door de kieren gierde. Het had de afgelopen nacht alweer gesneeuwd. De familie had de spleten zo goed mogelijk dichtgestopt met modder, maar ondanks al hun pogingen gierde de ijzige wind toch langs de schaapshuiden die als luiken voor de kleine raampjes waren gespannen. Het enige licht kwam van de kleine, met mest gestookte kachel en van het vlammetje in de stenen olielamp.

Leif kroop onder zijn lappendeken uit en liep rillend naar de andere kant van de kamer om de dieren hun ochtendportie stro te geven. Hij harkte het smerige stro op een hoop om als brandstof te dienen. Ze hadden tijdens hun eerste jaar in het noorden een leiding gelegd vanaf de dichtstbijzijnde warmwaterbron, zodat het water op een bepaalde plek onder de muur binnen kwam en verderop weer naar buiten liep. Veel van de rijkste huizen in het zuiden hadden een soortgelijke installatie, die ervoor zorgde dat ze geen sneeuw hoefden te smelten voor drinkwater of om hun vee te drenken. Behalve stukken geitenvlees en gedroogde wortels sprenkelde Ingrid ook gebarsten en gestampte zaden door hun eten om de stamppot, die boven het zwakke vuur nauwelijks sudderde, wat steviger te maken.

'Het is bijna klaar,' zei ze. 'De winter heeft te lang geduurd.'

'Je hebt net als je moeder zaden gebruikt en daardoor hebben we langer met ons eten kunnen doen, maar nu begint de bodem toch in zicht te komen.'

'Als we allemaal de hongerdood sterven, hoeven we de tocht naar het zuiden ook niet te maken,' zei Leif kribbig.

Ingrid nam niet de moeite om tegen hem te zeggen dat hij steeds meer op Ole ging lijken. Die had zijn armen over elkaar geslagen en hield zijn mond.

Leif wist dat zijn honger hem chagrijnig maakte. Vader deed ook nog nauwelijks zijn mond open. Ze hadden geen van allen zin om verhalen te vertellen, zoals Astrid vroeger altijd had gedaan. De dagen leken allemaal op elkaar. Ze hadden het vee naar binnen moeten halen om het beetje warmte dat ze hadden met elkaar te delen. Maar de vieze lucht maakte hun humeur er niet beter op.

'Zouden jullie vandaag iets in jullie visgat vangen?' vroeg Ingrid.

Halvard bukte zich om nog wat smerig stro op de kachel te gooien. 'Hoe zou ik dat moeten weten?' snauwde hij. Maar hij verontschuldigde zich meteen. 'Het spijt me, Ingrid. Neem me niet kwalijk dat ik die toon tegen je aansloeg. Je doet je best.'

'We zullen nog een schaap moeten slachten,' zei Leif. 'Ik weiger om van honger te sterven zolang we nog vee over hebben. We zouden eigenlijk op jacht moeten gaan, in plaats van hier als een stel makke schapen te blijven zitten. We zouden de manier van leven van de Skraelings over moeten nemen. Die hoeven nooit honger te lijden.'

Ole was niet uit zijn bed gekomen. 'Nou, doe wat je niet laten kunt. Ga dan op die manier leven. Waarom ga je niet bij ze wonen?' zei hij. 'Ik word ziek van dat gezeur. Niemand zal je tegenhouden.'

Halvard zat uitdrukkingsloos naar zijn zoons te staren, alsof hij hun gekibbel niet had gehoord. Ingrid wreef in haar magere handen. Zelfs bij de kachel hield ze haar deken nog omgeslagen. Ze wierp Ole een boze blik toe. 'Dat mag je niet zeggen. Hij zou daarbuiten de dood vinden.'

'Dan blijft er voor ons meer te eten over,' antwoordde Ole.

'Zo is het wel mooi geweest,' riep Leif uit. 'Schep mijn kom maar vol. Ik ga nu eten. Daarna kunnen jullie me mijn deel van de overgebleven kazen meegeven. Als ik buiten geen rendier, zeehond of weet ik wát kan doden kom ik niet meer terug. Blijven jullie hier maar geduldig op de dood wachten.'

Halvard tilde zijn hoofd op. 'Terwijl jij daarentegen de jouwe liever gaat opzoeken?'

'Hou op!' riep Ingrid uit. 'Er is niets buiten. Ga niet weg, Leif. Ik wil jou niet ook kwijtraken.'

Leif schaamde zich, maar hij kon niet meer terug. Hij had niet veel kans om daarbuiten in die wildernis in leven te blijven, maar misschien waren de goden bereid hem een beetje geluk te brengen. Niets doen betekende alleen maar een langzamer dood. Vader had gelijk. Hij tartte het noodlot liever dan er hier rustig op te gaan zitten wachten.

'Met de hulp van de goden zal ik wel iets vinden. Wens me geluk, vader.'

'Goed, veel geluk.' Halvard draaide zijn gezicht naar de muur.

'Goede jacht, broertje,' zei Ole met meer hartelijkheid dan hij de laatste tijd had kunnen opbrengen. Leif kleedde zich aan, maakte zijn rugzak klaar en pakte zijn speer. 'Je mag mijn deel van de kaas en het vlees voor morgen ook hebben.'

Toen de zon achter hem laag genoeg aan de hemel stond, trok Leif het stijve, van dierenhuid gemaakte masker voor zijn ogen weg. Astrid had voor hen allemaal maskers gemaakt met spleten om doorheen te kijken, precies zoals de Skraelings droegen. Die beschermden hun ogen tegen het geschitter van de winterzon die van de sneeuw weerkaatste. Ze had ook haar hele gezin van sneeuwschoenen voorzien. En haar uit zaden gemaakte gerechten hielpen hun lege magen te vullen. In zekere zin zorgde ze nog steeds voor hen.

Leifs maag knorde. Hij had al spijt gehad van zijn uitval op het moment dat hij de bescheiden warmte van hun huis achter zich had gelaten en nu was het alleen zijn trots die hem op de been hield.

Inmiddels was de avond ingevallen, ook al maakte dat nauwelijks verschil. Het werd alleen steeds moeilijker om de kou te negeren. Hij had geen herten gezien en ook niets groters dan de gebruikelijke winterknaagdieren. Na een poosje verdween de kille blauwe lucht achter een dik wolkendek. Hij wist dat hij een soort schuilplaats voor de nacht moest maken, voordat het nog kouder werd. Als hij niet in zijn slaap doodvroor, zou hij in het ochtendlicht meer kans hebben om sporen te ontdekken.

Hij was naar het noordoosten gelopen en had het grootste gedeelte van de dag rondgezworven door de uitlopers van de bergen. Hij vond een lage rotswand, uit de wind, en begon daar sneeuw tegenop te stapelen tot hij een lage, aan drie zijden gesloten schuilplaats had gemaakt. Hier kan ik net zo goed sterven als ergens anders, dacht Leif. Hij trok zijn knieën op, wikkelde zich in zijn gewatteerde jas en probeerde te slapen.

De grond trilde. De doodse stilte werd verstoord door gesnuif, geschreeuw en geblaf, waardoor Leif wakker schrok uit zijn hazenslaapje. Zwepen floten en knalden door de lucht. Een kudde rendieren kwam vanuit het gebergte zijn kant op, achtervolgd door honden en, als zijn oren hem niet bedrogen, sleeën van de Skraelings. Leif probeerde vast te stellen uit welke richting het geluid kwam en maakte zich op om zich te verweren.

Binnen een mum had hij zijn speer in de hand, vlak tegen zijn borst. Een moment later klonk het gezoef van benen glijders over de harde sneeuw rond de heuvel. Skraeling-jagers hadden de kudde achtervolgd en dreven de dieren naar de kliffen. Leif dook diep weg, want de hellende wand van zijn schuilplaats begon te schudden. Grote donkere gestalten sprongen over hem heen.

Een hele kudde leek over zijn hoofd te vliegen, terwijl hij de hongerdood nabij was. Leif besloot zijn leven te riskeren om een van die dieren te pakken te krijgen. Toen het volgende beest van de lage klif sprong, ging Leif rechtop staan en terwijl hij zijn speer met twee handen vasthield, stootte hij de schacht omhoog in een poging de bok in de sprong via de onderbuik in het hart te raken. Het dier maakte een rare beweging, krijste en probeerde nog steeds verder te lopen. Voordat Leif het naar zich toe kon trekken, werd de schacht uit zijn hand gerukt. Een vrouwtje dook over de uitstekende punt en raakte met de hoeven van haar voorpoten Leifs achterhoofd. De klap kwam zo hard aan dat hij het bewustzijn verloor.

Toen Leif bijkwam, was hij alleen, met uitzondering van het karkas van de met een gewei getooide bok die hij vlak voordat hij bewusteloos raakte, had gedood. Hij lag ongeveer een meter verderop. Zijn achterhoofd deed pijn. Hij voelde eraan en toen hij zijn hand terugtrok, zat er bloed op. Leif probeerde op te staan, maar zijn been knakte dubbel. Waarschijnlijk was een van de rendieren op hem gevallen of over hem heen gelopen. Nu lag zijn been gestrekt, maar in een rare hoek, en het was duidelijk gebroken. Bij wijze van uitzondering was hij blij met de kou, want die zorgde ervoor dat de pijn verdoofd werd.

Hij had een beest gedood, maar jammer genoeg kon hij het vlees niet naar huis brengen. 'Zoveel pech kan alleen een Noor overkomen!' mompelde hij hardop. Hij schoot in de lach en keek op naar de kille zon. 'Het is te koud om de pijn te voelen, maar de honger blijft! Hartelijk bedankt!' Hij had zijn goden wel willen vervloeken, maar hij kon er geen woorden voor vinden.

Stukje bij beetje sleepte Leif zich naar het gedode rendier. Zijn wintervacht zat vol bloedvlekken. Hij probeerde na te gaan hoe lang hij buiten bewustzijn was geweest. Aan de zon boven de bergen te zien was het nu vroeg in de ochtend – waarschijnlijk dezelfde dag dat hij gewond was geraakt, of hooguit een dag later.

Het rendier was nog niet bevroren. Zou het dan nog maar zo kort geleden zijn geweest dat die kudde op hol was geslagen? Leif trok zijn mes uit de schede in zijn hoge laars en stak dat in de flank van het dier. Tot zijn verbazing zag hij een straaltje bloed te voorschijn komen dat nog steeds warm was. Omdat hij niet op kon staan en echt rammelde van de honger, drukte hij zijn mond tegen de wond en dronk zoveel mogelijk. Hij trok stukjes vlees los met zijn tanden en slikte de brokken half gekauwd door.

Toen het hongergevoel eindelijk een beetje bedaard was, droop zijn kin van het halfbevroren bloed. Hij zuchtte dankbaar en maakte zich op om de dood in de ogen te zien. Hij zou in ieder geval niet van honger sterven. Toen hij rechtop ging zitten en om zich heen keek, zag hij dat hij omringd was door een stuk of zes mannen met slonzige baarden, die gehuld waren in anoraks en broeken van vossen- en berenhuiden. Hun honden grauwden en lieten hun scherpe tanden zien. De mannen hadden zich in een halve cirkel rond Leif opgesteld en stonden behoedzaam naar hem te kijken.

Zouden ze denken dat hij een boze geest was? Hij likte het bloed van zijn lippen, maar het zat ook op zijn handen, op zijn gezicht en op zijn kleren. Zijn zachte jonge baard, die ook al rood van zichzelf was, droop van het bloed. De jagers stonden tegen elkaar te mompelen en een van hen hief zijn speer op. De leider stak zijn hand op alsof hij Leif tegen wilde houden, alsof ze verwachtten dat hij zich op hen zou storten. Dachten ze dat hij een geest was? Waarom deden ze niets?

Een ironische schaterlach welde op uit Leifs keel. 'Ik ben een mens!' schreeuwde hij. 'Ik heb het koud en ik ben op sterven na dood, maar ik heb tenminste geen honger meer!' Hij lachte opnieuw. De mannen richtten hun wapens op hem. Leif spreidde zijn armen en gaf zijn borst bloot zodat ze hem snel konden doden. 'Toe maar!' zei hij. 'Gebruik je ogen. Ik kan mezelf niet verdedigen. Zien jullie dan niet dat ik een gebroken been heb?'

De mannen dromden samen tijdens zijn onverstaanbare toespraak en pleegden fluisterend overleg. Een van hen wees naar zijn been en zei waarschijnlijk dat ze niets van hem te vrezen hadden, omdat de arme kerel zwaargewond was. De Skraeling met de meeste tatoeages en lang blauwzwart haar dat uit de met bont gevoerde capuchon van zijn parka hing, zette zijn in een want gehulde hand tegen zijn mond en schreeuwde een naam. Een van de andere mannen, een jonge jager, kwam naar hem toe en ze stonden samen te praten.

De jongeman boog zich over Leif heen om zijn haar en zijn kleren te bestuderen. Daarna keek hij om en zei iets tegen zijn metgezellen. De getatoeëerde man liep naar Leif toe om zijn gebroken been te bekijken. Hij mompelde woorden die net zo goed toverspreuken als vloeken konden zijn, of misschien waren het dezelfde sussende geluidjes waarmee Leif een angstig schaap geruststelde om te voorkomen dat het zich tijdens de slacht zou verzetten. Toen hij probeerde Leifs wang aan te raken, ontblootte Leif zijn tanden en grauwde hem uitdagend toe.

Als hij moest sterven, wilde hij niet het slachtoffer worden van martelingen door de Skraelings. Wie wist wat ze met hem zouden doen? De jonge jager liet zich niet afschrikken. Hij bleef de vreemde duivel, want zo zouden ze hem ongetwijfeld beschouwen, aandachtig bekijken. Maar zíj waren de duivels. Ondanks zijn voornemen om zo waardig mogelijk te sterven, hoorde hij zichzelf schreeuwen: 'Raak me niet aan. Dood me nu maar, dan is het gebeurd!' Terwijl hij dat riep, wist hij al dat ze hem niet zouden verstaan.

'Hou je koest!' zei de jongeman in acceptabel Noors. 'We proberen je te helpen.'

Hoofdstuk 3

De schok en de kou zorgden ervoor dat Leifs keel zo werd dichtgeknepen dat hij geen woord kon uitbrengen. Vragen zoemden als
hinderlijke vliegen door zijn hoofd. Waar had die jonge jager
Noors geleerd? Waarom had hij voorkomen dat de Skraelings hun
speren in zijn borst hadden geplant en hoe was hij daarin geslaagd,
terwijl ze kennelijk trappelden van verlangen om hem eraan te rijgen?

'Willen jullie me echt helpen?'

De jongeman haalde zijn schouders op. Leif vroeg zich af of dat
eerste zinnetje soms de enige beschaafde woorden waren die de jager kende. En waar zou hij dat trouwens hebben geleerd? De jager
wees naar de man die kennelijk hun leider was en gebaarde dat hij
zou proberen Leif te helpen als hij kon.

In de ogen van een paar van de Skraelings stond nog duidelijk
wrevel te lezen, maar ze gehoorzaamden hun leider en lieten hun
van benen punten voorziene speren zakken. De meest vergrijsde
mannen lieten een boos protest horen, maar ze bleven de getatoeëerde man gehoorzaam aankijken, in afwachting van zijn verdere bevelen.

De leider, het opperhoofd of de sjamaan, of misschien wel allebei, bleef vanaf grote hoogte op hem neerkijken, althans die indruk
kreeg Leif die hulpeloos aan zijn voeten lag. Wie of wat de leider
ook mocht zijn, de anderen gehoorzaamden hem. Zwarte sliertjes
kronkelden om de wangen van de man. Zijn kin was van zijn on-
derlip tot aan de kraag van zijn jas bedekt met zwarte en paarse
strepen van verschillende lengte, afgewisseld met achthoekige fi-
guurtjes. Over zijn voorhoofd zwommen blauwe vissen of zeehon-

den. Zijn ondoorgrondelijke gezicht straalde macht uit.

De jongeman sprak vol eerbied tegen zijn leider. De hoofdman trok zijn wenkbrauwen op, maar de stem die het woord voerde, bleef kalm en vol respect. Terwijl ze met elkaar stonden te praten, zag Leif dat de linkerhand waarmee de man die voor hem opkwam zijn speer vasthield licht trilde. Zijn andere hand gebaarde sierlijk door de lucht, alsof hij zijn woorden wilde onderstrepen. Leif was dankbaar dat zijn verdediger zo goed van de tongriem was gesneden.

De jongere man telde zijn argumenten af op zijn vingers. Omdat hij niet voor zichzelf kon opkomen, moedigde Leif hem in stilte aan, hoewel hij geen flauw idee had waar het gesprek over ging. Stel je voor dat hij alleen maar voorstelde om Leif vandaag nog in leven te laten, zodat ze hem morgen aan de Vrouw van de Zee konden offeren? Per slot van rekening was hun jacht gunstig verlopen. Misschien hadden ze een offer nodig om haar te bedanken. Hielden Skraelings Groenlanders als slaven? Leif was zo zwak en had zoveel pijn dat hij geen enkele tegenstand zou kunnen bieden. Ten slotte liet de sjamaan een instemmend gegrom horen en gaf de andere jagers opdracht hun speren en harpoenen op te bergen.

De jagers zetten hun wapens in houders vlak bij de handgrepen van hun sleeën. Sommigen bleven mopperen, maar ze stapten op hun volgeladen sleeën, lieten hun zwepen boven de hoofden van hun honden knallen en stoven weg.

De sjamaan en de jongeman bleven achter. Ze hurkten neer op de vertrapte en bebloede sneeuw en bogen zich over hem. Leifs verdediger herhaalde iets wat hij al eerder had gezegd: 'Hou je koest, Qallunuk.' Daarna kneep de jongeman zijn ogen heel even dicht alsof hij zich iets probeerde te herinneren. 'Groenlander,' verbeterde hij.

De sjamaan pakte Leif bij zijn kin en tilde zijn gezicht op zodat hij hem in de ogen kon kijken. Leif probeerde vergeefs te knipperen. Zijn wilskracht smolt weg onder de blik van de machtige hoofdman. Een vis aan de haak of een geharpoeneerde zeehond zou meer weerstand hebben geboden. Ten slotte mocht hij zijn ogen afwenden. Desondanks liepen de rillingen hem over de rug en hij vroeg zich af of hij nog hoop mocht koesteren of dat zijn laatste uur was aangebroken.

Zoals de zon zijn ogen door zijn gesloten oogleden heen kon verwarmen, zo drong de uitstraling van de sjamaan door tot in Leifs hoofd. Leif werd duizelig, overmand door de geestkracht waarmee de sjamaan hem dwong zijn verdriet, zijn boosheid en zijn eenzaamheid te tonen, en zelfs de honger en de rusteloosheid die hem verdreven hadden uit de relatieve geborgenheid van zijn ouderlijk huis. Leif zag in gedachten hoe hij hun eenzame huis verliet en op sneeuwschoenen aan zijn trektocht over onbekend terrein begon. Hij zag zichzelf bewusteloos onder aan de klif liggen, als slachtoffer van de op hol geslagen rendieren. En wat nog veel erger was, hij zag hoe hij zijn gezicht begroef in het opengereten karkas van het rendier, er stukken vlees uit beet en het bloed als een wolf opslurpte. Waar haalde die man het lef vandaan om door te dringen tot zijn gedachten en toe te kijken hoe hij als een wild beest zijn honger stilde?

Maar hij was niet in staat zijn gedachten een halt toe te roepen. Allerlei beelden schoten door zijn geest, droombeelden, met uitzondering van de bovennatuurlijke aanwezigheid van de sjamaan, die samen met hem door zijn geheugen ploegde. De man ondervroeg hem zonder woorden. Had hij ooit iemand van hun volk gedood? Nee. Had hij weleens die wens gekoesterd? Nee. Ze kwamen nooit in de buurt van zijn woonplaats, want hij woonde te midden van de geesten van de verwoeste Westelijke Nederzetting. Er was nooit sprake geweest van enig conflict. Hoe voelde hij zich nu? Welke gevoelens koesterde hij ten opzichte van hem? De waarheid.

Boos, dacht Leif. Zijn gewonde been belette hem te vluchten, maar hij wilde die indringer uit zijn hoofd verdrijven, hem met zijn vuisten tegen de grond slaan om aan hem te kunnen ontsnappen. Hij wilde niets liever dan de hulp van zijn eigen goden inroepen om die indringer verjagen. Hij dacht aan Thor, de Hamerwerper, met zijn haren van vuur. Thor brandde en knetterde als de bliksem. Hij riep ook de hulp in van de eenogige Odin, de koning der goden, duister als de nacht, weerzinwekkend en machtig met zijn enige oog brandend als een vlam. En plotseling was Leif weer alleen, bevrijd van de indringer. De sjamaan sprong verbijsterd achteruit.

Waren Leifs goden hem te hulp geschoten? Had hij zich de woede van de sjamaan op de hals gehaald door zich te verzetten tegen de inbreuk? Terwijl de twee wilden overlegden wat ze met hem aan moesten, groeven hun honden een nest in de sneeuw. Ze krulden zich op en maakten gebruik van de gelegenheid om met hun neus onder hun staarten een dutje te doen. Wat zou de sjamaan besluiten? Had Leif bewezen dat hij het waard was om in leven te blijven?

De jonge Skraeling klopte op zijn arm. 'We zullen je helpen,' zei hij. 'Hou je maar koest.'

Opnieuw dezelfde woorden. Leif had het gevoel dat hij een manier moest vinden om hem te bedanken. Hij knikte zijn redder toe en liet zijn hoofd zakken.

De jongere man liep om hem heen en pakte hem vanachter bij zijn schouders vast zodat hij zich niet kon bewegen. De sjamaan ging naast Leifs linkerbeen op zijn hurken zitten en betastte de gewonde plek. Daarna pakte hij het been stevig vast, met kapotte broek en al, draaide het iets en drukte het gebroken bot weer op de plaats. Leif snakte naar adem bij de snerpende pijn. Het ergste was snel voorbij, maar hij bleef nog even natrillen en voelde zijn hart bonzen. Hij was opnieuw dankbaar dat het nog zo ontzettend koud was. Daarna nam de pijn af en werd al gauw draaglijk. Terwijl hij knipperde om de tranen te bedwingen die hem in de ogen waren geschoten, bedankte hij de sjamaan fluisterend, ervan uitgaand dat de man wel zou begrijpen wat hij bedoelde.

Ze wikkelden huiden om zijn been die ze met banden over zijn bebloede broek vastmaakten en ondertussen sprak de sjamaan op zangerige toon spreuken uit die waarschijnlijk genezende kracht hadden. Leif twijfelde er geen moment meer aan dat de man over bovenmenselijke krachten beschikte. Toen hij klaar was, bukte hij zich en tilde Leif op. De Skraeling droeg Leif moeiteloos naar een van de sleeën, waar hij hem tussen de bundels neerzette. Onder de dikke bontvellen die de jongere Skraeling om hem instopte, werd hij aan de slee vastgebonden. 'Sammik,' zei hij, terwijl hij op zijn borst wees.

'Sammik,' herhaalde Leif en vroeg zich af waarom die naam hem bekend voorkwam. 'Leif,' zei hij en maakte hetzelfde gebaar. 'Sammik, wie heeft jou onze woorden geleerd?' Sammik gaf geen antwoord, maar keek Leif met grote ogen aan. 'Waarom wilde je niet hebben dat ze mij doodden?' De ander hield zijn hoofd schuin. Hij kende een paar woordjes Noors, maar waarschijnlijk niet genoeg om Leifs vragen te begrijpen en zeker niet genoeg om ze te beantwoorden.

Sammik haalde zijn schouders op. 'We gaan.' De twee jonge-mannen bleven elkaar nog even aankijken, tot Sammik naar zijn eigen slee liep en erop ging zitten, met zijn voeten voor zich uitgestrekt. Hij liet de zweep boven de ruggen van zijn honden in de lucht knallen. De honden sprongen op, schudden de losse sneeuw uit hun vacht en zetten het op een lopen.

De sjamaan ging achter Leif staan, met zijn laarzen tegen Leifs schouders en armen. Toen hij naar zijn honden floot, zette de slee zich in beweging over het spoor dat de vertrokken jagers hadden achtergelaten, eerst langzaam en daarna steeds sneller. De koude wind gierde langs Leifs oren. Hij trok het bont omhoog om ze warm te houden en zijn ogen te beschermen. Zijn warme adem sloeg tegen het bont, dat na een tijdje vochtig aanvoelde tegen zijn gezicht. Ondanks de hobbelige tocht en alle opwinding die hij achter de rug had, begon zijn hoofd te knikken. De pijn die hij nog voelde, werd verdoofd door zijn aanhoudende honger, de vermoeidheid van zijn eenzame jacht en het bloedverlies. Zijn ogen vielen dicht en hij zakte weg in een diepe, droomloze slaap.

Hij schrok wakker van een ruk aan zijn haar en het gegil van een kind. Toen hij het bont van zijn gezicht trok, hoorde hij kinderen lachen. De honden waren verdwenen en de slee stond stil voor een van de koepelvormige, uit stenen opgetrokken hutten. De kinderen maakten zich uit de voeten.

Leif voelde aan zijn haar dat in de wind stijf was geworden van het gestolde bloed. Daardoor leek het net alsof zijn hoofd ook afgehakt was. De vrouw die de slee kwam uitladen, gilde nog harder dan het kind terwijl ze naar hem stond te wijzen en alle omstanders smeekte haar te helpen.

Sammik kwam haastig naar de slee van de leider toe lopen, waarop Leif nog steeds vastgebonden lag aan de rest van de lading. De vrouw gebaarde wild dat Sammik de demon moest doden. Maar Sammik pakte haar handen stevig vast en trok haar mee om de toestand uit te leggen. Hij had haar nog niet kunnen overtuigen toen de sjamaan terugkwam. Die had kennelijk heel wat meer gezag in de gemeenschap dan Sammik. De getatoeëerde man hoefde maar een paar woorden tegen de vrouw te zeggen om haar tot bedaren te brengen.

De twee mannen maakten de banden los waarmee Leif op de slee was vastgebonden. Ze tilden hem voorzichtig op, legden hem op een rendiervel en sleepten hem door de tunnel die toegang gaf tot een van de hutten. De ingang liep eerst naar beneden en vervolgens weer omhoog tot ze in een groot vertrek kwamen. Na het felle zonlicht leek het binnen erg donker, maar het duurde niet lang tot Leif de brandende olielampen zag en één breed raam in de dikke stenen muur boven de tunnelingang. Het raam was bespannen met een dubbele laag doorzichtig vlies, dat de kou buiten hield en tegelijk voor extra licht zorgde.

De mannen brachten Leif naar een kleine ruimte die was afgeschut met behulp van een gordijn en legden hem op een verhoging die bedekt was met bontvellen. 'Blijf op *illeq* liggen,' zei Sammik terwijl hij op de verhoging klopte. 'Vrouwen komen. Wassen en eten.' Hij gebruikte simpele gebaren en deed net alsof hij at en zichzelf schoonwreef.

Leif knikte en glimlachte. 'Dank je wel,' zei hij. Hij pakte Sammiks hand en drukte die tegen zijn voorhoofd. Hij hoopte dat het gebaar duidelijk zou maken hoe dankbaar hij was. Sammik knikte, maar ging vrijwel meteen weg en liet Leif alleen achter.

Al snel daarna kwamen twee oude vrouwen naar binnen kruipen. Hun haar leek bijna licht door de vele strengen grijs en hun gezichten waren even gerimpeld als geplet leer. Terwijl ze zich bukten, sleepten ze doeken, potten en zakken naar binnen. Daarna bekeken ze Leif grondig en stonden tegen elkaar te mompelen. Ze zeiden geen woord tegen hem, maar begonnen meteen aan hun werk. De een goot water op de lappen en begon het bloed uit Leifs haar en van zijn gezicht te wassen. 'Au,' gilde hij toen ze iets te stevig over zijn gewonde hoofd wreef. De vrouw lachte naar haar vriendin, maar ze was wel iets voorzichtiger toen ze hem verder waste.

Tot Leifs grote ergernis trokken ze hem zijn van geitenvel gemaakte hemd uit. Hij verwachtte dat hij het koud zou krijgen, maar er dreven meerdere pitten in de olielamp die het vertrek behaaglijk warm hielden. Hij griste de lap uit de handen van een van de vrouwen en waste zelf zijn borst. Lagen zweet en lampenzwart verdwenen van zijn huid terwijl hij zat te boenen. De vrouw goot nog meer water over hem heen en begon hem toen stevig af te drogen. Ze klom achter hem op de illeq en plensde koud water over zijn rug. Hij snakte naar adem en kreunde terwijl zij triomfantelijk tegen haar vriendin zat te giechelen.

Toen hij dacht dat ze eindelijk klaar waren en hem met rust zouden laten, pakte een van de oude wijven een sikkelvormig mes en hield dat boven zijn been alsof ze overwoog wat de beste plek was voor de eerste snee. Hij keek wild om zich heen. 'Sammik, ze willen mijn been afhakken!' brulde hij. De oude wijven zeiden kortaf dat hij zijn grote mond moest houden. Dat begreep hij zelfs zonder vertaling.

Heel zorgvuldig trok de vrouw de bebloede wol van zijn broek omhoog en sneed de pijp open. Het ivoren lemmet van het mes raakte zijn huid niet eens. De vrouw vouwde de stof opzij om de wond bloot te leggen. Ze wasten het bloed van zijn gebroken been en droogden het voorzichtiger af dan hij voor mogelijk had gehouden. Een van hen bedekte de plek van de wond met een vettige zalf die naar gedroogde kruiden rook. Daarna pakte de vrouw die het dichtst bij hem stond een naald uit haar zak, zo lang als Leifs pink. Hij keek met grote ogen toe hoe ze een pakje met verharde, uit pezen getrokken draden naast hem neerlegde. Leif voelde het bloed uit zijn gezicht wegtrekken. De ene vrouw drukte de wond dicht en de andere naaide de gescheurde huid met een paar steken aan elkaar, alsof het stof was. Toen ze klaar was, haalde Leif opgelucht adem. Hij dankte zijn goden in stilte dat hij geen kik had gegeven en zich dus niet hoefde te schamen. De twee medicijnvrouwen kenden hun vak.

Ze verbonden de wond met repen leer en schone lappen dierenhuid. Toen dat was gebeurd, sneden ze de rest van zijn kleding weg. De broekspijp was toch al vernield, maar hij bloosde omdat hij daar naakt en hulpeloos voor de ogen van die oude wijven zat.

Zonder enig vertoon van schaamte betasttten ze zijn bleke huid met hun knokkels en hun zwart verkleurde nagels. Leif legde een hoek van de bontdeken over zijn benen om te voorkomen dat ze nieuwsgierig naar zijn kruis zouden staren. Een van de vrouwen fluisterde iets tegen haar vriendin. Die verdween door de tunnel en kwam kort daarna terug met een brede, met klei verharde mand. Die hield ze hem voor met een komisch en eigenlijk onnodig gebaar, omdat hij meteen begreep waarvoor het ding diende.

De vrouwen trokken zich niet terug, maar bleven strak naar hem kijken. Zouden ze zich afvragen of witte duivels zich anders van hun ontlasting ontdeden dan Skraelings? Hij moest onwillekeurig lachen, hoewel hij zich helemaal niet op zijn gemak voelde. Na een tijdje lieten ze hem alleen.

Een poosje later kwam een van hen terug met een lang hemd van rendierhuid, dat aan de voorkant in een punt viel. Leif pakte het kledingstuk dankbaar aan en trok het over zijn hoofd. Het bedekte zijn billen en als hij had kunnen staan zou de driehoekige punt aan de voorkant tot op zijn knieën zijn gevallen. Het leer was even zacht als wol. 'Dank u wel,' zei hij in het Noors en wenste dat hij het Skraelingwoord voor die uitdrukking kende of dat Sammik het voor hem zou kunnen vertalen.

De tweede vrouw kwam ook weer naar binnen kruipen en gaf Leif een ivoren lepel en een kleine, van een deksel voorziene kom vol gekookt vlees en wortels in bouillon. Hij hoopte maar dat het rendier of zeehond zou zijn, maar na al die dagen dat hij nauwelijks iets te eten had gehad had hij zelfs zijn neus niet opgetrokken voor hondenvlees.

Hij dwong zichzelf het eten niet naar binnen te schrokken. Toen hij het op had, zette hij de kom aan zijn mond om ook de laatste druppels van de warme soep naar binnen te werken. Daarna gaven de vrouwen hem een met water gevulde blaas. Hij dronk gulzig van het frisse koude water. Zoals hij al had vermoed hadden deze mensen het 's winters lang niet zo slecht als zijn eigen familie. Als hij als slaaf bij hen moest blijven, zou hij beter te eten krijgen dan een vrije man in Groenland.

De vrouw die hem zijn eten had gebracht kwam de kom weer ophalen en raadde hem in gebarentaal aan om te gaan slapen. Pas toen ze zeker wist dat hij haar had begrepen, glipte ze weer weg door het uit huiden gemaakte gordijn voor de uitgang.

Hij zou eigenlijk graag willen weten waarom ze hem in leven hadden gelaten en wat de jonge Skraeling daarvoor in ruil wilde hebben. Was hij nu eigendom van Sammik of van het hele stel? Waarom kwam de naam Sammik hem zo bekend voor? Hij scheen zich vaag iets te herinneren, maar er was zoveel gebeurd dat het antwoord uitbleef. En ineens werd het donker in de kamer. De lampen waren opgebrand.

Hij was kennelijk toch in slaap gevallen, maar ineens werd de stilte verbroken door het geluid van stemmen en een ritmisch gebons. Een harde, galmende stem scheen de ruimte te vullen, maar de geluiden kwamen vanachter zijn gordijn. Meerdere stemmen begonnen te zingen en daarna rees er een boven de andere uit, een diepe stem. Dit keer was het een jonge vrouwenstem die antwoord gaf, bedeesd, trillend en gelukkig.

Een bonzend ritme overstemde het antwoord van de verzamelde menigte. De ruimte achter het gordijn was kennelijk vol mensen, die zingend blijk gaven van hun blijdschap. De heerlijke geur van geroosterd hertenvlees drong in zijn neus en Leif voelde de warmte van mensen die samen iets te vieren hadden. Waarom waren ze in deze hut bij elkaar gekomen? Plotseling voelde hij zijn maag samenkrimpen. Stel je voor dat ze op het punt stonden hem te offeren? Misschien luidden dit gezang en de muziek zijn dood in.

Na een poosje hield het zingen op, maar niemand kwam naar hem toe. Leif trok de bontvellen op, probeerde zich te ontspannen en viel opnieuw als een blok in slaap.

De volgende ochtend kwamen de oude vrouwen opnieuw zijn afgeschutte ruimte binnen om hem eten te geven. Ze namen zijn nachtmand mee en brachten die schoon terug. Ze stonden weer met elkaar te kletsen, maar deden geen poging om met hem in gesprek te komen. Hij voelde zich eenzaam en beduusd en kon zich alleen maar afvragen wat er zou gebeuren.

De volgende drie dagen en nachten kreeg hij alleen bezoek van de twee vrouwen, die hem verzorgden en verpleegden. Sammik liet zich niet meer zien. Leif sliep zoveel mogelijk en at wat ze hem voorzetten. Waar had die grote kudde rendieren voldoende weidegrond gevonden? Was er ergens in het binnenland een vallei waar nog gras groeide? Was de lente al begonnen, zonder dat zijn familie in hun afgelegen huis aan de fjord daarvan had geprofiteerd?

De vrouwen kwamen twee keer per dag opdagen, maar hun belangstelling voor hem was verdwenen. Op een keer brachten ze een wijdvallende, uit bont gemaakte broek voor hem mee, die maar tot zijn knieën reikte. Zijn linkerbeen was nog steeds omzwachteld met leren riemen. De wond werd iedere dag schoongemaakt en met hun zalf ingesmeerd, voordat ze weer schone huiden om zijn been bonden.

Hij probeerde of hij kon lopen, maar de pijn bevestigde dat zijn been zijn gewicht nog niet kon dragen. Terwijl hij tegen de muur leunde, hoorde hij zachte stemmen aan de andere kant van het gordijn. Hier woonden mensen en dat betekende dat iemand hem zijn bed had afgestaan. Zoveel moeite voor een slaaf?

Op de ochtend van de vierde dag trok Sammik het gordijn om zijn bed open en stapte Leifs afgeschutte kamertje binnen. Een jonge vrouw volgde hem op de voet. 'Leif,' zei hij en wees vervolgens op de vrouw die inmiddels naast hem stond. Leif dacht dat ze tussen de veertien en de zestien moest zijn. Ze had een glad gezichtje en kleine borstjes onder haar van dierenhuid gemaakte hemd. Haar haar werd met behulp van kammen uit haar gezicht gehouden en zat in een strak knotje achterop haar hoofd.

Om haar mond streden angst en nieuwsgierigheid om voorrang terwijl ze hem met grote ogen aankeek. 'Putu,' zei Sammik, met zijn arm bezitterig om haar heen geslagen.

'Ik groet u, Putu,' zei Leif, hoewel hij heel goed wist dat ze geen woord van zijn Noors verstond.

'Putu... en... ik...' Sammik zocht vergeefs naar de Noorse uitdrukking en nam zijn toevlucht tot gebarentaal. Zijn vingers imiteerden de paringsdaad. Putu sloeg een fijngevormd handje voor haar mond en wendde haar gezicht af. Sammik stelde hem kennelijk zijn vrouw voor. Leif vond haar verlegenheid bijzonder aantrekkelijk. Hij wou dat hij Sammik kon vragen waarom hij drie dagen was weggebleven. Probeerde hij Leif aan zijn verstand te brengen dat Putu zijn meesteres zou worden zodra hij weer kon lopen en werken, precies zoals Sammik zijn meester was?

'Wie woont hier?' vroeg Leif. Sammik gaf geen antwoord, waarschijnlijk omdat hij niet genoeg woorden kende. Leif vroeg zich opnieuw af hoe hij de paar woordjes die hij sprak, had geleerd. Misschien hadden ze al eerder Groenlanders gevangengenomen. Hij vroeg zich ook af of hij de eerste blanke was die hun dorp had betreden. En als ze die anderen nu eens gedood hadden? Hij gebaarde om zich heen naar het huis en vervolgens naar Sammik. Zou de Skraeling begrijpen wat hij probeerde te vragen?

'Iglo van mij? Nee.' Hij wees naar de muren. 'Putu's vader iglo. Iglo... Angakkoq Niroqaq. Ga mee?' Sammik wachtte geduldig tot Leif antwoord zou geven.

'Mee?' herhaalde Leif terwijl hij naar het gordijn wees dat als deur fungeerde. Wat wilde Sammik van hem? Waar moest hij naartoe?

'Mee. Naar huis.'

'Naar huis? Met jou?' Leif nam aan dat hij voldoende genezen was om deze iglo te verlaten en met Sammik mee naar huis te gaan. Hij probeerde op te staan, maar hij slaagde er niet in om zijn been zonder pijn te strekken. Hij wenste dat hij een stok had. Wat zou zijn familie wel denken als ze tot de ontdekking kwamen dat Leif een Skraeling moest dienen?

Sammik en Putu hielpen hem van de illeq af. Een paar jongens en meisjes weken achteruit toen Leif achter het gordijn vandaan kwam. Zonder hun nieuwsgierigheid te verbergen keken ze toe hoe hij door het grotere vertrek hinkte. Groenlanders en Skraelings staken hun wederzijdse vijandigheid niet onder stoelen of banken, wat hun humane behandeling van Leif nog raadselachtiger maakte. Hij gleed door de tunnel op een huid die door Sammik en Putu meegetrokken werd.

Buiten weerkaatste de zon zo fel van de sneeuw dat Leifs ogen begonnen te tranen. Sammiks slee stond vlakbij te wachten. Zijn honden waren ingespannen en de leidsels waren om een paal geslagen, klaar voor het vertrek. De dieren richtten hun neuzen nieuwsgierig op de mensen en keken hen hijgend aan. Leif vond dat het net leek alsof ze stonden te lachen. Putu en Sammik namen hem mee naar een grotere hut. Hij sleepte zijn been achter zich aan door de nieuwe tunnel tot hij in het hoofdvertrek was. Met vereende krachten werd hij weer overeind geholpen. De sjamaan zat met gekruiste benen op een met bont beklede illeq en keek hem vorsend aan. Leif neeg vol respect zijn hoofd. De man reageerde met een nauwelijks merkbaar knikje. Putu en Sammik hielpen Leif op het verhoogde bed tegenover dat van de leider.

'Niroqaq. *Angakkoq,*' zei hij wijzend op zichzelf. Hij deed geen poging om opnieuw in Leifs hoofd door te dringen, maar kwam naar hem toe om te zien of zijn been goed genas. Leif probeerde hem te bedanken. Een vrouw, kennelijk zijn echtgenote en de moeder van Putu, bracht hem een kom bouillon. Hij knikte tegen haar en bedankte haar zo goed en zo kwaad als het ging. Wat betekende het dat ze hem zo gastvrij in hun huis ontvingen? Hij wenste dat Sammik hem dat uit kon leggen, maar hij had inmiddels wel begrepen dat het Noors van de jongeman daarvoor niet goed genoeg was.

Toen hij de kom had neergezet en om zich heen keek, zei Niroqaq iets tegen hem. Hij stond op van zijn illeq en liep naar de andere kant van de kamer. Leif was inmiddels aangesterkt, dus toen de oudere man hem voorzichtig bij de schouders pakte en in zijn ogen keek, bleef Leif hem aankijken. Net als de eerste keer vroeg hij zich af wat die vreemde strakke blik van de oudere man te betekenen had. Hij slaagde erin om de ander een hele tijd aan te blijven kijken, tot zijn ogen begonnen te tranen en hij moest knipperen. De angakkoq scheen blij te zijn, misschien omdat hij zo goed genas. Hij zei iets waar de beide vrouwen van opkeken.

Waren de Skraelings wel zulke duivels als in de Noorse overlevering werd beweerd? In het tegenovergestelde geval zou er vrijwel geen Groenlander bereid zijn geweest zich te ontfermen over een gewonde Skraeling. Toen zijn vader jaren geleden in een Skraelingkamp terecht was gekomen, had hij geluk gehad. Die dorpelingen waren net aangekomen vanuit hun woonplaats aan de andere kant van het ijs en wisten niet dat Groenlanders hun vijanden waren.

Leif vermoedde dat zijn vader een gewonde Skraeling wel zou hebben geholpen, vooral omdat hij zijn leven aan hen te danken had. Nu gold hetzelfde voor Leif. In de jaren sinds ze uit de Oostelijke Nederzetting waren vertrokken hadden ze geen zeejagers ontmoet. Het was duidelijk dat de Skraelings hen meden. Nu was Leif bang dat zijn familie om hem rouwde. Hij wist dat hij als buffer fungeerde tussen zijn vader en Ole en tussen Ingrid en Ole. Het was al erg genoeg dat Astrid was gestorven. Hij bad tot Odin dat zijn vader en Ole erin zouden slagen om Ingrid te beschermen als ze hun relatief veilige huis verlieten om weer naar het zuiden te trekken.

'We gaan,' zei Sammik. Samen met Putu sleepte hij Leif de iglo van Niroqaq uit en hielp hem op de slee te stappen. Hij leunde tegen de bundels en strekte zijn benen. Putu stopte het berenvel goed om hem in, gaf hem de rand in zijn handen en stapte achteruit met een knikje naar haar man. Net als de eerste keer lag de slee vol pakken en hingen de wapens in speciale houders.

Waar bracht Sammik hem naartoe? Naarmate de vragen zich opstapelden, vervloekte hij het feit dat hij maar zo weinig Inuitwoorden kende. Waarom bleef Putu achter als ze naar een ander kamp gingen?

'We gaan,' kondigde Sammik aan. Hij knikte even tegen Putu en stapte toen achter Leif op de slee. Zijn honden, die al dagenlang in het dorp hadden moeten blijven, sprongen op en konden bijna niet wachten om te vertrekken. *'Assut!'* Op dat bevel schoten ze vooruit en de zware slee gleed weg bij de iglo.

Leif bleef naar Putu kijken die als een standbeeld naast de iglo van haar vader stond. Waarom was ze niet samen met hen op de slee gestapt? De wind rukte haar haar los. Lange slierten zwart haar fladderden als rookslierten achter haar hoofd terwijl Sammiks slee vanaf de heuvel naar de bevroren fjord gleed. Ze had zich nog steeds niet bewogen toen ze bij een sneeuwhoop kwamen die hen het zicht op het dorp benam. Waar bracht Sammik Leif naartoe? Terwijl de honden Sammiks slee over het ijs trokken, werden ze alleen vergezeld door het hoge gepiep van de glijders en het geluid van de wind.

Hoofdstuk 1

De zes honden, die in de vorm van een waaier voor de slee waren gespannen, reageerden precies tegelijk op Sammiks bevelen. Op zijn volgende commando bleven ze staan boven de kleine klif waar de Skraelings Leif hadden gevonden. Vanaf de slee kon Leif zien dat de plek er inmiddels heel anders uitzag. Het rendier en de sporen van de sleeën waren verdwenen. Smeltwater drupte in kleine stroompjes onophoudelijk vanaf de uitstekende punt en vormde plassen op het grauwe ijs. De plek waar het rendier op hem was gesprongen en waar de Skraelings hem hadden kunnen doden, was veranderd in een bevroren meer. Als Sammik geen goed woordje voor Leif had gedaan, zou Leif van de aardbodem verdwenen zijn.

In het zonlicht schitterde Sammiks capuchon van de smeltende ijskristallen in het witte bont. Ieder druppeltje weerkaatste de zonnestralen en zorgde voor een regenboog die als een aureool rond zijn donkere gezicht stond. Hun tocht nam het grootste deel van de ochtend in beslag. Ten slotte stapte Sammik af en pakte een van de bundels van de slee. Hij riep elke hond bij zijn naam en gooide de dieren een stuk vlees toe. De grote beesten gristen hun maaltijd uit de lucht voordat het vlees op de grond terechtkwam en werkten hun portie in twee happen naar binnen. Deze honden leken meer op wolven dan de honden die Leif bij de Groenlanders had gezien. Deze waren sterker en feller, maar de Skraelings bleven ze met gemak de baas. Toen de zak van Sammik leeg was, krulden de dieren zich op, met hun dikke staarten over hun snuit, in afwachting van de verdere bevelen van hun baas.

Sammik liep naar slee, ging op zijn hurken zitten en legde zijn hand op Leifs arm. 'En?' vroeg hij. 'Heb je het warm genoeg? Zou je een stukje willen lopen?'

Leif had er geen woord van verstaan, maar het was vriendelijk van de ander om tegen hem te praten. 'Ik wou dat ik wist wat je gezegd hebt,' antwoordde hij in het Noors. 'maar ik zweer bij het ene oog van Odin dat ik nog steeds niet snap waarom je me geholpen hebt. Als ik de rest van mijn leven voor jou moet werken, zal ik je trouwe dienaar zijn. Dat ben ik je wel verschuldigd. En nog veel meer.' Hij wierp opnieuw een blik naar de diepe plas water onder aan de heuvel en huiverde. 'Ik wou dat ik mijn vader en zusje kon laten weten dat ze niet om mij hoeven te rouwen. Wat Ole betreft, weet ik het niet, maar misschien vindt hij het ook wel vervelend.'

'Je praat te veel,' antwoordde Sammik in het Inuit, terwijl hij Leif op zijn arm klopte en hem vriendelijk toelachte. 'Ik wou dat ik je taal beter sprak. Maar als je het kort houdt, snap ik misschien wat je bedoelt.' Sammik vroeg zich af of hij het beter met gebarentaal kon proberen. 'Kun je me vertellen hoe we van hieruit bij je huis komen?' Hij wees met een brede zwaai van zijn linkerhand naar het zuiden, in de hoop dat Leif hem zou begrijpen.

Naar het zuiden? Waarom wees Sammik in de richting van Leifs land? Leif concentreerde zich op de klank van de woorden die de andere man sprak, in de hoop dat hij er iets van zou begrijpen als hij op de klemtoon lette. Hij wist zeker dat zijn metgezel hem net iets had gevraagd, maar wat?

Sammik bleef geduldig wachten, terwijl Leif zat te piekeren. Toen Leif zijn schouders ophaalde en hem een treurig en hulpeloos glimlachje schonk, probeerde Sammik het op een andere manier. Hij maakte het gebaar voor *huis,* door met zijn beide handen een koepel te vormen. Daarna wees hij op Leif en herhaalde zijn vraag. 'Jouw iglo? Waar?' Leif keek gespannen toe en wenste dat hij er iets van zou begrijpen.

Sammik nam opnieuw het woord. 'We moeten de honden een tijdje laten rusten. In de tussentijd zal ik je een verhaal vertellen, waar je niets van zult verstaan. Maar luister toch maar naar me, dan zul je begrijpen waarom ik je vriend ben.' Toen hij even zijn mond hield, knikte Leif om aan te geven dat hij luisterde. 'Heel veel winters geleden, toen we voor het eerst naar dit land kwamen, heb ik een Qallunuk leren kennen. Ik was nog klein. Jij bent jonger dan hij was, maar met je rode haar en je baard doe je me aan hem denken. Mijn vader en zijn jagers hebben die man gevonden. Er was een overstroming geweest en hij zat vast halverwege de klif langs de kust. Hij kon niet naar boven klimmen en hij kon niet naar beneden.' Het enige woord dat Leif begreep, was Qallunuk, de naam van de Skraelings voor een Groenlander. Dat was alles.

'We hadden wel gehoord van de Qallunaat, maar we hadden er nog nooit een gezien. Mijn vader besloot de vreemdeling te helpen. Sindsdien hebben we geleerd hoe weerzinwekkend de meesten van jullie zijn, maar deze man was anders. Hij maakte ons aan het lachen. Jij doet me aan hem denken. Ik denk dat ik daarom aan mijn nieuwe schoonvader heb gevraagd om je in leven te laten. Hij heeft je gespaard bij wijze van huwelijksgeschenk aan mij. Arme Leif. Je hebt geen flauw idee wat ik je allemaal vertel.'

Leif schudde zijn hoofd en zuchtte omdat hij niets van de monoloog van de Skraeling had begrepen. 'Ik weet zeker dat je me een heel interessant verhaal hebt verteld, maar het was vergeefse moeite. Ik ben maar gewoon een domme Groenlander, een Qallunuk.'

Sammik lachte zijn tanden bloot en er verschenen rimpeltjes om zijn ogen toen Leif het Inuit-woord probeerde uit te spreken. Hij wist heel goed dat de ander niets van zijn verhaal had begrepen. Ze moesten het maar met iets minder ingewikkelds proberen. Als ze met kleine dingen begonnen, net zoals hij met die andere Qallunuk had gedaan, konden hij en Leif misschien iets van elkaars taal opsteken voordat ze ieder weer hun eigen weg gingen. Sammik wees naar Leifs been en hief toen zijn handen op, met de handpalmen naar boven om aan te geven dat hij iets wilde weten.

'Mijn been?' vroeg Leif, die meteen snapte wat hij bedoelde. 'Been,' zei hij vastberaden in het Noors. Sammik herhaalde het woord. Leif besloot dat, als ze toch met elkaar probeerden te praten, hij net zo goed gebarentaal kon gebruiken. Sammik sprak maar een paar woorden Noors. Waarschijnlijk was het al heel lang geleden dat hij die had geleerd, dacht Leif. Maar misschien kon Leif wat van de taal van de Skraelings opsteken, precies zoals zijn vader had gedaan toen hij die maand bij hen had gewoond. Als slaaf hoorde Leif de taal van zijn meester te leren in plaats van andersom.

Sammik kende nu het woord voor 'been'. Dat was een begin. 'Mijn been doet niet meer zoveel pijn als in het begin,' zei Leif, toen Sammik de leren banden losmaakte, waarmee hij op de slee was vastgebonden om te voorkomen dat hij eraf zou vallen. 'Ik weet niet of ik erop kan staan. Kun je me iets geven om op te leunen?'

Sammik haalde glimlachend zijn schouders op. Hij had er niets van verstaan.

Leif keek tussen zijn knieën door naar de bepakking van de slee. Zijn eigen speer met de ijzeren punt lag op de bundels, eveneens vastgesjord. Geen wonder dat Sammik die mee had genomen. IJzer was van grote waarde voor de wilden uit het noorden. Zijn speer zou nu wel van Sammik zijn.

Zou Sammik hem toestemming geven om het wapen vast te houden? 'Mijn speer,' zei hij wijzend. 'Die kan ik als kruk gebruiken. Vind je dat goed?' Hij hoopte dat Sammik zijn verzoek niet verkeerd zou opvatten.

'Je wilt je speer hebben. Dat is een goed idee, die kun je als kruk gebruiken,' zei Sammik terwijl hij het wapen pakte. Hij stak het Leif toe, met de onderkant naar voren. 'Laten we maar eens kijken of je kunt staan.' Hij pakte Leifs andere hand vast om hem te helpen.

Leif, die versteld stond van het vertrouwen dat Sammik in hem had, kwam langzaam overeind en wachtte even tot het duizelige gevoel voorbij was. Toen hij zijn beide benen met veel moeite naast elkaar had getrokken, leunde hij op de pakken en op de handgrepen van de slee om zichzelf op te hijsen. Staande op zijn rechterbeen liet hij Sammiks hand los en probeerde of hij zijn gewonde linkerbeen kon belasten. De poging bezorgde hem bijna evenveel pijn als toen de hoofdman vijf dagen geleden het been gezet en gespalkt had. Hij was waarschijnlijk omgevallen als Sammik hem niet had opgevangen en hem weer liet zakken, met zijn rug tegen de bundels.

Sammik legde Leifs speer naast hem en bedekte het wapen met een paar van de in huiden gewikkelde bundels, zodat het niet van de slee zou vallen als ze zich weer in beweging zetten. 'Er was niet genoeg tijd om in het dorp van Niroqaq te wachten tot je weer helemaal genezen was,' zei Sammik. 'Nu de dooi is ingevallen, smelt de sneeuw snel weg. Ik moet je zo gauw mogelijk naar huis brengen, anders kan ik Putu niet meer ophalen. We moeten naar mijn dorp zolang ik de honden nog kan gebruiken. Vertel me nou waar ik je naartoe moet brengen! Welke kant moeten we op naar jouw iglo?'

'Sammik, ik wou dat ik je kon verstaan!' riep Leif gefrustreerd uit.

Sammik sloeg zijn ogen ten hemel om de hulp van zijn geesten in te roepen zodat hij zich verstaanbaar kon maken tegenover de vreemdeling. Hij wenste dat hij door in de ogen van de Qallunuk net als zijn schoonvader diens gedachten zou kunnen lezen. 'Leif,' zei hij. 'Jij. Huis. Waar? Waar is je iglo?'

Leif kende inmiddels het woord voor huis. 'Wil je weten waar mijn huis is? Heb je me daarom teruggebracht naar de plek waar je me hebt gevonden?' Hij probeerde de paar woorden die hij had opgepikt tijdens zijn korte verblijf bij Sammiks volk aan elkaar te rijgen. 'Iglo. Mijn iglo?' Hij wees op zichzelf en stak daarna zijn handen uit, met de palmen omhoog.

Eindelijk! *'Iyeh.* Ja.'

Leif zou waarschijnlijk nooit te weten komen waarom Sammik hem zijn vrijheid schonk, maar hij wist wel hoe hij vanaf die plek thuis moest komen. Op sneeuwschoenen had het hem anderhalve dag gekost. Met Sammiks slee en zijn goedgetrainde honden kon Leif al voor de avond thuis zijn. Hij wees de richting aan en probeerde uit te leggen dat het hooguit een halve dagreis was. Hij wees naar de zon en liet zijn arm een boog van oost naar west beschrijven om één dag aan te geven. Hij wist niet hoe hij daar een halve dag van moest maken en hij was bang dat Sammik zou denken dat het anderhalve dag zou duren als hij zijn hand nog een keer halve boog liet maken. Dit was al goed genoeg.

'Mooi.' Sammik overhandigde hem een bevroren stuk zeehondenvlees en stopte een ander stuk in zijn mond. Hij duwde het in zijn wang om het zacht te laten worden. Daarna stapte hij achter Leif op de slee en gaf het bevel om snel verder te gaan. *'Aak. Assut!'*

Halvard twijfelde of hij zijn dieren zou melken. De ondervoede ooien begonnen op te drogen. Binnenkort zou er geen voer meer voor ze zijn en dan zouden de lammeren sterven. Hij nam maar een klein beetje, een halve emmer vol, alleen voor het gezin. Hij goot de helft van de warme melk in een klein vat en deed de rest in hun drie kommen. Ingrid trok haar benen opzij. Haar groene ogen leken groter dan ooit in haar uitgemergelde gezichtje. Het was een hele opgave om te proberen zijn armzalige kudde in stand te houden en ervoor te zorgen dat zij noch zijn kinderen van honger zouden sterven. Ze konden ook alle beesten opeten, maar dan hadden ze niets meer om mee naar het zuiden te nemen. Misschien zouden ze toch als bedelaars terug moeten gaan, als ze tenminste zo lang in leven bleven. Hij besloot om nog één schaap te slachten, maar daar was hij nu te moe voor. Dat kon wel wachten tot morgen.

Ole, die bijna nooit zijn mond opendeed, bromde een bedankje, zette zijn kom neer en liep terug naar de deur om naar de wind te luisteren. Het was nu zes dagen geleden dat Leif was vertrokken. Hij zou niet meer thuiskomen. Hij had daar in de woestenij de dood gevonden tijdens zijn poging om voedsel voor hen te vinden. In ieder geval zou hij geen honger meer hebben.

'Ik loop even naar de fjord om te zien of het ijs al dunner is geworden,' zei Ole aarzelend. 'Het is nog steeds licht. Er kan in het ondiepe water wel een vette vis zitten, die erop wacht opgegeten te worden. Misschien kan ik hem aan mijn speer rijgen. Er zal toch nog wel iets in deze witte wereld in leven zijn.'

'Zo moet je niet praten,' zei Ingrids lichte stem bestraffend tegen haar broer. 'Leif komt heus wel terug, als het vandaag niet is dan morgen. En dan zal hij een slee vol vlees voor ons hebben. Ik heb moeder gevraagd of ze hem wil helpen.'

'Doden kunnen levende mensen niet helpen,' zei vader scherp. Het was niet zijn bedoeling om zo tegen haar uit te vallen, maar haar woorden bezorgden hem een brok in zijn keel. Waar haalde ze de moed vandaan om nog hoop te koesteren? Hij had Astrid onder liefde bedolven, maar dat had haar niet geholpen. En dat hij nu gedoemd was om te zien hoe hun kind wegteerde, het enige wat hem van zijn beminde vrouw was overgebleven, was meer dan hij kon verwerken. 'Ik loop wel met je mee, Ole,' zei Halvard. 'Als we met ons tweeën gaan, hebben we dubbel zoveel kans. En als we vanavond geen vis aan onze speren kunnen rijgen, slacht ik wel een schaap.'

'Daar bewijs je het beest een goede dienst mee,' zei Ole. 'Anders sterft het zeker van de honger.' Ze pakten hun speren om te gaan vissen en kleedden zich warm aan.

Het duo was halverwege het pad naar de oever van de bevroren fjord toen Ole wees en schreeuwde: 'Er komen Skraelings aan! Ze zijn met hun tweeën, vader.' Halvard bleef abrupt staan om naar de hondenslee te kijken die snel naderbij kwam, midden over het ijs uit noordelijke richting. De menner draaide en stopte toen hij hen boven op de oever zag staan. Halvard onderdrukte zijn angst en probeerde te bedenken hoe hij de indringers zou ontvangen. 'Ze hebben zich nog nooit op ons land gewaagd. Ik dacht dat de geesten van de Westelijke Nederzetting ons wel tegen de Skraelings zouden beschermen.'

'Dat dachten we allemaal,' beaamde Ole terwijl hij zijn speer steviger vastpakte. 'De honger zal hen wel deze kant opgedreven hebben, om ons laatste vee te stelen.'

Waren hun soberheid en de zorgvuldige plannen voor de tocht naar het zuiden dan voor niets geweest? 'Ingrid is alleen thuis,' zei hij tegen Ole. 'Wat zullen ze met haar doen als ze ons gedood hebben?'

Het was niet nodig om antwoord te geven op die vraag, want als de Skraelings met hen hadden afgerekend zouden ze toch niets meer kunnen doen, maar Ole zei het toch: 'Ze zullen haar ongetwijfeld vermoorden, of meenemen naar hun dorp.'

'Ze mogen de heuvel naar het huis niet op. Ole!'

Twee verzwakte Groenlanders zouden niet veel kans hebben tegen vastbesloten Skraelings. Halvard pakte zijn speer met twee handen vast, vastbesloten om te vechten tot hij neerviel. Terwijl hij één oog op de naderende slee hield, zag hij tot zijn blijdschap dat Ole zich ook op een gevecht voorbereidde.

De zwaarbeladen slee onder hen was nu duidelijk te zien. Het scheen dat de wilden meer dan genoeg vlees hadden. Waar hadden ze dan die paar schapen en geiten van Halvard voor nodig? Of hadden ze eindelijk besloten ook de laatste Groenlanders in de Westelijke Nederzetting te doden, precies zoals ze alle mensen die hier vroeger woonden gedood of verdreven hadden? De wolfachtige honden stonden stil onder aan de helling waar het ijs van het fjord de walkant raakte. De menner stapte af en tilde de benen glijders op, terwijl zijn honden de slee verder naar boven sleurden, in hun richting. De man op de slee bewoog niet, waardoor Halvard zich afvroeg of hij misschien gewond was. Kon het zijn dat ze hen om hulp kwamen vragen? Hij hoopte dat hij genoeg van het verhaal van de zeejager zou verstaan om te begrijpen wat er aan de hand was.

Ole en Halvard doken in elkaar, met de benen wijd om zich schrap te kunnen zetten en hielden hun korte visperen in de aanslag. 'Wat willen jullie?' schreeuwde Halvard in het Skraeling, in de hoop dat hij de woorden op de juiste manier uitsprak.

De Skraeling op de slee trok zijn capuchon af en liet zijn rode haren wapperen. 'Vader! Ole! Ik ben het! Leg jullie wapens neer. Dit is geen vijand. Hij heet Sammik. Hij heeft me in het noorden het leven gered toen ik gewond raakte en nu brengt hij me weer thuis!'

Halvards benen begonnen te trillen van opluchting. 'Leif!' Hij rende naar zijn zoon om hem te omhelzen, maar hij durfde zijn blik nauwelijks af te wenden van de Skraeling die hem op een vreemde manier stond aan te kijken. 'Hoe kan dat? Wat is er gebeurd?'

'Een kudde rendieren was op hol geslagen. Ik denk dat de Skraeling-jagers hen naar de klif dreven. En ik lag daar vlak onder te slapen. Ik raakte buiten westen en mijn been is gebroken. De jagers kwamen terug en Sammik heeft me gered toen de anderen me wilden...' Leif moest even slikken en keek van zijn vader naar de Skraeling-dorpsbewoner. Vader en Sammik stonden hooguit dertig centimeter van elkaar af en Halvards ogen boorden zich in die van de jonge Skraeling. 'Wat is er, vader? Ken je hem?'

'Ik kende een jongen die zo heette,' zei Halvard. 'Dit is een man. Maar ja, het is best mogelijk. Het kan haast niet anders. Jullie herinneren je Astrids kleine vriendje uit het Inuit-dorp toch wel? Sammik heeft haar hun taal geleerd. Hij heeft mij ook een paar woorden bijgebracht.' De Skraeling knipperde met zijn ogen toen hij de uitgemergelde oude man zijn naam hoorde noemen. Zou het waar zijn?

'Halvard?'

'Sammik? Ben jij het?' De twee mannen stapten naar elkaar toe en omhelsden elkaar, dolgelukkig dat ze elkaar teruggevonden hadden, terwijl Ole en Leif toekeken.

Toen ze weer een stapje achteruit deden en nog steeds elkaars handen vasthielden, zei Leif: 'Dat kleine jongetje? De zoon van de leider van de Skraelings? In het verhaal bleef hij altijd een klein jongetje. Ik heb hem nooit met hem in verband gebracht.'

'Dat klopt,' bevestigde Halvard. De verbazing stond nog steeds op zijn gezicht te lezen en zijn ogen schitterden. 'Ik had van m'n levensdagen niet verwacht dat we elkaar weer zouden zien!'

'Vader,' zei Leif vanaf de slee. 'Dit is natuurlijk fantastisch, maar zou je het erg vinden om naar binnen te gaan? Het is koud.'

Ole had alles met een uitgestreken gezicht gadegeslagen, maar nu deed hij ook een duit in het zakje. 'Laten we Leif de heuvel op dragen en naar huis brengen. Hij moet iets warms eten en meteen onder de wol.'

Halvard kon zich genoeg Inuit herinneren om Sammik uit te nodigen mee te gaan. 'Mijn dochter wacht binnen op ons,' zei hij. 'De dochter van mij en Mikisoq.'

Sammik scheen het woord *dochter* niet te horen, maar hij herhaalde de naam die Halvard voor Astrid had gebruikt. Mikisoq betekende 'kleine meid', de naam die zijn volk aan Astrid had gegeven. 'Mikisoq!' riep hij vol blijdschap uit. 'Nu zal ik haar weerzien! Denk je dat ze nog weet wie ik ben?' Hij gaf zijn honden het bevel om te wachten en rende als een speer naar het huis.

Ole, die Leif droeg, bleef ver achter. 'Wacht!' riep Halvard Sammik na. Maar die begreep niet wat hij zei, of hij hoorde het niet in zijn opwinding. 'Dit loopt verkeerd af,' zei Halvard tegen zijn zoons. 'Sammik zal Ingrid zien in plaats van haar moeder. Ik weet niet hoe ik hem moet uitleggen dat de vrouw die hij zich nog zo goed herinnert dood is.'

Voordat Sammik bij de deur was, deed Ingrid open. Kwispel stoof naar buiten om tegen de honden van de Inuit tekeer te gaan. Halvard greep de herdershond haastig in zijn nekvel en gooide de blaffende waakhond weer naar binnen voordat de grotere honden hem aan stukken zouden scheuren.

Ingrid stond voor de deur naar de Skraeling te kijken die met grote sprongen naar haar toe vloog. Zijn honden gingen onder aan de heuvel liggen. Ole volgde in een rustiger tempo, met Leif in zijn gespierde armen. Leif was weer thuis! Ze bleef wachten tot de vreemdeling bij haar was. Hij was ongewapend en hoewel haar vader had geroepen dat hij moest wachten, leken ze geen van allen echt bang te zijn. Haar kastanjebruine krullen vielen als een waterval over haar schouders.

De Skraeling staarde haar ongelovig aan, maar zij was zo blij dat ze Leif zag dat ze een gat in de lucht sprong. Dus hij was helemaal niet dood. Ze wrong zich langs de Skraeling, die een stapje opzij deed, en rende naar Leif toe. 'Je leeft! Je bent weer terug,' zei ze. 'De goden en mijn moeder hebben mijn gebeden verhoord.'

'Laat me hem nou maar eerst naar binnen brengen,' zei Ole. 'Je mag de Skraeling bedanken, want die heeft hem thuisgebracht.' Ze ging opzij zodat hij Leif het huis in kon dragen.

Halvard legde zijn arm om haar schouders en trok haar mee naar de deur. Ze slaagde erin om de kilheid die haar bekroop uit haar stem te weren. 'Wie is die man? Wat is er gebeurd?'

Er stond een verbijsterde blik in Sammiks ogen en zijn donkere huid werd bleek. 'Mikisoq? Weet je niet meer wie ik ben? Ik ben Sammik. Wat is er met jou gebeurd? Waarom heeft je haar die kleur? Hoe komt het dat je net zo'n wit gezicht hebt als een Qallunuk?'

Ingrid haalde gejaagd adem. Wie was die Skraeling die haar zo raar aan stond te kijken en wat zei hij allemaal?

Halvard was ontzet door de vergissing die Sammik had gemaakt en probeerde alles zo goed mogelijk uit te leggen. 'Ingrid, dit is de jongen met wie je moeder en ik in het noorden bevriend zijn geweest. Sammik, dit is mijn dochter Ingrid. En ook de dochter van Mikisoq. Mijn vrouw is dood. Ze is afgelopen zomer gestorven.' Hij maakte het gebaar voor *dood* zoals hij dat van Astrid zelf had geleerd.

'Dood! Maar ik zie haar!' Sammik had het woord dochter niet begrepen, maar het gebaar voor dood kende hij maar al te goed. 'Ze is jonger dan toen ze bij ons woonde. Ze is een geest geworden. Mikisoq! Ik ben zo verdrietig omdat je dood bent.' Hij barstte in snikken uit en viel voor haar op zijn knieën.

'Nee, Sammik!' Halvard bukte zich om Sammik weer overeind te trekken. 'Ik zal het je uitleggen. Sta nou maar op en ga mee naar binnen.' Ingrid liep het huis weer in, gevolgd door haar vader die de arm van de huilende Skraeling stevig vasthield.

Kwispel kroop weg in een hoek en liet zijn tanden zien. Ingrid kalmeerde hem en zei dat alles in orde was. Ten slotte ging de hond languit op de grond liggen, met glinsterende, waakzame ogen. Waarom zou die jongeman denken dat zij haar moeder was? Daarna drong het ineens tot haar door dat vader de vreemdeling Sammik had genoemd. Hij was dat kleine jongetje uit het verhaal, de vriend van haar moeder.

'Sammik?' vroeg ze en de man knikte.

'Het is dezelfde Sammmik, alleen is hij nu volwassen,' bevestigde haar vader. 'Hij heeft Leif gevonden toen hij gewond was geraakt en hem weer naar huis gebracht.'

'Ik ben Ingrid,' zei het meisje. Ze liep naar hem toe en nam zijn handen in de hare. 'Dank je wel dat je Leif thuis hebt gebracht. Je zult wel honger hebben.' Ze liet Sammiks koude handen voorzichtig los en maakte het gebaar van eten. Ze wees naar de pot die op een drievoet boven een oliekachel stond. 'Ik heb soep.'

Ze schepte een beetje in een kom. 'Pak aan en eet maar gauw op. Je beeft helemaal,' zei ze terwijl ze hem de kom overhandigde. Hij pakte hem aan en keek om zich heen, op zoek naar een plek waar hij kon gaan zitten. Doordat hij de kom met twee handen vasthield, begon het beven minder te worden. Ze vroeg zich af wat hij zou denken.

Ingrid schepte voor iedereen een kom soep in. Het was maar een slappe bouillon en het vlees was bijna bedorven. Terwijl ze zaten te eten, kon Sammik zijn ogen niet van Ingrid af houden.

'Ze is geen geest,' zei Halvard met behulp van gebarentaal. 'Ze is mijn dochter. En die van Mikisoq.'

Sammik huilde niet meer, dus hij had het kennelijk begrepen. 'Ze lijkt zo ontzettend veel op haar. Als twee druppels water,' gebaarde hij tegen Halvard.

'Begrijpen jullie elkaar nou echt?' vroeg Leif van de andere kant van de kamer.

'Volgens mij wel. In ieder geval een beetje. Gebarentaal helpt.'

'Vraag hem eens waarom hij mij gered heeft.'

Halvard deed zijn best. Het communiceren kostte veel moeite en leek weinig resultaat op te leveren, maar uiteindelijk dacht Halvard dat hij het verhaal in grote trekken had begrepen. Toen hij hen vertelde wat hij te horen had gekregen, kreeg Ingrid het nog bijna benauwd. 'Hoe heeft Sammik zijn schoonvader zover gekregen dat hij Leif niet doodde?'

Halvard stelde de vraag en Sammik gaf antwoord. Terwijl zij moeizaam en met veel gebaren zaten te praten, vulde Ingrid hun kommen nog eens. 'De jacht was ter gelegenheid van zijn bruiloftsfeest,' legde Halvard uit. 'Sammik was niet in het dorp waar ik jouw moeder heb leren kennen, maar in het dorp van zijn aanstaande vrouw. Ze heet Putu. Haar vader is de angakkoq die Leifs been heeft gezet. Met behulp van zijn speciale krachten kwam hij erachter dat Leif hen niet kwaad gezind was en dat hij nog nooit iemand van hun volk had gedood.'

Leif keek met een ruk op. 'Kroop hij daarom in mijn hoofd? Daar ben ik woest over geworden.'

Halvard knikte begrijpend. Hij glimlachte toen hij zich herinnerde dat hem ooit iets soortgelijks was overkomen. 'Ik zal eens kijken of ik iets meer te weten kan komen,' zei hij en zat nog even met Sammik te praten. 'Een angakkoq is een soort priester, maar tegelijk ook een tovenaar. Ze beschikken over krachten die mijn begrip te boven gaan. Af en toe zoeken ze via de geest contact. In het dorp van Qisuk, waar ik Ingrids moeder heb leren kennen, heeft een van hen op die manier met mij gepraat. Om doodzenuwachtig van te worden. Astrid heeft me verteld dat hun geest soms hun lichaam verlaat om overleg te plegen met de Vrouw van de Zee.'

Sammik, die zijn best deed om het verhaal te volgen, knikte. Terwijl Halvard een slokje van zijn bouillon nam en een stukje van het taaie schapenvlees wegkauwde, voegde hij er iets aan toe. 'Wat heeft hij gezegd, vader?' vroeg Leif.

Halvard keek zijn jongste zoon aan, die rechtop zat met een stapel kussens in zijn rug. 'Hij zei dat de angakkoq besloot om je te laten leven omdat je geen moment overwoog om hem te doden, ook al was je nog zo kwaad.'

Sammik begon weer te praten en te gebaren. Halvard luisterde. Hij begreep er wel iets van, maar naar de rest moest hij raden. 'Wat heb je met Sammiks schoonvader gedaan, Leif? Hij zegt dat je zijn angakkoq uit je geest bande met roodharige monsters en bliksemschichten.'

Leif schoot in de lach. 'Ik heb Odin en Thor aangeroepen om zijn toverkracht te breken. Hij zal ze wel gezien hebben zoals ik ze me voorstelde, ziedend van woede en met veel donder en bliksem.'

Ze moesten allemaal lachen, behalve Sammik die Leif vol respect aankeek. In gebarentaal zei hij: 'Leif beschikt over een grote kracht, maar dat weet hij zelf niet.'

Halvard wees naar Sammiks hoofd en haalde zijn schouders op, alsof hij wilde zeggen: Denk je dat echt? Mij is het nooit opgevallen. Zijn dochter en zoons wachtten tot hij uitlegde: 'Hij heeft gezegd dat je over veel geesteskracht beschikt. Het spijt hem dat hij niet meer tijd voor je had toen je bij kwam van je verwondingen, maar hij moest eerst samen met zijn nieuwe vrouw een gezin proberen te stichten. Daarna heeft hij je zo snel mogelijk naar huis gebracht.'

Ingrid vond het een prachtig verhaal. 'Dus Sammik heeft Leif thuisgebracht, hoewel de Skraelings geloven dat hier geesten wonen.' Ze keek hun bezoeker aan. 'Lijk ik echt zoveel op mijn moeder?' Ze had goed gekeken naar de gebarentaal en slaagde erin Sammik die vraag te stellen zonder de hulp van Halvard in te roepen.

Hij knikte verrast en raakte haar kastanjebruine haar en de sproeten op haar rechte neusje aan. Ze had hoge jukbeenderen en een ferme, vastberaden kin. Onder haar brede voorhoofd waren de pupillen van haar lichtbruine ogen door de duisternis wijd opengesperd. Daardoor leken haar ogen donkerder en meer op die van haar moeder. 'Iyeh. Net als Mikisoq.'

Ze was gevleid. 'Vader, waarom noemt hij moeder Mikisoq? Waarom zegt hij niet gewoon Astrid?'

'Ik heb je moeder die Noorse naam gegeven. Mikisoq was haar Inuit-naam. Ze kwam oorspronkelijk van het vasteland, waar ze haar eigen naam gebruikte. Je moeder heeft nooit aan iemand verteld hoe ze in werkelijkheid heette, omdat ze beweerde dat ze haar verleden vergeten was.' Halvard zuchtte even en schudde zijn hoofd. 'Op een dag, als je wat ouder bent, zal ik je wel vertellen waarom. Maar dat moet je me wel helpen onthouden. De mensen van het vasteland gaven haar een naam in hun eigen taal die zoiets als "kleine meid" betekende. Mikisoq betekent "kleine meid" in de taal van Sammik.'

Sammik had naar het gesprek geluisterd zonder hen in de rede te vallen. Hij moest eigenlijk weer gauw terug naar het dorp van zijn vrouw, maar het viel hem moeilijk om afscheid te nemen van zijn oude vriend en zijn gezin. Het was toch wel heel vreemd om dit meisje te zien dat zoveel op Mikisoq leek, alleen jonger en bleker, alsof ze een geest was. Ze had zijn gebarentaal vrijwel meteen begrepen. Sammik kreeg het gevoel dat Mikisoq hem aankeek door de ogen van haar dochter.

Toen Halvard was uitgesproken, gebaarde hij: 'Ik heb geschenken meegebracht.' Direct daarna liep hij naar buiten en kwam terug met een paar pakken.

Halvard maakte ze open. 'Vlees. Hij heeft rendiervlees voor ons meegebracht, een heel karkas, misschien nog wel meer, en al in stukken gesneden en schoongemaakt!' Ze stopten de pakken met vlees in de bergruimte onder de vloer en sloten die af zodat Kwispel er niet bij kon.

'We hebben de buit van Leif tijdens mijn huwelijksfeest opgegeten.' Sammik keek naar de grond. 'Dit was mijn buit.' Hij glimlachte. 'Halvard, je bent veel te mager.' Hij gebruikte zowel gebarentaal als woorden. 'Je moet beter eten. Padloq zou helemaal niet blij zijn als ze zag hoe je eruitziet.'

'Padloq?' Halvard glimlachte. 'Leeft ze nog?'

Sammik grinnikte. 'Ja hoor. Net als al haar kinderen. Ze heeft er drie.'

'Ik wou dat we bij hen konden gaan wonen in plaats van naar het zuiden te gaan,' klaagde Leif toen hij hoorde wat Sammik had gezegd.

Halvard vertaalde de opmerking van zijn zoon. Sammik schudde zijn hoofd en keek een beetje triest. 'Ze zouden jullie doden. Quallunaat slecht voor Inuit.' Hij keek naar de geiten en de schapen die op een kluitje achter de halve muur stonden, naar de met mest gestookte kachel en naar de twee eenzame pitten in de olielamp. 'Kom niet naar mijn land.'

'Dat zal ook niet gebeuren,' bevestigde Halvard. 'Nu Mikisoq er niet meer is, gaan we terug naar ons eigen land. Naar het zuiden.' Hij wees de richting aan.

'Ik zal tegen de Inuit zeggen dat ze jullie met rust moeten laten als jullie langs hun dorpen komen,' zei Sammik. Meer kon hij niet voor hen doen, maar het zou een hele geruststelling zijn als ze onderweg niet op hun hoede hoefden te zijn voor de Skraelings.

Dankbaar voor dat aanbod probeerde Halvard nog iets meer te weten te komen voordat ze hem lieten gaan. 'Waar ligt jouw dorp? Is Qisuk nog steeds het dorpshoofd? Denkt Padloq nog weleens aan mij?'

Er verscheen een glimlach op Sammiks gezicht. 'Mijn dorp ligt nog op dezelfde plaats, vlak bij de sterrensteen. Weet je nog wel?' Hij raakte zijn hoofd aan en Halvard knikte. 'Qisuk, mijn vader, is nog steeds het dorpshoofd. Padloq denkt nog vaak aan je. Mijn eerste kleine broertje, die nog een baby was toen jij bij ons was, is inmiddels groot geworden. Daarnaast heeft Padloq samen met mijn vader nog een jongen en een meisje. Padloq en Qisuk zullen allebei moeten huilen als ze horen dat Mikisoq dood is. Kun je je nog herinneren dat mijn vader en Mikisoq onder de boot lagen? En jij met Padloq? We vormen één familie.'

Halvard bloosde tot diep in zijn baard en was bijzonder dankbaar dat zijn kinderen niets van dit gesprek zouden begrijpen. Hij had het idee dat Ingrid sommige gebaren wel had begrepen, maar niet de woorden. 'Jij bent helemaal niets vergeten, hè jonge vriend?' Sammik grinnikte en gebaarde dat dit dingen waren waar hij met plezier aan terugdacht.

'Geef Padloq en Qisuk mijn…' Halvard legde even zijn hand op zijn hart en tikte tegen zijn slaap, gebaren die *liefde* en *herinnering* betekenden.

'Ga nog niet weg. Je kunt best een nachtje bij ons blijven slapen,' nodigde Ingrid hem uit.

'Iyeh. Dat zal ik doen. Maar eerst moet ik mijn honden voeren en vastleggen.' Hij bleef een tijdje weg, wat Ingrid de gelegenheid gaf om een lendenstuk rendiervlees op het vuur te leggen om het te roosteren.

Voordat ze naar bed gingen, liet Ingrid aan Sammik zien hoe ze de geiten melkte en hoe ze een deel van de melk apart zette om er kaas van te maken. Ze bood hem aan om te proeven, maar hij bedankte.

Halvard zuchtte inwendig terwijl hij naar zijn kinderen keek die samen met hun bezoeker bij Leifs bed zaten, zodat zijn jongste zoon niets zou missen. De jonge mensen bleven praten en elkaar gebaren en woorden leren tot het tijd was om te gaan slapen. Halvard had bijna het gevoel dat hij weer jong was, tot hij naar zijn lege bed keek.

De volgende ochtend pakte Sammik een ivoren hanger in de vorm van een zeehond die hij aan een ongelooide veter om zijn hals droeg. Hij hield hem Ingrid voor. Het meisje boog haar hoofd en liet toe dat hij haar de hanger om de hals hing. Toen Sammik de ongeveer vijf centimeter lange zeehond recht hing, legde Ingrid haar handen over de zijne en drukte ze tegen haar borst. Toen ze hem losliet, maakte ze de gebaren voor *liefde* en *herinnering* en zei hardop het Inuit-woord voor vriend.

Terwijl Sammik zich aankleedde om te vertrekken, rende ze naar het mandje naast haar weefgetouw en pakte een stukje wollen stof dat ze net klaar had. Het was van purpergrijze, ongeverfde wol en net groot genoeg om als dekentje te dienen. 'Voor jullie eerste baby,' zei ze, terwijl ze met haar armen wiegde en één vinger opstak. 'Om het kindje warm te houden. En ons niet te vergeten.'

'Ik vergeet nooit iets,' zei Sammik. Hij omhelsde Leif hartelijk, maar stak zijn hand uit naar Ole. Ze bleven even hand in hand staan.

'Ik heb hem geleerd dat wij op die manier *vriend* zeggen,' zei Leif.

'Vrienden. Iyeh. Wij zijn vrienden, Ole broer van Leif en Ingrid.' De klank van de Noorse woorden scheen Sammik te bevallen. 'Vaarwel, Leif.' Leif legde zijn hand op zijn hart en raakte zijn slaap aan. Sammik knikte.

Ze liepen met hem mee naar de heuvel waar zijn honden en zijn slee op hem wachtten. Voordat hij vertrok, gaf hij de dieren nog een paar stukken rauw zeehondenvlees. Omdat zijn slee nu veel lichter was, zou hij niet lang over de reis naar het dorp doen. De wind was gedraaid en bracht de eerste tekenen van de lente. IJspegels aan de schuine dakbalken begonnen te smelten en hun afscheid werd begeleid door het geluid van druppelend water. Na een laatste omhelzing voor Halvard en Ingrid en een knikje voor Ole trok Sammik de rem waarmee de slee verankerd stond los. 'Ik denk dat ik hier maar oversteek,' zei hij. 'Het ijs begint dun te worden.'

'Veel succes,' riep Ingrid.

'Moge de Vrouw van de Zee je zegenen,' vertaalde Halvard. Sammik woof bij wijze van dank, hief zijn zweep op en liet die boven de ruggen van zijn honden knallen.

Ze bleven toekijken terwijl Sammik langzaam en voorzichtig de fjord overstak. Hij hield de leider van zijn honden bij zijn halsband vast en bleef naast hem lopen. Zodra de honden tegen de andere oever omhooggeklommen waren, stapte hij op zijn slee. Terwijl hij omhoogkeek naar het gezin op de heuvel aan de overkant stak hij zijn hand op.

Vanaf de heuvel boven de fjord bleef het viertal Sammik en zijn honden nakijken tot ze uit het zicht waren.

Hoofdstuk 5

Een paar dagen na het vertrek van Sammik brak de fjord al open. Daarna klonk voortdurend het gerommel van het brekende ijs dat in brokken omlaag viel. Af en toe, als de zon zich even liet zien, zag je overal regenbogen. Er hing een vochtige, warme nevel en alles was nat. Het was lente.

Ole verzamelde aangespoeld zeewier om aan de dieren te voeren en zocht op de plekken waar de wind de weidegronden schoon had geblazen naar vers groen voor hun kudde. De geiten en schapen moesten vetgemest worden. Als ze vel over been bleven, zouden ze de jongen die de winter overleefd hadden niet kunnen voeden en niet sterk genoeg zijn voor de zware tocht naar het zuiden.

Omdat ze dankzij Sammik genoeg te eten hadden, werden de melk en de vissen die Halvard had gevangen verwerkt tot voedsel voor onderweg.

'We gaan zodra de kabeljauw gedroogd is,' zei Halvard. Ondertussen verzamelden ze alles wat nog bruikbaar was.

Ole klom op het dak en gooide de doorweekte plaggen naar beneden. Daarna verwijderden de mannen al het hout dat de moeite waard was. Ingrid werd een beetje verdrietig toen het dak instortte en in stukken op de grond viel.

Leif ging aan de slag met zijn bijl en maakte extra roeiriemen en speren van het bruikbare hout. Ingrid rookte de laatste kabeljauwen boven een turfvuur, terwijl Halvard en Ole alles inpakten wat ze mee konden slepen. Ze smeerden de naden van de boot in met gestold zeehondenvet. Leif en Ole zouden over het water reizen met het merendeel van hun bezittingen. Het was de bedoeling dat ze elkaar bij iedere fjord zouden ontmoeten, zodat ze Ingrid, Halvard en de dieren over het water konden zetten.

'Ole en ik zullen overal waar we kamperen een kampvuur maken,' zei Leif. 'Als jullie ons niet zien, let dan maar op de rook.'

Voordat Halvard daarop kon reageren, zei Ole bezorgd: 'Is het wel veilig om een vuur te maken? Zou dat geen vijandige Skraelings aanlokken?'

'Sammik heeft gezegd dat hij overal bericht achter zou laten. We kunnen die mensen niet constant blijven ontlopen. We moeten er maar op vertrouwen dat alles goed gaat.'

Voordat ze gingen slapen, verscheen er in het zuiden een sikkeltje van de maan aan de hemel, als een glimlach zonder gezicht. De avondzon bleef tijdens de korte nacht vlak onder de horizon staan. Voordat de anderen wakker werden, kleedde Ingrid zich snel aan en liep voorzichtig door het natte gras naar de stenen grafheuvel. 'Hier ben ik, moeder,' fluisterde ze.

Halvard vond haar boven op het graf van haar moeder. Haar wang was rood en gevlekt op de plek waar die op de stenen had gerust en haar haar plakte aan haar gezicht. 'Ingrid?' zei hij zacht, om haar niet te laten schrikken. 'Wat doe je daar?'

Haar oogleden trilden. Ze keek verward om zich heen alsof ze toen pas zag waar ze was. 'Mijn moeder riep me,' legde ze uit.

Leif stond zich te wassen bij de duiker toen hij hoorde wat Ingrid tegen hun vader zei. Hij droogde zich snel af en hinkte naar de graven met de stoffelijke resten van Astrid en zijn kleine broertje en zusje die hun eerste winter niet overleefd hadden. 'Heeft Astrid iets tegen je gezegd? Wilde ze ons ergens voor waarschuwen?'

Haar droom begon haar al te ontglippen, maar Ingrid deed haar best om zich de bijzonderheden te herinneren. Ze slaakte een lichte zucht. 'Ik had mijn hoofd op haar schoot gelegd en ze vlocht mijn haar zoals ze altijd deed. Ze zei niets over onze reis. Dat kan betekenen dat ons niets zal overkomen.' Leif keek zijn vader aan, maar die haalde zijn schouders op. 'Ik moet me gaan wassen.' Ze krabbelde overeind.

Ze ontbeten met het laatste restje zure melk en pakten vervolgens hun kommen en lepels in. Ingrids parka van schapenhuid viel tot op haar knieën over haar broek van geitenvel. Ze had haar lange haren voor de reis gevlochten. 'Ik hoop dat ze ons niet voor een berenfamilie zullen houden, maar op deze manier zal ik niet steeds over mijn rokken struikelen. Later trek ik wel een jurk aan.'

'Dit lijkt me voorlopig ook het verstandigst,' beaamde Halvard.

'We moeten er wel aan denken dat we wollen kleren aantrekken voordat we de provincie bereiken.'

Ole en Leif hadden het merendeel van hun eigendommen en de helft van de gedroogde vis al in de boot geladen toen ze nog een paar laatste woorden met elkaar wisselden. 'We zullen bij de inham wachten om jullie en de dieren over te zetten,' zei Ole voor alle zekerheid nog een keer tegen zijn vader. 'Kwispel helpt ons wel om hen aan boord te krijgen. Ik denk dat het met drie keer heen en weer wel voor elkaar is.' Op de heenweg, vier zomers geleden, had het hun bijna een dag gekost om de veel grotere kudde over te zetten, maar daar begon Halvard niet over. Het had geen zin om te klagen over de weinige dieren die ze nog over hadden. Ze hadden geluk dat ze nog een paar stuks vee hadden.

Hij wenste zijn zoons goede reis en liep terug naar Ingrid, die op het erf bij hun bagage stond te wachten. 'Ze zijn vertrokken. Nu is het onze beurt. Ben je zover?' Ze hees haar draagpak op haar schouders. Halvard pakte zijn eigen pak, dat veel groter was, en keek om naar het restant van hun huis. 'Laten we maar proberen vandaag goed op te schieten.' Hij floot Kwispel. De zwart-wit gevlekte hond rende uitgelaten om de kudde heen. 'Ga jij maar aan de andere kant lopen, Ingrid. Zorg dat ze niet afdwalen.'

Behalve hun draagpakken had Halvard ook een sleep van aan elkaar gezette huiden met hun beddengoed, hun reservekleren, Ingrids weefgetouw, een ijzeren pot en de helft van de kazen. Ingrid droeg haar kleine mes, haar vuurstenen en de helft van de gedroogde kabeljauw. Halvard had zijn bijl in zijn gordel gestoken en hij gebruikte zijn speer als wandelstok.

Toen de eerste dag ten einde liep, werd de kudde overgezet over een kleinere fjord en daar, aan een met zwarte rotsen bezaaid strand, sloegen ze hun kamp op.

Na het ontbijt vertrokken Ole en Leif weer. De fjord kwam uit op de oceaan, dus Ingrid en Halvard zouden langs de kust blijven lopen tot ze de Oostelijke Nederzetting bereikten. Ze waren nog maar net onderweg toen Ingrid de slanke Skraeling-boten zag die evenwijdig aan de kust voeren, stuk voor stuk met één man aan boord, die een peddel met twee bladen hanteerde. 'Kijk, vader,' zei ze en wees. Halvard klemde zijn vingers om zijn speer en maakte zich zorgen om Ole en Leif. Ze waren zo ver weg dat hij nooit tussenbeide zou kunnen komen als de Skraelings zijn zoons kwaad wilden doen. De rode vlechten en baarden van Ole en Leif waren de enige kleurige plekken op het water, maar het leek alsof de Skraelings dwars door hen heen keken.

Toen ze later op de dag weer bij elkaar kwamen, was Ingrid zelfs blij dat ze het sombere gezicht van Ole zag. 'Hebben de zeejagers nog iets tegen jullie gezegd?' vroeg ze.

'Ik heb ze het eerst aangeroepen,' antwoordde Leif. 'Ik zei *vriend* in hun eigen taal, zoals ik van Sammik heb geleerd. Ze gaven niet echt antwoord, maar een van hen raakte zijn oor en zijn hoofd aan. Hij had gehoord dat we voorbij zouden komen. We mogen blij zijn dat Sammik dat rondverteld heeft.'

Een dagreis verder kwamen ze bij een inham die Halvard zich nog goed herinnerde. Hij wees Ingrid de plek aan waar hij samen met haar moeder bijna door een stel zeejagers gevangen was genomen. 'Dat moet ongeveer hier zijn geweest. Je kunt het dorp vlak bij de monding van de fjord zien liggen. De goden waren ons die dag goed gezind. De Skraelings kunnen bijna even snel peddelen als je broers kunnen zeilen.'

In de boot keek Ole om zich heen en liet zijn blik over de kust glijden. Een Skraeling-gezin stond op het topje van een heuvel naar hen te kijken. Kinderen wezen naar hen en riepen tegen hun vrienden dat ze naar de boot moesten komen kijken. 'Waarom dagen ze ons niet uit?' vroeg Ole.

'Je moet een gegeven paard niet in de bek kijken,' was de raad van Leif. 'Vader en Ingrid komen veel dichter langs hen dan wij. Toch vallen ze niet aan, zelfs niet om ons de dieren af te pakken en zich een jachttocht te besparen. Zou de waarschuwing van Sammik zover reiken?'

'Misschien houden ze niet van schapen en geiten,' veronderstelde Ole.

Bij de volgende oversteek maakten ze een vuur en wachtten tot Halvard en Ingrid zich met de dieren bij hen voegden. Ole en vader zetten de tent op, terwijl Leif de krukjes uitpakte en Ingrid het melken voor haar rekening nam. Ze lieten het vuur tot diep in de schemerige nacht branden, voor het geval er wolven rondzwierven.

Sammik was er wonderwel in geslaagd om de boodschap door te geven dat de Skraelings die aan de kust woonden hen voorbij moesten laten gaan zonder hen lastig te vallen. Maar inmiddels waren ze al op een paar dagreizen afstand van de dorpen in het noorden. In haar verbeelding zag Ingrid dreigende mannen met harpoenen die zich achter rotsblokken verscholen om hen en hun dieren in de gaten te houden.

Hoewel ze regelmatig stopten om de dieren te laten grazen waren ze de vierde dag al bij de grens van de Oostelijke Nederzetting. De dag ervoor hadden Ole en Leif een halfvolwassen zeehond verschalkt en die avond roosterden ze het vlees. Ingrid ging languit zitten en masseerde haar pijnlijke voeten. 'Denkt u dat we weer in onze oude boerderij kunnen trekken?' vroeg ze aan haar vader.

'Daar kan ik niets over zeggen tot ik weet hoe het Osmund de laatste paar jaar is vergaan,' antwoordde Halvard. 'De kans bestaat dat hij er niet in is geslaagd het bedrijf in handen te houden. Al voordat we vertrokken, had de bisschop een oogje op mijn bezittingen. Osmund heeft het recht op vruchtgebruik tot wij terugkomen. Hij is in naam eigenaar. Ik heb tegen hem gezegd dat als we niet terugkwamen, hij mijn land aan zijn jongens mocht vermaken. Als we een andere boerderij moeten zoeken, is de keus ruim genoeg, maar ik zou liever mijn eigen huis terug willen hebben. Ik ben daar geboren en dat geldt ook voor jou en je broers.'

Ze kwamen bij een bruingroen schiereiland met aan de oostkant een brede fjord. 'Hier begint ons Groenland,' zei Halvard. 'Zorg dat ons vee niet afdwaalt en zich tussen andere dieren mengt. En kijk uit of je het zeil van je broers ziet.' Ze keerden de oceaan de rug toe en liepen over het veelgebruikte pad langs de fjord. Ze wisten dat ze de provincie hadden bereikt toen ze de eerste stenen muurtjes zagen waarmee de velden van de boerderijen van elkaar gescheiden werden.

De kliffen op het land hielden de noordenwind tegen. Ole en Leif moesten hun nutteloze zeil inhalen en de riemen gebruiken. Ingrid ving af en toe een glimp op van haar roeiende broers. Halvard wees haar de bijzondere plaatsen aan die hij zich herinnerde, eilanden en landtongen. De fjord ploegde zich in zuidwaartse richting door het land, langs eilanden met verdwaalde huizen en schapen. 'We zullen pas tegen de avond ons oude huis in zicht krijgen,' zei Halvard. 'Misschien is het verstandiger om nog één nacht te kamperen en er pas naartoe te gaan als we weer uitgerust zijn. We moeten je broers niet uit het oog verliezen. De geiten dwalen af. Kwispel, hou ze bij elkaar!' beval hij terwijl hij de hond floot. 'Daarginds ligt Brattahild, het landgoed van Leif Eriksson. Het is nog steeds eigendom van de afstammelingen van Leif en het is de meest welvarende boerderij in heel Groenland.'

Toen ze er langskwamen, keek Ingrid naar het groene gras en de hoge stenen muren alsof ze verwachtte dat Leif de Gelukkige samen met zijn krijgers in hun complete viking-uitrusting plotseling uit de grond zouden oprijzen. Overal op de hellingen liepen beesten en slaven, maar niemand merkte hen op.

'Zo meteen krijgen we de boerderij in zicht waar je moeder en ik een nacht hebben gelogeerd, toen we terugkwamen uit het dorp van Qisuk.' Ingrid keek in de richting die hij aanwees en zag even later een vrij groot, rechthoekig huis van gladgebikte stenen waarvan het schuine dak beschermd werd door een laag nieuwe plaggen. Vlak erachter stonden een paar kleine schuren. De oever liep steil omlaag, zodat ze haar broers niet meer kon zien.

Het huis zag eruit als een welvarende en goed onderhouden boerderij. De stenen waren zorgvuldig gevormd en keurig op elkaar gestapeld. Op de helling graasden schapen, een koe met haar kalf stond in een weiland en naast het huis waren een melkerij en een keuken te zien, maar er kwam geen rook uit de rookkanalen en de luchtgaten. Op de een of andere manier klopte er iets niet. 'Dat is toch de plek waar jullie naar binnen werden geroepen door die vrouw met het gele haar? Zij wilde dat jullie op bezoek zouden gaan bij haar vader en moeder dacht dat ze een geest was.'

'Dat klopt.' Halvard trok een gezicht toen hij daaraan terugdacht.

'Ze behandelde moeder als een Skraeling!' zei Ingrid en snoof verontwaardigd bij de herinnering aan het verhaal dat ze van haar moeder had gehoord.

Halvard klopte haar op de arm. 'Dat is al zo lang geleden. Bovendien wás ze ook een Skraeling, al willen wij dat niet toegeven.'

'Nee,' protesteerde ze, 'dat mag je niet zeggen.' Moeder was afkomstig uit een ver land en daarom hadden de priesters haar van allerlei vreselijke dingen beschuldigd. Ingrid wist dat haar moeder niet afkomstig was van de stammen uit het noorden en sloeg haar armen nijdig over elkaar. Ze ontweek de vragende blik van haar vader. Als haar moeder een Skraeling was, dan was zij een halve Skraeling. Geen wonder dat Ole nooit met moeder op had kunnen schieten en dat hij het zo leuk vond om Ingrid te plagen.

Ze waren nog niet veel opgeschoten toen Ingrid een gedempte kreet hoorde en abrupt bleef staan. Haar ogen vlogen meteen naar de fjord, op zoek naar de boot van haar broers. Iemand had hen geroepen, maar ze kon niet zien wie. De beide broers veranderden van richting en roeiden naar de wal. 'Vader!' Ze fluisterde om te voorkomen dat de man die op de helling beneden hen stond haar zou horen. 'Leif en Ole roeien naar de kust.'

'Wie zou dat zijn?' vroeg Halvard op een benauwde fluistertoon. Ingrid haalde haar schouders op. 'En wat wil hij van je broers? Het moet iemand uit het huis zijn. Kijk eens even naar beneden, voordat iemand ons in de gaten krijgt. Ga op je knieën liggen en vertel me maar wat je ziet.' Hij dook in elkaar en wierp een blik op het huis. 'Zorg dat hij je niet ziet.'

Ingrid ging voorzichtig op haar buik liggen en tuurde over de rand. Halverwege de stenen trap stond een man in een lang gewaad. Hij wenkte Ole en Leif en schreeuwde tegen hen dat ze hun boot aan de steiger moesten leggen en naar hem toe moesten komen.

'Kijk, vader,' fluisterde ze terwijl ze hem wenkte. 'Zijn gewaad hangt tot op de grond. En hij heeft een ronde kale plek op zijn hoofd. Wat is dat voor man?'

'Alle goden nog aan toe, dat is een christelijke priester.' Halvard slaagde erin zijn stem gedempt te houden. Hij floot naar Kwispel om de hond opdracht te geven de kudde tot staan te brengen. Binnen de kortste keren stonden de schapen en de geiten al te grazen. 'Wat zou hij van je broers willen? Dat soort figuren heeft ons alleen maar ellende bezorgd. Laat mij maar het woord doen als hij ons in de gaten krijgt.'

De man had nog steeds niet gezien dat zij boven hem stonden. Hij zag alleen de boot en haar broers. Kwispel begon zacht en waakzaam te grommen, omdat hij de onbekende als een mogelijke vijand beschouwde, een bedreiging voor zijn kudde.

'Tja, daar komen we niet onderuit,' merkte Halvard op. 'Zo meteen ziet die priester ons ook en dan zullen we wel met hem moeten praten. Leif en Ole hadden gewoon niet naar hem moeten luisteren. Ik vraag me af of deze ontmoeting ons geluk zal brengen of niet.'

'Schiet op, jongelui!' riep de man opnieuw. Het eerste wat in zicht kwam, was het vuurrode haar van Ole en Leif die de stenen trap op liepen, op de voet gevolgd door de priester. Kennelijk had hij Leif voor laten gaan, omdat hij nog zo hinkte. 'Ik heb jullie nodig als getuigen bij een gerechtelijk proces. Kunnen jullie je naam schrijven in Latijnse letters? Als dat niet zo is, kunnen jullie gewoon je merkteken zetten, dan zet ik daar gewoon mijn handtekening onder om het document officieel te maken.' Ingrid hoorde Ole kribbig opmerken dat ze allebei hun naam in runen konden schrijven en als dat niet goed genoeg was, dan gingen ze weer terug naar de boot.

De priester aarzelde geen moment en beaamde dat runen goed genoeg waren. 'Ik ben Sira Mars, de priester van de Kerk van Thjodhild. Ik ben op verzoek van koning Magnus naar Groenland gekomen om Sira Pall Knudson te helpen bij zijn opdracht de christenen te beschermen. Jullie hebben toch weleens gehoord van onze kerk? Het was de eerste die in dit land is gebouwd, door Leif Eriksson ter zalige nagedachtenis aan zijn moeder.'

Die geschiedkundige feiten zeiden Ole en Leif niet veel. 'Ik geloof dat we weleens over uw kerk hebben horen praten, Sira Mars. We hebben met onze kudde in het noorden overwinterd. We willen die dieren zo snel mogelijk naar huis brengen en we zijn alleen naar u toe gekomen omdat u ons riep. Wat wilt u nu eigenlijk van ons?' Leif kwam meteen ter zake, maar de priester liet zich niet uit het veld slaan.

'Er heeft zich hier een tragedie afgespeeld. Misschien is er zelfs sprake van moord. Het hoofd van het gezin, zijn vrouw, hun dochter en haar man zijn allemaal dood, plus drie van de slaven. Hun kleinzoon trof hen doodziek aan en liet mij hiernaartoe komen om te zien of ik ze kon redden. Helaas kon ik ze alleen nog het laatste sacrament toedienen. En nu probeer ik te achterhalen wat er precies gebeurd is. De zoons van de dode huiseigenaar hebben de twee overgebleven slaven van moord beschuldigd en ik moet bepalen of ze schuldig of onschuldig zijn. Dat stemt me triest. Ik heb hen zelf gedoopt. Het is nog maar een stel jongelui en ze hebben ook hun ouders verloren.'

'Waarom zou u een oordeel moeten vellen in plaats van de rechters van de Althing?' wilde Ole weten. Hij stond stil en keek omhoog naar Halvard en Ingrid. Aangezien de priester hen nog niet had gezien, lette Ole goed op dat hij hun aanwezigheid niet verraadde.

'Dit is geen geval voor de Althing. Onze wetten gelden niet voor

Skraeling-slaven. Als deze jongens hun meester en zijn gezin vermoord hebben, moeten ze sterven want anders bestaat de kans dat ze opnieuw zullen moorden.'

Happend naar adem bleef Sira Mars staan. Hij keek eindelijk om en zag Halvard en Ingrid die rustig zaten te wachten. Het viel hem meteen op hoe raar die vreemdelingen eruitzagen, het leek alsof al hun kleren uit schapenhuid en geitenvellen waren gemaakt. Aan hun rode haar en baarden te zien waren de twee jonge mannen de zoons van deze oudere man. Naast de vader stond een baardeloze jongeling met gevlochten kastanjebruin haar en lichtbruine ogen.

De blik waarmee de knul hem aankeek, maakte een onbeschaamde indruk. De priester had niet verwacht dat zich hier ook Laplanders hadden gevestigd, maar in deze uithoek was alles mogelijk. Als hij een Laplandse moeder had gehad, zou dat het vreemde uiterlijk van de jongen verklaren. Ondanks zijn kastanjebruine haar was hij duidelijk een halfbloed. En die ogen waren ronduit onrustbarend.

'Wat wilt u van mijn zoons?' vroeg Halvard achterdochtig.

Sira Mars schraapte zijn keel. 'Ik had u niet gezien, beste man,' zei hij nerveus.

'U ziet ons nu,' zei Halvard.

'Ik zal het nog een keer uitleggen,' stamelde de priester. Ze waren in de meerderheid en geen van deze eigenaardig uitgedoste mannen behandelde hem met het respect waaraan hij gewend was. Hij kreeg een vreemd voorgevoel. Hij had een van zijn monniken naar de dichtstbijzijnde hofstede moeten sturen om getuigen te halen, in plaats van een stel vreemdelingen uit de fjord op te trommelen.

'Ze moeten getuigen zijn van mijn oordeel over de twee beschuldigde slaven.' Toen hij zijn tengere hand door zijn al dunner wordende bruine haar haalde, kwam hij tot de ontdekking dat het nat was van het zweet. Helaas waren de eerwaarde broeders en de zonen van de overleden landeigenaren in het huis en dat lag net buiten gehoorsafstand. De oudere man in zijn kleding van dierenhuid leek op een verschijning uit het verleden. Het was net een viking uit de oude verhalen, breedgeschouderd als een stier, met een dikke rode baard en een verwilderde blik. Hij droeg een bijl in zijn brede gordel. Sira Mars vreesde dat die niet alleen was gebruikt voor het klieven van hout.

De vreemdelingen staken allemaal minstens een kop boven hem uit, behalve de knul die hooguit twaalf of dertien jaar was. De priester vouwde zijn handen voor zijn buik, om te voorkomen dat ze zouden gaan beven, en zei: 'Ik ben Sira Mars Torkelson, van de Kerk van Thjodhild.' Dit keer liet hij de historische feiten achterwege. Hij hoorde zelf ook dat zijn stem veel te ijl en te onzeker klonk om autoritair over te komen. 'Wie zijn jullie?'

Ondertussen was Ingrid roerloos blijven staan en had alleen haar handen in haar mouwen gestoken om de greep van haar mes vast te pakken. Hoewel het erop leek dat ze geen gevaar te duchten hadden van de zenuwachtige priester, wenste ze geen enkel risico te nemen. De blik van de man gleed van Halvard naar haar. Ze keek hem strak aan en haar ogen schenen zich in de zijne te boren.

Huiverend deed Sira Mars een stapje achteruit. Zo zacht dat alleen zij hem kon verstaan, voegde hij eraan toe: 'En wie ben jij in vredesnaam?'

Hoofdstuk 6

'Ik ben Halvard Gunnarson,' zei hij, terwijl hij zijn best deed om een ontspannen indruk te maken, hoewel zijn hart zo tekeerging dat hij zich afvroeg of de anderen het ook zouden horen. 'Het was niet onze bedoeling u aan het schrikken te maken. We dragen reiskleding die ons de tocht over de velden en de fjorden wat gemakkelijker maakt, maar in feite zijn we eenvoudige boeren. Mijn zoon heeft u al verteld dat we met onze kudde op weg zijn naar huis, maar als u ons nodig heeft, staan we tot uw beschikking,' voegde hij er met een lichte buiging aan toe. Hij wees naar Leif en Ole en stelde hen voor.

Je moest zo slim zijn als Loki om je uit deze toestand te redden, dacht Halvard. De priester was weliswaar ongewapend, maar hij hoefde maar te roepen om zijn mannen op te laten draven. De vreemde uitwerking die Ingrid op hem had gehad, was Halvard niet ontgaan. Hij wierp onwillekeurig een blik op het dunne lichtbruine haar van Sira Mars dat al begon te grijzen. Het wapperde rond zijn geschoren kruin in de wind. De priester mocht dan al wat ouder zijn, maar sommigen van hen hadden wel degelijk oog voor vrouwen. Sommigen waren zelfs getrouwd.

Leif knikte even beleefd tegen Sira Mars, maar Ole verroerde zich niet. Zijn op elkaar geklemde lippen werden niet bedekt door zijn oranjerode snor en er stond een scherpe blik in zijn lichtbruine ogen. Sira Mars werd zo zelden met ergernis geconfronteerd, dat hij de uitdrukking niet eens herkende.

De priester zei met een bedeesd lachje: 'Dan hoop ik dat u me niet kwalijk neemt dat ik beslag leg op uw tijd en dat ik een beetje verrast ben, maar ik heb dit soort kleren nog nooit gezien. Ik ben blij dat u me van dienst wilt zijn en Onze Lieve Heer zal u dat ook in dank afnemen. Als mensen door de strenge winter die we hebben gehad genoodzaakt zijn om beschermende maatregelen te nemen, kan ik hen dat niet kwalijk nemen. Zoveel honger en kou kan een mens alleen overleven bij de gratie van de Here.'

Halvard vroeg zich af of het in de provincie nog erger was geweest dan wat zijn gezin had moeten doorstaan. Hij pakte Ingrids slanke hand en legde die op zijn arm. Haar vingers waren ijskoud.

Sira Mars pakte zijn mantel en trok die zo stijf om zich heen dat de grijze wol zijn priestergewaad helemaal bedekte. Halvard had zijn jongste zoon nog niet voorgesteld, dacht hij. Hij gedroeg zich zo beschermend ten opzichte van de jongeling dat de priester zich begon af te vragen wat daar de reden voor was. Aan die smalle schouders en die gladde wangetjes te zien kon het kind niet ouder zijn dan een jaar of dertien. 'En hoe heet je jongste zoon?'

Halvard schoot eindelijk in de lach en zijn witte tanden blikkerden onder zijn vuurrode snor. 'U bent kennelijk in de war geraakt door haar kleren, hoewel dat niet onze bedoeling was. Ik had mijn dochter ook aan u moeten voorstellen. Ze heet Ingrid.'

'Is het een meisje?' Sira Mars bloosde en het zweet brak hem uit. Het meisje ontspande zich en grinnikte. 'Dat zou ik nooit hebben geraden,' zei hij en toen hij besefte dat hij de zaak daarmee alleen erger maakte, geneerde hij zich nog meer en probeerde haastig zijn woorden recht te zetten. 'Ik bedoelde niet dat je niet knap genoeg bent voor een meisje. Ik keek gewoon niet verder dan mijn neus lang is. Vergeef me mijn vergissing, Ingrid Halvardsdottir.'

Ze maakte een halve revérence, omdat ze niet zeker wist of dat onder deze omstandigheden gepast was. Sira Mars bleef haar met een flauw glimlachje aankijken. Halvard gaf Ingrid een geruststellend klopje op haar arm en verbrak de stilte. 'Aangezien mijn lieve vrouw afgelopen zomer is gestorven, hebben we onze kleren zo simpel mogelijk gehouden. Het gras in het binnenland was beter, maar nu keren we met de kudde weer terug naar mijn zomerhuis. Hoewel we niet van plan waren om hier te stoppen, kan ik u wel vertellen dat ik op deze boerderij een keer samen met mijn vrouw een prettige avond en nacht heb doorgebracht.'

'Is uw vrouw overleden? Het spijt me dat te horen. Heeft ze nog de kans gehad om te biechten?'

Halvard gaf geen antwoord.

De priester schuifelde met zijn voeten en wreef even over zijn nek. Hij was het niet gewend dat hij geen antwoord kreeg op zijn vragen, net zomin als hij gewend was aan het feit dat hij naar de boerderij had moeten lopen. Afgelopen zomer zou een stevig paard hem en zijn bagage hebben gedragen. Maar de paarden die de afgelopen winter hadden overleefd konden nog niet bereden worden, zelfs niet door iemand met zijn geringe lichaamsgewicht. Hij moest de zaak maar zo snel mogelijk afhandelen, zodat deze onbeleefde vreemdelingen hun weg konden vervolgen. 'Ik heb uw zoons aan land geroepen omdat ik twee getuigen nodig heb bij een gerechtelijke procedure, getuigen die geen familie zijn van de slachtoffers.'

'Maar ik dacht dat de misdaad al gepleegd was. Waar moeten mijn zoons dan getuige van zijn? Ik snap er niets van.'

'Ze moeten getuigen dat er recht is geschiedt, zodat niemand mijn beslissing zal aanvechten. Als u de eigenaar van dit huis hebt gekend, dan weet u ook dat hij een goed mens was. Wij zijn hier om vast te stellen of hij en zijn gezin inderdaad zijn vermoord. Zijn zoons wilden dat de Skraeling-slaven onmiddellijk terechtgesteld zouden worden, maar aangezien het christelijke zielen zijn, kan ik dat niet toestaan voordat ik alle bewijzen heb gehoord en heb besloten of ze schuldig of onschuldig zijn.'

Een hoestbui onderbrak de verklaring van Sira Mars. Hij wapperde met zijn handen terwijl hij op adem probeerde te komen en drukte een wollen lap tegen zijn mond. Halvard week achteruit en vroeg zich af of de man besmet was met de longziekte of dat hij nog last had van een verkoudheid die hij in de winter had opgelopen.

De priester stopte zijn zakdoek weg en sloeg een kruis. 'Moge de Here ons behoeden voor ziekte,' zei hij. 'Als alles voorbij is, zal ik u de biecht afnemen, tenzij u liever naar uw eigen biechtvader gaat zodra u thuis bent. Ik neem aan dat het al een tijdje geleden is dat u voor het laatst hebt gebiecht. Ondertussen condoleer ik u met het overlijden van uw vrouw. Ze is nu in de hemel, samen met onze geliefde bisschop Alf. Dat moet u troost schenken.'

Halvard keek hem met grote ogen aan, terwijl zijn zoons elkaar veelbetekenend aankeken. Het meisje sloeg haar hand voor haar mond. 'Is de bisschop dood?' vroeg Halvard.

Ze hadden niet gereageerd op zijn condoleances en ook niet op zijn vriendelijke aanbod. Was de dood van de bisschop dan het enige dat tot hen was doorgedrongen? Ze moesten wel erg veel van hem hebben gehouden als ze zo onder de indruk waren van zijn overlijden. 'Het nieuws van dat vreselijke verlies heeft jullie toch wel bereikt?'

'Dood? Is de bisschop echt dood?' vroeg Ole. 'Weet u dat zeker?'

'Ja. Het is echt waar.' Sira Mars vroeg zich af of hij werkelijk een sprankje blijdschap had gehoord. De meeste mensen sloegen een kruis als ze dit droevige nieuws te horen kregen. Hij kwam tot de conclusie dat hun eigenaardige reacties het gevolg waren van schrik.

'We zijn nogal lang weggeweest,' zei Halvard, 'dus het nieuws had ons nog niet bereikt. Is de bisschop al lang geleden gestorven?'

'Na het feest van de Wederopstanding, hoewel het deze lente nauwelijks een feest is geweest, gezien de ernstige verliezen die we hebben geleden en het weinige voedsel dat er na deze extra lange winter nog over was. Maar alle dienaren Gods doen hun uiterste best, zoals onze Heilige Vader ons heeft opgedragen. We moeten als goede herders over onze kudde blijven waken.'

'Als goede herders,' herhaalde Halvard dof.

'Absoluut,' vervolgde Sira Mars, blij dat de vreemdelingen eindelijk aandacht aan zijn woorden schonken. 'We moeten bidden dat onze aartsbisschop in Nidaros ons snel een nieuwe bisschop zal sturen, om de taak op zich te nemen die bisschop Alf heeft moeten neerleggen.'

'Hebt u hem dat laten weten?' Zou er in de jaren dat zij in ballingschap hadden geleefd dan een schip aangelegd hebben in de haven van Gardar? Als de handel tussen Noorwegen en Groenland was hervat, waren er misschien ook nieuwe kolonisten. Dan hadden er misschien grote veranderingen plaatsgevonden.

'Nee. Sinds het schip dat ons hier heeft gebracht, hebben we geen handelsschepen meer gezien, maar we bidden er dagelijks om,' zei Sira Mars langzaam. 'We verwachten dat er ieder moment een schip kan komen. Dat kan altijd gebeuren, daar ga ik tenminste van uit.' Hij zweeg even. 'Maar tot onze gebeden verhoord worden, zullen we ons hier moeten redden.' Hij hoestte opnieuw in de verfomfaaide lap.

'Dat lijkt me heel verstandig. En laten we nu dan maar meteen beginnen aan wat u van ons vraagt, zodat wij onze reis kunnen voortzetten. De zon heeft niet stilgestaan sinds u mijn zoons hebt geroepen en we hebben nog een lange reis voor de boeg.'

'Natuurlijk. Kom maar mee,' zei Sira Mars. Toen ze bij het grote huis kwamen, zagen ze dat de hofstede over twee erven beschikte, die allebei keurig waren afgezet met stenen muurtjes. Een van stenen vervaardigd kanaal leidde het water van een bron in de buurt naar het huis. Halvard herkende het huis meteen, hoewel het al lang geleden was dat hij hier samen met Astrid had gelogeerd.

'Thorvalds kleinzoon is naar mijn kerk gehold om hulp te halen. Ik ben vanochtend aangekomen, in het gezelschap van vijf monniken, om de familie de biecht af te nemen of hen te begraven als we te laat zouden komen. We waren helaas niet bij machte om nog iets voor de familie te doen.'

'Hoe lang bent u hier al?' informeerde Halvard.

'Er is nauwelijks een uur verstreken sinds we hier aankwamen en ik op zoek ben gegaan naar getuigen. Toen we aankwamen, troffen we de gezwollen lijken aan die in hun eigen vuil lagen. Neem me niet kwalijk dat ik zo cru ben. Natuurlijk hebben we meteen hun volwassen zoons, Skuli en Pall laten komen. De jongen is in de kerk achtergebleven. We kwamen tot de ontdekking dat ook de oudere slaven dood waren. De jongste slaven hadden wel hun eigen familie begraven, maar niet hun meester en zijn gezin, hoewel ze dat eigenlijk wel verplicht waren.'

'Natuurlijk hebben ze eerst voor hun eigen ouders gezorgd,' zei Halvard.

'Dat zou kunnen,' gaf Sira Mars toe. 'Maar bij onze aankomst betrapten we hen erop dat ze probeerden de kudde te stelen. Mijn mannen moesten er alle vijf aan te pas komen om hen te overmeesteren en de dieren terug te brengen naar de schaapskooi. Ik vermoed dat we er niet omheen kunnen hen terecht te stellen. Wurging lijkt me de beste methode.' Sira Mars hield plotseling zijn mond toen hij Ingrids gezicht zag. 'Dit soort gesprekken is niets voor een jong meisje. En ze hoeft de lijken ook niet te zien. Zeg alstublieft tegen uw dochter dat ze hier moet blijven wachten tot wij klaar zijn.'

'Nee, Sira Mars,' zei Ingrid smekend. 'Ik wil erbij blijven. Alstublieft.'

Sira Mars was een beetje overdonderd door dat verzoek. Hij keek haar vader aan om te zien hoe hij erover dacht, maar Halvard knikte instemmend en klopte zijn dochter even op de arm. 'Ga dan maar mee,' zei de priester.

Voor het huis stond een aantal mannen met de armen over elkaar op hen te wachten. Ze hadden de kap van hun pij op. Een kudde schapen en een paar stuks mager vee stonden naast de stal te grazen. Vlak bij de deuropeningen lagen twee tenger gebouwde jongemannen, met een donkere huid en donker haar, gekneveld als kalveren voor de slacht.

Een blonde jongeman in een lang geel hemd en een donkerrode broek kwam naar Sira Mars toe rennen. 'Dus u hebt eindelijk uw getuigen gevonden. Mijn broer en ik willen dat deze slaven gewurgd worden, als voorbeeld voor andere slaven die overwegen om bezit te nemen van iets wat niet van hen is.'

'Maar ongetwijfeld zul je er toch eerst voor willen zorgen dat je ouders en je zuster en haar man fatsoenlijk begraven worden, Pall Thorvaldson,' berispte Sira Mars hem. 'Die slaven lopen niet weg. Zodra we voor de stoffelijke resten hebben gezorgd zal ik beslissen wat er met hen moet gebeuren.'

'Ja, natuurlijk.' Voordat Sira Mars naar de inmiddels al gedolven graven liep, waar nog meer mannen in donkere, onopgesmukte gewaden stonden te wachten, voegde Skuli Thorvaldson eraan toe: 'Het zit me dwars dat deze slaven niet hetzelfde lot hebben ondergaan als de rest. Ze zullen het water wel vergiftigd hebben.'

'We zullen hen ondervragen en beslissen wat er met de beschuldigden moet gebeuren, maar dat kan wachten.' De familie keek nieuwsgierig toe hoe Sira Mars in een kom wat water uit de goot schepte en boven de kom een paar keer een kruisteken maakte terwijl hij woorden in een vreemde taal prevelde. Een paar van die woorden werden herhaald door de monniken, die 'amen' zeiden toen de priester klaar was met zijn ritueel. 'Zijn de lijken gewassen en klaar om begraven te worden?' vroeg hij aan een van de monniken.

De man boog. 'Inderdaad. We hebben hen uit hun bedsteden gehaald en hen in hun dekens gewikkeld. Ze waren erg mager, hoewel we niet kunnen vaststellen of dat het gevolg is van hun doodsstrijd of van de beproevingen van de winter.' Het gezicht van de spreker ging met uitzondering van zijn kin schuil onder zijn monnikskap, maar aan zijn stem te horen was hij nog jong.

'Dank u wel, broeder Audun. Ik zal de overblijfselen nu zegenen. Heb nog even geduld, Halvard,' zei Sira Mars. 'Een uur zal toch niet zoveel verschil maken.' Halvard boog zijn hoofd en deed zijn best om beleefd te blijven.

De monniken hadden een grote hoeveelheid stenen naast de ondiepe kuilen gelegd. 'Weet je zeker dat je erbij wilt blijven?' fluisterde Halvard tegen Ingrid. Ze knikte. Samen met zijn kinderen liep Halvard naar de in hun doodskleed gewikkelde lijken. Skuli en Pall Thorvaldson knielden en wachtten tot de priester klaar was en de monniken de graven dicht konden maken.

Alleen de hoofden van de lijken waren te zien. Sira Mars knielde neer om met het water dat hij had gezegend een kruis op hun voorhoofd te maken. De beide vrouwen droegen bescheiden wollen hoofddeksels. Halvard trok een gezicht. Hij herkende de oude man, Thorvald, zelfs nu de dood hem lijkbleek en verschrompeld had gemaakt. Als die jonge slaven hem echt hadden vergiftigd, verdienden ze het om te sterven.

Toen de laatste steen op zijn plaats lag, knielden de priester en de monniken naast de grafheuvel neer om tot hun god te spreken. Halvard liep een eindje weg, gevolgd door zijn kinderen.

'Vader, hoe weten we nou dat die familie vergiftigd is?' fluisterde Leif. 'Stel je nou voor dat die Skraelings er niets mee te maken hebben? Moeten we zomaar goedvinden dat die monniken hen ter dood brengen en dan dat document van Sira Mars ondertekenen om te getuigen dat er recht is gesproken?'

'Nee,' fluisterde Ingrid. 'We kunnen de jongens niet laten vermoorden zonder iets te zeggen. Vader, je moet iets doen.'

Halvard legde een vinger op zijn lippen. 'Het zou best kunnen dat Odin ons voor onze eigen bestwil op deze hindernis heeft laten stuiten. Ik kan me die jongens nog goed herinneren, hoewel ze nog heel jong waren toen ik ze heb gezien. Je moeder heeft me verteld hoe ze heetten. De slavin, hun moeder, heette Oona. Zij was degene die Astrid vertelde dat ze in verwachting was van een meisje.' Ingrid keek hem met opgetrokken wenkbrauwen aan. Ole onderdrukte een kreet en beet op zijn lip.

'Ik geloof niet dat die slaven iets te maken hadden met Thorvalds dood,' ging Halvard verder. 'En ik zweer bij de goden van de Asgard dat ik, als ik daar de kans voor krijg, zal zorgen dat het recht zegeviert.'

Ole, Leif en Ingrid hingen aan zijn lippen. 'Bovendien geloof ik dat ik Sira Mars wel zover kan krijgen dat hij me een gunst bewijst. Het zit er dik in dat bisschop Alf gedurende de afgelopen vier jaar zijn kans schoon heeft gezien om onze boerderij aan de bezittingen van de kerk toe te voegen. Als dat inderdaad zo is, zie ik misschien een mogelijkheid om hem terug te krijgen. Die Sira Mars lijkt me wel een redelijke vent. Doe maar precies wat ik zeg.'

Sira Mars had zijn gebed beëindigd en stond op. 'Laten we nu maar teruggaan naar het erf en naar de getuigenverklaringen luisteren. De monniken zullen me helpen bij het vellen van een oordeel. Ole en Leif Halvardson zullen als onze lekengetuigen fungeren. Broeder Joseph, jij moet de belangrijkste punten opschrijven. Is iedereen zover?'

'Neem me niet kwalijk, Sira Mars,' zei Halvard. 'Maar ik heb een verzoek. Jullie hebben misschien al gegeten, maar wij hadden er niet op gerekend dat we hier zouden stoppen en we hebben uren achter elkaar gelopen. Met uw permissie zouden we graag gaan zitten om iets te eten en te drinken.' De priester knikte toestemmend en zei tegen de anderen dat ze nog even moesten wachten.

Ole liep achter Halvard aan, met Leif en Ingrid op zijn hielen. 'Sira Mars,' zei Halvard opnieuw. 'De jongens tegen wie de aanklacht loopt, kunnen nauwelijks ontsnappen. Vindt u het goed dat wij onze vis en kaas met hen delen en hun iets van ons water geven?'

Skuli slaakte een kreet van ontzetting en keek zijn broer aan. 'Sira Mars,' protesteerde Pall. 'We hebben nog niet besloten dat ze in leven mogen blijven. Wat als zij verantwoordelijk blijken te zijn voor de dood van mijn familie? Moeten we hen wel met zoveel consideratie behandelen? En moeten we hen soms ook nog losmaken?'

Alsof het sarcasme van die vraag hem volkomen ontging, wendde Halvard zich opniew tot de priester. 'Ja, Sira Mars, Pall Thorvaldson heeft volkomen gelijk. Aangezien de beklaagden nog niet gehoord zijn en hun schuld evenmin vaststaat, wilt u ons misschien wel toestemming geven om hen los te maken, zodat wij ons eten met hen kunnen delen.'

'Christelijke naastenliefde, Pall. Dat zal je ziel ten goede komen,' merkte Sira Mars op. 'Geef de gevangenen maar iets te eten en te drinken. Maar hou ze wel in de gaten, broeder Audun. Laat ze niet weglopen.'

Halvard maakte de gevangenen los. De jongens trilden en wreven over hun armen en benen voor ze stijf overeind kwamen. 'Ik ben Halvard,' zei hij tegen hen. 'Heet jij soms Kettil?' vroeg hij aan de oudste jongen, die verrast knikte. 'Dan moet jij Han zijn,' richtte hij zich tot de ander.

'Hoe komt het dat u weet hoe wij heten?' vroeg Kettil. 'Ach, dat zult u wel van Pall of van Skuli gehoord hebben,' beantwoordde hij zijn eigen vraag op zure toon.

'Nee. Dat heeft iemand anders me verteld. Ingrid, geef hen de waterzak.'

Nadat ze hadden gegeten, gaf Sira Mars het sein dat het proces kon beginnen. Broeder Joseph ging met zijn ganzenveer op het erf zitten. Hij trok de stop uit een stenen potje dat aan zijn voeten stond en streek een schoon vel perkament glad dat hij op zijn knieën legde.

Sira Mars stond naast hem. 'Pall, omdat jij de oudste bent, krijg jij het eerst de kans om je getuigenis af te leggen. Jij hebt de slaven van je ouders in de eerste plaats van moord beschuldigd, een zeer ernstige aanklacht, en ten tweede klaag je ze wegens diefstal aan. We zullen beide aanklachten apart behandelen. Waarom denk je dat deze slaven jouw familie vermoord hebben?'

Pall Thorvaldson keek boos. 'Het lijkt me verstandiger om het eerst over de diefstal te hebben, want het zal meer tijd kosten om de moord te bewijzen. Niemand heeft gezien dat ze de bron hebben vergiftigd. Maar wij hebben zelf gezien dat deze brutale kerels er met het vee van mijn familie vandoor gingen. We hebben ze op heterdaad betrapt. Is dat niet genoeg om hen te veroordelen?' Skuli, zijn broer, strengelde zijn vingers in elkaar en keek eerst naar de priester en vervolgens naar Ole en Leif om er zeker van te zijn dat ze goed opletten.

Sira Mars trok aan zijn lichtbruine baard terwijl hij overleg pleegde met broeder Audun. 'Ik heb gezegd dat de kwestie van de diefstal pas op de tweede plaats komt. Het allerbelangrijkste is het onderzoek naar de dood van je ouders en van je zuster en haar man. Hebben de jongens hen vergiftigd of zijn ze aan een ziekte bezweken? De brave broeders hebben geen sporen gevonden. Als deze bedienden, brave jongens en bovendien christenen, hun meester en zijn familie wilden doden, zouden ze dan hun eigen vader en moeder niet gewaarschuwd hebben om van het vergiftigde water af te blijven?' Hij keek de gevangenen aan die samengeklemde handen voor hem stonden. 'Kettil, waar waren je broer en jij toen de dood zijn opwachting maakte in dit huis?'

'Sira, we weten niet wanneer het is gebeurd,' antwoordde de jongeman. 'Gisteren zijn we in alle vroegte met onze pijlen en bogen de bergen in getrokken om op klein wild te gaan jagen en onze vallen te controleren. Toen we terugkwamen, lagen onze ouders en oom dood op het gras. We hebben hen in oude huiden gewikkeld en hen een klein stukje de heuvel op gedragen, waar we hen met stenen hebben bedekt. We durfden het huis van onze meester niet binnen te gaan uit angst dat we dan ook ziek zouden worden. We hebben hun namen wel geroepen, maar er kwam niemand naar buiten en we kregen ook geen antwoord.'

'Hebben jullie het water vergiftigd?' vroeg Halvard.

'U windt er geen doekjes om,' merkte de priester op.

'Nee, dat hebben we niet gedaan,' antwoordde Kettil. 'Denkt u soms dat we onze eigen familie zouden vermoorden?'

Leif stelde voor om hen van het water uit het kanaal te laten drinken. 'Als ze zeker weten dat het water schoon is, zullen ze ook niet bang zijn om het te drinken.'

Han keek bezorgd, maar Kettil was wel bereid om de proef af te leggen. 'Als wij van dat water drinken, bewijst dat misschien dat wij onschuldig zijn, maar laat de zoons van onze voormalige meester er dan ook van drinken. Misschien hebben zij het water zelf wel vergiftigd, om hun erfenis eerder in handen te krijgen.'

Skuli gaf Kettil zo'n dreun dat hij op zijn knieën viel. Han balde zijn vuisten en stond klaar om zichzelf te verdedigen voor het geval Skuli het ook op hem voorzien had. 'Wie staat hier eigenlijk terecht?' wilde Skuli weten. 'Waar halen ze het lef vandaan om ons te beschuldigen? Het zijn maar Skraeling-slaven. Sira Mars, u ziet zelf hoe onbeleefd ze zijn, dus u kunt nu meteen uw oordeel wel vellen.'

Sira Mars reageerde niet op de opmerking van Skuli. In plaats daarvan gaf hij opdracht om Leifs voorstel uit te voeren. 'Tegen Skuli en Pall is geen aanklacht ingediend. Broeder Audun, zorg dat het gebeurt.' De jonge monnik schepte een beetje water uit de goot in een kom en gaf die aan Kettil. De bediende keek strak naar zijn aanklagers voordat hij het water opdronk. Er gingen een paar minuten voorbij, maar hij bleef gewoon op zijn benen staan.

'Nou ja, zelfs als het water niet was vergiftigd en het alleen maar de maagziekte was,' zei Skuli, 'waar haalden ze dan de moed vandaan om onze dieren mee te nemen?'

'De kudde zou toch afgedwaald zijn als er niemand was om er een oogje op te houden,' zei Han. 'Nadat we zoveel jaren in dienst van jullie familie waren geweest hadden we toch wel recht op een beloning?'

'Een beloning!' Pall sloeg met zijn vuist in zijn hand. 'Denken jullie soms dat jullie vrije arbeiders zijn die recht hebben op loon? Hebben mijn ouders hun voedsel, als ze dat hadden, niet altijd met jullie gedeeld? Hebben ze niet voor jullie ziel gezorgd door jullie door de priesters te laten dopen? Jullie hadden geen recht op hun eigendommen. Jullie wáren hun eigendom en nu zijn jullie van ons, net als de schapen en de geiten.'

'We hebben je ouders en zuster ons hele leven gediend. Het is mooi geweest. We willen jullie niet dienen.'

'Slaven kiezen niet zelf uit wie ze zullen dienen!' bulderde Pall. 'Dieven! Moordenaars en dieven. Wurg ze maar, broeder Audun.'

'Iedereen blijft op zijn plaats zitten,' zei Sira Mars. 'Ze hebben bewezen dat ze niet schuldig zijn aan moord. En Pall, als jij opnieuw de voortgang van het proces belemmert, geef ik broeder Olaf opdracht je vast te binden.' Hij wees naar de meest potige broeder die al wat dichterbij was gekomen. Pall hield zijn mond. Op een teken van Sira Mars deed de monnik weer een stap achteruit, maar hij bleef in de buurt.

'Hoe het ook zij, de kudde is nu van ons,' zei Skuli. 'Han en Kettil hebben toegegeven dat ze van plan waren om ze mee te nemen. Ook al zijn het geen moordenaars, het is wel een stel dieven. U moet opdracht geven om ze terecht te laten stellen.'

'Ze hebben inderdaad erkend dat ze een zwaar misdrijf hebben gepleegd.' Sira Mars keek Kettil aan. 'Waar wilden jullie met die kudde naartoe?'

Kettil wond er geen doekjes om. 'We hebben genoeg van Groenlanders en hun wetten. Omdat we de taal van ons eigen volk niet spreken, wilden we hen de dieren geven in de hoop dat we in ruil daarvoor in een van hun dorpen mochten wonen.'

Sira Mars schudde bedroefd zijn hoofd. 'Waren jullie willens en wetens bereid om bij heidenen te gaan wonen na alles wat je hebt geleerd over het offer van onze Heiland?'

Kettil deed het woord voor hen beiden. 'Onze moeder dacht dat we beloond zouden worden als we alleen Noors spraken, wollen kleren droegen en onze meester trouw dienden. Inmiddels weten we dat ze zich vergist heeft. Zelfs voor u zijn we de minste van de minsten, we hebben niet eens het recht om een beroep te doen op de rechters van de Althing. Ons beste vooruitzicht is dat we in dienst komen van een vriendelijke meester. Aangezien de onze dood is, moeten we wachten tot de Vrouw van de Zee het land weer teruggeeft aan ons volk. Die voorspelling kennen we allemaal. Het was een profetie van een vrouw uit het westen die sprak met de stem van de Vrouw van de Zee.'

'De Vrouw van de Zee?' vroeg Sira Mars ontzet. 'Die Skraeling-afgod van wie wordt beweerd dat ze zeggenschap heeft over alles wat leeft? Dan kunnen jullie toch net zo goed Satan aanbidden?'

'Vergeet die zieltjes van hen nu maar,' zei Pall. 'Die hebben ze toch niet. Geef ze maar aan ons. Misschien kunnen we hen ruilen voor betere slaven.' Hij pakte de touwen op om ze opnieuw vast te binden. 'Draai je om en leg je handen op je rug,' beval hij.

'Jij bent mijn meester niet. Mijn broer en ik gaan weg,' zei Kettil.

'Sira Mars,' zei Skuli verongelijkt. 'Staat u maar zo toe dat onze eigendommen weglopen? Maak gebruik van uw gezag en laat ze door de monniken vastbinden. Wij mogen zelf bepalen of we hen verkopen of weggeven.'

'Wie zou er nu een stel dieven willen kopen?' wierp Halvard hem voor de voeten.

Voordat iemand antwoord kon geven pakte Kettil Halvards speer die tegen de muur stond. Hij richtte het wapen op de monniken en beval hen achteruit te gaan. Han pakte een flinke steen op om zich tegen Pall en Skuli te verweren. 'Wij zijn geen eigendom van deze mannen. We gaan weg. Als jullie proberen ons te volgen, zullen jullie dat met de dood bekopen.' Kettil gooide zijn hoofd uitdagend achterover en keek zijn aanklagers een voor een aan.

Er verscheen een bezorgde trek om de mond van Sira Mars. 'Jullie mogen niet zulke bedreigingen uiten tegenover Groenlanders,' zei hij bestraffend. 'Daarmee brengen jullie je onsterflijke ziel in gevaar.' Vervolgens bekende hij: 'Dit is een serieus probleem, waar ik even over na zal moeten denken.' De jongens legden hun wapens niet neer, maar ze verroerden zich niet.

'Volgens mij staat nu wel vast dat ze gedood moeten worden,' zei Pall. 'Als jullie niet geloven dat ze mijn familie hebben vermoord en het feit dat ze mijn vaders vee probeerden te stelen niet erg genoeg vinden om hen te veroordelen, dan moeten jullie hen toch verbannen omdat ze geestelijken met wapens hebben bedreigd. Ze mogen, op straffe van de dood, geen voet in beschaafde gebieden zetten en ze kunnen ook niet naar hun eigen dorpen. Zonder onze kudde zal hun eigen volk hen ook verjagen en ze krijgen onze kudde niet.'

'Jullie hebben toch gehoord wat hij heeft gezegd,' zei Skuli. 'Jullie hebben uit hun eigen mond kunnen horen dat ze brutale dieven zijn die zich niets aantrekken van hun onsterflijke ziel. Ze willen liever tussen heidenen wonen dan brave christenen te dienen.'

'Dan zal ik jullie een dienst bewijzen en de verantwoordelijkheid voor hen op me nemen,' zei Halvard. Ingrid begon te lachen, Leif keek zijn vader met grote ogen aan en Oles mond viel open.

'Laat ze maar met mij meegaan, Sira Mars,' zei hij. 'Ze zijn bang dat ze door hun volk niet geaccepteerd zullen worden als ze geen geschenken meebrengen. Ik zal wel voor hen zorgen en volgens mij zullen ze bewijzen dat ze brave, hardwerkende jongens zijn die een fatsoenlijke meester veel te bieden hebben. Aangezien ik hoop dat ik mijn oude land weer in bezit zal kunnen nemen, verzoek ik u Kettil en Han in leven te laten. Geef hen aan mij mee, dan ben ik verantwoordelijk voor hen.'

Sira Mars sprak eerst met broeder Joseph en daarna met Pall en Skuli Thorvaldson, terwijl de anderen zijn besluit afwachtten. Na een tijdje verklaarde hij: 'Kettil en Han behoren nu toe aan Halvard Gunnarson, die van nu af aan verantwoordelijk is voor hun onderhoud en voor alles wat ze in de toekomst zullen doen.'

Pall maakte een minachtend gebaar. 'Het besluit van Sira Mars staat kennelijk vast, dus neem ze maar mee. Maar ik zou mijn eten en mijn water maar goed in de gaten houden als ik jou was,' zei hij.

Broeder Joseph doopte zijn ganzenveer in de inkt om zijn verslag te voltooien. Toen hij het vonnis had opgeschreven, liet hij Leif en Ole hun naam onder aan het perkament zetten.

'Neem me niet kwalijk, Sira Mars, maar we hebben nog een dagreis voor de boeg,' zei Halvard. 'Ik hoop morgen mijn boerderij te bereiken. Maar wilt u zo goed zijn om voordat we gaan nog een korte verklaring te schrijven waarin staat dat iedereen die per abuis ons land in bezit heeft genomen dat terug zal moeten geven?'

'Je hebt de slaven al gekregen als betaling voor je tijd,' protesteerde Pall.

'Nee. Ik heb aangeboden hen mee te nemen, omdat jij niet wist wat je met hen aan moest. Beschouw dat maar als een gunst. De betaling is voor het feit dat mijn zoons als getuigen zijn opgetreden.'

Ingrid wendde zich af omdat ze haar lachen niet kon inhouden. De ganzenveer van Sira Mars kraste terwijl hij het document uitschreef. Hij zette er zijn naam onder en dateerde het. Ze had niet geweten dat haar vader zo'n goede onderhandelaar was. Haar broers zouden ook wel onder de indruk zijn.

Sira Mars gaf Halvard het perkament. 'Het was een geluk voor ons allemaal dat u toevallig langskwam,' zei hij. 'Ik hoop dat het in bezit nemen van uw oude huis naar wens zal verlopen.'

'Dank u wel. Het was me een genoegen u van dienst te zijn,' zei Halvard met een lichte buiging. De priester sloeg weer een kruis in de lucht toen ze vertrokken.

Omdat ze nu de hulp van Kettil en Han hadden bij het bewaken van de kudde kon Ingrid naast haar vader lopen toen ze terugkeerden naar de weg langs de zee. Toen ze ver genoeg uit de buurt waren van de zoons van Thorvald, floot ze even schel en triomfantelijk. 'Vader, u hebt me echt verrast,' bekende ze. 'Ik had nooit verwacht dat een heiden in staat zou zijn het met een priester op een akkoordje te gooien.'

'Hij wist niet dat we heidenen waren,' hielp Leif haar herinneren. 'Maar Sira Mars is in zijn hart een goed man, in tegenstelling tot Sira Pall Knudson. Dat is de man die je moeder in de kathedraal heeft bedreigd.'

'Ik heb hem maar in de waan gelaten. Dat leek me het verstandigst,' zei Halvard die het roerend met Leif eens was dat Sira Mars heel anders was dan Sira Pall Knudson. 'De twee priesters zijn allebei aangekomen met het handelsschip dat hier arriveerde op dezelfde dag dat Astrid en ik thuiskwamen. Het was het laatste koopvaardijschip voordat de pest in heel Europa chaos veroorzaakte. Het lijkt alsof ze ons bestaan zijn vergeten en misschien is dat maar goed ook. Jullie weten nog wel dat Sira Pall Knudson de opdracht had om de christenen te beschermen tegen heidenen zoals wij en tegen de Skraelings. Hij mag de speer die jullie grootvader doodde dan niet gegooid hebben, maar hij heeft hem wel als doelwit aangewezen.'

'Nou,' zei Ole, 'kennelijk zijn er zowel fatsoenlijke als slechte priesters. Deze deed echt zijn best om een eerlijk oordeel te vellen.'

Halvard overtuigde zich ervan dat zijn perkament droog was, voordat hij het in een binnenzak onder zijn lange hemd stopte. 'We hebben vandaag nuttig werk verricht, ook al heeft het ons een halve dag vertraging gekost. Ik denk dat we maar tot morgen moeten wachten om te zien hoe het er in ons oude land voorstaat. Het duurt niet lang meer voordat we ergens onze tenten moeten opslaan om te gaan slapen.'

Ole en Leif liepen terug naar de boot en voeren verder de fjord af. Het was al laat toen Halvard hen aan wal riep, waar ze de boot op het rotsachtige strand trokken en vastlegden. Nadat het kamp was ingericht en het eten was uitgedeeld, vroegen Han en Kettil of ze Halvard even konden spreken. 'Meester,' zei Kettil. 'Hartelijk bedankt dat u tussenbeide bent gekomen. U hebt ons het leven gered.'

'Gelukkig maar dat wij in de buurt waren om daarvoor te zorgen. Ik wist dat jullie niemand vermoord hadden, zeker niet Thorvald en zijn brave vrouw.'

'Maar hoe kon u dat weten?' vroeg Han. 'De meeste mensen zouden de Groenlanders geloofd hebben. En hoe komt het dat u wist hoe wij heten?'

'Mijn vrouw en ik zijn hier jaren geleden op bezoek geweest. Mijn vrouw heeft de halve nacht met jullie moeder zitten praten, terwijl ik in het huis van jullie meester lag te slapen. Jullie moeder heeft de geboorte van Ingrid voorspeld. We waren toen nog maar drie weken getrouwd. Jullie grootvader was een angakkoq uit een van de dorpen. Ze had zijn gave geërfd en kon af en toe de toekomst voorspellen.'

'Ze zei tegen ons dat het een geluk was dat wij te midden van christenen konden opgroeien, zodat onze ziel na onze dood door hun god in genade zou worden aanvaard,' zei Kettil. 'Maar ik begin nu te denken dat het niet zo'n goed idee is voor mensen van mijn volk.'

'Een angakkoq beschikt over krachten waar de christenen niet in geloven en die ze al helemaal niet zouden begrijpen.' Ze keken hem vanuit hun ooghoeken aan, zonder de voor de hand liggende vraag te stellen. 'Ik heb mijn tweede vrouw, Ingrids moeder, in een Inuitdorp leren kennen, hoewel ze zelf geen Inuit was. Jullie moeder had jullie je eigen cultuur niet mogen ontnemen.'

'Als uw vrouw geen Inuit was, maar toch bij hen woonde, wat was ze dan wel?' vroeg Kettil die zijn nieuwsgierigheid niet kon onderdrukken.

Halvard zweeg even. 'Ik denk dat zij waarschijnlijk de vrouw uit het westen was.' Kettils ogen werden groot, terwijl Han even naar adem snakte en een kruis begon te slaan, voordat hij zich bedacht. Ze maakten een korte buiging en liepen terug naar de kudde.

Hoofdstuk 7

Bij zonsopgang, haalden ze wat water uit de fjord. Halvard kleedde zich uit om zich na de lange reis te wassen. Hij plensde het water over zijn gezicht en over zijn bezwete borst en armen. Het leek
alsof hij zich in geen maanden schoon had gevoeld. Hij kamde zijn
loshangende, vochtige haar en baard met zijn vingers. Vervolgens
waren Ole en Leif aan de beurt. Toen zij klaar waren, haalde Ingrid
snel wat schoon water op, draaide haar vader en broers de rug toe
en begon zich ook te wassen.

Hoewel zijn broek en zijn hemd met de brede ceintuur niet geverfd of geborduurd waren, hoopte Halvard dat andere mensen
niet dezelfde indruk van hen zouden krijgen als Sira Mars. De
priester had hem aanvankelijk aangekeken alsof hij een roofzuch-
tige viking was, die uit het Walhalla was teruggekeerd om zijn ge-
ordende christelijke wereld overhoop te gooien.

Halvard strikte zijn laarzen dicht en keek over zijn schouder of
Ingrid al klaar was. Hij knipperde verbijsterd met zijn ogen. Heel
even vroeg hij zich af of het wel zo verstandig was geweest om twee
jongemannen aan zijn groep toe te voegen. Hij zou beter op Ingrid
moeten letten dan hij had verwacht. In vrouwenkleren zag ze er
bijzonder kwetsbaar uit.

Ze sloeg haar ogen neer, beduusd door de reactie van haar vader.
'Ik ben eigenlijk nog niet lang genoeg voor deze jurk,' zei ze verontschuldigend. 'Die is van moeder geweest. Vindt u het vervelend
dat ik die heb aangetrokken?' Haar stem klonk onschuldig.

'Ik wil niet dat andere mannen op slechte gedachten komen als
ze jou zien. Ik wou dat je moeder er nog was. Je moet meer weten
over het gedrag van mannen dan een vader aan zijn dochter kan

vertellen. Blijf maar vlak bij me.' Hij pakte haar arm en nam haar mee terug naar de tent, waar haar broers wachtten.

Voordat ze vertrokken, offerden ze een ooi op een rots en gaven de minder smakelijke delen aan Kwispel, die zich blaffend op zijn onverwachte feestmaal stortte. Terwijl zij hun vis aten en verse melk dronken, vertelde Halvard wat hij verwachtte. 'We weten dat de toestand tijdens onze ballingschap is veranderd. Onze buren, Osmund en Birgitta, hadden het vruchtgebruik van mijn boerderij, maar als de kerk het oog op mijn land heeft laten vallen, dan is het nu in hun bezit. De vraag is of we moeten proberen ons oude land terug te krijgen of op zoek moeten gaan naar een verlaten boerderij. Ik wil graag op mijn eigen land wonen, maar jullie zijn inmiddels volwassen en ik wil graag jullie mening horen voor ik besluit wat we doen. Jullie kunnen ook in dienst treden van een van de grote hofstedes, die van Heer Anders bijvoorbeeld.'

'Alsof we hem trouw zouden willen zweren,' snoof Ole. 'Het zal raar zijn om weer rekening met andere mensen te moeten houden. Waarom zoeken we niet gewoon een ander huis? Willen we wel zo dicht in de buurt van de kathedraal wonen, zo dicht bij dat rovershol?'

Halvard gebaarde dat hij zo meteen zou reageren op Oles bezwaar. 'Wat denk jij ervan, Leif?'

'De akte van eigendom is in het bezit van Osmund. Ook de machtigste landeigenaren, Rolf Peterson en Finn Kollgrimson hebben het grootste respect voor hem. Zelfs Heer Anders, met al zijn landgoederen en zijn grote huis, behandelt hem met eerbied. Als Osmund niet heeft kunnen voorkomen dat de kerk ons land opeiste, hoe moeten we het dan ooit terugkrijgen? Het is maar een huis. We zijn nooit een van de grote landeigenaren geweest, met knechten om het voor ons te bewerken en vazallen om het te verdedigen. Wat maakt dat ene huis met die paar akkers en velden zoveel beter dan andere huizen?'

'Onze hofstede is klein, maar hij is al in het bezit van onze familie sinds onze viking-voorouders hier met Leif Eriksson naartoe zijn gekomen,' zei Halvard. 'Hun gebeente ligt vlak bij het stoffelijk overschot van jullie moeder en onze kinderen die niet in leven zijn gebleven.' Leif en Ole sloegen hun ogen neer. 'En bij dat van de twee kinderen, die het niet haalden omdat Astrid geen melk meer voor hen had. Dus als iemand mijn land in beslag heeft genomen, wil ik toch proberen het weer terug te krijgen. Zijn jullie het daarmee eens?'

Leif hief zijn beker om een dronk uit te brengen op de vogels die zich te goed deden aan het vlees van hun offer. 'Moge Odin ons bijstaan. Ik drink op ons land.' Hij nam een slok verse melk en de anderen volgden zijn voorbeeld.

Halvard was dankbaar voor het geluk dat zijn goden hem tot dusver hadden gebracht. Nu hij Han en Kettil had, zou de reis een stuk gemakkelijker worden. Ze voelden zich meer verplicht aan hem dan eventuele andere slaven die hij later misschien zou krijgen, aangenomen dat de boerderij genoeg zou opleveren om een ruil te sluiten. In zijn jeugd had Halvard niet veel Skraelings gekend. Nu kon hij zijn ogen niet van zijn slaven afhouden. De jongens merkten dat ook en bogen vol respect hun hoofd. 'Moeten we iets voor u doen, meester?' vroeg Han.

'Nee, nu niet, maar ik zou graag willen horen wat jullie van mijn plannen vinden, omdat ze jullie ook aangaan.' De jongens keken elkaar even aan bij dit ongebruikelijke verzoek en luisterden toen aandachtig naar wat Halvard te zeggen had. 'Waarschijnlijk zullen we nog voor de middag bij mijn oude boerderij aankomen. Onze kudde is maar klein en het kan zijn dat mijn huis in beslag is genomen. Ik kon jullie niet bij dat stel schooiers achterlaten, maar nu vraag ik me af wat ik met jullie moet beginnen.' Deze jongens hadden nooit vrijheid gekend. Maar Halvard had Kettil en Han hun messen niet afgepakt, evenmin als hun pijlen en bogen. Een andere Groenlander zou zich misschien zorgen maken over het feit dat zijn slaven gewapend waren, maar Halvard had zoveel meegemaakt dat hij de meeste problemen van twee kanten kon bekijken. Af en toe maakte die ontvankelijkheid het leven een tikje verwarrend.

Halvard schatte dat Kettil een jaar of zeventien was en Han vijftien. Groenlandse jongens van die leeftijd zouden al een baard hebben, net als Ole en Leif op die leeftijd. Sinds gisteren hadden deze jongens plotseling zowel hun ouders als hun oom verloren, ze waren beschuldigd en vrijgesproken van moord en ze hadden een nieuwe meester gekregen. Wat zou er in hun hoofd omgaan?

Ole en Leif hadden de tent afgebroken en in de boot gelegd. Ze draaiden zich om en luisterden mee toen Halvard langzaam tegen zijn nieuwe slaven zei: 'Ik weet niet welk lot ons te wachten staat, maar ik wil er zeker van zijn dat ik op jullie kan rekenen.'

Kettil knikte en Han stak zijn hand op alsof hij een gelofte aflegde. 'Wij behoren u toe,' zei hij uit het diepst van zijn hart.

'Als jullie bereid zijn om hard voor me te werken, ben ik van plan jullie na een jaar of zo vrij te laten. Als het zover is, zal ik jullie, als ik daartoe in staat ben, genoeg vee meegeven om er zeker van te zijn dat jullie met open armen in een Skraeling-dorp ontvangen zullen worden. Kunnen jullie het daarmee eens zijn?'

De jongens keken elkaar zwijgend aan, met een blik die meer zei dan woorden. Han knikte en Kettil zei: 'We zijn u gehoorzaamheid verschuldigd, meester Halvard, maar u kunt er zeker van zijn dat we heel blij zijn met dat plan. We hadden eigenlijk gehoopt dat Thorvald dat zou doen.'

'Nou, dan zal ik ervoor zorgen. Maar nu wil ik dat jullie heel eerlijk zijn. Sira Mars zei dat hij jullie gedoopt heeft. Wie zullen jullie eerder gehoorzamen, de priesters van de kerk en hun leer of mij?'

'U bent de enige die gezag over ons heeft,' antwoordde Kettil zonder aarzelen. 'Zelfs Sira Marsh had ons op aandringen van Pall en Skuli als geiten laten afslachten als de Vrouw van de Zee u niet had gestuurd om ons te redden. Wij zullen u trouw blijven zolang Nerrivik onder de golven heerst, meester Halvard.'

Bij het horen van de naam van de Vrouw van de Zee begon Halvard te grinniken. 'Dus jullie kennen de naam van de godin van jullie volk wel. De kerk heeft mijn vrouw bedreigd omdat zij heeft gezegd dat jullie Vrouw van de Zee ons zou vernietigen. Mijn familie aanbidt de oude goden van ons volk. Wij zijn geen christenen.'

Het ongeloof stond op het gezicht van de jongens te lezen. 'Hoe kan dat nou? Alle Groenlanders zijn toch christenen? Hebt u zich niet laten dopen om uw ziel te redden? Bent u niet bang voor de priesters en al hun dreigementen?'

'Vroeger aanbaden alle Noormannen onze oude goden. Koning Olaf Tryggvason heeft daar jaren geleden verandering in gebracht. Sindsdien worden er christelijke priesters hierheen gestuurd om onze priesters te vervangen, maar er zijn nog mensen die zich aan de oude gewoonten houden. Als het op een geschil aankomt, wil ik weten of de kans bestaat dat jullie hun kant kiezen.'

'Nooit, meester,' zei Han, terwijl hij Kettil aankeek. Kettil knikte.

Meer hoefde Halvard niet te weten. 'Zijn we klaar om te vertrekken?'

'Ja, we kunnen weg,' zei Ole.

Halvard floot Kwispel. Hij had samen met Ingrid nog niet ver gelopen toen hen vanuit het zuiden een jong echtpaar met een stel kleine kinderen, een jongen en een meisje, tegemoetkwam. Het gezin keek naar de gemengde kudde, die door Han en Kettil over de weidegrond werd geleid, en naar de hond. Omdat de weg erg smal was, stapten Ingrid en Halvard opzij om de mensen te laten passeren.

De vrouw gaf hen een beleefd knikje met haar bedekte hoofd en maakte een halve revérence voor Halvard. 'Ik wens u goedendag, heer, zowel u als uw dochter,' zei ze.

'Ik wens u en uw man hetzelfde toe,' antwoordde Halvard met een lichte buiging. Ze hadden ook door kunnen lopen, maar dit was een kans om iets meer aan de weet te komen. Halvard vroeg zich af hoe hij dat moest aanpakken zonder overdreven nieuwsgierig te lijken. 'We zijn een hele tijd weggeweest. Hoe is de stand van zaken in de provincie?' De kinderen verscholen zich achter de wijde rokken en de schort van hun moeder en gluurden naar de vreemdelingen.

'Goedendag en ik wens u het beste,' zei de bebaarde, donkerharige man. 'Ik word Tuli genoemd. De mensen bewerken hun akkers en laten hun vee grazen. We bidden dat iedereen gezond zal blijven en dat er snel een schip uit het thuisland zal komen, want we hebben dringend hout en ijzer nodig. Maar ik zie dat u uit de noordelijke provincie komt met uw kudde en uw bezittingen. Hoe was het daar? Hebben daar ziekten geheerst?'

'Ik heet Halvard. Dit is mijn dochter Ingrid. Ja, er heeft ziekte geheerst. Gisteren bleek nog dat Thorvalds hoeve in een huis des doods is veranderd. Een heel gezin van brave mensen die ons vroeger onderdak hebben verleend is weggevaagd. Sira Mars van de Kerk van Thjodhild heeft me deze jongens gegeven, die vroeger eigendom waren van Thorvald.' Hij wees naar Kettil en Han.

Ze sloegen een kruis. 'We hadden het nieuws over Thorvald al gehoord,' zei Tuli. 'Hij was een brave man en een rechtsdienaar toen er nog genoeg mensen in het noorden woonden om onze eigen rechtbank te hebben. De afgelopen paar jaar is iedereen die in de buurt van Brattahild woont gedwongen om naar de Althing in Gardar te komen als er geschillen zijn.'

'U weet meer dan wij, want wij zijn lang niet in de provincie geweest,' erkende Halvard.

'We hebben een triest jaar achter de rug. Veel gezinnen die de afgelopen zomer nog gezond waren, hebben de lente niet gehaald. Sira Mars heeft het druk met alle begrafenissen. Hij is een bijzonder vriendelijke priester, die nog in het oude land is gewijd, zoals u ongetwijfeld van hem hebt gehoord. Het is maar goed dat we hem in deze zorgelijke tijden als zielenherder hebben.'

Halvard maakte uit zijn woorden op dat andere kerkelijke gezagsdragers heel wat minder vriendelijk waren. 'U schijnt ook op weg te zijn naar huis. Mag ik vragen of u lang bent weggeweest?' informeerde hij, aangezien Tuli zijn eerste vraag al beantwoord had.

'We zijn alleen maar naar het heiligdom van Sint-Gunnar geweest om hem te danken dat hij mijn zoon, Sven, van zijn koortsaanval heeft genezen. Het kind was halfdood. Ik ben naar het zuiden getrokken en heb huiden en een paar kazen bij het heiligdom achtergelaten. Al voordat ik thuiskwam, begon Svens koorts af te nemen. Nu hebben we met ons allen een pelgrimstocht gemaakt om Sint-Gunnar te bedanken dat Sven weer gezond en nog steeds in leven is.' De jongen om wie het ging, grinnikte en begon te huppelen om te tonen dat hij weer helemaal de oude was.

'Sint-Gunnar?' vroeg Halvard verbaasd.

'U wilt me toch niet vertellen dat u nog nooit van hem hebt gehoord? Hij was vroeger priester van Odin, maar hij heeft zijn valse goden afgezworen en zich op het laatste moment tot Jezus bekeerd. Dat was een regelrecht wonder, gezien zijn verleden, dus hebben we hem heilig verklaard.'

'Tuli!' berispte zijn vrouw hem op scherpe toon.

'Nou ja!' Hij wapperde met zijn handen alsof hij zijn woorden letterlijk terug wilde nemen. 'Gunnar is niet echt een heilige, aangezien niemand in staat is geweest naar de Heilige Stoel te reizen om zijn zaak aan de paus voor te leggen. Voorzover ik heb begrepen, kan dat proces jaren in beslag nemen. Maar voor ons, die de wonderen die in Gunnars naam zijn verricht zelf hebben gezien, is zijn stoffelijk overschot heilig. Mensen gaan naar zijn heiligdom toe om te bidden en geschenken achter te laten in de hoop dat hen dat geluk zal brengen. Het verhaal gaat dat hij is gestorven bij een poging om voedsel te verstrekken aan mensen die honger leden. Inmiddels is hij beroemd in de hele noordelijke en zuidelijke provincies. Omdat jullie op reis zijn, gingen we er aanvankelijk van uit dat jullie ook pelgrims waren.'

Ingrid zag dat haar vader verstijfde bij dat nieuws over haar grootvader, maar hij vermande zich en zei rustig: 'Misschien kunt u me nog iets meer vertellen. Ik heb Gunnar Oleson gekend, ziet u. Het was mij niet bekend dat hij zich tot de nieuwe godsdienst had bekeerd voordat hij stierf. Hoe is dat precies in zijn werk gegaan?'

'Voorzover ik weet,' zei Tuli, 'is het gebeurd toen hij op sterven lag. Onze zalige bisschop Alf heeft ons dat zelf verteld. Omdat hij zo'n goed mens was geweest, heeft Sint-Petrus zich volgens de bisschop op het laatste moment aan Gunnar vertoond en zijn voorhoofd besprenkeld met wijwater uit de hemel. Heel ongewoon, maar aangezien de bisschop het zelf heeft verteld moet het wel waar zijn.'

'Juist. Dus de laatste priester van Odin is een christelijke heilige geworden,' zei Halvard met een wrang lachje. 'Dat is een verhaal dat we beslist aan onze kinderen moeten vertellen.'

'Jullie zijn er nu toch vlakbij, dus waarom stoppen jullie niet even bij het heiligdom om dank te zeggen voor het feit dat jullie reis veilig is verlopen?' stelde Tuli voor. 'De priesters zullen het u allemaal wel uitleggen.'

'En als u daar toch bent, kan het geen kwaad om Sint-Gunnar te vragen of hij u geluk en gezondheid wil schenken,' voegde zijn vrouw eraan toe.

'Dat zal ik zeker doen,' zei Halvard. 'Niets zal ons daarvan kunnen weerhouden. Bedankt voor jullie goede raad en ik wens jullie het allerbeste.'

'Hetzelfde geldt voor jou, Halvard, en voor je metgezellen,' zei de man glimlachend. 'Voor het geval we elkaar nog eens tegenkomen, ik ben Tuli Svenson.' Hij maakte een lichte buiging.

Halvard knikte even. 'Dan moet u ook weten dat ik Halvard Gunnarson ben. Ik wil u nogmaals bedanken dat u mij dat vreemde verhaal over mijn vader hebt verteld.'

Het echtpaar keek hem met een ruk aan, duidelijk geschrokken door Halvards laatste opmerking. 'Jij had toch moeten weten, Tuli Svenson, dat mijn vader nooit of te nimmer de heilige Odin af zou vallen, de vader van alle goden. Wij waren bij hem toen hij stierf, vermoord in opdracht van die bisschop van jullie. Odin heeft zijn heilige raven gestuurd om mijn vaders geest te vergezellen naar de Burcht van de Dapperen. De dromen van jullie bisschop zijn hem kennelijk ingegeven door hebzucht. Wie profiteert er van de gaven die jullie en anderen in het heiligdom achterlaten? Mijn vader of Gardar?'

Tuli's vrouw sloeg een kruis en trok haar kinderen achteruit. Tuli Svenson knipperde met zijn ogen en spreidde zijn handen. 'Ik raak helemaal in de war van jou. Bisschop Alf was een man gods. Hij zou nooit onwaarheden hebben verteld. Sira Pall Knudson, die nu de hoogste geestelijke van de kathedraal is, heeft ook beaamd dat het waar was. Ik moet nadenken over wat je me net hebt verteld.'

'Als je inderdaad nadenkt, moet je één ding niet vergeten. Mijn vader zou hebben gewild dat jij je kazen en je huiden zelf hield, of dat je je voorraden deelde met een minder fortuinlijk gezin. Zo was hij. Hij zou niet hebben gewild dat jij eraan meewerkte om Gardar nog rijker te maken.' Toen hij dat had gezegd maakte Halvard opnieuw een buiging en liep samen met Ingrid weg. Tuli en zijn gezin bleven hem nog een tijdje nakijken, voordat ze zich omdraaiden en doorliepen naar huis.

Ze waren al een stuk verder op het pad toen Ingrid zei: 'Ze hebben uw land vast in beslag genomen. Nu zullen we moeten vechten om het terug te krijgen.'

'Dat zullen we wel zien.' Ze wachtten Ole en Leif op aan de oude steiger onder hun boerderij. Halvard vertelde zijn zoons snel wat ze net te horen hadden gekregen. 'Het heeft geen zin om te wachten. Ik betwijfel of iemand ons na al die tijd nog zal herkennen, maar ik wil die heiligschennis met mijn eigen ogen aanschouwen. Als iemand vragen gaat stellen, doe je maar net alsof we pelgrims zijn.' Alsof het een amulet was, raakte hij even het document aan dat Sira Mars bij wijze van gunst voor hem had ondertekend en dat veilig opgeborgen zat in een binnenzak onder zijn hemd.

Het pad dat jaren geleden in de helling was uitgehakt, was door de invloed van wind en weer wat minder steil geworden dan de laatste keer dat ze er tegenop gelopen waren. Het gezin kwam bij hun oude huis aan en liep eromheen alsof ze alles wilden bezichtigen wat met het heiligdom te maken had. Kettil en Han hielden zich op afstand met de kudde, maar ze letten goed op hun meester voor het geval hij hulp nodig zou hebben.

Mensen stonden in de rij om Gunnar naast zijn grafheuvel hun eerbied te betuigen. De grotere stenen waren versierd met simpele geschilderde en ingebeitelde patronen. Een aantal houten kruisen en een met de hand gesneden ivoren kruisbeeld stonden rechtop in de spleten.

Halvard kreeg last van braakneigingen. Toen hij de pelgrims en de mannen in lange pijen met kappen in het oog kreeg, maakte hij met zijn duim en wijsvinger het teken van Odins oog. *Kijk naar beneden*, smeekte hij de koning van de Asgardgoden. *Kijk naar deze heiligschennis.* 'Vader, ze hebben een heiligdom van uw grafheuvel gemaakt en ons huis veranderd in een opslagplaats voor giften.'

'Hebzuchtige, arrogante dieven. Moge Odin hun van deze plek verdrijven,' zei Ole gesmoord. 'Thor, laat uw bliksem neerkomen. Vernietig dit heiligdom.' Hij sprak zo zacht dat niemand anders hem kon horen.

'Het zou me goed doen om een paar kelen af te snijden en de beenderen van mijn grootvader te laven met hun bloed,' voegde Leif eraan toe.

'Dat lijkt me niet verstandig,' zei Ingrid. 'We zullen wel een betere manier vinden.' Hoewel ze haar grootvader niet had gekend, hadden de anderen zoveel over hem verteld dat ze met haar vader en broers meevoelde.

Halvard trok hen mee tot ze buiten gehoorsafstand waren. 'Op de bisschop kunnen we ons niet meer wreken, maar wacht maar tot ik die Sira Pall Knudson in mijn handen krijg. In plaats van ons als een stel wildemannen te gedragen kunnen we beter naar Osmund gaan om te zien of hij ons van advies kan dienen.' Ingrid klemde zich vast aan Leifs arm en liep achter haar vader en Ole over het bekende pad dat naar het huis van hun oude buren leidde.

Ludmilla, zijn dochter, was de eerste die hen in het oog kreeg. Ze liep in de schaduw van het uitstekende dak van de boerderij heen en weer voor haar weefgetouw. Haar blonde vlechten waren om haar hoofd gewikkeld, waar ze met kammen op de plaats werden gehouden. Ze droeg een lichte werkmuts. 'Vader, Einar, er komen vreemde mensen aan,' riep ze naar binnen.

Kindergezichtjes verschenen voor de ramen en kwamen vanachter het huis te voorschijn. Nog voordat de mannen naar buiten waren gekomen, liet Ingrid haar pak vallen en rende het pad af. 'Ludmilla! Ik ben het, Ingrid. We zijn weer thuis.'

'Ingrid?' Haar gezicht werd doodsbleek. 'Is het echt waar?' Het meisje stortte zich in de armen van de vrouw. Ludmilla ving haar op en omhelsde haar stevig. 'Gauw, vader! Halvard is hier met zijn gezin!' riep ze. 'Ingrid, je bent al bijna volwassen. Laat me eens goed naar je kijken.' Ze hield het meisje op armlengte afstand en toen ze weer opkeek, stonden Ole, Leif en Halvard voor haar. 'God, ik had nooit verwacht dat ik jullie weer zou zien. De jongens zijn mannen geworden. Met die baarden zou ik ze bijna niet hebben herkend,' zei ze terwijl ze het meisje tegen zich aan drukte.

Een gebogen, grijze man met dunne benen kwam leunend op een stok de deur uit. 'Halvard? Halvard! Houden mijn oude ogen me voor de gek? Ben jij het werkelijk? Kom binnen, dan kunnen we praten. Dit is de tweede keer dat je uit de Northsetur komt opdagen, terwijl iedereen dacht dat je dood was. Kom binnen, allemaal. Waarom zijn jullie teruggekomen? Waar is Astrid?'

Toen Halvard geen antwoord gaf, sloeg Osmund zijn hand voor zijn ingevallen mond. 'O! Dat spijt me. Birgitta is twee winters geleden naar de hemel gegaan. Mijn dochter doet het huishouden voor me. Ze heeft inmiddels ook een goede man gevonden.' De andere man voegde zich bij hen. 'Einar, dit is Halvard, onze oude buurman, met zijn zoons en dochter en...' Hij keek om zich heen, Kettil en Han hadden de kudde tot stilstand gebracht in afwachting van de bevelen van hun meester. 'En hun slaven. Halvard is in het noorden een welvarend man geworden. Einar, je hebt me toch weleens over Halvard horen praten?'

'Ja, hoor,' zei de blonde man.

'Aangenaam, meneer.' Halvard beantwoordde zijn lichte buiging op dezelfde manier en richtte vervolgens zijn aandacht op zijn oude buurman. 'Je verlies doet me verdriet,' zei hij. 'Wat triest dat we bij het weerzien allebei in de rouw blijken te zijn.'

'De jaren hebben hun tol geëist,' beaamde Osmund. 'Zelfs mijn zoons zijn er niet meer. Die werden vorig jaar tijdens de jacht door walrussen aangevallen. Hun wonden gingen etteren en ze waren binnen een week dood. En ik had mijn hoop helemaal op hen gevestigd. Eigenlijk horen de ouderen eerst te gaan. Waarom staat de hele wereld op z'n kop?' Hij staarde naar de wolken, alsof hij daar het antwoord op zijn vraag kon vinden. 'Zou Christus dat weten? Of Odin? Kunnen de priesters van al die goden een bevredigend antwoord geven op de vragen van een cynische oude man?'

Halvard pakte zijn oude vriend bij de schouder. 'Alleen de Nornen die ons noodlot spinnen, weten wat voor ons ligt. Mannen noch goden kunnen het noodlot ontlopen.'

'Maar goed!' zei Osmund terwijl hij zijn somberheid van zich af zette. 'Dat is een interessante filosofie, maar daar schieten we niets mee op. We zijn lang genoeg in leven gebleven om elkaar weer te zien, dus misschien heeft dat iets te betekenen. Laten we maar even gaan bijpraten. Ik heb zowel zure melk als verse en er is ook gekookt schapenvlees. Roep je familie maar naar binnen. Onder het eten kun je me vertellen wat je precies van plan bent.'

Ze liepen naar binnen. 'Heb je ook iets te eten voor mijn slaven? Is er genoeg? We hebben nog een paar dieren over van de prima kudde die je ons meegegeven hebt toen we vier jaar geleden vertrokken. Ik wil je niet tot last zijn.'

Osmund woof zijn woorden weg. 'Ludmilla, zorg er alsjeblieft voor dat Halvards slaven ook vlees en soep krijgen.'

Een tijdje later zei Osmund: 'Het is me niet gelukt om je land vast te houden tot je terugkwam. Hoewel ik zowel bij de kerk als bij de Althing bezwaar heb gemaakt, waren al mijn pogingen vergeefs. Toen jij en je zoons weg bleken te zijn, hebben ze verklaard dat je dood was en geen erfgenamen had achtergelaten. Ik was oorspronkelijk van plan om, als je niet terug zou komen, het huis en de boerderij aan mijn zoons te vermaken, maar die zijn nu dood. We hebben alleen Ludmilla over, met Einar en hun kinderen. De afgelopen paar winters hebben we veel vee verloren en we hebben meer land dan we nodig hebben. Ik was bang dat we hier de volgende zomer niet eens zouden halen. Het lijkt alsof Astrids voorspelling uitkomt. Moge haar ziel in vrede rusten, waar die zich ook bevindt.'

'Nu we het toch over de doden hebben, wanneer heeft bisschop Alf besloten dat Gunnar de beschermheilige van Groenland was?'

Osmund nam een slokje melk. 'Dus je weet al van het heiligdom. Gunnar en Sint-Petrus? Belachelijk.'

Ludmilla kwam de kamer in en ving die opmerking nog net op. 'Vader! Hoe durft u een man Gods tegen te spreken? De heilige bisschop heeft het zelf gezegd.'

'En is je moeder ook nog gezond en in leven dankzij haar gekruisigde god?' vroeg Osmund wrang. 'En misschien zijn mijn zoons ook niet dood en begraven. Het ging lang niet zo slecht met ons toen we onze eigen goden nog hadden.'

Ludmilla wendde haar ogen af en snoof. 'We zitten hier zo ver van de rest van de wereld af. Hij moet voor zoveel zorgen. Hij is maar alleen.'

'Een reden te meer waarom we veel goden nodig hebben die ons allemaal in de gaten kunnen houden. Af en toe denk ik dat Gunnar toch gelijk had.' Osmund keek zijn bezoekers weer aan. 'De mensen weten nog goed hoe hij de kathedraal dwong om hun voorraadschuren te openen en de tienden terug te geven aan de mensen die ze afgestaan hadden.'

'En als dank daarvoor werd vermoord,' viel Ole hem driftig in de rede. 'En nu misbruiken ze hem om een fortuin voor de kerk te vergaren. Ik heb mensen gezien die kazen en gedroogd vlees bij zich hadden, geitenvellen en geweven stof. Sommigen sleepten magere kinderen aan een touw mee, kinderen van Skraeling-afkomst.'

'Slaven die ze niet nog een winter te eten willen geven. De meeste mensen zetten ze de deur uit,' legde Osmund uit. 'Dat doen ze al sinds Sira Pall de plaats heeft ingenomen van bisschop Alf. Hij heeft verklaard dat de Skraelings geen echte mensen zijn, omdat ze nergens in de heilige boeken vermeld worden.'

'Dus Sira Pall heeft met één uitspraak mensen in beesten veranderd?' vroeg Ingrid. Ze keken haar allemaal aan. 'Had Sammik geen ziel toen hij mijn broer redde? Had mijn moeder geen ziel?' Ze had zich rustig gehouden, maar de woorden kwamen moeizaam over haar lippen en door het bloed dat haar naar de wangen steeg, leek haar huid donkerder te worden.

'Nee, mensen zijn geen dieren. Groenland is nog steeds een land met wetten en rechters,' antwoordde Halvard. 'Dat is toch zo, Osmund?' De oudere man knikte zwak, alsof de waarheid meer wens dan zekerheid was.

'Vanwege de bisschop en zijn bevel hebben we de Oostelijke Nederzetting verlaten en zijn naar de ruïnes van de Westelijke Nederzetting vertrokken. Hij heeft mijn vrouw verbannen, omdat hij verwachtte dat ze wel zou sterven als ze alleen was.' Halvard greep Osmund bij zijn arm. 'Beste vriend, je had het net over Odin. Dus je bent nog steeds voor rede vatbaar.'

'Ik veronderstel van wel.' Osmund kneep zijn mond samen.

'Vader,' protesteerde Ludmilla. 'Ik heb nu genoeg heidense taal gehoord. Einar zal het met me eens zijn.' Haar man liep naar haar toe en ging naast haar staan. 'Hoe durft u Odin aan te roepen, terwijl Jezus Zijn eigen bloed heeft geofferd om ons van onze zonden te verlossen?' Ze wees naar het kruisbeeld dat aan de muur hing. 'Valt u van uw geloof?'

'Vergeet niet dat dit nog steeds mijn huis is, dochter. Als ik jou was, zou ik het advies van Jezus aan zijn volgelingen maar opvolgen en proberen de vrede te bewaren.' Einar pakte de hand van zijn vrouw maar zei niets. Ludmilla liep rood aan. 'Het is niet Onze Lieve Heer die me kwaad maakt,' zei Osmund verzoenend, 'maar de mensen die beweren dat ze uit Zijn naam spreken. Ik ben van plan om Halvard te helpen zijn eigendom terug te krijgen. Je weet dat ik geen onrecht kan velen. Al zou ik er zo langzamerhand aan gewend moeten raken, hè?'

Hij grinnikte. 'Zie je nu wat er gebeurt, beste vriend? Als de vrouwen van je gezin zich tegen je keren en de priesters te veel macht krijgen, is de vrede in huis ver te zoeken. Af en toe is het verstandiger om je maar bij de feiten neer te leggen in plaats van tegen de stroom op te roeien, maar er zijn dingen die een man niet kan verteren.'

'Misschien hadden we helemaal niet terug moeten komen. We hebben overwogen om ons te vestigen in een van de verlaten huizen die we onderweg hebben gezien, maar ik wilde eerst weten wat er met mijn huis was gebeurd. Ik denk dat ik van plan was om mijn vaders zegen af te smeken. Als ik afga op wat we vandaag hebben gezien, moet ik daarvoor in de rij staan.'

Kettil en Han hadden bij het raam staan luisteren. 'Wij helpen u wel, meester Halvard,' zei Kettil terwijl hij Han aankeek.

'Wij allebei,' voegde Han eraan toe. 'U hoeft ons alleen maar te vertellen wat we moeten doen.'

'Voorlopig niets,' zei Halvard. 'Als ik jullie nodig heb, zal ik jullie dat wel laten weten. Als jullie klaar zijn met eten, breng dan de kommen maar naar binnen en ga rusten.'

'Ik wou dat ik zulke slaven had,' merkte Osmund op. 'Zo'n trouw stel heb ik zelden gezien. Hoe lang heb je ze al?'

'Sinds gisteren.' Halvard vertelde hem niet alleen hoe hij aan Kettil en Han was gekomen, maar liet ook het document zien dat Sira Mars hem bij wijze van gunst had meegegeven.

Osmunds ogen glinsterden. 'Dus je hoeft alleen maar naar Sira Pall te gaan, dat document onder zijn neus te duwen en zijn vazallen opdracht te geven hun biezen te pakken. Hij zal vast niet weten hoe snel hij dat fortuin dat hij uit naam van je vader binnensleept op moet geven.'

Ole sprong op, maar Halvard gebaarde dat hij weer moest gaan zitten. 'Hij maakt een grapje. Ik veronderstel dat ik maar op de goden moet vertrouwen.'

'Als het recht in de mensenwereld zo vaak zou zegevieren als in de verhalen die wij elkaar vertellen, zou die wereld er een stuk beter uitzien,' zei Osmund. 'Hoor je wel hoe filosofisch ik op mijn oude dag ben geworden? Misschien zal ik daar nog profijt van hebben, al waag ik dat te betwijfelen.'

'Kunt u dat document niet bij het graf van grootvader laten zien aan de priesters die het huis bewaken?' vroeg Ingrid. 'U dacht dat u daar wel iets aan zou hebben.' Ze was zo rustig dat ze jaren ouder klonk dan ze in werkelijkheid was. 'Als ze niet willen luisteren, kunt u nog altijd aan het eind van de zomer met uw document naar de Althing. Dan zullen de rechters en de rechtsdienaar wel achter de waarheid komen. Het is immers ons goed recht om het graf van grootvader op te eisen en er zelf voor te zorgen?'

'Ja, het is ons goed recht,' herhaalde Halvard terwijl hij naar zijn jongste kind keek alsof ze hem steeds weer voor nieuwe verrassingen stelde.

'Dat meisje weet haar rust te bewaren in plaats van geëmotioneerd te raken. Je hoeft niet te vragen van wie ze dat heeft.' Osmund ging er niet dieper op in, maar Ingrid voelde haar wangen gloeien bij zijn compliment en de verwijzing naar haar moeder. 'Trouwens, in de akte van eigendom die je aan mij hebt gegeven staat een clausule betreffende jouw eventuele terugkomst. Ik stond erop dat we vast zouden leggen dat jij of je erfgenamen de boerderij weer terug zouden krijgen als jullie dat wilden. Daar hebben we allebei onze naam onder gezet. Als de kerk met de akte van vruchtgebruik op de proppen komt die ze mij gedwongen hebben te tekenen, zal daaruit meteen blijken dat die geen enkele waarde heeft. En als ze dat niet doen, op welk recht willen ze zich dan beroepen?' De vraag bleven even in de lucht hangen.

'Bestaat er een kans dat ik mijn eigendom op een wettige manier terug kan krijgen?' Halvard voelde zijn hart bonzen toen hij nadacht over Osmunds opmerking. 'Denk je dat een eenvoudige man het kan winnen van de kerk?'

'We mogen dan aan het randje van de wereld wonen, maar Groenland heeft nog steeds wetten. De kerk is niet almachtig, al proberen ze ons dat wel wijs te maken. Er zijn wel meer mensen die jouw eis zullen steunen als het op een rechtszaak uitloopt. Als ik me goed herinner, hebben je vrienden je ook niet in de steek gelaten op de dag dat de bisschop je vrouw veroordeelde en ze zouden haar ook verdedigd hebben.'

'Astrid was vastbesloten dat ze liever in ballingschap zou gaan leven dan onenigheid te veroorzaken,' bracht Halvard hem in herinnering.

Hij stond op, liep naar zijn vriend toe en sloeg zijn armen om hem heen. 'We hadden gelijk dat we eerst naar jou toe zijn gekomen. Bedankt dat je me weer een beetje hoop hebt gegeven.'

Achter zijn rug hief Ole zijn gebalde linkerhand op, het teken van Thors hamer. Leif en Ingrid zagen het gebaar van hun oudere broer en knikten. Als gezond verstand niet genoeg was, dan was er nog altijd geweld.

Hoofdstuk 8

Halvard en Osmund zaten de halve nacht te praten en plannen te maken. Halvard vermoedde dat Ole, gezien zijn temperament, weleens te snel zou kunnen reageren: dat hij zijn mes zou trekken of dingen zou zeggen die hun bedoelingen zouden verraden. Toen hij zo oud was als Ole zou het hem de grootste moeite hebben gekost zich te beheersen. Maar met de leeftijd was die jeugdige overmoed afgenomen en hij bedacht met genoegen dat hij inmiddels, door ervaring wijs geworden, wel bereid was om de raad van een verstandiger man aan te nemen. Toen hun strijdplan klaar was, viel Halvard eindelijk in een onrustige slaap.

'Ik begrijp het.' Ole kreeg een kleur van kwaadheid toen Halvard tegen hem zei dat hij niet mee mocht. Halvard verwachtte half-en-half dat hij zijn lepel neer zou gooien, de deur achter zich dicht zou smijten en zich een paar dagen lang niet zou laten zien. In plaats daarvan wees Ole hem met een beheerste stem terecht. 'Mijn grootvader ligt onder stenen die worden ontsierd door christelijke symbolen. Zijn herinnering is ontwijd en zijn stoffelijk overschot wordt door zijn vijanden ten eigen gunste misbruikt. Ik weet nog hoe hij, vrijwel in zijn eentje, heeft gevochten om de verering van Odin in dit land levend te houden. Desondanks geloof jij, mijn eigen vader, dat ik mij niet zal kunnen beheersen als dit onrecht teniet moet worden gedaan.'

'Je hebt het in één adem over wraak en zelfbeheersing. Je zult vast tegen hen willen vechten. We zijn ver in de minderheid en we moeten ons als vossen tegenover de vijand gedragen, niet als wolven.'

'Dat klopt,' beaamde Ole. 'Ik heb eerder gezegd dat het me een groot genoegen zou doen om die priesters de keel af te snijden en hun bloed over de grafstenen van mijn grootvader te laten vloeien om die heiligschennis uit te wissen. Dat is nog steeds het geval, maar ik zal kalm blijven, luisteren en nadenken voordat ik iets doe, zoals ik van Astrid, mijn stiefmoeder, heb geleerd.'

In het zwakke licht van het raam was de vastberaden uitdrukking op Oles gezicht goed te zien. Halvard wendde zich beschaamd af. Ingrid keek hen geen van beiden aan, verbaasd omdat Ole zomaar had toegegeven dat hij iets van haar moeder had geleerd, en een beetje gegeneerd vanwege haar vader.

'Goed dan,' zei Halvard. 'Je hebt bewezen dat ik je zelfbeheersing onderschat heb.' Ole had zijn ogen half dichtgeknepen, zodat Ingrid niet kon zijn of de terechte boosheid van haar broer afnam toen haar vader eraan toevoegde: 'Ik had niet zo bevooroordeeld moeten zijn. Astrid heeft ons allemaal veranderd. Dus per slot van rekening ben ik nog steeds de driftigste van ons allemaal. Ik meen het dan ook serieus als ik je vraag om met ons mee te gaan en me desnoods met geweld tegen te houden als ik erop los wil slaan en al onze kansen vergooi.' Leif draaide zich om, maar Ingrid haalde opgelucht adem toen Ole toegaf.

Halvard keek zijn dochter aan. 'Jij moet maar hier bij Ludmilla blijven als we onze eis gaan indienen. Het zal wel niet lang duren voordat we weten waar we aan toe zijn.'

'Als jullie maar zo gauw mogelijk terugkomen. Ik zal geen moment rust hebben tot ik jullie weer zie.'

'Goed.' Halvard keek zijn zoons en Osmund aan. 'Zijn we zover?'

Onderweg naar het heiligdom zei Osmund voor alle zekerheid: 'Wat er ook met het document van Sira Mars gebeurt nadat je dat aan de priesters hebt gegeven, de kopie die ik ervan heb gemaakt is bij Ludmilla in veilige handen. En mijn slaven plus die van jou blijven in de buurt van het huis om de vrouwen en de kinderen te beschermen voor het geval dat nodig is.'

Ze meden de fjord en liepen naar het heiligdom omdat Osmund dacht dat ze zich anders misschien zorgen zouden maken over hun boot en bovendien te veel zouden opvallen. De meeste mensen uit de buurt kwamen te voet.

'Dat lijkt mij ook het best,' gaf Halvard toe. 'Natuurlijk weet ik ook wel dat ze zullen proberen om het document te vernietigen. Alleen mijn aanwezigheid is al voldoende om ze onder de neus te wrijven dat het hele verhaal van hun meester gelogen is. Omdat jij bekendstaat als een eerlijk en rechtvaardig man zullen ze zich misschien inhouden, maar daar mogen we niet op rekenen.'

'Dat is heel verstandig van je,' antwoordde Osmund. 'Alles hangt van de omstandigheden af. In het bijzijn van getuigen zullen de monniken zich wel twee keer bedenken. De mensen uit de buurt weten dat jij verkoos om met je vrouw in ballingschap te gaan leven, in plaats van samen met de volgelingen van je vader tegen de kerk in opstand te komen. Ze zullen van jou geen martelaar willen maken. Daar zou Sira Pall Knudson niets mee opschieten. Zelfs hij zal niet het lef hebben om van jou een "heilige" te maken.'

Harvard schoot bijna in de lach. 'Gunnar, de laatste priester van Odin... een christelijke heilige. Dat was aanvankelijk zeker niet hun bedoeling.'

'Dat is waar, maar het was een briljante zet van bisschop Alf om de dood van Gunnar uit te buiten zonder dat iemand hem op de vingers tikte. Sira Pall is niet half zo slim. Bovendien zullen er nu geen jaren voorbijgaan waarin het geheugen van zijn volgelingen wazig kan worden. Laten we maar eens kijken hoe ze reageren als jij je eigendom opeist.'

Leif merkte op dat het heel verstandig van Osmund was geweest om de woorden die Sira Mars had opgeschreven te kopiëren. De oudere man woof het complimentje weg. 'In feite had je zusje hetzelfde al gesuggereerd. Ik ben alleen een stapje verdergegaan.'

'Maar u kunt nog steeds goed overweg met ganzenveer en perkament,' zei Leif. 'Toen ik twee dagen geleden mijn naam onder dat document zette, had ik in geen vier jaar een pen aangeraakt. Het was nooit tot me doorgedrongen dat schrijven zo belangrijk kon zijn.'

'Ik heb ook Latijn geleerd, zodat ik de geschriften zou kunnen lezen die we uit Rome ontvingen. Maar zolang we onze boeken in ons eigen schrift houden en de kunst van lezen en schrijven niet vergeten, kan niemand ons van ons verleden beroven. In ons oude land mogen alleen geestelijken lezen en schrijven, dus daar weten de mensen alleen wat ze van de priesters te horen krijgen.' Osmund bleef staan en luisterde naar het gekrijs van de vogels boven hun hoofd. 'Raven. Gunnars "heiligdom" krijgt af en toe bezoek van de vogels van Odin en dan vragen de monniken zich altijd af wat dat te betekenen heeft. Het wil zeggen dat onze goden via hun boodschappers een oogje op ons houden. Ik ben blij dat ze er vandaag ook zijn.'

Halvard slaakte een zucht van opluchting. 'Iedere keer dat je je mond opendoet, krijg ik meer respect voor je. Het is fijn om weer thuis te zijn en ons door jou te laten inspireren.'

Even later kwamen ze bij de heuvelrug die de grens vormde tussen het land van Osmund en dat van Halvard. 'We zijn er,' fluisterde Halvard, hoewel dat helemaal niet nodig was. Met uitzonderingen van de messen die in een schede in hun laarzen zaten, waren ze ongewapend. Leif stond lang en slank aan zijn vaders zij. Ole was iets kleiner, maar breder in de schouders. De inmiddels vijftigjarige Osmund was geen vechter, maar lichamelijk geweld zouden ze ook niet nodig hebben. Zijn wapens waren zijn reputatie en het respect dat hij in de loop der jaren in de provincie had verworven.

Bij het huis stonden wachtposten die de bezoekers in de gaten hielden. Een monnik wees de eerste pelgrims van die dag waar ze naartoe moesten. Het was een echtpaar uit het zuiden met een half-volgroeide ram aan een touw. Anderen volgden in hun spoor. Halvard, Ole, Leif en Osmund liepen naar de rij pelgrims toe en sloten achteraan.

De man in de pij ondervroeg de eerste pelgrims. Halvard kon precies horen wat er gezegd werd. Het hoofd van het gezin zei: 'We komen bidden voor een goede oogst, niet te overdadig maar genoeg om ons en onze dieren de winter door te helpen. In ruil voor de zegen van de heilige willen we dit jonge dier offeren.' Hij trok de ram naar voren om hem aan de priester te laten zien.

'Het is wel een mager scharminkel,' zei de monnik, terwijl hij zijn hand over de schoft en de buik van het dier liet glijden. Het beest liet zijn kop zakken en zette zich schram. De wachtpost kon zijn hand nog net op tijd terugtrekken voordat eroverheen gepiest werd. 'Smerig beest. Het is al te oud om mals te zijn. Zijn pies begint al te stinken. We hebben genoeg fokrammen. Jullie hadden beter een jonger beest mee kunnen brengen om aan de priesters op te dienen. Breng deze maar terug en haal een betere op.'

De boer gaf een nijdige ruk aan het touw. 'Gunnar zou nooit minachting hebben getoond voor ons offer. Dus waar haal jij het recht vandaan om dat wel te doen?' vroeg hij verontwaardigd. 'Ik kan me nog goed herinneren dat de oude man in opstand kwam tegen de priesters en jullie dwong om jullie voorraadkamers open te maken en ons onze tienden terug te geven. Ik hou mijn ram zelf wel. De heiligen in de hemel kunnen mijn gebeden net zo goed horen, of ik nu hier bij de grafheuvel of ergens anders ben.'

De monnik leek ontzet toen de eenvoudige man hem de mantel uitveegde, maar nu scheen hij op het punt te staan de arme familie weg te sturen bij het heiligdom. Halvard stapte uit de rij en liep naar voren. 'U hebt gelijk, beste boer. In werkelijkheid zou mijn vader tegen u hebben gezegd dat u uw ram moest houden om er zelf profijt van te hebben. Als hij echt een goed woordje voor u kan doen bij de goden, zal hij dat ook zonder beloning doen. Neem dat mooie dier maar weer mee en ga naar huis.'

Van verbazing stond de boer even naar adem te happen. Zijn vrouw draaide de monnik de rug toe en stond met haar ogen te knipperen toen ze de bekende gezichten van de nieuwkomers herkende. 'Osmund!' riep ze vol verbazing uit. 'En is dit echt Halvard Gunnarson, weer veilig terug uit het noorden?'

De monnik hief zijn staf op alsof het een wapen was, maar hij scheen niet zeker te weten of hij er gebruik van moest maken of om hulp moest roepen.

Halvard begon al te praten voordat de monnik een besluit had genomen. 'We zijn teruggekomen om ons land weer op te eisen en zelf voor het graf van mijn vader te zorgen,' zei hij op vriendelijke, maar vastberaden toon tegen de man in de pij. 'Je kunt vertrekken, monnik of priester, of wat je ook mag zijn. Je bent hier niet welkom. Neem de buit mee die jullie al van de brave mensen in deze provincie gestolen hebben, maar zeg tegen je meesters dat de mensen erop rekenen dat ze alles terugkrijgen wat ze eventueel nodig hebben. Je bevindt je op mijn land, waarvan mijn buurman Osmund Erlandson tijdens mijn afwezigheid het vruchtgebruik had. Hij is meegekomen om te bevestigen dat het nu weer in mijn bezit is.'

De monnik vond zijn tong terug. 'Ik weet wie je bent, Halvard Gunnarson,' zei hij. 'Onze bisschop heeft je verbannen omdat je de heks verdedigde die je in ons midden had gebracht. Je kunt maar beter maken dat je wegkomt, voordat je van de rotsen wordt gegooid, zoals ook met die Skraeling-vrouw van je had moeten gebeuren.'

De pezen in Halvards nek zwollen op en hij werd zo driftig dat elk spoor van gezond verstand verdween. Ole probeerde zijn vaders arm te grijpen, maar hij was al te laat. Halvards vuist kwam met zo'n klap tegen de kaak van de monnik terecht dat het bot kraakte en de man op zijn knieën viel. De schrik stond op zijn gezicht te lezen toen hij zijn mond aanraakte en zag dat zijn hand rood was van het bloed.

Osmund voorkwam dat Halvard hem opnieuw een klap verkocht. De monnik krabbelde overeind, trok zijn pij om zich heen en veegde het bloed van zijn kin.

'Maak dat je wegkomt, dief,' gromde Halvard. 'Ga maar gauw naar je diefachtige broeders en zeg dat ze uit mijn huis moeten verdwijnen!'

De man rende schreeuwend om hulp weg terwijl zijn pij achter hem aan wapperde. Drie andere monniken brachten hun gewonde kameraad naar binnen. Halvard draaide zich om en keek zijn zoons aan met wangen die even rood waren als zijn haarvlechten. 'Odin weet dat ik een stomme driftkop ben, maar dat kon ik gewoon niet verdragen.'

Osmund probeerde hem te kalmeren. 'Er zijn genoeg mensen die hebben gehoord dat hij het zelf uitlokte. Dat laat toch geen enkele man over zijn kant gaan? Ik denk niet dat het je kansen heeft verminderd. Je terechte boosheid kan zelfs in je voordeel werken.'

De boer met de jonge ram zei: 'Hij heeft gelijk. Wij staan achter je, Halvard Gunnarson.' Zijn vrouw zei ook dat ze hem zou steunen, terwijl de hele groep bij het heiligdom halsoverkop hun voorbeeld volgde. Ze hadden niet allemaal verstaan waar de ruzie om ging, maar dat kregen ze gauw genoeg te horen. Sommige mensen sloegen een kruis bij het zien van Halvards lange, volwassen zoons, die eruitzagen als een stel herboren vikings die de eer van hun familie kwamen wreken.

Vanuit het huis kwam een man naar hen toe lopen. Zijn pij was veel mooier dan die van de monniken. Op zijn borst hing een gouden kruis aan een ijzeren schakelketting. De priester keek alle mannen stuk voor stuk onderzoekend aan, voordat hij zijn aandacht op Halvard richtte. 'Ik ben Sira Nicholas,' verkondigde hij. 'Jij bent Halvard, de zoon van Sint-Gunnar die geen enkel berouw toont. Uit schaamte had je niet eens naar de beschaafde wereld terug mogen komen.'

'Ik ben Halvard,' beaamde de ander. 'Maar ik ben niet degene die zich moet schamen. Ik kwam alleen maar op voor mijn vrouw toen de bisschop haar had verbannen en dat heb ik net opnieuw gedaan toen jouw collega haar onbeschoft bejegende. Jullie bevinden je wederrechtelijk op mijn land. Niemand heeft meer recht om voor het graf van mijn vader te zorgen dan zijn zoon en kleinzoons. Hij is niet een van jullie heiligen. Ik ben teruggekomen om mijn land op te eisen en ik wil dat jullie meteen uit mijn huis verdwijnen.'

'Deze boerderij en alles wat erop staat – het huis, de stallen en de waterinstallatie – is eigendom van de kathedraal. Er is beslag op gelegd toen de tijdelijk eigenaar er niet langer voor kon zorgen.' Sira Nicholas keek Osmund aan alsof hij hem wilde uitdagen dat tegen te spreken.

Osmund verhief zijn stem, zonder te schreeuwen. 'Maar dat recht hadden jullie niet, aangezien de echte eigenaar zijn bezit aan mij had overgedragen tot hij weer terug zou komen. En vandaag is het zover. Als je de akte erbij haalt, kun je zelf zien dat die voorwaarde erin staat.'

'Maar niemand verwachtte dat hij terug zou komen en dat had hij ook niet behoren te doen. De akte kan zo nagekeken worden. Het is een schande, Osmund. Jij hebt je door de bisschop laten dopen. Waarom gooi je het nu op een akkoordje met een stel heidenen? Waarom luister je niet naar de herders die Onze Lieve Heer naar deze uithoek heeft gestuurd om je met raad en daad bij te staan? Vrees je niet voor je ziel?'

Osmund deinsde achteruit alsof hij een klap in zijn gezicht kreeg, maar hij vermande zich meteen. 'Groenland behoort toe aan onze koning en aan onze wetten, niet aan de kerk. Ik heb jullie heilige boeken gelezen. Jullie trekken je niets aan van jullie eigen wetten. Jullie leggen valse getuigenissen af en begeren andermans eigendommen. De kerk heeft bezit genomen van Gunnars gebeente om te profiteren van de offers die de mensen hem brengen in ruil voor zijn voorspraak. Is dat soms geen diefstal?' Dit keer was het de priester die achteruitdeinsde.

'Wat hij zegt, is volkomen waar,' beaamde de boer.

De vrouw van de boer was kleiner dan haar man, maar een indrukwekkende verschijning. 'Pas goed op, Sira Nicholas. Wij zijn getuigen en iedereen zal van ons te horen krijgen hoe u Halvard Gunnarson hebt behandeld.'

Halvard raakte even zijn borstzakje aan en keek van de priester naar de monniken die zich achter hem verzameld hadden. Langzaam, zodat de geestelijken niet zouden denken dat hij een wapen te voorschijn haalde, trok hij het gevouwen vel perkament uit zijn zak. 'Ik heb hier een document. Het is getekend door Sira Mars van de Kerk van Thjodhild in de buurt van Brattahild. Uit dank voor een gunst die mijn zoons hem hebben bewezen verzoekt hij hierbij om mij mijn eigendom weer terug te geven, in het geval iemand anders er tijdens mijn afwezigheid het beheer over heeft gekregen. Misschien kan dit mijn eis kracht bijzetten.' Hij gaf het aan de priester.

Sira Nicholson las het door, vouwde het weer dicht en stopte het in een zak van zijn pij. 'Heel interessant, Halvard Gunnarson. Het staat wel vast dat Sira Mars niet op de hoogte was van uw misdaden toen hij dit schreef. Maar ik zal uw document aan Sira Pall geven. Kom maar over drie dagen naar de kathedraal, dan zult u antwoord krijgen.'

'Ik heb geen misdaden begaan!' Pas toen drong tot hem door wat de priester verder had gezegd. 'Waarom zou ik nog eens drie dagen wachten? Ik heb vier jaar lang moeten wachten voordat ik terug kon keren naar mijn land. Waarom moet ik nog langer wachten?'

'Zorg maar dat je over drie dagen in de kathedraal bent,' herhaalde Sira Nicholas uitdrukkingsloos. 'Zodra de kerkklokken voor de mis geluid worden. Sira Pall zal je zijn besluit meedelen nadat hij zich van zijn priesterlijke taak heeft gekweten.' Hij draaide zich om en liep terug naar het huis.

'Laten we nu maar gaan, vader,' zei Leif. Hij sloeg zijn arm om Halvards schouders. 'We zullen moeten wachten.' Halvard was ontroostbaar toen ze de helling naar Osmunds boerderij weer op liepen en zijn huis en land nog steeds in handen van zijn vijanden achter moesten laten. Hij had verwacht dat het besluit misschien niet meteen maar op zijn minst nog dezelfde dag zou worden genomen. 'Waarom laat hij me drie dagen wachten, Osmund? Waarom juist drie?'

'Dat kan ik je wel vertellen,' zei Osmund. 'Hij dwingt je om de zondagsmis bij te wonen, waar hij het volledige gezag van de kathedraal achter zich heeft om jou op je knieën te krijgen. Sira Pall zal proberen om jou en je gezin zover te krijgen dat jullie in ruil voor het compromis dat ze jullie aanbieden christen worden. Als je dat weigert, zullen ze hebben gewonnen en zal hij geen last meer van je hebben. Dat denken ze tenminste, voorzover ik deze mannen ken.'

'Hij heeft het document gehouden.'

Osmund knikte en gaf Halvard een klopje op zijn arm. 'Dat hadden we verwacht en daarom heb ik er een kopie van gemaakt. Dit werkt alleen maar in jouw voordeel. Meer dan drie dagen hebben we echt niet nodig. Hou de moed erin, beste vriend, en wanhoop niet.'

Hoofdstuk 8

Broeder Marcos en Sira Mars hielden zich tijdens de overtocht vast aan de rand van de kleine vissersboot. Bij hun vertrek had de eigenaar van de boot hen verzekerd dat er geen reden tot bezorgdheid was. De voorspelde regen was nog ver op zee en de wind in de zeilen was nauwelijks meer dan een briesje. Opnieuw sloeg een golf over hen heen. Sira Mars richtte zijn blik op de tegenoverliggende oever en probeerde broeder Marcos te troosten.

'Vergeet dat paard nu maar, beste vriend, en hou op jezelf verwijten te maken,' zei Sira Mars tegen de Gregoriaanse monnik. 'Jij kon het ook niet helpen dat Meeuw over een steen struikelde en haar been brak. Het was de wil van God.'

De visser bij het zeil keek zijn passagiers aan. 'Nog bedankt voor het vlees Sira Mars en broeder Marcos,' zei hij. 'Van dat paard zal mijn gezin een week lang kunnen eten. U hebt mij twee schapen bespaard.'

'Eentje,' verbeterde Sira Mars hem. 'Meeuw was een scharminkel. En haar vlees zal taai zijn. Ik zou het maar lang laten sudderen om het mals te maken.'

Broeder Marcos boog zich over de rand en woof afwerend met een van zijn handen terwijl hij zich met de ander vasthield. 'Praat alsjeblieft niet over eten,' smeekte hij en de geluiden die hij daarna maakte, werden overstemd door het geklots van de golven.

Sira Mars had zich al zorgen gemaakt sinds het vertrek van Halvard Gunnarson van de boerderij van Thorvald. Af en toe kreeg hij bezoek van een monnik uit het klooster in het zuiden, die tijdens zijn reis langs diverse boerderijen en door andere gebieden was gekomen. Dat gold ook voor broeder Marcos. Op die manier kwamen de priesters te weten of een moeder het kraambed had over-leefd of niet en of er een doopplechtigheid kon worden gehouden, of dat er behoefte was aan de laatste sacramenten en een begrafe-nis. Ze hoorden of er mensen overleden waren door ongelukken, ziekte, honger, of ouderdom. Sira Mars was altijd de eerste die op pad ging als er behoefte was aan de diensten van een priester.

Hij had vrijwillig aangeboden om broeder Marcos terug te bren-gen naar zijn klooster in het meest oostelijke gedeelte van de Ooste-lijke Nederzetting. Sira Mars wilde zelf dolgraag naar het heiligdom van Sint Gunnar, om zich ervan te overtuigen dat de roodharige vreemdelingen geen familie waren van de heilige. Hij had besloten om de reis samen te maken met de broeder en daarna de biecht af te nemen bij de eerwaarde broeders in het klooster en een mis voor hen op te dragen. De mensen die zijn kerk in het noorden bezoch-ten, waren zo geïsoleerd dat het leek alsof ze alleen bij Groenland hoorden als de Althing aan het eind van de zomer plaatsvond. Veel bewoners van het gebied rond Brattahild waren kwaad dat de jaar-lijkse rechtszitting naar Gardar was verplaatst.

Sira Mars wilde ook met eigen ogen zien of de mensen het in het zuiden en oosten van de Oostelijke Nederzetting beter hadden dan de bewoners van het noorden. Als dat zo was, moest hij zijn pa-rochianen misschien wel aanraden om hun bezittingen te pakken en naar het zuiden te verhuizen.

Maar voordat hij samen met broeder Marcus naar de kathedraal in Gardar reisde, wilde hij nog proberen of hij een relikwie van de nieuwe 'heilige' kon krijgen, als het kon een kuitbeen of een scheenbeen, maar op z'n minst een vingerkootje. Als hij Sira Pall zover zou krijgen dat hij hem twee beenderen zou afstaan, kon hij er een meenemen voor het klooster en een voor zijn eigen kerk, om zijn gebeden tegen honger en ziekte kracht bij te zetten.

'Je moet goed beseffen dat hij geen echte heilige is,' had Sira Mars bij hun vertrek tegen broeder Marcus gezegd. 'Daarvoor moet hij gecanoniseerd worden en daar gaat veel tijd in zitten. We zijn hier trouwens niet eens gerechtigd om dat te doen. Maar bisschop Alf heeft Gunnar nog voor zijn dood een speciale status gegeven en waarom zou de Here onze bisschop een dergelijk visioen over een heiden sturen als er geen waarheid in school? Het officiële gedeelte komt later wel, als de handelsschepen Groenland weer aandoen.'

'U zult wel gelijk hebben,' had broeder Marcus slap beaamd.

De boer zette hen af op een strand vol platte, verweerde rotsen. Zodra ze aan land stonden en hun bundels hadden aangepakt, vroeg hij smekend: 'Sira Mars, zou u me uw zegen willen geven zodat mijn ooien melk blijven geven?'

'Dat is alleen de Here gegeven, mijn zoon, maar ik wil Hem dat verzoek wel doorgeven.' Hij tekende met zijn wijsvinger een kruis op het voorhoofd van de boer en sprak een gebed in het Latijn uit, de heilige taal. 'Nogmaals bedankt dat u ons van dienst wilde zijn. Ik wens u een goed seizoen toe. Misschien zien we elkaar weer bij de Althing.'

Hij hees net als broeder Marcus zijn pak op zijn schouders toen de boer vertrok. 'Ben je alweer in staat om verder te lopen?' vroeg Sira Mars. 'Je bent nog erg bleek en je benen trillen. Wil je eerst rusten?'

De monnik haalde een paar keer diep adem. 'Nu we weer vaste grond onder de voeten hebben zal het wel gaan,' zei hij. 'De mens is niet geschapen om op het water te leven.' Maar hij leunde toch op de arm van Sira Mars.

'Het was inderdaad een woelige overtocht,' beaamde Sira Mars terwijl hij naar de donkere wolken keek die vanuit het westen binnendreven. De wind wakkerde aan, hoewel de zon nog steeds warm was. 'Ik hoop dat we voor de nacht onderdak zullen vinden. Als we geen oponthoud hebben, kunnen we laat in de middag bij de kathedraal zijn. We kunnen ook proberen of iemand anders ons met een boot verder kan brengen.'

'Nee,' smeekte broeder Marcos. 'We mogen onze taak niet verlichten. Pelgrims horen te lopen.'

'Je hebt gelijk,' knikte Sira Mars, maar hij pakte een paar extra bundels op. 'We zullen goed opschieten met die wind in de rug.'

Ze wisten niet waar ze waren toen de bui losbarstte. Het was zo donker geworden dat ze elkaar vast moesten houden om de ander niet kwijt te raken. De regen striemde hen in het gezicht. 'Lopen we nog wel naar het zuiden of gaan we nu de andere kant weer op?' schreeuwde broeder Marcus, maar de priester kon hem door de wind en de regen nauwelijks verstaan. 'Lieve Heer bescherm uw volgelingen,' fluisterde Sira Mars in de wind. 'Ik hoop dat we niet in een sloot terechtkomen of van de klif in de fjord vallen,' schreeuwde hij tegen broeder Marcus. 'Hou mijn arm goed vast tot we onderdak vinden.'

Een bliksemschicht kleurde de donkere hemel gedurende een ver-
blindend moment zachtroze. Toen het licht gedoofd was, zag Sira
Mars in gedachten weer de silhouetten die hij net had gezien. 'Ik geloof dat ik een huis zie,' riep hij. 'De luiken zijn vanwege de wind gesloten, maar er schijnt licht door de spleten. Laten we daar maar
naartoe gaan. Deze kant op.' Hij pakte Marcus nog steviger vast en
trok hem mee naar de plek waar het huis volgens hem stond.

Ze struikelden en krabbelden weer overeind. Door de wind
stonden ze op hun benen te tollen. 'Waar is dat huis nu? Wacht. Ik
voel stenen. Laten we hier maar even blijven staan. Ik zie geen
hand voor ogen. De wind drukt me omlaag.'

Er verscheen opnieuw een bliksemschicht, gevolgd door een oor-
verdovende donderslag. Hagelstenen kletterden op de beide mannen neer. Ze tilden hun zware pijen en pakken op om hun hoofd te
beschermen en probeerden naar de andere kant te kruipen, waar
de stenen hen iets meer bescherming zouden bieden. Er was zoveel
lawaai dat de mannen elkaar niet konden verstaan. Sira Mars zat
te bidden, maar hij kon de woorden die hij prevelde niet verstaan.

Hij wist niet hoe lang ze daar hadden geschuild, maar uiteindelijk begon de wind af te nemen en kwam er een eind aan de mes-
scherpe hagelbui. Sira Mars zette het pak neer dat hij als bescherming had gebruikt en liet de pij die hij voor zijn gezicht had
getrokken zakken. Broeder Marcus lag ineengedoken op zijn zij
aan de voet van de steenhoop zacht te kreunen. We hebben het allebei overleefd, dacht Sira Mars en prevelde een dankgebed.

De zon deed haar best om vanachter de wegtrekkende wolken te
voorschijn te komen. De hele omgeving was bedekt met een deken
van verbrokkelde stukjes ijs. Sira Mars kreeg de indruk dat alles
overgoten was met een roze, bijna onaards licht. Hij voelde een stekende pijn in zijn handen. Door zijn pak boven zijn hoofd te houden had hij weliswaar zijn gezicht beschermd, maar zijn handen
waren onbedekt geweest. De huid was geschramd en rood waar
stukken ijs langs zijn vingers waren geschampt en zijn knokkels
hadden opengehaald. Hij riep broeder Marcos en smeekte hem op
te staan, maar de jongere man bleef jammeren.

'Marcos! Broeder Marcos! De bui is voorbij. Sta op.' De monnik
scheen hem niet te horen. 'Wat is er aan de hand? Ben je gewond?
Geef antwoord!' Hij rolde Marcos om en probeerde hem overeind
te trekken. 'Wat is er aan de hand?'

De monnik sloeg zijn handen voor zijn gezicht. 'Demonen! De hamer van Thor! Hij heeft me geslagen! Ik heb hem in de donderwolken gezien.'

'De hemel behoede ons voor ketterij. Praat niet over de oude goden.' Hij klopte de monnik op zijn wangen. Hij was bang om hem pijn te doen, maar hij wilde hem toch bijbrengen uit zijn nachtmerrie die kennelijk was veroorzaakt door het geweld van de plotselinge onweersbui.

'Nee! Raak me niet weer aan!' schreeuwde broeder Marcus tegen de lucht. 'Hoe kon ik dat nou weten?'

Sira Mars pakte de andere man met twee handen bij zijn schouders vast. 'Hoe kon je wat weten?' Hij probeerde broeder Marcus zo gerust te stellen dat hij ophield met beven. 'Ik ben het maar, Sira Mars. Dat zie je toch wel? De oude goden bestaan niet. Moeder Maria en de heiligen zorgen voor ons en nemen ons in bescherming. Waar zijn we?'

Broeder Marcus klemde zich aan hem vast. 'Praat niet over hen,' jammerde hij. Hij klonk veel jonger dan de twintig jaar die hij telde. 'Thor is boos. Hij smijt zijn hamer naar iedereen die hem afgezworen heeft. Dit graf wordt door hem beschermd. Gunnar was geen heilige, maar de Antagonist die onze Here uitdaagde. Hij was priester van Odin, de koning van de goden van Asgard.' De ogen van de monnik werden glazig en staarden naar de verdwijnende wolken alsof ze visioenen zagen.

De steenhoop waar ze naast zaten, was inderdaad een grafheuvel en geen scheidingsmuur tussen landerijen. 'Marcos! Zulke dingen mag je niet zeggen. Dat is heiligschennis en een gevaar voor je ziel.' Sira Mars maakte de kapotte vilthoed van broeder Marcus los en trok die van zijn hoofd om te zien of zijn metgezel gewond was. De arme man zat zo te raaskallen dat hij vast een klap op zijn hoofd had gehad. Het bloed dat vanaf het midden van zijn voorhoofd over het gezicht van de monnik sijpelde, moest zijn veroorzaakt door de hagel of door een val waarbij hij op een scherpe steen terecht was gekomen. Sira Mars depte het weg met zijn mouw. De wond had de vorm van een hamer.

De deur in het huis dat vlakbij stond, vloog open. 'Kijk!' riep Sira Nicholas uit. 'Er liggen twee als geestelijken geklede mannen bij de grafheuvel. De ene is gewond. We moeten hen helpen.' Hij rende in zijn wapperende pij naar het heiligdom van Sint-Gunnar.

Er waren drie dagen verlopen sinds Halvard met de priester had gesproken. Het geluid van de bronzen klokken riep een groot aantal gezinnen naar Gardar, die zich per boot of te voet naar de kathedraal begaven om de zondagse mis bij te wonen. Ingrid weigerde dit keer thuis te blijven, ook al had ze nare herinneringen aan dat grote gebouw.

Ludmilla pakte Ingrid bij de hand toen ze het pad op liepen. 'Nu zul je merken hoe fijn het is om je godsdienst te belijden in een echte kerk met een echte dienst.'

'Ik heb al genoeg over jullie diensten gehoord. Het lijkt me beter om daar niet over te praten. Wij hebben hier vandaag iets anders te doen.' Ludmilla keek vanuit haar ooghoeken naar Ingrid. Het meisje was te lang onder invloed van heidenen geweest.

Osmund liep naast Einar, zijn schoonzoon. Toen de andere Groenlanders zagen dat Halvard ook bij hen was, lieten ze hen met rust. Het nieuws dat Halvard zijn land weer had opgeëist was als een lopend vuurtje rondgegaan en misschien was dat wel de reden dat de opkomst voor de mis van vandaag zo groot was. Er werd gefluisterd dat de heilige communie vandaag weleens amusanter zou kunnen worden dan gewoonlijk het geval was bij een dienst die door Sira Pall Knudson werd geleid.

Nadat ze bij zoveel boerderijen in de buurt langs was geweest, wilde Ingrid absoluut getuige zijn van wat zich vandaag allemaal zou afspelen. Ze was zo nieuwsgierig dat ze bijna haar angst voor het ontzagwekkende gebouw vergat. Onderweg begroette ze de mensen bij wie ze op bezoek was geweest omdat ze haar vader hadden gekend. De meesten hadden hun mening bijgesteld, toen ze het bijna volwassen meisje zagen. 'Sira Pall zal de juiste beslissing nemen,' zei Ludmilla.

'Dan moet hij wel besluiten mijn vader zijn land terug te geven en hem toestaan de zorg voor het graf van mijn grootvader op zich te nemen,' zei Ingrid. 'Einar, je doet toch wel wat Osmund je heeft gevraagd?'

Einar hield zich op de vlakte. 'Sira Pall zou nooit onwaarheden vertellen, maar we zullen zien wat er gebeurt.' Daar moest ze het mee doen.

Ze liepen door de hoge openstaande deuren naar binnen en zochten een plaatsje achter in de kerk, terwijl Einar en Ludmilla samen met hun kinderen en hun slaven de gewijde ruimte in liepen en in de buurt van het altaar en de kansel gingen staan. Olielampen in nissen verlichtten de donkere muren, maar produceerden ook een smerige walm die omhoogrees terwijl de grote ruimte zich vulde met een groot aantal ongewassen lijven.

De leden van de gemeente drongen zo ver mogelijk naar voren om alles te kunnen horen en zien. Halvard hield Ingrids arm vast. Leif keek om zich heen en leunde tegen de achtermuur om zijn zwakke been te ontzien. Ole sloeg zijn armen uitdagend over elkaar en nam een afwachtende houding aan. 'We blijven hier staan tot de dienst voorbij is. Dan zullen de priesters ons wel te woord willen staan. De laatste keer dat we ons op deze plek bevonden, waren er wel drie keer zoveel mensen. Daaruit kun je opmaken wat de winters ons land hebben gekost.'

'Het begint,' zei Ingrid zacht. Sira Pall liep zwaaiend met een gouden bal aan een ketting, gevuld met smeulende, geurende kruiden, aan het hoofd van de processie van priesters, monniken en jongens met kruisbeelden en andere standbeelden. Ingrid vond het best opwindend. Toen dat voorbij was, vertelde de priester een verhaal over een man die twijfelde aan het offer dat de Heer had gebracht en zich er zelf van wilde overtuigen. Jezus had de man uitgenodigd om bij hem te komen en de wonden in Zijn handen te voelen als bewijs dat Hij echt uit de doden was opgestaan.

Ingrid bleef doodstil staan tijdens het verhaal. Haar heldere, nieuwsgierige ogen dwaalden voortdurend van Sira Pall naar het gekwelde houten beeld op de muur achter hem terwijl ze luisterde naar de galmende stem die de hoge ruimte vulde en van de muren weerkaatste.

Ze had Sira Pall maar één keer eerder gezien, op de dag dat de bisschop haar moeder had verbannen. Hij was het die de verklaringen van de bisschop tot uitvoer probeerde te brengen door de aanwezige kerkgangers op te hitsen 'de heks' te doden. Veel meer kon ze zich niet herinneren, want een vriend van haar ouders had haar meteen mee naar buiten genomen om haar in veiligheid te brengen.

Het verhaal van Sira Pall was interessanter dan de kleurige maar griezelige wandtapijten aan de muren. Hij was inmiddels bij het slot en de moraal van zijn gelijkenis aangekomen. 'Dus daarom moeten jullie altijd blijven geloven, ook al lijkt de toestand nog zo wanhopig. God waakt over ons en zal ingrijpen als de tijd rijp is. Als we klagen en Hem de schuld geven van ons lijden, zal Hij denken dat we aan hem twijfelen. Alleen als we rotsvast in Hem blijven geloven, zal Hij ons helpen. Dankzij de genade van Onze Lieve Heer zullen er weer handelsschepen onder Noorse vlag onze haven binnenzeilen en dan wordt alles weer net als vroeger. We zullen weer welvarend worden. Heb vertrouwen in de hemel,' besloot hij. 'En laat ons nu samen zingen.'

De andere priesters, in donkere pijen met hoge vilten hoofddeksels op hun geschoren hoofden, zongen de tweede stem. Sira Pall had een prettige stem. De kerkgangers schreeuwden de juiste antwoorden. Ingrid hield haar vaders arm stevig vast, omdat ze zich niet op haar gemak voelde.

'Het zal wel niet zo lang meer duren,' zei hij en hoopte dat hij gelijk zou hebben. Na de gebeden en de preek stelde Sira Pall zich achter het altaar op. De menigte werd stil. Ingrid keek vol spanning toe. Sira Pall maakte gebaren en sprak de volle kerk toe over een stapel gedroogde stukjes zeehondenvlees op een gouden schaal en een gouden beker met schapenmelk. 'Laat iedereen die heeft gebiecht en vrij van zonden is nu naar voren komen om het lichaam en het bloed tot zich te nemen,' zei hij.

Ingrid herinnerde zich dat ze wel eens over deze tovenarij had horen praten. Het werd 'communie' genoemd en mensen moesten dan eigenlijk een stukje brood eten en een slok wijn nemen, maar al voor haar geboorte waren die dingen niet meer in Groenland te krijgen geweest. Ludmilla had haar dat al eens uitgelegd. De priesters moesten zich behelpen met wat er wel voorradig was en erop vertrouwen dat Onze Lieve Heer de mensen ook genade zou schenken zonder de echte producten.

Ingrid wist niet wat brood en wijn waren, maar ze wist wel dat deze ceremonie de aanleiding was geweest voor hun ballingschap. Ze was blij dat ze gewoon kon blijven staan, maar vanaf haar plek leek de melk nog gewoon melk toen het in de beker werd geschonken en de stukjes gedroogd zeehondenvlees zagen er ook nog precies hetzelfde uit.

Toen de dienst ten einde was, liepen de meeste kerkgangers langzaam door de hoge, geopende deuren naar buiten. Een paar keken even naar het gezin alsof ze teleurgesteld waren dat er niets onbetamelijks was gebeurd. Halvard en zijn gezin liepen door de bijna lege kerk naar Sira Pall toe. Hun vrienden gingen achter hun staan. Op hetzelfde moment kwamen ook de monniken en Sira Nicholas, die de gelovigen naar de deuren hadden begeleid, terug, zodat er nu een groep mensen aan het eind van het schip stond.

Sira Nicholas fluisterde Sira Pall iets in het oor, waardoor zijn meerdere opkeek. 'Is er een reden voor al deze belangstelling? Ik moet met Halvard over een privé-kwestie praten. Jullie kunnen wel gaan.'

Halvards vrienden keken een beetje onbehaaglijk om zich heen. 'Ik heb liever dat deze brave mensen getuige zijn van het gesprek,' zei Halvard. Niemand liep weg. De monniken hadden geen instructies gekregen om hen met geweld naar buiten te brengen. Een van hen haalde zijn schouders op tegen zijn meester, die hem een boze blik toewierp en zijn armen over elkaar sloeg, waardoor zijn lange mouwen bijna tot op zijn knieën vielen.

Halvard strengelde zijn vingers in elkaar en probeerde een eerbiedige toon aan te slaan zonder als een slappeling over te komen. 'Pall Knudson, wilt u zo vriendelijk zijn om me mee te delen of u bereid bent om mijn land en het graf van mijn vader weer aan mij af te staan?'

'Eerlijk gezegd,' zei Sira Pall, 'hebben we die akte niet kunnen vinden. Er zijn veel huizen en landerijen aan de kerk geschonken in ruil voor onze gebeden en de hulp die we de afgelopen winter hebben verstrekt.'

Ze hadden niet anders verwacht. 'En hoe zit het dan met het document van Sira Mars?' Hoewel Halvard niet met stemverheffing had gesproken bleef de vraag als het ware in de lucht hangen en leek door de bijna lege ruimte te weergalmen. De toehoorders kwamen nog iets dichterbij staan.

'Dat schijnt ook kwijtgeraakt te zijn. Sira Nicholas kwam met het verhaal dat de wind het uit zijn hand heeft gerukt. Het perkament zal nu wel in de oceaan drijven. Maar natuurlijk zouden we je tegemoet willen komen, als je bereid bent om godsdienstonderwijs te gaan volgen. Als je ophoudt met je, zoals vroeger, als een horzel te midden van je buren te gedragen, wil ik wel overwegen om je in het huis te laten wonen dat vroeger van jou is geweest. Je moet echter goed begrijpen dat het land en het huis momenteel eigendom is van de kerk. Vandaar dat je er ook huur voor zult moeten betalen, in de vorm van dieren en kaas. Hoeveel kan later precies worden vastgesteld.' Sira Pall stak zijn handen omhoog alsof het hem speet dat zijn beslissing niet gunstiger was uitgevallen. 'Meer kan ik niet voor je doen.'

'Dat dacht ik wel,' zei Halvard, nog steeds zonder stemverheffing. 'Ik had niet anders verwacht.'

Einar stapte naar voren. 'Ik vertrouwde u. Ik heb tegen hen gezegd dat u in het aangezicht van God in Zijn eigen huis nooit zou liegen.'

Sira Pall begon te transpireren. 'Hou je mond.'

'Ik pieker er niet over,' zei Einar. Hij trok een vel perkament uit zijn binnenzak. 'Ik heb een kopie van dat document.' Hij wilde het aan Sira Pall geven.

'Ik ook,' zei Osmund.

'En ik ook,' zei Freyis, een buurvrouw die aan de overkant van de fjord woonde. Zij was de dochter van Skaddi, de laatste priesteres van Freya en een goede vriendin van Gunnar. Leif had Ingrid naar Freya's huis geroeid, waar zij en haar volwassen zoons hen maar al te graag hadden willen helpen.

'Ik ook,' zei Gottfried, haar broer, inmiddels een lange, bejaarde man met grijze haren. Hij was degene die Ingrid vier jaar geleden in veiligheid had gebracht.

De boer die bij het heiligdom had geprobeerd zijn jonge ram te offeren was de volgende die het woord nam, gevolgd door het gezin van wie Halvard voor het eerst had gehoord dat Gunnar een heilige was geworden. Ze hadden allemaal een kopie van het document van Sira Mars in de hand. 'Geef Halvard Gunnarson zijn land terug,' zei de vrouw van de boer. Ze herhaalde het nog eens nadrukkelijk en de anderen vielen haar bij.

Sira Pall stak met een roodaangelopen hoofd zijn armen op en gebood dat ze hun mond moesten houden. De stemmen stierven weg. 'Aan kopieën hebben we niets,' zei hij. 'Dat moeten jullie ook begrijpen. Niemand weet wat de brave Sira in werkelijkheid heeft geschreven. Sira Nicholas zegt dat de juiste formulering hem is ontschoten. Ik ben al zover gegaan als mijn geweten mij toestaat, door Halvard Gunnarson toestemming te geven weer in zijn oude huis te gaan wonen. Hij is een heiden, die koppig als een jood weigert zich aan de kerk te onderwerpen en Onze Lieve Heer te eren. Hij moet erkennen dat het land niet van hem is en hier komen om godsdienstonderwijs te krijgen, zodat hij uiteindelijk het ware geloof zal omarmen. De kerk zal het heiligdom van onze brave Sint-Gunnar blijven bewaken om ervoor te zorgen dat de mensen daar op een behoorlijke manier kunnen blijven bidden.'

'Geef hem zijn land terug en laat zijn vaders graf met rust.' De stem klonk vanuit een zijdeur, waar een slanke priester, met zijn kaalgeschoren kruin onbedekt, de man die net het woord had gevoerd stond aan te kijken. Sira Pall knipperde met zijn ogen alsof hij een visioen zag.

'Wie zegt dat?' vroeg hij terwijl hij zijn priestergewaad strakker om zich heen trok en de indringer fronsend aankeek. 'Wie ben jij?'

'We hebben elkaar twee jaar lang niet gezien,' zei de ander. 'Maar kijk me eens goed aan, Pall Knudson. We zijn op dezelfde dag gewijd en we zijn hier allebei op verzoek van onze koning naartoe gekomen. We zijn op hetzelfde schip naar Groenland gezeild. Heeft mijn baard mijn gezicht zo veranderd dat je me niet herkent, of zijn je ogen alweer slechter geworden? Ik ben Sira Mars.'

Sira Pall wist niet wat hij moest antwoorden en zweeg verstomd. Ten slotte bracht hij uit: 'Wanneer ben je hier aangekomen?'

'Ik ben in de ziekenzaal geweest, om voor broeder Marcos te zorgen. Het zou je niet misstaan als je af en toe eens bij de zieken op bezoek zou komen. Ik herhaal wat ik net heb gezegd. Geef Halvard Gunnarson zijn land terug en vraag de Here vergiffenis dat je hebt overwogen het te houden. Ik weet wat ik heb geschreven, of het nu in mijn eigen handschrift is of niet.'

'Sira Mars.' Sira Pall leunde op het altaar om zijn evenwicht te bewaren. 'Wist je toen je dat document schreef dat dit een heidens gezin is? Wist je dat zij nog steeds offers brengen aan Thor en Odin, de zwarte goden?'

Sira Mars wierp een blik op het hoge plafond, keek vervolgens Halvard aan en richtte zijn ogen weer op Sira Pall. 'Nee, dat wist ik niet.'

'Denk dan nog eens goed na. Hij heeft je voor de gek gehouden.' Uit de houding van Sira Pall was op te maken dat hij dacht dat hij het pleit gewonnen had. 'Ga maar weer naar huis, mensen,' zei hij. 'Dit is een kwestie tussen mij en een eiser die geen enkel recht heeft omdat hij geen christen is.'

'Wacht nog even, beste mensen,' zei Sira Mars. 'Niemand heeft mij voor de gek gehouden. Halvard Gunnarson heeft mij niets op de mouw gespeld. Ik heb vreemdelingen om een gunst gevraagd en zij hebben me geholpen een eerlijk oordeel te vellen, zoals dat bij elk oordeel het geval hoort te zijn. Ik houd me aan mijn woord. Zijn huis moet worden teruggegeven aan de rechtmatige eigenaar, en hetzelfde geldt voor zijn land en het graf van zijn vader. Gardar heeft al meer dan voldoende land.'

'Sira Mars,' zei Halvard, die helemaal ondersteboven was van het feit dat de priester zo voor hem opkwam. Hij wist niet hoe hij hem moest bedanken.

Sira Mars stak zijn hand op. 'Je hebt me niet voor de gek gehouden. Ik heb mezelf voor de gek gehouden. Je hebt nooit tegen me gezegd dat jij en je gezin christen waren. Ik ben er ten onrechte van uitgegaan dat het wel zo was en dus had ik geen reden om je dat te vragen. Ik heb mijn woord gegeven en ik heb dat op perkament vastgelegd. Ga nu maar, Halvard Gunnarson, en neem je land terug voor je gezin en je dieren. En bedenk dat je vandaag in alle eerlijkheid bent behandeld.'

'Je hebt het laatste over deze kwestie nog niet gehoord,' zei Sira Pall toen Halvard zich omdraaide en hij wierp een boze blik op de familie en vrienden die door de langgerekte ruimte naar de uitgang liepen. 'De Althing is er ook nog. We zullen dit geval, net als andere, voorleggen aan de rechters. De rechtsdienaar zal hen op de wet wijzen. Je kunt ervan verzekerd zijn dat de kerk zich niet zomaar door bedrog haar eigendommen laat aftroggelen.' Sira Pall was nog steeds aan het woord toen Halvard met zijn gezelschap de kathedraal uit liep. Zijn enige gehoor bestond uit de achtergebleven priesters en monniken.

Een stralende zon bescheen de groene helling voor de openstaande deuren. Ingrid keek om naar het indrukwekkende bouwwerk en vervolgens over de sprankelende fjord naar het huis van haar vader. Toen ze zich weer tot haar vader en broers wendde, landde een kleurig insect met grote vleugels op haar hand. Het had wel iets weg van de hemelse engelen die op de wandtapijten stonden afgebeeld. Het was een vlinder.

Hoofdstuk 11

Ingrid boende de muren schoon en veegde de vloer van aangestampte aarde aan. De monniken die het huis hadden bewoond waren niet bepaald netjes geweest. Er was nog een hele voorraad kazen en gedroogde vis die door pelgrims aan 'Sint'-Gunnar waren geschonken om voor hen in de hemel een goed woordje te doen. Halvard had erop gestaan dat de monniken de offerandes achterlieten, nadat ze onder dwang hadden erkend dat Gunnar waarschijnlijk niet de meest geschikte persoon was om in hun hemel gunsten te verwerven voor christelijke zielen. Halvard had bekendgemaakt dat alle mensen die een bijdrage hadden gegeven hun etenswaren terug konden halen, maar er was niemand gekomen.

Han en Kettil zorgden voor het weiden en het melken van de kudde en daarna maakte Ingrid zure melk en kaas. Er moest nog een stal gebouwd worden waarin de dieren konden overwinteren. Halvard en Leif zorgden voor het schoonmaken van de graven terwijl Ole ging vissen. Alles bij elkaar was Halvard wel tevreden met de stand van zaken op zijn land en in zijn huis, tot hij op een dag, bijna een maand later, twee monniken aan zag komen. Het waren eigenlijk nog maar jongens, die elkaar min of meer meesleepten en nauwelijks de moed konden opbrengen om Halvard aan te spreken, die hen met zijn lange hooivork losjes in de hand stond op te wachten.

Ingrid zag de vreemden door het open raam aankomen en haastte zich naar haar vader toe. Ole en Leif, die bezig waren vissen op te hangen om ze in de stevige bries te laten drogen, kwamen ook naast hun vader staan. Halvard keek de indringers met onverholen argwaan aan. De jonge monniken, die waarschijnlijk zijn reputatie wel kenden, stonden te trillen op hun benen. 'En?' wilde Halvard weten nadat ze hem een tijdje sprakeloos hadden aangekeken. 'Wat komen jullie doen?'

Een van hen stak zijn hand in een grote zak. 'Bent u Halvard Gunnarson?' vroeg hij. Halvard sprak hem niet tegen. 'Dit is voor u, meneer,' zei hij. 'Kunt u lezen? Als dat niet zo is, heb ik opdracht het aan u voor te lezen.'

Halvard pakte de rol aan en streek het perkament glad. Het was beschreven met keurige Noorse lettertekens, niet in het Latijn, en was dus niet van de kerk afkomstig. Hij las de aanhef snel door. Het was ondertekend door een van de ambtenaren van de Althing. 'Ik kan het zelf wel lezen,' zei hij nors. 'Ga nou maar gauw terug naar jullie meesters, voordat jullie door een wilde worden opgegeten.' De jongens hesen hun pij op tot boven hun knieën en gingen er als een haas vandoor. Ze keken pas om toen ze boven op de heuvel stonden.

Halvard las de rest van het bevel zorgvuldig door en kneep zijn mond boos samen toen de inhoud tot hem doordrong. Het was een bevel om tijdens de jaarlijkse zitting te verschijnen en zich tegen twee aanklachten te verdedigen – het legale eigendomsrecht van zijn land en de beschuldiging dat hij de gebroeders Thorvaldson in de buurt van Brattahild had bestolen. 'Zij beweren stellig dat ik hun Han en Kettil heb ontfutseld toen ze nog helemaal ontdaan waren van verdriet over de dood van hun ouders en zuster,' zei Halvard.

Ole las het perkament door en gaf het aan Leif. 'Nou, dat is toch precies wat we verwachtten?' merkte hij zuur op.

'We moeten op de zitting verschijnen anders wordt u bij verstek schuldig bevonden,' zei Leif. 'Ole en ik kunnen maar beter meegaan om u te steunen. We kunnen dat spelletje net zo goed spelen als zij. En dan zullen we de rechters eens laten zien hoe die zaken werkelijk in elkaar steken.'

Zijn woorden gaven Halvard weer moed, ook al had hij er niet zoveel vertrouwen in als Leif. Hij wilde zijn zoons net bedanken toen Ingrid hem in de rede viel. 'Ik ga ook mee. Ik blijf niet thuis als onze toekomst op het spel staat.'

Maar daar wilde Halvard niets van weten. Hij vond dat ze beter thuis kon blijven, waar Han en Kettil haar konden beschermen. 'We hebben daar ernstige zaken af te handelen en onze vijanden zullen geen kans onbenut laten om ons uit de weg te ruimen. De Althing is geen pretje.'

Ingrid reageerde kalm, alsof ze er al een tijdje over had nagedacht. 'Luister nu eens goed naar me, vader. Het is beter dat Han en Kettil hier ook niet blijven. Als het vonnis in uw nadeel uitvalt, zullen ze dat niet snel genoeg weten om er vandoor te kunnen gaan. De mannen uit de noordelijke provincie zullen meteen hierheen gaan, voordat we hen kunnen waarschuwen. Pall en Skuli Thorvaldson zullen een stuk of tien schurken huren om hen met geweld weg te halen of hen te vermoorden. U hebt zelf gezegd dat u uw slaven zou beschermen en dat u hen vrij zou laten als u dat niet meer kon. Als ze bij de Althing zijn wanneer het besluit valt, weet u wat u te doen staat.'

Leif kon zich nog goed herinneren hoe zijn kleine zusje haar best had gedaan om haar verdriet te verbergen. Kennelijk was ze nu zo boos en verontwaardigd dat ze de moed kon opbrengen haar mening te ventileren. Ze wierp haar vader die haar vorsend aankeek een uitdagende blik toe. 'U wéét toch wat u dan te doen staat, hè?' vroeg ze.

'Als het zover komt,' antwoordde Halvard uiteindelijk, 'zullen Kettil en Han misschien moeten vluchten. Maar dat betekent ook dat er gevaar kan dreigen. Je zult hier moeten blijven, bij Ludmilla.'

'Maar zij gaat ook. Ze heeft me verteld dat haar vader nu een van de rechters is. Een van de anderen is afgelopen winter gestorven. De slaven van Osmund zullen zijn kudde laten grazen, dus dan kunnen ze die ene dag ook wel voor de onze zorgen. Omdat ik niet alleen achter kan blijven, moet u me wel meenemen. Ik zal nergens zo veilig zijn als bij jullie. Bovendien heeft Osmund gezegd dat de wet mannen verbiedt wapens mee te nemen naar het Althingveld en dat ze daarvoor vogelvrij kunnen worden verklaard. Vandaar dat ik met u mee wil, vader,' besloot ze met een aarzelende glimlach.

Leif probeerde zijn lachen in te houden toen Halvard capituleerde. 'Ik merk wel dat je hier al een tijdje over hebt nagedacht. Vooruit dan maar. Je mag mee, maar je moet wel bij ons in de buurt blijven. Ik heb al genoeg aan mijn hoofd.' Hij zweeg even om zijn woorden kracht bij te zetten. Ingrid knikte en deed haar best om er nederig en gehoorzaam uit te zien. 'Ik denk dat ik beter even met Osmund kan gaan praten over deze toestand en hem vragen wat hij ervan vindt. Het hooien kan wel wachten. Ga maar mee als jullie dat willen.'

Ludmilla stond op de veranda te weven toen ze aankwamen. Ze woof en riep tegen haar vader dat hij naar buiten moest komen.

Osmund begroette hen en zei tegen Halvard dat ze maar op de bank naast de deur moesten gaan zitten. Hij gebruikte zijn wandelstok zelfs thuis, want zijn gewrichten bleven ook in de zomer stijf. Ingrid kon zien dat de koude winters hem geen goed hadden gedaan. Toen Halvard hem het gerechtelijk bevel liet zien, wreef Osmund door zijn dunne baard.

'Ik was eigenlijk van plan geweest om jou en je kinderen een plaatsje aan te bieden in mijn tent op het Althingveld. Dat gaat nu niet meer, aangezien jij partij bent bij een rechtszaak en ik een van de rechters ben. Dan zouden de mensen misschien gaan denken dat ik niet onpartijdig over jouw zaak kan oordelen. Zorg dus maar dat je je eigen tent krijgt. Niet te groot en denk erom dat je onopvallend gekleed moet zijn.' Osmund glimlachte, waardoor duidelijk te zien was dat hij opnieuw een paar tanden kwijt was. 'Ik begin al meteen orders uit te delen. Vergeef me. En je draagt trouwens altijd onopvallende kleren, hè Halvard?'

'Ik vind het best als je me raad wilt geven. Je hebt al eerder het heft in handen genomen en dat is ons niet slecht bekomen.'

'Kom eens, Ingrid, dan zal ik je mijn nieuwe hoofdtooi laten zien,' zei Ludmilla terwijl ze het meisje bij haar arm pakte en haar meetrok naar haar bedstee. Haar jongste kind liep achter haar aan, met de duim in de mond. Ludmilla pakte haar handje vast. 'De slaven in het veld letten op mijn zoons. Wij hoeven niet naar al die mannenpraat te luisteren.' Ingrid wierp een hulpeloze blik op Leif, die zijn schouders ophaalde. Maar uit zijn veelbetekenene blik maakte Ingrid op dat ze later alles wel te horen zou krijgen.

Ludmilla trok het gordijn dicht zodat ze wat privacy hadden. 'Dit is mijn japon voor de Althing. Ik heb er maandenlang aan gewerkt.' Ze zette de hoofdtooi op die ze van plan was te dragen. De donkerblauwe wollen vilt, versierd met rood-met-geel borduurwerk, stond stijf rechtop op haar opgestoken haar. 'En ik trek ook mijn mooie laarzen aan. Ik moet als gastvrouw voor mijn vader optreden,' zei ze vol trots. Ludmilla's laarzen waren versierd met kleurige stiksels en de bijpassende mantel die tot op haar knieën viel, was gevoerd met witte hermelijn.

Ingrid was verplicht het naaiwerk te bewonderen. 'Je zult er heel indrukwekkend uitzien.' Ze wenste dat ze het gesprek in het hoofdvertrek kon volgen, maar door het gebabbel van Ludmilla en het gekeuvel van haar dochtertje was er nauwelijks iets van te verstaan. 'Mensen die je niet kennen, denken vast dat je een adellijke dame bent, een barones of zo.' Het complimentje deed Ludmilla stralen.

'Ik denk niet dat het zo indrukwekkend zal zijn,' antwoordde Ludmilla in een poging om bescheiden te zijn. Ze zette de hoofdtooi af en klopte er liefkozend op. 'Ga nu maar weer mee naar de veranda. Je moet toch beter leren weven, dus kom me maar helpen met het kleed voor de tent van mijn vader. Dat wordt lichtgroen met paars.'

Toen ze terugkwamen bij het weefgetouw waren er verscheidene vlinders op neergestreken, die hun tere vleugeltjes langzaam open en dicht klapten, alsof ze met hun kleuren wilden pronken voordat ze in kleurige wolkjes opvlogen. Een ervan ging op Ingrids pols zitten en begon over haar arm te lopen op pootjes die zo dun waren, dat ze ook niet meer gewicht hadden kunnen dragen. Met zijn lange dunne tongetje likte het insect aan de zweetdruppeltjes in Ingrids elleboogholte. Ze blies het weg. Het vloog een eindje en landde toen in een spleet tussen de stenen van de muur rond het erf.

'De slechte jaren zijn voorbij,' zei Ludmilla. 'Er zal geen honger en ziekte meer zijn. Kijk maar eens hoe goed het gras groeit.'

'Praat niet over geluk,' fluisterde Ingrid terwijl ze het teken van Odin maakte om het ongeluk af te wenden. Boven hen dreven een paar verdwaalde wolkjes als slaperige lammetjes door de lucht. 'Dat is de goden verzoeken.'

Ludmilla wierp een minachtende blik in haar richting, eigenlijk voornamelijk vanwege dat gebaar, maar ze lachte al gauw weer. Het was een mooie dag en veel te gezellig om boos te blijven. 'Alles zal best in orde komen,' zei ze en keek naar Ingrids roodbruine wimpers die bijna op haar jukbeenderen rustten. 'Zit er maar niet over in. Mijn vader zal wel met de andere rechters praten, hoewel hij in het geval van je vader geen stem mag uitbrengen omdat hij bij die zaak betrokken is. Maar alles zal goed aflopen.'

Daar was Ingrid helemaal niet van overtuigd. Halvard had vijanden gemaakt, maar daar wilde ze het nu niet over hebben. 'Ik vroeg me af wat ik aan moet trekken naar de Althing,' zei ze in plaats daarvan. 'Zou ik mijn haar kunnen opsteken, of vind je me daar nog te jong voor?'

Ludmilla legde haar schietspoel neer en tuitte haar lippen terwijl ze Ingrid omdraaide. 'Je moet je vlechten niet om je hoofd dragen alsof je al een getrouwde vrouw bent. Sla ze maar dubbel als je ze niet over je schouders wilt laten hangen. Het is jammer dat je jurk en je schorten niet geverfd zijn. Ik zal je mijn groene sjaal wel lenen, dan komt je rode haar mooier uit. Wanneer je weggaat, geef ik je die wel mee.'

Ze gingen weer verder met weven. Omdat ze elk aan een kant van het weefgetouw stonden, konden ze twee keer zo snel werken. Ludmilla bepaalde het patroon en gaf het tempo aan. Terwijl de vrouwen druk aan het werk waren, renden Ludmilla's zoontjes over het gras en probeerden vlinders te vangen. Een aantal van die tere wezentjes was op een lage struik neergestreken, op een afstandje van de kinderen. Met hun uitgespreide vleugels leken ze op blauw-groene bloemblaadjes met gouden randjes.

'Waarom hebben we die mooie diertjes nooit eerder gezien?' vroeg Ingrid, die het liefst met de kinderen mee had willen spelen. Ze onderdrukte de wens om haar spoel aan de kant te gooien en vrolijk en zorgeloos als een zevenjarig kind over het zoetgeurende gras vol kruiden rond te gaan hollen.

'Er waren altijd wel vlinders in de weilanden, maar nooit zoveel bij elkaar. Dat waren van die kleine witte, of die gele met bruine vlekken,' antwoordde Ludmilla. 'Ze stierven in de winter en de volgende zomer kwamen er weer nieuwe te voorschijn. Je zag ze niet zo vaak in het dal.' Ze bleef ijverig doorwerken en Ingrid volgde haar voorbeeld, blij dat ze de toeren niet hoefde te tellen. 'Zal ik je eens wat vertellen?' Ingrid stond hardop te denken. 'Deze dichtgeweven stof zou ideaal zijn voor een zeil. Stel je eens een zeeschip voor, waarvan het zeil met jouw patroon bol staat in de wind, terwijl het onder het gejuich van de mensen trots naar de aanlegsteiger zeilt.'

'Als dit op de stof voor een zeil lijkt, maak je het te strak. Doe het maar iets losser. We willen dat de wind erdoor kan, zodat het niet zo warm wordt in onze tent,' raadde Ludmilla haar aan.

Ingrid gehoorzaamde en stapte toen achteruit om het patroon te bewonderen. Ze kon zich de handgeschilderde miniaturen van een drakenschip nog herinneren die in de boeken van haar vader hadden gestaan. Toen ze Halvards huis weer in bezit namen, bleken alle boeken te zijn verdwenen.

Ingrid benijdde de kunstenaar die de gave had gehad zulke illustraties te maken. Wat moest het heerlijk zijn om zulke mooie kleuren te gebruiken en die gouden randen te maken! Wat had de kunstenaar kleine penseeltjes moeten gebruiken en wat had de boekbinder kleine steekjes moeten maken om de bladzijden aan elkaar te binden in plaats van ze gewoon op te rollen. 'Stel je eens een drakenschip voor, vol vikingen in oorlogsuitrusting. Ze zijn net de oceaan overgestoken en komen nu door onze fjord zeilen.'

'Dat wil ik me helemaal niet voorstellen. Onze voorouders hebben steden verwoest en vrouwen verkracht. We moeten ons schamen dat we van zulk tuig afstammen. Het is aan onze priesters te danken dat de Noormannen nu al generaties lang brave boeren zijn, de meesten althans.'

Ingrid zuchtte. 'Goed, dan maken we er een handelsschip met een roodzijden zeil van, dat vers hout, ijzeren potten, paarden en koeien brengt. Mijn moeder heeft zo'n schip gezien op de dag dat ze met mijn vader naar huis kwam. Het voer in de fjord langs hen heen.'

'Er hing een dichte mist die ochtend,' kon Ludmilla zich nog herinneren. 'De handelaren brachten al die dingen mee, en ook honing. Een van de landeigenaren heeft dat tot mede laten gisten. Daarna nodigde hij een paar van de zeelieden en zijn vrienden uit voor een feest. De zeelieden en de boeren raakten beschonken en dat heeft een aantal brave mannen het leven gekost. Het verhaal heeft jarenlang de ronde gedaan. Ik was ongeveer even oud als jij nu toen je vader uit de Northsetur terugkwam met je moeder. Je broers logeerden bij ons. Iedereen ging de volgende dag naar het schip om allerlei koopwaar te ruilen.'

Ingrid keek op toen een paar van de veelkleurige wezentjes op haar roodbruine vlechten neerstreken. Ze leken op felgekleurde zijden strikjes. Ze woof ze weg omdat ze het gekriebel van hun pootjes op haar hoofd niet prettig vond. 'Ik hou niet van ze,' zei ze.

'Sommige mensen zeggen dat deze mooie wezentjes kleine engeltjes zijn, of zelfs de zielen van onze voorouders die ons nieuwe hoop willen geven. Misschien komen er volgend jaar weer handelsschepen en worden we niet langer aan ons lot overgelaten. De besmettelijke ziekten en de vuurbergen op IJsland zullen inmiddels wel uitgewerkt zijn. Dan zullen er ook weer avontuurlijke mannen met hun gezin hierheen komen om het goede land waarvan hier meer dan genoeg is, in bezit te nemen.' Ze zuchtte en schudde haar hoofd. 'Ik zal eerst die groene sjaal even pakken, voordat ik het vergeet.'

Han had een deel van het hoge gras op de weidegrond bij Halvards huis afgezet en wilde net een nieuw stuk met zijn zeis te lijf gaan toen hij Ingrid over de heuvel aan zag komen. 'Mevrouw,' riep hij. 'Mag ik even met u praten?' Hij bleef met zijn muts in zijn hand staan, terwijl Ingrid naar hem toe kwam lopen.

Ingrid keek naar zijn gezichtsuitdrukking en vroeg zich af of er nog meer problemen voor haar familie op komst waren. Kettil was met de kudde op de weidegrond, dus Han was alleen. De slaaf boog zijn hoofd alsof ze een adellijke dame was. Het gaf haar een vreemd gevoel. Han was vijftien, vier jaar ouder dan zij.

Ingrid had het idee dat zij eerst iets moest zeggen. 'Denk je dat we genoeg voer zullen hebben?' vroeg ze terwijl ze haar blik over het weiland liet dwalen en probeerde ouder te klinken dan ze was.

'Dan hangt ervan af wanneer het gaat dooien, mevrouw Ingrid,' antwoordde Han. Hij scheen haar iets te willen vertellen, maar hij durfde kennelijk niet goed. Ze wilde net doorlopen naar huis, toen hij vroeg of ze nog even wilde wachten. 'Als u het tenminste niet erg vindt,' voegde hij eraan toe.

'Wat is er dan?' vroeg ze kortaf.

Hij schraapte zijn keel. 'U bent half Skraeling.'

'Dat weet iedereen,' antwoordde ze.

'Het was uw moeder die heeft gezegd dat de Vrouw van de Zee de Groenlanders zou verdrijven. Als het zover is en u leeft nog, dan zouden u en ik misschien...' Hij sloeg zijn ogen neer. 'Als u met een Groenlander trouwt, zult u een van hen zijn. Maar zo hoeft het niet te gaan.'

'Han!' Ingrid wist niet wat ze aan moest met de vraag die alleen vaag werd aangestipt, dus gaf ze maar antwoord op de andere vraag. 'Ik ben Groenlands omdat mijn vader dat ook is. Dat zal nooit veranderen. Het volk van mijn moeder woonde in een andere wereld.' Ze twijfelde geen moment aan de profetie van haar moeder, maar ze had het gevoel dat het tijdens haar leven nog niet zover zou komen. 'Er kan zoveel gebeuren. Sommige mensen denken dat deze vlinders uit de hemel komen. Misschien zal de Vrouw van de Zee niet in staat zijn om het land te bevrijden uit de greep van de Groenlanders, voor-al niet als zich hier nog meer Noormannen komen vestigen.'

Han schudde treurig zijn hoofd. 'De Vrouw van de Zee zal haar belofte gestand doen. Wij bidden dat die dag snel zal aanbreken. En wat die vlinders betreft...' Hij zweeg tot Ingrid hem aankeek. 'Onze mensen zeggen daar iets heel anders over.'

'Wat zeggen zij dan?' Ingrid had het gevoel alsof er vlindervoet-jes over haar ruggengraat liepen, terwijl ze wachtte tot hij zijn zin zou afmaken.

'Ze zeggen dat Nerrivik hen heeft gemaakt en ze vanuit een land aan de andere kant van de oceaan op een sterke wind hierheen heeft gestuurd. Ze zeggen dat die mooie beestjes haar zullen helpen om het volk van uw vader te gronde te richten.'

'Nee!' Ingrid kon nauwelijks iets uitbrengen want ze had zo'n brok in haar keel dat ademen vrijwel onmogelijk was. 'We mogen hier niet alleen zijn, jij en ik. Dat is niet juist. Dat vindt mijn vader vast niet goed,' kon ze ten slotte met moeite uitbrengen. Ze liet hem staan en liep met een licht en duizelig gevoel in haar hoofd het huis in terwijl de vlinders rondcirkelden boven het dak.

Hoofdstuk

Het vertrapte en kapotgelopen gras van het Althingveld verspreidde een zoete geur. Vanaf de rand van het komdal kon Ingrid zien hoe de fjord zich in beide richtingen door het land slingerde. Het water was vol grote en kleine boten met felgekleurde zeilen. Osmund vertelde haar dat het bewoonbare land vroeger werd bevolkt door grootgrondbezitters, dorpshoofden, kooplieden en eigenaren van hofsteden. De rechtszittingen van de Althing hadden soms wel tien dagen geduurd vanwege alle kwesties die geregeld moesten worden.

Inmiddels had de rechtsdienaar maar één ochtend nodig om te vertellen welke wetten er waren en voor het hof waren drie dagen voldoende om alle geschillen te horen en te beoordelen. Tijdens de afgelopen tien jaar waren veel families door de lange winters en aanvallen van de Skraelings uitgedund en veel boerderijen waren inmiddels onbewoond. Geiten en schapen zwierven los rond en knabbelden aan de met onkruid begroeide bouwvallen van huizen waar vroeger mensen hadden gewoond. Alle paarden waren verdwenen. Zelfs de ruigbehaarde pony's, die je vroeger overal zag, waren nauwelijks te vinden buiten de landgoederen in Gardar en Brattahild.

Halvard bukte zich om de veters van zijn laarzen te strikken en te controleren dat zijn mes niet boven de rand uit stak. 'We hebben voor de verandering een keer een goede oogst gehad en de schapen hebben zich de buik rond gevreten aan het gras op de weidegrond. Deze Althing zal in het niet vallen bij die uit mijn jeugd,' zei hij tegen zijn gezin. 'Maar als ik naar het aantal boten kijk, ziet het ernaar uit dat er meer mensen aanwezig zullen zijn dan ik me van de laatste jaren herinner.'

'Dat geldt niet voor mij,' zei Leif. 'Wij zijn nog nooit bij dit soort bijeenkomsten geweest.'

Halvard gebaarde dat ze door moesten lopen. 'Als we niet verplicht waren om te komen, zouden we er nu ook niet zijn.' Zijn familie had niet alleen de laatste Althings gemeden, maar er ook voor gezorgd dat ze niet bij ruzies of vetes betrokken raakten. Halvard dacht na over het feit dat ze gespaard waren voor de ongezonde toestanden die zichtbaar werden als mensen te dicht op elkaar woonden. Hoeveel langer zou dat geluk hen beschoren zijn?

Op de top van de volgende heuvel kregen ze het grote veld ten zuiden van Gardar en een groot blauw meer in het zicht. Tenten, versierd met gestreepte of geborduurde tekens uit de heraldiek, vormden kleurige plekjes op het veld. Het geluid van lachende en pratende mensen kwam op de wind naar hen toe drijven. Op weg naar het Althingveld roken ze de stank van uitwerpselen, zowel van mensen als van dieren, en de bedwelmende geur van vlees dat boven vuren hing te sudderen of geroosterd werd.

Een jongeman liep op zijn handen, begeleid door enthousiast gefluit en handgeklap, terwijl iemand een vrolijk deuntje op een fluit speelde. 'Ga maar naar de zuidelijke oever van het meer,' wees Halvard. 'Dan zullen al gauw we de tent van Gottfried en Sigurda zien. Die is oranje, met blauwe vlaggen. Hij heeft een plekje voor ons vrijgehouden.'

'Wij zullen de tent wel opzetten,' zei Leif. 'Ik denk dat u wel met een paar van uw bekenden wilt gaan praten.'

'En als zij daarmee bezig zijn, ga ik de ooi melken,' zei Ingrid. Ze hadden maar één dier meegebracht. 'En als ik klaar ben, wil ik graag even bij de goochelaars gaan kijken. Mag dat, vader?'

'Vooruit dan maar, als je maar zorgt dat je niet verdwaalt en op het Althingveld blijft. Het is wel zo dat niemand wapens mee mag nemen, maar het wil weleens gebeuren dat mensen die het niet met de uitspraak van de rechters eens zijn, hun mannen mee naar buiten nemen om het met de tegenpartij uit te vechten. Dan zou je ineens midden in een van die kleine oorlogjes terecht kunnen komen.'

Ze kwamen bij het touw dat als afscheiding diende en waar bewakers stonden. Duur uitgedoste mannen stonden met een aantal nieuwkomers te praten. 'Dat zullen de rechters wel zijn,' mompelde Leif. Ze sloten aan bij de rij wachtenden. Om binnen de omheining te toegelaten te worden maakten mannen hun zwaardgordels los en gaven die net als hun speren en bijlen aan ambtenaren die op perkament aantekeningen maakten, zodat iedereen wanneer hij weer wegging zijn wapens terug kon krijgen.

Een van de rechters, een man met een brede borst in een donkerrode mantel die met hermelijn was afgezet, vertelde de mensen die net waren aangekomen wat er wel en niet geoorloofd was. 'Alle messen, met uitzondering van etensmessen, moeten net als bijlen, speren en bogen bij de bewaking achtergelaten worden. Binnen de omheining mag niet gevochten worden. Ongetwijfeld zullen er wel onderlinge duels uitgevochten worden. Iedere man die het niet met zijn vonnis eens is, kan stennis gaan schoppen, maar in dat geval loopt hij het risico dat hij samen met zijn huurlingen vogelvrij verklaard wordt. Op het Althingveld dient de vrede gehandhaafd te blijven. Als iemand zich daar niet aan houdt, kan hij een zware boete krijgen en weggestuurd worden. Zweert u zich aan de wet te houden?'

'Dat doen we,' antwoordde Halvard, ook uit naam van zijn zoons. Han en Ketil hielden hun mond, want ze telden voor de procedure net zomin mee als de ooi die Ingrid aan een touw meevoerde. Halvard legde zijn speer neer en maakte zijn zwaardgordel los. Ole gaf zijn werpbijl af. Leif overhandigde zijn speer en mes aan een van de ambtenaren. Aan elk wapen waarop de eigenaar niet zijn naam had gekerfd werd een stukje perkament met die naam gebonden, zodat het later teruggevonden kon worden.

De ambtenaar schreef hun wapens op zijn voorraadlijst en noteerde hun namen. 'Ga maar naar binnen,' zei hij en liet hen doorlopen, terwijl de volgende groep zich alweer meldde.

'Daar zijn Steinthor en Sigrun.' Halvard woof. 'Onthoud die plek goed. Je zult hen niet meer zo goed kunnen zien als we tussen de andere tenten zijn.' Terwijl ze door het tijdelijke dorp liepen, kwamen ze langs andere groepen die ook op zoek waren naar vrienden of een geschikte plek. Het gezin was bijna bij het meer toen een groep uit Brattahild afkomstige mannen, herkenbaar aan hun typische hoofddeksels en capes, ophield met praten. Ze stonden met openlijke nieuwsgierigheid naar de groep van Halvard te kijken. Een van hen wees naar Kettil en Han en fluisterde tegen zijn metgezel. 'Ze hebben het water vergiftigd en hun meesters vermoord.' Een vrouw trok haar kinderen naar zich toe.

Halvard keek de man die de beschuldiging had geuit aan toen een ander zei: 'Het is geen wonder dat die wilde ze mee heeft genomen. Kijk maar eens naar dat halfbloedmeisje. Sommige mensen schamen zich nergens voor.'

Terwijl ze doorliepen, vingen ze nog steeds flarden van gesprekken op. 'Nou ja, hij heeft ook een Skraeling-heks tot vrouw genomen.' 'Die hele familie bestaat uit wilden.' 'Geen brave christen…' '… het water vergiftigd.' '… daardoor de dood gevonden.'

Leif pakte Ingrids arm vast. 'Niets van aantrekken. Loop maar gewoon door.' Mensen sloegen een kruis toen ze voorbijliepen. 'Ze hebben alle heilige symbolen van het graf van Sint-Gunnar verwijderd, zodat we er niet langer op kunnen rekenen dat hij ons helpt,' zei een man met een bruine baard beschuldigend. Hij was bijna even groot als Halvard.

Halvard bleef staan en wierp hem een woedende blik toe. De metgezel van de man, die wat ouder was, maakte een vaag gebaar dat een beetje verontschuldigend overkwam. Ole legde zijn hand op zijn brede gordel, alsof hij daar een wapen verborgen had. 'Wat zei u daar over het graf van mijn grootvader?' vroeg hij, terwijl hij de man die had gesproken strijdlustig aankeek.

'Mensen roddelen altijd,' zei de oudere man op een toon alsof hij een op hol geslagen stier moest kalmeren. Hij trok de jongere man achteruit en keek Halvard en Ole opnieuw aan. 'Er mag hier niet gevochten worden, heren.'

'Denk daar zelf dan alsjeblieft ook aan,' mompelde Ole heel beleefd, maar tot de anderen voorbij waren, lette hij goed op dat ze geen onverwachte bewegingen maakten.

Ze kwamen bij een groep tenten die donkerblauw waren geschilderd en dus waarschijnlijk door verwanten of naaste buren waren opgezet. Kettil bleef even staan om met zijn hand het zweet van zijn voorhoofd te vegen, toen een moeder een nieuwsgierig meisje van een jaar of zeven achteruit trok. 'Blijf uit de buurt van die Skraeling,' waarschuwde ze met een boze blik op de jongeman.

'Ik heb niets gedaan, meester,' zei Kettil toen Halvard hem vroeg wat eraan de hand was.

'Dat weet ik wel.' Halvard gaf hem een klopje op zijn schouder. 'Ze haten ons ook en ze vertrouwen ons niet.' Hij verhief zijn stem. 'Leif, laat Kettil en Han tussen ons in lopen. We zijn bijna langs de blauwe tenten.'

'Dank u wel, meester,' zei Kettil terwijl hij eerbiedig zijn hoofd boog. Ze waren nog maar een paar meter verder toen een man naar hen wees en hen ronduit van moord beschuldigde. 'Onze familieleden zijn dood. Hun moordenaars proberen te ontsnappen door zich aan Halvard Gunnarson te binden, de heiden die schaamteloos genoeg is om zijn halfbloeddochter in ons midden te brengen.'

Leif pakte Ingrids hand vast en trok haar naar zich toe, terwijl Han, Kettil en Ole aan de andere kant naast haar gingen lopen. Halvard draaide zich met een ruk om naar de spreker en snauwde hem toe: 'Hou uw mond over mijn kind. En wat mijn slaven betreft, jullie eigen priester Sira Mars heeft verklaard dat deze twee jongens onschuldig zijn. Wou u hem tegenspreken?' Toen niemand antwoord gaf, bood hij aan om het buiten het terrein tegen iedere man op te nemen die dat oordeel aanvocht, met een speer, een bijl of een mes.

Niemand nam de uitdaging aan, hoewel een paar mannen hun gespierde armen over elkaar sloegen en zich wijdbeens opstelden. Steinthor en zijn drie zoons zagen de dreigende confrontatie en kwamen haastig aanlopen om Halvard steun te bieden.

Ole had nog steeds een hamer met een korte steel bij zich om de tentpalen in de grond te slaan. Die kon hij vrij trefzeker als werpbijl hanteren. Thor, de god van de storm, had als lievelingswapen Mjollnir, zijn donderhamer. Er werd gezegd dat de bliksem opflitste als hij hem gooide en dat de donderklap volgde als hij het doel raakte.

'Ze zien nu dat je niet alleen bent,' zei Steinthor. 'Gottfried is hier ook, samen met zijn zoons.' De vrienden omarmden elkaar en Halvard dankte hem voor zijn hulp. Toen Steinthor weer achteruit stapte, viel hem de bezorgde trek rond Halvards mond en ogen op. 'Hier op het Althingveld zal niemand jou of je familie durven aanvallen. Dan zouden ze zwaar gestraft worden,' zei hij. 'Dit is de plek die we voor jou vrij hebben gehouden, vlak bij het meer en uit de buurt van die herrieschoppers. Als ik je een raad mag geven, blijf dan in de buurt van je eigen tent of de mijne tot jouw zaak aan de orde is. Misschien kun je je familie en je bedienden beter naar huis sturen, zodat hun niets kan overkomen.'

'Nee,' zei Halvard. 'Ze zijn hier veiliger, met al die wachtposten rond de plekken waar de wapens zijn opgeborgen.' Ze begroetten de andere aanwezigen voordat ze hun eigen tent opzetten. Han en

Kettil pakten de door Ingrid versierde rendierhuiden uit en hingen ze over de palen.

Ingrid zette haar pakken neer, bond de ooi aan een paaltje in de buurt en gaf haar hooi en water. Toen ze klaar was met melken, goot ze de schuimende melk uit haar emmer in de kommen die in hun hut stonden. Vader had voor iedereen het beddengoed al uitgespreid en de oliekachel met de pot op de driepoot neergezet. Ze kroop haastig naar buiten toen ze Steinthor iets over Sira Pall hoorde zeggen.

Vader streek met zijn duim en wijsvinger langs zijn rode baard. 'Ik had wel kunnen raden dat hij zijn verhaal ook aan jan en alleman zou vertellen. Hij is de ergste van het hele stel.'

'Ik kan me nog herinneren hoe enthousiast hij reageerde toen de bisschop probeerde de mensen tegen je vrouw op te zetten. Hij is boos dat je terug bent gekomen uit het noorden, waardoor zijn mooie plannetjes in duigen zijn gevallen.'

'Maar er is nog iets anders. Er heeft een ziekte geheerst in de noordelijke provincie. Sira Pall maakt daar misbruik van en probeert de mannen uit het noorden aan zijn kant te krijgen door iedereen te vertellen dat het mijn schuld is dat mijn slaven zijn gespaard.'

'Hij rekent alle mensen die het document van Sira Mars hebben gekopieerd ook tot zijn vijanden, maar Sira Pall heeft geen absolute macht,' zei Steinthor. 'Sira Mars zal de waarheid spreken, ook al moet hij daarvoor heidenen verdedigen.'

Sigurda was nog even met andere dingen bezig geweest, maar ze kwam nu naar buiten om hun gasten welkom te heten. Haar grijze haar was opgestoken, maar het ging voornamelijk schuil onder een eenvoudige donkerblauwe sjaal. Ze deelde plakken kaas uit. 'De mensen hongeren 's winters naar voedsel en 's zomers naar roddelpraat. Wat is dat voor verhaal over mensen die in de buurt van Brattahild ziek zijn geworden? Dat hoor ik nu voor het eerst.'

Het viel Ingrid onwillekeurig op dat vader en zijn vrienden oud begonnen te worden. Maar zij en haar broers werden ook ouder. Een blonde vrouw met een emmer liep voorbij en keek naar Leif. Ze glimlachte aarzelend en maakte een halve révérence. Leif knikte en keek haar na. Het zou niet lang meer duren tot haar broers zelf een gezin stichtten.

Ingrids aandacht werd weer opgeëist door het gesprek toen

Steinthor zei: 'Sommige mensen denken dat je besmet kunt worden als je de lijken of iets dat van de doden is geweest aanraakt, maar de mannen uit de noordelijke provincie houden hardnekkig vol dat er sprake is van vergiftiging. Pall en Skuli Thorvaldson lopen al sinds gisteravond rond te vertellen dat het water vergiftigd was.'

'Die!' riep Halvard uit. 'Dat verbaast me niks. Ik had natuurlijk wel verwacht dat ze bij de Althing zouden zijn, maar ze hebben zich niet laten zien toen de anderen ons aanvielen.'

'Waren jouw slaven vroeger hun eigendom?' vroeg Steinthor. Zijn zuster, Freydis, was ook naar hen toe gekomen om hen te begroeten, en ze bleef nu naast haar schoonzuster, Sigurda, staan om de rest van het verhaal te horen.

'Niet precies. Han en Kettil waren eigendom van hun vader, Thorvald,' legde Halvard uit. 'Dat was een fatsoenlijke kerel. Hij en zijn vrouw hebben Astrid en mij gastvrij ontvangen toen we terugkwamen uit het Skraeling-dorp waar ik haar had leren kennen. Toen iedereen op de boerderij van Thorvald om het leven was gekomen, hebben Kettil en Han hun ouders en oom begraven, maar ze durfden zich niet in het huis van hun meester te wagen. Ze waren van plan de kudde mee te nemen en zich daarmee in te kopen in een Skraeling-dorp. Sira Mars oordeelde dat ze onschuldig waren aan het vergiftigen van het water en hij heeft ze niet gestraft voor de poging tot diefstal, omdat die was mislukt.'

'Dat lijkt me toch een probleem,' zei Steinthor nadenkend. 'Die jongens hebben geluk dat jij hen beschermt. Ik hoop dat ze je niet teleurstellen.'

Haar vader en Steinthor noemden de Skraeling-slaven jongens, maar voor Ingrid was een vijftienjarige jongen al bijna een man. Han had haar aangesproken als een vrouw met wie hij wellicht op een dag zou willen trouwen. Als de Vrouw van de Zee haar vaders volk te gronde zou richten en zijzelf in leven zou blijven, zou ze een echtgenoot nodig hebben. Ze voelde zich tot hem aangetrokken, maar zolang haar vader zijn meester bleef, durfde ze dat niet te laten merken. Maar daar kon verandering in komen. 'Ik ga naar het meer,' kondigde ze aan. 'Ik wil even rondkijken, maar ik ben op tijd terug om het eten te koken.'

'Zorg maar dat je eerder terug bent,' zei Halvard bezorgd. 'En let goed op dat je uit de buurt van die blauwe tenten blijft.'

Iedereen moest op een gegeven moment naar het meer, want

daar waren de latrines. Toen Ingrid de tent van haar vader achter zich had gelaten keek ze nog even om en prentte de weg terug in haar hoofd. Ze zag dat Han op de schouders van zijn broer was geklommen om de huiden beter vast te maken. Op datzelfde moment draaide hij zich ook om en hun blikken kruisten elkaar. Ze knikte even met haar hoofd naar een plek vol rotsblokken en struiken aan de rand van het meer, zo snel dat het nauwelijks opviel. Daarna liep ze langzaam door en vroeg zich af of Han zou hebben begrepen waar ze naartoe ging.

Aan de met riet begroeide oever van het meer waren schaapsvellen aan touwen opgehangen, zodat de vrouwen daarachter hun behoefte konden doen zonder dat de mannen het zagen. De ontlasting die achterbleef, zou later door dienaren van de kerk verzameld en uitgestrooid worden over het gras om het weer te laten groeien. Mannen deden hun behoefte achter een stel rotsblokken.

Daarna liep ze langs de oever, weg van de andere mensen. Het gras onder haar voeten voelde verend aan en was hoog opgeschoten. Ze vroeg zich af of er eidereenden in het riet zouden nestelen.

Ingrid voelde zich eigenlijk een beetje schuldig omdat ze Han had uitgenodigd achter haar aan te komen en vooral omdat ze zich had afgevraagd hoe het zou zijn om met hem weg te lopen. Haar vader zou woedend zijn als hij dat wist. Ze bukte zich om wat aalbessen van een grote, bijna kale struik te plukken, toen ze een bekend gefluit hoorde. Han kwam achter een rotsblok vandaan. Hij was naar haar toe gekomen zonder dat ze iets had gehoord. Dat kon alleen een Skraeling klaarspelen, dacht ze bij zichzelf, alsof ze op die manier haar dagdromen wat af kon zwakken.

'U wilde met me praten,' zei hij. Het klonk niet als een vraag.

Zou het niet netjes van haar zijn dat ze met Han wilde praten? 'Je hebt gehoord wat ze daarginds over jullie zeiden.' Ze fluisterde bijna, hoewel niemand hen kon horen. Ze waren helemaal alleen. 'Er dreigt groot gevaar voor jou en Kettil, wat de uitspraak ook zal zijn.'

'Zolang we bij jullie blijven, is uw familie ook in gevaar.' Hij keek om zich heen. 'En voor u is het gevaarlijk om met mij gezien te worden. Ik had niet achter u aan moeten komen.' Hij wierp een blik in de richting van het kamp. 'Bukken,' zei hij. Hij trok haar zonder pardon omlaag en ging zelf ook op zijn hurken zitten. 'Achter al dat riet en die rotsblokken kan niemand ons zien. Mijn broer en ik moeten weg om te voorkomen dat uw vader moeilijkheden krijgt. Misschien gaan we vannacht al. Maar uw vader mag niet van tevoren weten wat we van plan zijn, anders denken ze nog dat hij er iets mee te maken heeft. Jij moet het hem later maar vertellen.'

'Moeten jullie echt weg?' Ze keek hem verdrietig aan.

'Volgens mij hebben we geen andere keus. Het is nog erger dan ik verwachtte. Pall en Skuli maken iedereen wijs dat we niet alleen de familie van meester Thorvald hebben vergiftigd, maar dat we ook verantwoordelijk zijn voor alle andere doden.'

Ingrid begreep dat hij gelijk had. 'Maar waar willen jullie naartoe? De winter staat voor de deur. Gaan jullie naar een dorp van de Skraelings?'

'Daar zouden we ook niet geaccepteerd worden. We spreken hun taal nauwelijks en de dingen waar de Inuit goed in zijn, kunnen we niet. We horen nergens bij.' Hij glimlachte even. 'Net als u.'

'Ja, dat weet ik.' Ze stak haar hand al uit om die tegen zijn wang te leggen, maar bedacht zich toch omdat hij dat gebaar misschien verkeerd zou opvatten.

Omdat hij zag hoe verward en geschrokken ze was, pakte hij bij wijze van troost haar hand vast. 'De Groenlanders zouden me de nek omdraaien als ik een van hun vrouwen aanraakte.'

'Ik ben immers maar een halfbloed,' zei ze. Omdat ze het zelf zei, vertrok ze geen spier.

'Uw vader denkt daar heel anders over, maar hij is ook veel aardiger dan de meeste mensen. Kettil en ik zullen over u waken als de anderen slapen. Daarna zult u ons waarschijnlijk nooit meer zien. Legt u het aan uw vader uit?'

'Ja, hoor,' beloofde ze. Hij trok zijn hand voorzichtig terug, waardoor haar vingers ineens ijskoud aanvoelden.

'Ik moet nu weer terug. Als we samen worden gezien, zullen ze u dat kwalijk nemen. En ik wil niet dat u door mijn schuld iets overkomt.'

Ingrids ogen werden vochtig. 'Ga dan maar gauw. Ik hoop dat Nerrivik over jou en Kettil zal waken en jullie zal helpen een nieuwe woonplaats te vinden. Ik ga nog eerst wat bessen plukken, zodat we niet vlak na elkaar terugkomen.' Ze moest even iets wegslikken. 'Ik wens je het allerbeste.'

'Dank u wel,' zei hij beleefd en verdween achter de rotsblokken.

Ze stond net te luisteren of ze hem hoorde weglopen, toen hij plotseling weer naast haar opdook, een kus op haar wang drukte en zich opnieuw uit de voeten maakte. Ze legde haar vingers op de plek waar zijn lippen haar hadden geraakt en voelde het bloed naar haar hoofd stijgen.

Toen ze haar schortzakken vol gedroogde bessen had, ging Ingrid weer op weg naar de tent van haar vader. Ze liep langs het vrouwentoilet en wandelde in de richting waar volgens haar hun tent moest staan. Maar sinds ze naar het meer was gelopen, was er een groot aantal tenten bij gekomen en ze wist niet meer precies welke kant ze op moest. Vanaf de plek waar ze nu stond kon ze het meer niet meer zien.

Om haar heen speelden kinderen bij de tenten, hurkten vrouwen bij de vuren en stonden mannen met elkaar te praten. Ze moesten schreeuwen om boven het tumult uit te komen. Overal vlogen vlinders die op de meest vreemde plekken neerstreken. Waar was de tent van haar vader?

Misschien moest ze naar de kathedraal lopen, want als ze bij de grote houten deuren stond, zou ze vast wel kunnen zien waar ze naartoe moest. Toen riep een vrouw die ze helemaal niet kende: 'Kom eens hier, meisje. Ik heb een plakje gedroogd zeehondenvlees met boter voor je.'

Er stonden nog meer jongens en meisjes bij de hut te wachten op de lekkernij. Toen zij aan de beurt was, glimlachte de vrouw haar vriendelijk toe terwijl ze een plat mes in een vat boter stak. 'Ik ben Margarethe,' zei ze. 'Dit is de lekkerste boter die je ooit hebt geproefd.' De vrouw gaf haar een plak vlees die zo groot was als een hand. 'En hier heb je ook nog een beetje verse melk, om je dorst te lessen. Allebei van mijn beste koe.'

'Dank u wel,' zei Ingrid verlegen en vertelde gehoorzaam hoe ze heette toen de vrouw haar naam vroeg. 'Het is erg lekker.'

Daarna nodigden twee meisjes die een beetje ouder waren dan Ingrid haar uit om met hen mee te lopen. Ook andere meisjes voegden zich bij hen. Jona was de leidster. Haar jongere zuster Thorunn had haar arm kameraadschappelijk om Ingrids schouders geslagen alsof ze al jaren bevriend waren, maar Ingrid had eigenlijk nooit vrienden van haar eigen leeftijd gehad.

De meisjes babbelden over de vlinders, over trouwen en over de boerderijen waar ze later zelf zouden gaan wonen. 'Alles komt heus wel weer in orde,' zei Thorunn. 'Dan komen er weer schepen langs om handel te drijven. Dat heeft Sira Pall zelf gezegd. Het is nu al te laat in het jaar, dus deze zomer komt het er niet meer van, maar volgend jaar vast wel. Dan komt er een handelsschip uit IJsland om ons te vertellen wat er allemaal is gebeurd. En die brengen allemaal kostbare spullen mee, hoor. Meer dan genoeg hout om de huizen op te knappen en mooie stoffen en tarwe of gerstemeel en honing. En knappe jonge kolonisten zodat wij allemaal een man kunnen kiezen.'

'Je hebt prachtig haar,' zei Jona. 'Dat moet je niet onder die sjaal verstoppen.' Terwijl ze met de babbelende meisjes meeliep en genoot van het onbekende gevoel om vriendinnetjes van haar eigen leeftijd te hebben, voelde Ingrid plotseling een rilling over haar rug lopen. Ze waren in de schaduw van de kathedraal beland.

Toen ze de brede deuren zag, drong het tot Ingrid door dat ze vanaf die plek wel de weg terug naar haar vaders tent zou kunnen vinden. De dag was al bijna voorbij. 'Ik moet weg,' zei ze.

'Het is nog helemaal niet laat,' zei Thorunn, die haar tegenhield.

Voordat Ingrid iets kon zeggen, kwam een van de priesters de kerk uit en stond in het zonlicht met zijn ogen te knipperen. Op zijn buik hing een gouden kruis aan een zwarte metalen ketting. 'Hallo, meisjes,' zei hij toen hij hen zag.

'Sira Pall,' riepen ze in koor. De meisjes spreidden hun wijde rokken en maakten een revérence, een voorbeeld dat Ingrid meteen volgde. De priester kwam naar hen toe, trok hen één voor één overeind, maakte een kruisteken boven hun hoofd en vroeg hoe het met hun ouders ging. 'Hebben jullie het naar je zin? Is er genoeg te eten?' Zijn stem klonk vriendelijk en rustig, heel anders dan toen ze de kathedraal uit liepen en hij haar vader bedreigingen had nageroepen, maar Ingrid voelde zich toch buitengesloten. 'Denk erom dat jullie zondag komen. Dan zal ik jullie weer een nieuw verhaal vertellen.'

Ten slotte kwam hij bij Ingrid en zegende haar ook. Daarna trok hij haar aan haar handen overeind. 'Ik geloof niet dat ik jou ken,' zei hij. 'Waar woon je?' Ze gaf gehoorzaam antwoord.

'Dan woon je hier vlakbij. Hoe komt het dat ik je nooit eerder hem gezien? Wacht even, je komt me toch bekend voor.' Ze begreep dat hij slechte ogen had, want hij bracht zijn gezicht zo dicht bij het hare dat ze aan zijn adem kon ruiken wat hij had gegeten. 'Vertel eens hoe je heet, meisje.'

Sira Pall had haar handen nog steeds vast en de andere meisjes verdrongen zich om hen heen. Ze moest die vraag wel beantwoorden, ook al was hij de vijand van haar vader, de priester die er mede verantwoordelijk voor was dat haar familie verbannen werd. 'Ik ben Ingrid Halvardsdottir.'

Hij liet haar handen abrupt los en dwong zichzelf te glimlachen, hoewel er een keiharde blik in zijn bijziende ogen was verschenen. 'Kijk eens aan. Ingrid Halvardsdottir, je bent van harte welkom. Ik zou het heel leuk vinden als je ook naar de kerk zou komen. Je bent wel groot geworden. Wat gaat de tijd toch snel. Je moet ook maar naar onze verhalen komen luisteren, om meer over Christus te leren,' zei hij. 'Ik verwacht je zondag te zien. Als je het vergeet, komen deze meisjes je wel ophalen.'

'Ja, hoor,' beloofde Jona, die door Sira Pall beloond werd met een warme glimlach. 'Waarom ben je nog nooit in de kerk geweest, Ingrid?' vroeg ze nieuwsgierig.

'Ik denk niet dat ik naar uw verhalen kom luisteren.' Ingrid week achteruit en keek om zich heen, op zoek naar een uitweg tussen de tenten. Ze deed haar armen op haar rug toen hij opnieuw haar handen vast wilde pakken, alsof de aanraking pijn had gedaan. 'En u weet wel waarom, Sira Pall. Vraag hun alsjeblieft niet om me mee te brengen.'

'Rustig nou maar,' zei hij sussend. 'Je hoeft echt niet bang voor me te zijn. Ik wil niets liever dan jonge mensen onderwijzen in de leer van Onze Lieve Heer. Daarom ben ik naar Groenland gekomen, om voor het zielenheil van onze mensen te zorgen. Onze bisschop heeft geprobeerd dat aan je moeder uit te leggen, maar zij beet de hand die haar zou hebben gevoed.' Hij grinnikte alsof hij een grapje had gemaakt. 'Ik heb me de afgelopen jaren grote zorgen om je gemaakt. Ik wil je alleen maar helpen.'

'Laat me gaan,' zei Ingrid, klaar om er als een haas vandoor te gaan. Ze keek om zich heen of er andere priesters en monniken in de buurt waren om haar mee naar binnen te sleuren in dat donkere hol achter de deuren van de kathedraal, een ruimte die haar aan een open grafkelder deed denken en die toegang gaf tot een duisternis die zo intens was dat niemand haar zou kunnen redden. Maar alleen de andere kinderen stonden om haar heen.

'Wat bedoelt u, Sira?' vroeg een van hen aan de priester.

'Ingrid is half-Skraeling, de dochter van een vrouw die mensenvlees at. God is echter zo genadig dat zelfs Ingrids ziel gered kan worden. Maar dan moet ze Jezus wel nederig vragen of Hij haar fouten wil vergeven en de heidense goden van haar vader afzweren. Dat is helemaal niet moeilijk. Onze Lieve Heer zal haar berouw over de zonden die ze in onwetendheid heeft begaan zeker accepteren. Dat schrijft de christelijke naastenliefde voor.'

Ingrid stoof weg en rende tussen de kleurige tenten door. 'Halfbloed! Kom terug!' hoorde ze Sira Pall achter zich roepen. 'Pak haar. Laat haar niet weglopen.'

Ze keek om. Thorunn had haar al bijna ingehaald, maar Ingrid rende om een tent heen, zag een opening en dook in haar wanhoop naar binnen, waar een vrouw naast een olielamp een donkerharige baby zat te voeden. Plotseling pakte een man Ingrids arm vast. Ze probeerde te schreeuwen, maar hij drukte zijn hand over haar mond zodat ze geen geluid kon uitbrengen. Terwijl hij haar min of meer meesleepte naar de achterwand, drukte hij haar op de grond en gooide een wollen deken over haar heen. 'Stil,' siste hij. 'We zorgen wel dat ze je niet te pakken krijgen.'

Door de wanden van de tent en de wollen deken klonken de geluiden van buiten gedempt, maar ze hoorde wel rennende voetstappen en stemmen die riepen: 'Ingrid? Waar is dat meisje gebleven?' Ingrid schoof de deken iets opzij, zodat ze naar de tentopening kon gluren.

Ze zag dat Thorunn aan kwam hollen en bij iedere tent naar binnen gluurde. 'Waar is dat halfbloedmeisje? Sira Pall wil dat ze bij hem komt. Heeft iemand een donker meisje met rood haar en groene ogen voorbij zien komen? Ingrid, waar ben je?' Ze bleef staan en bukte zich om naar binnen te kijken. Ingrid kroop nog dieper weg in de schaduwen.

'Stil,' beval de vrouw bij de lamp. 'Ga weg en hou op met die herrie. Mijn baby slaapt.'

De stemmen stierven weg. Pas toen Ingrid niets meer hoorde, durfde ze de deken terug te slaan en om zich heen te kijken.

'Je kunt nu rustig te voorschijn komen,' zei de man. 'Ze zijn weg.' Hij had lichtbruin krullend haar. Zijn korte baard was in een punt geknipt, waardoor hij haar deed denken aan een vos met een spitse snuit. De man ging met gekruiste benen voor de ingang zitten zodat de meisjes niet naar binnen konden kijken. Hij wierp haar een geamuseerde blik toe toen Ingrid hem aankeek.

'Dank u wel, maar waarom hebt u me eigenlijk geholpen?' vroeg ze.

'Daar heb ik alle reden toe. Ik ben Erik. Kom, dan zal ik je aan mijn vrouw voorstellen.'

De vrouw draaide zich met een brede glimlach om. 'We hebben je verstopt omdat ze je een halfbloed noemden,' zei ze. Haar glimlach werd nog breder en haar zwarte ogen sprankelden in haar donkere gezicht. 'Ik ben Blijde Glimlach, hoewel de Groenlanders me beter kennen als Marta. Je mag me noemen zoals je wilt.'

Ingrid kroop naar haar toe. 'Hallo, Blijde Glimlach,' zei ze langzaam. Ze gebruikte opzettelijk de Inuit-naam van de vrouw.

Blijde Glimlach streek met haar kleine hand Ingrids nat bezwete haren uit haar ogen. 'Bij ons ben je veilig. Wij zullen wel zorgen dat je weer thuiskomt, zonder dat je iets overkomt.' Ze sprak Noors met een noordelijk accent, precies zoals Sammik had gedaan, maar ze sprak de taal veel beter. Er was geen twijfel mogelijk: Blijde Glimlach was een volbloed Skraeling.

Hoofdstuk 13

Ingrids hoofd duizelde van de vragen. Dit was een vrije Skraeling-vrouw die net als haar moeder met een Noorse Groenlander was getrouwd. Maar toch toonde Blijde Glimlach hier op de Althing de zelfverzekerdheid van een Noorse vrouw. Hoe kon dat? Om haar redders niet te beledigen sloeg ze haar ogen neer en onderdrukte haar nieuwsgierigheid.

Blijde Glimlach pakte Ingrids schouders vast. 'Bij ons hoef je niet bang te zijn.' Haar stem klonk als een kabbelend beekje. 'Je bent een afstammeling van twee volken, net als de kinderen van mij en Erik. Ook als ik niet had gehoord wat die meisjes zeiden, hadden je hoge jukbeenderen en de vorm van je ogen je al verraden. Wie van je ouders is Inuit, je vader of je moeder?'

'Geen van beiden,' zei Ingrid een beetje verward, omdat ze niet precies wist hoe ze moest uitleggen wie haar moeder was geweest. 'Mijn vader is Noors, maar mijn moeder kwam uit het land dat de Noormannen Vinland noemen. Ze is afgelopen zomer gestorven.'

Blijde Glimlach sloeg haar hand voor haar mond. 'Neem me niet kwalijk dat ik over haar ben begonnen. Hopelijk wordt ze opnieuw geboren in een huis waar geen gebrek is aan voedsel. Zei je Vinland? Je bedoelt toch niet dat ze aan de andere kant van de westelijke oceaan is geboren?'

'Jawel.' Ingrid liet haar tong over haar droge lippen glijden. 'Mag ik misschien iets te drinken?' kon ze nog net uitbrengen.

Erik moest zich bukken omdat hij anders zijn hoofd zou stoten. Hij pakte een zak van de dakpaal van de tent en goot iets van de inhoud in een mok, die hij aan haar gaf.

Ingrid nam dankbaar een slokje melk. 'Dank u wel,' zei ze, terwijl ze haar mond met de rug van haar hand afveegde. 'De meeste mensen zagen het verschil tussen mijn moeder en de vrouwen van de Inuit niet, maar haar wereld lag net zo ver af van het land van de Inuit als van dat van de Groenlanders. Ze werd tijdens een oorlog ontvoerd door de vijand. Ze ontsnapte en ging bij de Inuit aan de andere kant van de oceaan wonen. Ze heeft ons verteld dat het dorp daarna in tweeën is gedeeld. Het jongste opperhoofd is met zijn volgelingen over het ijs hierheen gekomen om hun oude dorp weer op te bouwen. Daar heeft mijn vader haar ontmoet.'

Terwijl Ingrid dat zat te vertellen, sperde de vrouw haar kleine ogen wijd open en luisterde met open mond toe. 'Ik weet wie je moeder is,' zei Blijde Glimlach. 'De Inuit noemden haar Mikisoq, maar ze was afkomstig van een vreemd volk. Zij was degene die de woorden van Nerrivik tegenover mijn vriendin Oona herhaalde. Je moeder is een legende geworden en alle ouders vertellen hun kinderen dat verhaal.'

'Mijn moeder? Een legende?' Ze dacht aan het sobere leven dat haar veel te jong gestorven moeder had geleid.

'Je weet toch wel wie Nerrivik is, hè?' vroeg Blijde Glimlach abrupt.

Ingrid knikte. 'Volgens de Inuit is zij degene die het gezag heeft over alles wat leeft. Maar zijn jij en Erik dan geen christenen?' Ze keek verbijsterd van Blijde Glimlach naar haar man. Misschien aanbaden ze Nerrivik in het geheim, zoals haar familie nog steeds de oude godsdienst in ere hield.

'Erik heeft een gewone Groenlandse opvoeding gehad.' De man knikte bevestigend, maar hij liet zijn vrouw het woord doen. Blijde Glimlach begon te fluisteren. 'Toen ik hier kwam wonen, heb ik ontdekt dat het verstandiger is om beleefd te blijven. Toen de priester water op mijn hoofd sprenkelde, hield ik mezelf voor dat al het water van de Vrouw van de Zee is. Daar kunnen de doopplechtigheid, de woorden van de priester en kruistekens geen verandering in brengen. De priesters houden vol dat onze Vrouw van de Zee helemaal niet bestaat en dat wij wilden zijn. Ze denken dat zij goed zijn, omdat ze ons toestaan hen en hun god te dienen. Als de voorspelling uitkomt, zullen ze wel beter weten. Nu ik jou heb gezien, vermoed ik dat Nerrivik haar plan om alle Groenlanders het land uit te drijven binnenkort zal verwezenlijken.'

Haar woorden benamen Ingrid bijna de adem. Blijde Glimlach

wachtte even tot het meisje zich weer in de hand had. 'Maar niet mijn vader,' zei Ingrid vastbesloten. 'Hij is hier om te vechten voor zijn land. Hij is een goede man en hij is altijd vriendelijk voor iedereen.'

'Erik en nog een paar anderen wacht waarschijnlijk een ander lot. De Vrouw van de Zee kan in hun hart kijken en zal hen toestaan zich bij ons aan te sluiten. Maar wat de rest betreft, die zich ver boven mijn volk verheven voelt, voor dat soort mensen is geen plaats in het land van de Vrouw van de Zee. Degenen die ons onteerd hebben, zijn verdoemd. Je moeder vertelde haar droom aan Oona, die in een hofstede ten noorden van Isafjord woont, niet ver van Brattahild.'

Het huis waar de blonde vrouw haar moeder had beledigd! Langzaam maar zeker vielen de stukjes van de puzzel op hun plaats, maar er waren toch dingen die ze niet begreep. 'Waarom zou Nerrivik mijn moeder hebben uitgekozen om haar boodschap door te geven? Waarom geen Inuit-priester? Mijn moeder kende de geesten van dit land niet.'

Blijde Glimlach knikte. 'Juist daarom heeft de Vrouw van de Zee haar uitgekozen. Zij kon met geesten praten. Ze heeft Oona verteld dat ze na de geboorte en de dood van haar eerste kind een half-jaar tussen hen heeft gewoond. Zoals altijd met vreemdelingen gebeurde, had de vroedvrouw het pasgeboren meisje bij haar weggehaald en gesmoord.'

'Nee,' riep Ingrid ontzet en deinsde achteruit. Dat had vader haar nooit verteld. 'Waarom hebben ze haar baby vermoord?'

'Omdat het een meisje was, dat geen vader had om voor haar te jagen. En omdat je moeder daar zoveel verdriet van had, stuurde de Vrouw van de Zee alle zeedieren ver weg naar een plek waar de jagers ze niet konden vinden, zodat alle dorpelingen moesten lijden. In de tijd dat je moeder zo verdrietig was, leerde ze met de geesten te praten en hen te verstaan. Oona denkt dat Nerrivik haar daarom heeft uitgekozen. Bovendien wilde Nerrivik dat wij hier het ook te weten zouden komen. Je moeder zou naar het zuiden trekken. Ze had toch geen betere boodschapper kunnen vinden? Erik en ik hebben Oona kort nadat je ouders daar op bezoek waren geweest leren kennen. We hebben het verhaal uit haar eigen mond gehoord, net als veel andere mensen, want ze vertelde het vaak. Zij en haar man hebben twee zoons, Kettil en Han. Nu wachten we tot ons land weer van ons zal zijn.'

Ingrid had het gevoel alsof er een zware last op haar schouders drukte. 'Han en Kettil zijn de jongens die mijn vader heeft gered, nadat hun familie en hun meester waren gestorven. Ze probeerden te ontsnappen. Mijn vader heeft voorkomen dat de monniken hen wegens moord ter dood brachten.'

Erik had de flap opengeslagen zodat het licht de tent kon binnenvallen en daarom sprak hij met gedempte stem. 'Dat hadden we nog niet gehoord. We zullen moeten rouwen om onze vrienden. Als Han en Kettil eigendom zijn van Ingrids vader, zal hij hulp nodig hebben om hen te beschermen. Het gerucht gaat dat er mannen op zoek zijn naar twee slaven die beschuldigd zijn van moord. Als de broers moeten vluchten, kunnen ze naar ons toe komen. Wij zullen hen onderdak bieden en te eten geven, maar tot na de Althing kunnen ze zich beter verbergen. Zeg maar tegen hen dat ze op een halve dagreis naar het oosten aan andere slaven moeten vragen waar de hofstede van Erik en Marta is. De meesten kennen ons wel. Vertel hen dat maar uit onze naam, Ingrid.'

Ingrid knikte. Als ze de kans kreeg, zou ze die boodschap zeker doorgeven. Een meisje van een jaar of vijf kwam de tent binnenrennen. 'Wie is dat?' vroeg ze, wijzend op Ingrid. Ze had lichtbruin haar en blauwe ogen, een bronskleurige huid en de platte neus van een Inuit.

'Dat is Ingrid. En dit is Aama, onze dochter,' zei Erik.

Ingrid wist dat ze terug moest naar haar familie voordat ze haar zouden gaan zoeken. En met al die vijanden in de blauwe tenten zou dat moeilijkheden kunnen veroorzaken. 'Ik probeerde terug te gaan naar de tent van mijn vader, maar die kon ik niet meer vinden. We staan aan de zuidoever van het meer.'

'Kom maar mee,' zei Erik. 'Dan breng ik je wel terug.'

De zon bleef vlak boven de horizon staan, toen het kamp in het duister werd gehuld. Toen ze net de tent in wilden kruipen om te gaan slapen zei Kettil tegen Halvard: 'Meester, Han en ik zullen buiten blijven om de wacht te houden.'

'Verwacht je dan moeilijkheden? Niemand zal op de Althing de vrede verstoren. Waarom komen jullie niet gewoon binnen slapen, bij ons?'

'Het is een warme nacht, meester,' merkte Kettil op. 'We zijn eraan gewend om tot de eerste sneeuw onder de sterren te slapen.'

Halvard was te slaperig om met hem in discussie te gaan. Ole, Leif en Ingrid waren al binnen en het leek een vredige nacht te worden. Hij liet één pitje in de lamp branden nadat hij zijn kleren had uitgetrokken en zich in zijn deken had gerold om te gaan slapen.

Ingrid kon de slaap niet vatten. De hemel buiten hun tent was zachtgrijs en ze had Han en Kettil snel gevonden. Ze liep op haar tenen naar hen toe, maar Kettil hoorde haar toch. Hij raakte Hans schouder even aan om hem te waarschuwen dat ze eraan kwam.

'Wat is er?' vroeg Kettil. 'Er kan best gevaar dreigen. Blijf nou maar binnen.'

Ze gaf hen de boodschap van Blijde Glimlach door. 'Anders heb ik straks misschien geen tijd meer om het tegen jullie te zeggen. Wees op je hoede. Nu moet ik weer terug voordat ze me missen.'

'Dat is heel lief van je,' fluisterde Han.

Kettil was zeventien en had inmiddels de baard in de keel gekregen. 'Luister, Ingrid,' zei hij. 'Als jij of je familie ooit problemen hebben, zijn wij jullie veel verschuldigd. We zullen nooit vergeten wat jullie allemaal voor ons hebben gedaan. Ga nu maar gauw weer naar binnen en probeer te slapen.'

En nu ze haar boodschap had afgeleverd kostte Ingrid dat ook geen enkele moeite meer.

Toen ze weer wakker werd, hoorden ze buiten allerlei vreemde geluiden die van alle kanten op haar af schenen te komen. Vlak bij de tent hoorde ze een krabbelend geluid en er blafte een hond. De ooi blaatte een paar keer zacht, maar werd al snel weer rustig. Leif had het idee dat Han of Kettil een steen naar de hond hadden gegooid of dat de eigenaar het dier naar binnen had gehaald, omdat het zoveel vreemde luchtjes rook. Er klonk geschuifel, een gil en vervolgens begon iemand te kreunen. 'Vrienden! Help!' schreeuwde een man.

'Wat is er aan de hand?' Leif ging abrupt rechtop zitten. Hij was meteen klaarwakker, alsof iemand een plens koud water over zijn gezicht had gegooid.

'Meester!' schreeuwde Kettil buiten. Halvard ging rechtop zitten en zag op hetzelfde moment dat de wand van de leren tent naar binnen boog. Iemand stond er aan de buitenkant tegen te duwen. Ole dook door de flap naar buiten, met de tenthamer aan een leren band om zijn pols. Hij verdween meteen in de duisternis en Halvard rende achter hem aan.

Het kostte Leif meer moeite om op te staan. Als de nacht vochtig was, kreeg hij weer last van zijn oude wond en dan moest hij zijn been eerst masseren voordat hij kon lopen. Vlak voor de tent gleed hij uit en moest zich met twee handen vastgrijpen om te voorkomen dat hij zou vallen. Naast de flap van de tent lag hun ooi in een plas bloed. Ze was dood.

Toen zijn ogen aan het donker waren gewend, zag Leif dat Kettil boven op een man zat. De vreemde probeerde een kopstoot uit te delen, maar Kettil was veel te snel. Toen zijn aanvaller zijn mond opendeed om Kettil te bijten, drukte die het hoofd van de man plat op de grond. Hij trok de handen van de man op zijn rug en bond ze vast met een stuk touw om te voorkomen dat hij op zou staan. Iemand kwam aanlopen met een in vet gedoopte lap aan een stok die als fakkel diende. Er werd geschreeuwd om een rechter of een priester die de orde kon herstellen.

Han had weten te voorkomen dat een tweede man was ontsnapt. Een klein stukje verderop had hij hem tegen de grond gewerkt. Halvard schoot hem te hulp, greep de man vast en pakte hem zijn ongeoorloofde wapen af. Een derde man vloekte en rende op hen af met een mes dat glinsterde in het licht van de vlammen. Han dook weg en probeerde de langere man te grijpen. Hij schopte hem het mes uit de hand en wist hem vervolgens omver te trekken.

'De Skraelings vallen aan!' schreeuwde de man. Toen er nog meer Groenlanders aan kwamen hollen, trok Han Kettil mee en ze sloegen samen op de vlucht. De man op de grond was slechts tijdelijk uitgeschakeld geweest. Hij rende achter hen, schreeuwend dat ze hem hadden willen vermoorden en riep de anderen op om hem te helpen.

Ole stoof achter hem aan. Er zoefde iets door de lucht gevolgd door een bons en meteen daarna wankelde de man, gleed uit en probeerde weer op te staan. De klap van Oles hamer was niet hard aangekomen, daarvoor was de afstand te groot geweest, maar de man werd lang genoeg opgehouden om Han en Kettil de kans te geven zich uit de voeten te maken.

Anderen bukten zich om de Groenlander overeind te helpen en te ondersteunen. 'Ik ben Skuli Thorvaldson!' schreeuwde hij tegen de mensen die om hem heen kwamen staan. 'Een Skraeling heeft mijn broer vastgebonden. Hij heeft het gewaagd zich op de Althing aan een Groenlander te vergrijpen. De Skraelings moeten sterven om die schande uit te wissen!'

Han en Kettil waren gesnapt. Twee uit de kluiten gewassen kerels sleepten hen mee en gaven hun een zet zodat ze voor Halvards voeten op de grond terechtkwamen. 'Die zijn toch van jou, hè?' vroeg een man uit de noordelijke provincie spottend. Er kwamen meer mannen om hen heen staan, die hun fakkels zo hielden dat het licht op de slaven viel. Ze hadden bloedende schaafwonden op hun gezicht en hapten naar adem.

'Ik neem de verantwoording op me voor alles wat ze hebben gedaan,' schreeuwde Halvard. 'Ze probeerden mijn eigendommen te verdedigen. Wie heeft mijn schaap gedood? Iemand moet een mes bij zich hebben!'

Er doken een paar mannen op uit het donker. 'Hier zijn twee rechters.'

Iedereen praatte door elkaar, toen een van de rechters om de tent van Halvard heen liep en zich bukte om iets op te rapen. Toen hij bij de anderen terugkwam, zwaaide hij met een uitgebrande fakkel, een wollen lap die om een van de uiteinden van een bos rijshout was gewikkeld. De wol droop van het bloed. 'Dit is bewijsmateriaal,' verklaarde hij dreigend. 'We zullen dit geval morgen als eerste behandelen. Iedereen die erbij betrokken is, dient binnen de omheining te blijven. Degenen die met messen op het Althingveld rondliepen, zullen zwaar worden gestraft.'

'We zijn aangevallen door slaven!' schreeuwde Pall Thorvaldson. 'Slaven die Groenlanders aanvallen, moeten dat met de dood bekopen!'

'Dat zullen we morgen als eerste in de Rechtskring bespreken. Zorg maar dat jullie aanwezig zijn, anders worden jullie vogelvrij verklaard.' De rechters verdwenen in de nacht en al gauw liepen ook de meeste andere mensen terug naar hun eigen tent om weer te gaan slapen.

Halvard riep zijn zoons fluisterend bij zich. 'Gottfried, Steinthor, kom ook even hier. Ik heb jullie nodig.' Hij trok Kettil en Han mee naar de andere kant van de tent en zei tegen zijn slaven dat ze moesten knielen. Ingrid keek haar vader met grote ogen aan. Ze begreep pas wat hij van plan was toen hij zei: 'Dit zal de laatste keer zijn dat ik jullie een bevel geef.'

De Inuit-broers keken elkaar even aan en knielden toen naast elkaar neer. Halvard legde zijn handen op hun hoofden. 'Jullie zijn geen slaven meer, maar vrije mannen. Gottfried en Steinthor zijn mijn getuigen. Pak je spullen maar en neem genoeg eten mee. Zorg dat je morgenochtend ver weg bent.'

'Waar moeten ze naartoe?' vroeg Ingrid toen Kettil en Han zich uit de voeten hadden gemaakt.

'Dat weet ik niet. Terug naar hun eigen volk, hoop ik, als ze tenminste in de dorpen geaccepteerd worden. Het zal niet gemakkelijk zijn om de winter alleen door te komen.'

'Maak je maar geen zorgen,' zei Leif terwijl hij zijn arm om haar heen sloeg. 'Ze kunnen zich beter redden dan je denkt. Ik heb gezien wat ze net allemaal uitspookten. Zorg ervoor dat je niet uitglijdt in het bloed als je morgenochtend naar buiten gaat. Het zal vast nog niet allemaal opgedroogd zijn.'

Ingrid sloeg haar hand voor haar mond. 'We hadden hier niet naartoe moeten gaan.'

'We hadden geen keus,' zei Ole boos. 'Zonder dat touw van Kettil en mijn tenthamer zou er geen schapenbloed op onze tent zitten maar mensenbloed. Die lui uit het noorden waren op z'n minst van plan om Kettil en Han te vermoorden.'

'De volgorde van de Althing is door die heisa van vannacht gewijzigd,' zei Halvard. Hij was een beetje overstuur door alles wat er gebeurd was, maar hij ging toch verder. 'De rechters zullen eerst onze zaak behandelen. Probeer maar of jullie nog wat kunnen slapen.'

Zodra het licht was, ging Ingrid op weg naar het toilet. Toen ze terugkwam, zag ze de drie kruisen die met schapenbloed op de wanden van hun tent waren gesmeerd. Toen ze bezig was met het versieren van de huiden, had ze nog bedacht hoeveel mooier haar ontwerpen zouden zijn als ze alle kleuren van vlindervleugels tot haar beschikking zou hebben gehad.

Mensen bleven staan om naar de nieuwe decoratie te kijken. Overal op de kruisen waren vlinders neergestreken, die het kleverige bloed opzogen. Met hun gespreide vleugels leken ze op beschilderde engeltjes.

Halvard stond alleen voor de rechters die in een halve kring zaten. Zijn kinderen en zijn vrienden hadden laag op de heuvel een plaatsje gevonden waar ze het proces konden volgen, achter de stoelen van de rechters. 'We zullen beginnen met het wat eenvoudiger probleem van het eigendomsrecht,' zei de rechtsdienaar. Hij was een man met een brede borst en een stem die gemaakt was om een menigte toe te spreken. 'Had Osmund Erlandson, die het vruchtgebruik van Halvard Gunnarsons land had, volgens de wet het recht om het land af te staan zonder bewijs dat de eigenaar of zijn erfgenamen dood waren? Volgens de wet is dat niet het geval, maar het kan best zijn dat hij meende dat het genoemde bewijs geleverd was. Laat de persoon die de claim van de kerk op het land bestrijdt nu naar voren komen.'

Osmund verliet zijn plaats tussen de rechters. 'Aangezien ik als getuige bij deze zaak betrokken ben, kan ik in dit geval geen deel uitmaken van de rechtbank. Ik verwachtte dat Halvard terug zou komen en tot die dag had ik het vruchtgebruik van zijn land. Niemand had het recht om mij uit mijn functie van beheerder te ontzetten en het land in beslag te nemen.' Hij sprak met stemverheffing, zodat iedereen hem kon verstaan.

Sira Pall stapte de kring binnen en keek om zich heen, de armen onder zijn soutane over elkaar geslagen. 'Ik betwist het recht van Halvard Gunnarson om land te bezitten in een fatsoenlijke christelijke natie,' zei hij ernstig. 'Het is mijn plicht dat land te verdedigen tegen heidenen.'

'Uit respect voor de kerk mag u als eerste het woord voeren, Sira Pall,' zei de eerste rechter. Het was doodstil op de helling toen de toehoorders zich naar voren bogen om te verstaan wat de priester zei.

'Niemand wist of Halvard Gunnarson nog in leven was. Ondertussen was Osmund de kerk voedsel en diervoeder schuldig. Halvard Gunnarson had zijn land niet zomaar achter mogen laten als hij van plan was om terug te komen. Iedereen met een beetje gezond verstand ging ervan uit dat hij nooit meer terug zou komen. Daarom was Osmund Erlandson de wettige eigenaar van het land toen dat verbeurd werd verklaard.'

Osmund kreeg het verzoek om zich tegen die aantijging te verdedigen, als hij daartoe in staat was.

'Halvard Gunnarson wist dat de kans bestond dat hij terug zou komen. Als hij dat niet had gedacht, zou hij die akte nooit hebben opgesteld waarin ik tot tijdelijke beheerder van zijn land werd benoemd in plaats van tot eigenaar. Ik verwachtte zelf ook dat hij terug zou komen,' zei Osmund.

'Maar hij is weggegaan zonder dat hij daartoe verplicht werd.

Alleen die vrouw van hem werd verbannen omdat ze de moed had de bisschop te bedreigen,' merkte Sira Pall op.

'Die man beval dat ze gedood moest worden, hoewel hij haar had beloofd dat haar niets zou overkomen wanneer ze als getuige optrad,' schreeuwde Halvard. 'Welke echtgenoot zou onder dergelijke omstandigheden niet voor zijn vrouw opkomen?'

'Hoezo echtgenoot?' spotte Sira Pall. 'Heeft een heidense sjamaan soms de Vrouw van de Zee gevraagd om haar zegen te geven aan jullie verbintenis?'

Halvard balde zijn vuisten, maar hij bleef kalm. 'Ja.'

Er steeg een luid geroezemoes op uit de groep slaven die zich langs de rand van de Rechtskring had opgesteld en dat bleef niet onopgemerkt bij de duur geklede mannen en vrouwen op de lagere rijen. 'We hebben te maken met een stel heidenen,' riep Sira Pall uit. 'Die wilden hebben toch geen recht om in een christelijk land te wonen? Als we hen in ons midden toelaten, brengen we ons zielenheil in gevaar!'

De onderlinge disputen werden nog luidruchtiger toen Sira Mars het woord vroeg en toestemming kreeg om zijn mening over dit soort kwesties te geven. De priester stond inmiddels bekend als iemand die met mate strafte en altijd de waarheid sprak.

'Er zijn bepaalde mensen die het teken van Christus op de tent van Halvard hebben geschilderd. Met die poging een vloek uit te spreken over Halvard en zijn bezittingen hebben ze hem in feite hun zegen gegeven. Net als in onze Heilige Schrift, toen de hulp van Baälam van Moab werd ingeroepen om Israël te vervloeken, heeft de Here die kwade bedoelingen ten goede gekeerd. Het bloed van het lam beschermt de onschuldigen.'

Er ging een gejuich op in de rijen van de toeschouwers. Sira Pall wierp zijn collega-priester een boze blik toe, maar Sira Mars glimlachte argeloos voordat hij zich omdraaide, toen hij zijn getuigenis had afgelegd. Sira Pall trok zich ook terug en liet Halvard alleen achter met de rechters. Hij bleef alleen, met gebogen hoofd en ineen gestrengelde handen, wachten op hun vonnis. Op de heuvel stonden de mensen ook met elkaar over de zaak te praten. Alleen Halvards kinderen zaten zwijgend te wachten op het vonnis.

De rechters gingen bij elkaar staan. De rechtsdienaar bleef in zijn zetel wachten of hij bepaalde juridische problemen en mogelijke precedenten zou moeten toelichten. Osmund bleef aan de kant staan wachten. Na een poosje werd hij geroepen en een andere rechter begon zacht tegen hem te praten.

'Wat zou dat betekenen?' fluisterde Ingrid.

'Ik weet het niet,' antwoordde Leif zenuwachtig, zonder zijn blik af te wenden van de discussies die vlak voor zijn neus plaatsvonden. De rechters gingen terug naar hun zetels, behalve degene die het woord zou doen. Halvard bleef op dezelfde plaats staan, maar hief zijn hoofd op om de spreker aan te kijken.

'We hebben een besluit genomen. Halvard Gunnarson, je mag het land wat van jou was voordat je vertrok weer in bezit nemen, op één voorwaarde. Jij en je zoons, Leif en Ole Halvardson hebben onder invloed van Gunnar, de hogepriester van Odin, het ware geloof afgewezen. Het is te laat om die verkeerde handelwijze nu nog recht te zetten, maar veel van jullie buren vinden het een benauwend idee dat er nog steeds heidenen onder ons zijn die de duivelse goden van onze vikingvoorouders aanroepen.' De rechter stelde geen vragen, maar hij had duidelijk iets op zijn hart. 'Maar dan is er ook nog Ingrid Halvardsdottir. Zij was nog maar een baby toen haar grootvader stierf.'

'Wilt u soms dat ik mijn dochter naar een klooster stuur om door de nonnen opgevoed te worden?' vroeg Halvard. De stilte die op zijn uitbarsting volgde, was bijna tastbaar. Ingrid huiverde en ze had het gevoel dat ze moest overgeven. Maar ze kon niet weg.

'Nee, dat is niet nodig. Maar we zijn het er wel over eens dat, als jij het land wil houden dat vroeger ook van jou was, het meisje onderwezen moet worden in het christelijk geloof. Ze moet de kans krijgen haar ziel te redden. Als de wegen begaanbaar zijn, zal Ingrid Halvardsdottir zich iedere week op de dag des Heren in de kathedraal van Gardar moeten melden, waar Sira Mars haar zal onderwijzen in de leerstellingen van ons geloof, zoals eigenlijk al van meet af aan had moeten gebeuren. Ze zal niet gedwongen worden zich te laten dopen, maar ze moet weten dat er een hemel en een hel bestaat en dat Christus aan het kruis is gestorven uit liefde voor ons. Als ze verkiest om gedoopt te worden zul jij haar daar niet van weerhouden, Halvard. Je christelijke buren zullen jou niet lastigvallen over je heidense geloof, dat je in de praktijk mag brengen zolang je dat maar niet in het openbaar doet. Als je daartoe bereid bent, Halvard Gunnarson, is het probleem van je eigendomsrecht uit de wereld.'

Halvard vroeg of hij even met zijn dochter mocht overleggen en kreeg toestemming om de kring te verlaten. 'Ingrid, hoe kan ik ze dat nu laten doen?'

'We kunnen nergens anders heen en de winter staat voor de deur.' Ze trok hem omlaag zodat ze in zijn oor kon fluisteren. 'Maakt u zich maar geen zorgen. Wat ze me ook bij willen brengen, ik begrijp nu dat ze me met hun water niet in een van hen kunnen veranderen. Al het water hier is van de Vrouw van de Zee. Dat heeft Blijde Glimlach me verteld. En ze heeft ook gezegd dat ik alleen maar beleefd hoef te zijn.'

Ze had het Inuit-woord gebruikt, wat haar vader een glimlach ontlokte. Uit Inuit-beleefdheid had hij in het dorp waar hij Ingrids moeder had leren kennen ook vreemde dingen gedaan. 'Dus je bent bereid te gaan?'

'Zolang ik les krijg van Sira Mars en niet van Sira Pall.'

Leif boog zich naar hen toe. 'Ik ga wel met haar mee om haar onderweg te beschermen. Dat zal hun alleen maar genoegen doen en dan kan ik haar ook verdedigen als iemand haar te hard wil aanpakken.'

'Ole?' Halvard keek zijn oudste zoon aan. 'Wat vind jij ervan?'

'Het bevalt me helemaal niet, maar het kind heeft zelf al gezegd dat we weinig keus hebben.' Hij keek Ingrid even strak aan. Halvard liep terug naar de rechters en verklaarde zich bereid om aan hun voorwaarde te voldoen.

'Het volgende probleem is heel wat ernstiger, Halvard Gunnarson,' zei de rechtsdienaar. 'Je slaven worden ervan beschuldigd dat ze Groenlanders kwaad hebben gedaan. Laat ze hier komen om hun straf aan te horen.'

'Geen verklaring? Alleen maar straf?' flapte Ingrid eruit tegen de mensen om haar heen.

'Ik heb geen slaven,' antwoordde Halvard kalm, terwijl hij zijn best deed om een spottende grijns te onderdrukken. 'Ik heb ze voor het aanbreken van de dag hun vrijheid gegeven en gezegd dat ze konden gaan en staan waar ze wilden. Ik heb geen flauw idee waar ze zijn.'

'Heb je je slaven vrijgelaten en tegen ze gezegd dat ze moesten vluchten?' bulderde een van de rechters zo hard dat hij tot op de laatste rijen te verstaan was.

'Ze waren van mij, dus ik mocht toch met ze doen wat ik wilde?'

'Dat stond juist ter discussie,' zei een andere rechter.

Halvard keek de rechters een voor een aan. Hij wachtte nog even tot Osmund, die zich voor dit tweede oordeel weer bij de rechtbank had gevoegd, hem toeknikte en zei dat hij door moest gaan. 'Afgelopen lente heeft Sira Mars het oordeel uitgesproken dat Kettil en Han onschuldig waren. Desondanks werden ze door Pall en Skuli Thorvaldson verstoten omdat ze volgens hen waardeloos en gevaarlijk waren. Vandaar dat ik toestemming kreeg om hen mee te nemen, weg uit het gebied waar ze geboren en opgegroeid waren.

'Vannacht hebben mijn voormalige slaven mijn eigendom verdedigd tegen mannen die gewapend met messen naar mijn tent kwamen om mij en mijn gezin kwaad te doen. Kettil en Han hadden alleen een stuk touw waarmee ze ons hebben verdedigd. Ole, mijn oudste zoon, heeft Skuli Thorvaldson als bewijs zijn mes afgepakt. Laat het maar aan de rechters zien, Ole. Eigenlijk zouden Skuli en zijn broer Pall hier terecht moeten staan.'

Terwijl Ole met het mes in de hand naar de rechters toe liep, begonnen mensen op de heuvel boos te schreeuwen. Ingrid zag dat een stel mannen om Skuli en Pall heen ging staan. De rechtsdienaar probeerde ze de mond te snoeren door hen op de ernst van de procedure te wijzen, maar het lawaai nam alleen maar toe. Toen de rechtsdienaar Skuli en Pall beval om naar voren te komen, stond bijna de helft van de toeschouwers onder aan de helling mopperend en joelend op.

'Jullie hebben geen recht om over ons te oordelen!' schreeuwde Pall Thorvaldson. 'Wij accepteren jullie gezag niet. We houden onze eigen Althing wel, in Brattahild, net als toen onze vaders nog leefden. Wij willen niets te maken hebben met jullie en deze rechtbank!'

'Precies!' klonk het uit vele kelen.

De rechtsdienaar riep om stilte, met al het gezag dat hij kon opbrengen. De zittende rechters eisten dat de mannen uit de noordelijke provincie op hun plaats zouden blijven, maar daar trokken de noorderlingen zich niets van aan. Ze worstelden zich door de toeschouwers en liepen terug naar hun tenten.

DEEL II

Het einde der dagen

GROENLAND

Inuit

Pakijs

Inuit

Het dorp van Qisuk

Het dorp van Niroqaq

Het nieuwe dorp
van Qisuk

Het dorp van Blijde Glimlach

Westelijke
Nederzetting

Het nieuwe dorp van
Niroqaq

Kathedraal

Oostelijke
Nederzetting

Het Handelseiland

Naskapi

LABRADOR

Algonquian

St. Law-
rencebaai

Brede rivier

Algonquian

Doteoga

Ganeogaono

Invasie en hongersnood

Halvard trekt naar het noorden

Engelse koopvaarders

← naar Oneida

← naar Onondaga

Hoofdstuk 11

De dagen werden korter. De vissen en het veevoer werden gedroogd en weggeborgen en de rendierjacht op Hreiny Eiland leverde een rijke buit op. In de zuidelijke provincie werd geen nieuws vernomen uit het gebied rond Brattahild, maar daar keek niemand van op. Tijdens de voorbereidingen op de winter werd er niet meer gereisd en na het invallen van de winter gingen de mensen zelfs niet meer bij elkaar op bezoek.

Ingrid werd wakker van de huilende wind die over de gletsjers naar het westen raasde. De wind gierde door de kliffen rond de fjorden en sloeg tegen het ijs dat zich langs de oevers had opgehoopt. Ze schoof het met huiden bespannen luik voor het kleine raam iets opzij, tuurde naar buiten en zag haar vader uit de stal komen. Toen hij de deur opendeed, kwam er een vlaag kou binnen.

Halvard trok zijn dikke jas uit, schudde hem uit en hing hem aan het gewei aan de binnenmuur van zijn bedstee. 'We moeten de scheidingswand neerzetten, want er was alweer een jaarling doodgevroren. Zodra de wind gaat liggen, brengen we eerst de rest van het voer binnen en halen dan de dieren op.'

'Denk je dan dat de wind gaat liggen, vader?' vroeg Ingrid. Ze had letterlijk de dagen geteld. Ze moest bekennen, al zou ze dat nooit hardop toegeven, dat het luisteren naar de verhalen van Sira Mars en het kopiëren van de plaatjes uit zijn boeken een welkome onderbreking waren van het saaie leven dat ze 's winters leidden.

'Het is vandaag toch zondag, hè?' zei Leif, die best wist waarom ze dat vroeg.

Dat gold ook voor Halvard. 'Je gaat vandaag nergens heen. Sira Mars hoeft alleen maar naar buiten te kijken, dan vergeeft hij je onmiddellijk dat je je les misloopt. Ik had niet verwacht dat je het leuk zou vinden.'

'Dan heb ik tenminste iets te doen.' Hoewel ze aanvankelijk bang was geweest om de kathedraal in te gaan, maakte ze nu gretig gebruik van de kans om haar ski's onder te binden en een uur of twee bij Sira Mars door te brengen.

'Ik verbied je om met dit weer op pad te gaan,' zei Halvard. 'Je vriest nog dood voordat je halverwege bent. Bovendien hebben we genoeg te doen, nu we vandaag de kudde naar binnen moeten brengen.'

'Ja, papa,' zei ze. Protesteren had geen zin. De Althing was inmiddels vijf maanden geleden. Ze vroeg zich weleens af of Kettil en Han een Inuit-dorp hadden gevonden en of ze nog in leven waren. Maar het had geen zin om te dromen over iets dat toch niet zou gebeuren. En ze vond het leuk als Sira Mars dingen uit de Heilige Schrift vertelde. Vaak deden die verhalen haar aan een of andere Groenlander denken en Sira Mars was het dan ook meestal met haar eens. Hij nam zijn plicht als onderwijzer serieus, maar hij kon zo mooi vertellen dat de gelijkenissen tot leven kwamen.

Wat ze echter het allerfijnst vond, was als hij zijn exemplaar te voorschijn haalde van een verhaal dat driehonderd jaar geleden door een vikingkapitein tijdens een lange Noorse winter was geschreven. Het ging over de reizen die hij in de jaren daarvoor had gemaakt en de avonturen die hij had beleefd. Sira Mars had haar wel verteld dat zulke verhalen over schatten en glorie meestal mooier werden gemaakt dan ze in werkelijkheid waren, maar toch beschreef hij de reizen, het moorden en de wraak zo levendig dat ze er bijzonder door geboeid werd. Dit waren haar eigen mensen, niet de vreemdelingen over wie in de Schrift steeds werd gepraat, de mensen die gebukt gingen onder het juk van de Romeinse overheersing toen de god van Sira Mars naar de aarde kwam en zich tussen de stervelingen vestigde.

Ze vond het ook heerlijk om de plaatjes uit het boek te kopiëren. Het zou fijn zijn geweest als ze kleuren en verguldsel had gehad, maar ook alleen met zwarte inkt vulde ze hele vellen perkament met schepen vol in bontvellen gehulde krijgers met een helm op hun hoofd. Ze had te horen gekregen dat ze zich eigenlijk moest schamen voor de vikingen die haar voorouders waren geweest, maar ze vond het opwindend om zich voor te stellen hoe ze onder het slaken van oorlogskreten die de inwoners de stuipen op het lijf joegen Engelse steden en dorpen hadden afgestroopt op zoek naar goud. Sinds de Noormannen christenen waren geworden, waren ze maar een stel saaie boeren geworden, vond Ingrid. En ze vroeg zo vaak om verhalen over hen in plaats van over de lankmoedige heiligen dat Sira Mars haar berispte en waarschuwde dat ze haar ziel in gevaar bracht. 'Een christelijk meisje is gehoorzaam en lief,' had hij gezegd.

'En een vikingmeisje wacht tot haar vader weer thuiskomt en haar alle schatten laat zien die hij heeft veroverd. Ook al kan ze zelf niet meedoen aan die vikingtochten, dan kan ze zich toch voorstellen hoe boeiend en opwindend ze moeten zijn.'

'Schaam je, Ingrid,' zei Sira Mars vroom. 'Bid maar tot Onze Lieve Heer dat je dat soort opwinding nooit mee zult maken.' En daar had hij waarschijnlijk gelijk in. 'Laten we nu maar weer verder gaan met de les.'

En nu zou ze een hele week moeten wachten voor ze weer naar Sira Mars mocht. Ze trok warme kleren en met bont gevoerde handschoenen aan om Ole en Leif te helpen stenen naar binnen te brengen voor de scheidingswand. Halvard hing grote netten met voer aan de hoogste balken en Kwispel stond zenuwachtig te blaffen toen Ole en Leif de blatende beesten naar binnen brachten. Sommige waren zo verstijfd van kou dat ze gedragen moesten worden.

Maar de volgende zondag moest Leif in bed blijven, hoestend en proestend. 'Je moet maar weer een zondag overslaan,' zei Halvard. 'Ik wil niet dat Leif in deze kou naar buiten gaat voor zoiets onbelangrijks als jouw godsdienstlessen.'

'We hebben het wel aan de Althing beloofd,' hielp ze hem herinneren.

'Ik breng haar wel,' zei Ole. De anderen keken hem stomverbaasd aan. 'Ik vind het niet erg. En het kind heeft meer dan één broer die haar kan beschermen. Bovendien wil ik zelf weleens horen wat ze haar daar proberen wijs te maken.'

'Je verveelt je zeker, hè?' riep Leif vanuit zijn bedstee.

Ole haalde zijn schouders op, maar hij gaf geen antwoord.

Ingrid had net op het punt gestaan om Ole te bedanken, maar nu zei ze: 'Sira Mars zal wel verbaasd zijn om jou te zien. Hij had vast niet verwacht dat jij naar hem wilde luisteren.'

Ze pakten zich stevig in en bonden hun ski's onder. Toen ze de kathedraal in het zicht kregen, zei Ingrid: 'We gaan aan de zijkant naar binnen, niet door de voordeur. Dan komen we dichter bij de priesterverblijven uit.' De deur ging schuil onder een pak sneeuw, maar Ingrid wist waar ze moesten zijn. 'Hier.' Ze duwde hem open.

Ze werden opgewacht door een van de keukenmeiden. 'Hang jullie overjassen maar bij het vuur,' zei ze. 'Maar als ik jullie was, zou ik m'n onderjas maar aanhouden. Het is koud boven.' In de keuken hing de soep voor het avondmaal van de priesters te pruttelen. In halfgesmolten schapenvet dreven lonten van in elkaar gedraaide lapjes stof, waarvan sommige lagen te sputteren. De rook kringelde omhoog naar de luchtgaten in het plafond. 'Maar jij bent Leif helemaal niet,' riep de vrouw verbaasd toen Ole zijn muts en masker had afgezet.

'Nee,' beaamde Ole.

'Dit is mijn andere broer,' legde Ingrid uit. 'Ga maar mee,' zei ze tegen Ole. 'Daarginds is een trap.' De oneven stenen treden liepen langs de muur van de refter omhoog naar de eerste verdieping met de slaapvertrekken van de priesters en de monniken.

Ingrid kende inmiddels al goed de weg in het gebouw, maar ze bleef de gewijde ruimte mijden. De wandtapijten vol martelaren en het grote houten kruisbeeld met de gekwelde god dat achter het altaar hing, joegen haar angst aan. Zelfs Sira Mars had haar nooit kunnen uitleggen waarom zulke akelige dingen zo'n belangrijke rol speelden in zijn vredelievende geloof. Ze hoopte dat Ole beleefd zou blijven, als hij ten minste van plan was zijn mond open te doen. Haar broer stond achter haar toen ze op de deur klopte. 'Wie is daar?' vroeg Sira Mars.

'Ingrid. Dit keer heb ik mijn broer Ole bij me,' antwoordde ze.

De priester deed de deur open. 'Kom binnen,' zei hij uitnodigend. De ijzeren scharnieren piepten toen hij de deur achter hen sloot. Op de tafel stond maar één kleine lamp te branden, nauwelijks genoeg om de kamer te verwarmen. Er waren geen vensters, maar er zat een spleet in de muur waardoor de rook naar buiten kon en een beetje licht naar binnen. Sira Mars droeg ook verschillende lagen kleren over elkaar. 'Ik heet jullie van harte welkom op deze koude dag. Ik kan me je nog wel herinneren, Ole. Je bent hier samen met je vader en een stel van jullie buren geweest, die allemaal een kopie van mijn brief bij zich hadden. Ik ben blij dat die geholpen heeft om jullie erfgoed veilig te stellen.'

'Dank u wel,' zei Ole een tikje nors. 'Dat was inderdaad het geval.' Sira Mars pakte een krukje voor Ole. 'Ik ga op mijn bed zitten en je zuster kan op de bank. Ik moet haar eerst overhoren, om te zien of ze zich nog herinnert wat ze de laatste keer heeft geleerd.' Ingrid ging op haar plaats zitten, dankbaar dat Sira Mars zijn best deed om haar broer op zijn gemak te stellen. Hij maakte nog één opmerking tegen Ole. 'Ik neem aan dat jullie Gunnars graf goed verzorgen, nu jullie het weer in handen hebben.'

Ole knikte en ging eindelijk op de kruk zitten die de priester voor hem had klaargezet. 'Ja, inderdaad, Sira Mars,' zei hij beleefder dan Ingrid had verwacht. 'Weet u, toen we terugkwamen, heb ik me verbaasd over de stenen. In sommige ervan waren vissen gekrast en er stonden ook met inkt geschilderde kruisen op.'

'De vis is het teken van de visser, Sint-Petrus, die alle zielen moet opvissen. Het is een heilig teken.' Sira Mars ging op de rand van zijn bed zitten en keek de jongeman aandachtig aan. 'Wat verbaasde je aan die tekens?'

Ingrid had niet verwacht dat ze het zo goed met elkaar zouden kunnen vinden. Maar ze vroeg zich wel af wat Ole eigenlijk wilde vertellen. Ze had het graf van grootvader Gunnar zelf pas gezien toen alle vreemde symbolen ervan verwijderd waren. Ze dacht dat de nieuwe tekens door haar broers waren gemaakt.

'Ik ken dat symbool van jullie wel, twee tegenovergestelde bogen die elkaar aan één kant overlappen. We troffen ook bronzen en ivoren kruisen aan, die mijn vader terug heeft gebracht naar de kathedraal. Heeft hij u niet verteld wat er tijdens die hagelbui is gebeurd?'

Sira Mars schudde zijn hoofd. 'Die bui kwam zeker op een belangrijk moment. Broeder Marcus heeft nog steeds visioenen van Thor als het bliksemt, maar dat is gemakkelijk te verklaren. Hij wordt door zijn angst op een dwaalspoor gezet. Ondanks alles wat wij hen geleerd hebben, kunnen veel Noormannen zich hun heidense verleden nog goed herinneren en dat was die dag ook het geval met broeder Marcus. De bliksem en de donder deden hem aan Thor denken, de oude god van de donder. Uiteraard zeg ik dat niet om een discussie met je aan te gaan, maar om het je uit te leggen.'

'Ik begrijp u heel goed,' zei Ole. 'Door de hagel ging de inkt doorlopen en maakte zwarte strepen dwars door de vissymbolen. De stenen van mijn grootvaders graf werden op de manier gewijd aan de god die hij diende. Want het graf is nu niet meer bedekt met vissen, maar met symbolen van het oog van Odin.'

Sira Mars deinsde achteruit en raakte het kruis om zijn hals aan. 'Heilige Maria en Jozef, hoedt ons voor het kwaad! Maar dat kwam toch gewoon door het uitlopen van de verf.'

'Het lijkt me toch veelbetekenend, denkt u ook niet?'

De priester keek even naar Ingrid die met haar handen onder haar kin zat te luisteren. Ze was tegelijkertijd verbaasd en geamuseerd dat haar broer zo geanimeerd zat te praten. Sira Mars haalde zijn schouders op. 'Ik laat de verklaring liever over aan mensen die dat soort dingen beter kunnen interpreteren, maar je verrast me wel, Ole Halvardson. Je broer Leif heeft nooit meer dan "goede morgen" en "tot ziens" gezegd als hij hier samen met Ingrid was. En er wordt juist gezegd dat jij de stilste van de twee bent.' Ole glimlachte vaag, boog zijn hoofd en hield verder zijn mond.

Sira Mars liep naar zijn tafel, twee houten planken op een stenen onderstel, en pakte een paar vellen perkament van zijn boekenplank. 'Terwijl wij verdergaan met Ingrids onderricht moet jij deze tekeningen die ze heeft gekopieerd maar eens bekijken.' Hij gaf ze aan Ole.

'Goed meisje, dan is het nu tijd voor de les.' Sira Mars pakte een zwaar boekwerk op, trok de lamp dichterbij en legde het boek opengeslagen op zijn knieën.

Ole luisterde met een half oor mee terwijl Sira Mars eerst een stukje voorlas en het vervolgens uitlegde. Hij was meer onder de indruk van het door Ingrid getekende drakenschip, dat met zijn angstaanjagende boeg door de golven sneed. Het was zowel van voren als van opzij afgebeeld en terwijl hij naar de zeilen en het roer zat te kijken vroeg hij zich af hoever zo'n schip in een dag zou kunnen zeilen als het bemand werd door een ploeg robuuste avonturiers.

Sira Mars zat midden in een stuk over Jezus en de preek die Hij afstak tegen een groep mensen op een heuvel in een of andere afgelegen Romeinse provincie, toen er op de deur werd geklopt. Een van de vrouwen uit de keuken deelde mee: 'Sira Pall Knudson wil u graag even spreken, Sira Mars. Hij is nu in de keuken, om zijn jassen uit te doen. Hilda heeft hem wat schapenvlees en soep gegeven om warm te worden en zodra hij dat op heeft, komt hij naar u toe. Ik dacht dat ik u beter even kon waarschuwen.'

'Dat is heel vriendelijk van je, Marie. Ga nu maar gauw terug naar de keuken en doe de deur achter je dicht. Zo komt alle kou binnen.'

Sira Mars wist dat Sira Pall al bij het krieken van de dag uit de kathedraal was vertrokken. Hij had niet verwacht dat hij alweer zo gauw terug zou zijn. 'Laten we je lessen maar op een andere dag voortzetten,' stelde Sira Mars voor. 'Sira Pall moest een paar pasgeboren baby's dopen. Als ze in deze kou zouden sterven, zouden ze niet welkom zijn in het Koninkrijk der Hemelen.' Het was zijn bedoeling om haar duidelijk te maken hoe belangrijk de doop was, maar zijn uitleg had een averechts effect.

'Straft uw Heer baby's alleen maar omdat er geen water over hun hoofd is gesprenkeld?' vroeg Ingrid geschrokken.

'De erfzonde zal moeten wachten tot een volgende keer. Het lijkt me beter dat jullie nu meteen weggaan,' zei hij. 'Je hebt voor vandaag genoeg geleerd. Kom volgende week zondag maar weer terug, als je kunt.'

Ingrid en Ole liepen net naar de deur toen Sira Pall zonder te kloppen binnenkwam. Hij hield Sira Mars zijn ring voor en de andere priester knielde neer om die te kussen. Toen hij weer opstond, zei Sira Mars: 'Deze jongelui staan net op het punt om te vertrekken.'

In plaats van aan de kant te gaan liep Sira Pall naar Ingrid toe en pakte haar kin. 'Ach ja,' zei hij. 'De halfbloed.' Ole wierp hem een woedende blik toe en probeerde Ingrid langs hem te duwen.

'Doe je goed je best? Heb je al wat geleerd?' De kamer was zo klein dat ze zijn adem kon ruiken.

Ze maakte een revérence, voornamelijk om uit de buurt te komen van Sira Pall. 'Ik weet alles wat Sira Mars me heeft geleerd,' zei ze. Zodra ze zich weer oprichtte, week ze achteruit.

'Ze leert snel en ze kent haar lessen even goed als de eerste de beste jongen,' zei Sira Mars. 'Ze is een prima leerling, onze Ingrid Halvardsdottir. Haar broers brengen haar hier zodat haar onderweg niets kan overkomen. Dat is mooi, want dan krijgen zij ook onze heilige lessen te horen.'

'Als ze tenminste luisteren,' zei Sira Pall, die opnieuw naar Ingrid toe wilde gaan. Sira Mars ging voor haar staan en deed nog een stap achteruit, zodat ze de kans kreeg om weg te lopen zonder dat het op een vlucht leek. 'Kijk maar eens wat mijn leerling nog meer heeft gedaan. Ze heeft veel gaven.' Hij pakte de perkamentvellen van de plank waar Ole ze weer had neergelegd. Het waren kopieën van de kruisiging, Sint-Veronica met de Zweetdoek en het drakenschip.

Sira Pall bestudeerde de tekeningen nauwkeurig, terwijl Ole en Ingrid voorzichtig naar de deur schuifelden. Daarna kneep hij zijn zwakke ogen samen om Ingrid duidelijker te kunnen zien. 'Dit is mooi werk. Je moeder had net zo verstandig moeten zijn als jij en les van ons moeten nemen. Als ze dat had gedaan, zou ze je vader veel verdriet hebben bespaard.'

Ingrid boog haar hoofd en verstopte haar gebalde vuisten onder haar schort. Als ze niet snel maakte dat ze uit de buurt kwam van deze priester, zou ze dingen uitflappen waar ze later spijt van zou krijgen.

'Ik moet je een complimentje geven dat je het zo goed doet met dat meisje, Sira Mars,' zei Sira Paul. 'Ik ben hier naartoe gekomen om met je te praten over onze voorraden en hoeveel we nog zullen moeten afstaan als de mensen erop blijven staan om Skraelings te voeden die tot hun demonen bidden om onze ondergang te bewerkstelligen. In ieder geval werkt dit meisje daar niet aan mee.'

Sira Mars probeerde Sira Pall opzij te duwen zodat ze naar buiten konden. 'Ze moeten nu echt weg.' Maar hij was al te laat.

'Waar haalt u het lef vandaan om mijn moeder te beledigen?' vroeg Ingrid die zich niet meer kon beheersen. 'Hoe durft u de bevolking van dit land te beledigen? Met die wrede woorden roept u het onheil af over alle Noormannen, zelfs over mijn vader, die nooit iets met die god van u te maken heeft gehad!'

'Ingrid!' riep Sira Mars. 'Hou je mond en ga weg.'

Ze was zo driftig dat ze niet eens merkte dat haar ivoren zeehond onder haar lijfje vandaan was geschoten en dat Sira Pall ernaar stond te staren, met zijn gezicht bijna tegen haar kleine borsten gedrukt.

'Wat is dít?' Hij rukte het van haar hals en hield het vlak voor zijn neus. 'Je hebt je vergist, Sira Mars,' riep hij uit. 'Het meisje is nog steeds een ongetemde wilde, een kopie van haar moeder. Ze heeft je voor het lapje gehouden, maar ik heb haar door. Ze aanbidt nog steeds afgoden. Kijk maar naar dit amulet dat ze zelfs in het huis van Onze Lieve Heer draagt!'

'Geef terug, dief!' schreeuwde Ingrid. 'Dat is van mij.'

De priester sloeg haar zo hard in haar gezicht dat er een vuurrode plek op haar wang verscheen. Meteen daarna belandde de vuist van Ole met zo'n flitsende beweging tegen zijn kaak, dat Sira Pall de klap niet eens zag aankomen. Een paar seconden later lag hij bewusteloos aan hun voeten.

Ingrid trok haar halsketting uit zijn hand en hing die weer om haar nek. Pas toen zag ze het doodsbleke gezicht van Sira Mars. 'Kinderen,' zei hij fluisterend. 'Luister nou naar me. Ga weg. Jullie kunnen beter zo ver mogelijk weg zijn als Sira Pall weer bijkomt. Ik weet niet of ik jullie nu nog kan redden.'

Ole en Ingrid renden naar de gang. Sira Mars stak zijn hoofd om de deur en keek hen na. Twee monniken versperden hen de weg, maar Ole duwde ze aan de kant en hield Ingrids hand stevig vast toen ze samen de trap af holden.

'God zij met jullie,' zei Sira Mars en maakte met zijn rechterhand een kruis in de lucht. 'Ik hoop dat jullie aan de toorn van Sira Pall zullen ontsnappen en dat Onze Lieve Heer me vergeeft dat ik dit niet heb kunnen voorkomen.'

De pijn in haar wang was al vergeten toen ze halsoverkop de kathedraal uit vluchtten. Ze gingen er op hun ski's zo snel mogelijk vandoor. 'Wat moeten we nu doen?' vroeg Ingrid. 'Vader raakt nu vast en zeker door mijn schuld zijn land kwijt. Ik had me moeten beheersen.'

'Je had alle recht om kwaad te worden. Ik heb er zelf ook hard aan meegewerkt om vaders overeenkomst de nek om te draaien,' zei Ole. 'Het is hartje winter, dus we kunnen er niet vandoor gaan om ons ergens te verstoppen. We zullen ons thuis moeten verschansen en hopen dat de goden ons zullen helpen. Laten we het maar gauw aan vader vertellen. Hopelijk weet hij wat we moeten doen.'

Halvards schouders spanden zich en schokten zo hard toen Ingrid hem het hele verhaal vertelde, dat ze hem probeerde te troosten door hem te verzekeren dat ze zich vast wel zouden redden. Maar ineens drong het tot haar door dat hij zat te lachen. 'Ole heeft hem buiten westen geslagen. Weten jullie wel hoe lang ik dat al heb willen doen? Ik heb niet meer zo'n mooi verhaal gehoord sinds mijn vader op de dag dat hij stierf de priesters dwong hun eigen beginselen over liefdadigheid in de praktijk te brengen. Het heeft geen zin om ons zorgen te maken. Ik wou dat ik het gezicht van Pall Knudson had gezien toen Ingrid zei dat hij een dief was.'

Hoofdstuk

Die nacht speelden er geen kleurige lichtbundels door de lucht en de maan bleef verborgen achter de laaghangende wolken. De wind wakkerde aan en werd zo snijdend dat het gezin drie dagen lang nauwelijks hun bedstee uitkwam.

'In ieder geval kan Sira Pall in dit weer niet naar ons toe komen,' merkte Halvard op terwijl hij een nieuwe lont in het drabbige kaarsvet stak.

'Als hij ons komt halen, vindt hij ons vast bevroren in ons bed. Dan kan hij zich de moeite besparen ons een kopje kleiner te maken,' zei Leif vanuit zijn bedstee.

'Hij heeft het alleen op Ole en mij gemunt,' weerlegde Ingrid. 'Niet op jullie.' Ze hing een pot met vlees boven het zwakke vuur. Het duurde heel lang voordat het water aan de kook was, want het vet was zo koud dat de lonten niet goed wilden branden. De stukken schapenvlees en de soep waren nog lauw toen ze gingen eten. Kwispel had zijn portie al op voordat het vlees de grond raakte. Hun voorraden begonnen behoorlijk te slinken. Ingrid nam Halvard mee naar hun bergplaats om hem dat zelf te laten zien.

'We zullen weer een ooi moeten slachten,' besloot hij. 'Maar ik doe het liever niet nu ze op het punt staan om te lammeren. Zo gauw het weer het toelaat, ga ik met Ole op jacht. Laten we maar bidden dat de goden ons een goede buit schenken.' De volgende paar uur besteedde hij aan het slijpen van zijn mes en de punt van zijn speer.

Ze werden wakker van het gepiep van Kwispel die aan het gesloten venster krabde. De hele kamer stond vol rook. Halvard maakte het met huiden bedekte luik open, maar er kwam geen licht of lucht binnen. Er lag een grote hoop sneeuw tegen de zijkant van het huis. 'De deur, ik moet proberen de deur open te krijgen!' zei hij. Leif en Ole liepen haastig naar hem toe om mee te helpen, maar daar schoten ze niets mee op. De deur ging een klein stukje open, maar toen ze door de kier keken, zagen ze alleen een dikke sneeuwmuur. 'We moeten ons uitgraven voordat we stikken,' riep Halvard, bijna bedwelmd van de rook. Hij begon met zijn bijl op de sneeuw in te hakken, maar het enige resultaat was dat er wat losse sneeuw naar binnen viel.

'Zet de bank maar onder het raam, dan maak ik het dak wel vrij,' stelde Ingrid voor. Zij liep ook al te kuchen. Leif gaf haar een schepje en ze begon het hoger gelegen raam vrij te maken. Ze had al snel een gat in de sneeuwmuur gemaakt. De rook trok uit de kamer, maar de vlammen laaiden weer op, alsof zij ook naar lucht snakten. Er kwam een vlaag kou door het gat naar binnen.

'Zo kunnen we niet naar buiten,' zei Ole. 'Dat raam is veel te klein.'

'Niet voor mij,' zei Ingrid. 'Als ik naar buiten ga en op het dak klim, kunnen we daar een gat in maken.' Ze stapte van de bank af om het zweet van haar huid te deppen, want als dat bevroor, zou het haar dood kunnen betekenen. Daarna klom ze weer op de bank en glipte in haar nachtgoed door het raam, want met haar dikke buitenkleren zou ze er niet doorheen hebben gekund. Ze snakte naar adem in de bittere kou. 'Geef gauw m'n jas aan, vader.' Halvard duwde hem samen met de sneeuwschoenen door het raam. Ze had haar wanten al aan.

'Wat kun je zien?' riep Halvard vanuit de kamer.

'Niets, alleen sneeuw. De lucht is blauw, de sneeuwstorm is voorbij. Het is rond twaalf uur. De zon staat recht boven mijn hoofd te stralen. Ik kan beter een masker op doen, de sneeuw schittert zo dat mijn ogen beginnen te tranen.' Het was even stil toen ze over het dak liep. 'De hele westkant van het huis is onder een dikke laag sneeuw bedolven.' Ze bukte zich, zodat ze haar beter konden verstaan. 'Geef me mijn masker maar en een van de broodplanken.'

Halvard haastte zich om aan haar verzoek te voldoen. 'Vergeet de deur, dat duurt veel te lang. Schep de sneeuw eerst opzij, anders valt alles naar binnen. We moeten een stuk van de plaggen weghalen. Klop maar als je een naad hebt gevonden, dan kunnen we horen waar je zit. Begin dan op die plek te graven, zodat niet het hele dak instort. We kunnen er van beneden af met onze bijlen een gat in hakken.'

'Wacht dan even tot ik de sneeuw heb weggehaald, vader.'

Halvard knikte. 'We wachten wel.'

Het masker hielp tegen de snijdende kou. Met haar sjaal om haar mond geslagen begon ze te graven. De sneeuwhoop reikte bijna tot de rand van het schuine dak en liep vandaar uit geleidelijk omlaag naar de grond, dus ze hoefde niet bang te zijn dat ze viel. Terwijl ze stond te scheppen, keek ze om zich heen maar er was niets te zien.

Toen ze een plek had vrijgemaakt, hakten de mannen van beneden af een gat in het dak. Binnen de kortste keren viel een deel van de plaggen naar beneden en een klein gedeelte van de kamer eronder werd verlicht door de zon. Ingrid zag dat haar familie, Kwispel en de schapen naar boven stonden te kijken. 'Hallo,' zei ze hijgend.

'We moeten het gat zo groot maken dat er een man door kan,' zei Halvard. Ze hakten nog een deel weg en de stukken van de plaggen die naar beneden vielen, werden aan de geiten gevoerd. Toen er wat meer licht naar binnen viel, zag Ingrid dat ze allemaal hun overjas , sjaal en wanten droegen. 'Zo is het genoeg, Ingrid. Ga eens opzij.'

Maar Halvard paste niet door het gat. 'Laat mij het maar proberen,' zei Leif. Ingrid zag dat ze de bank onder het gat hadden gezet. Leifs hoofd kwam te voorschijn, gevolgd door een van zijn schouders. 'We hebben een ruïne gemaakt van dit huis,' zei Leif toen hij zag wat ze gedaan hadden.

'Tot de zomer kunnen we dat gat gemakkelijk dichtmaken met huiden,' zei Halvard onder hem. 'Kun je er nu wel of niet door?'

Leif probeerde het opnieuw, maar zijn schouders waren ook te breed voor het onregelmatige gat tussen de dakbalken. 'Ik zou alleen maar nog meer schade aanrichten. Ik denk dat ik nog steeds in de groei ben.' Hij deed nog één poging en gaf het toen op.

'We moeten iets doen!' drong Ingrid aan. Ze onderdrukte haar wanhoop. Was al haar moeite voor niets geweest? 'Laten we het gat dan groter maken.'

'Nee,' zei Halvard. 'Dan maken we de balken kapot en zouden we het hele dak op ons hoofd krijgen. Misschien kan Ole erdoor.'

Ole was een lange slungel met vuurrood haar en toen zijn hoofd door het gat kwam, sloeg de wind hem in het gezicht. Zijn losse haren wapperden als dansende vlammen om zijn hoofd en het was alsof hij zijn baard in vers bloed had gedoopt. Hij slaagde erin om houvast te krijgen en eerst zijn schouder en vervolgens zijn arm naar buiten te wrikken. Terwijl hij om zich heen keek, zei hij: 'We hebben kennelijk nog wat respijt gekregen. Sira Pall en zijn vazallen zullen ook wel ingesneeuwd zijn.' Nadat hij en Ingrid weer naar binnen waren geglipt, spande hij een schapenhuid over het gat. Daarna aten ze wat schapenvlees en een beetje soep om weer warm te worden.

Ingrid hield haar handen boven het vlammetje van de olielamp tot ze weer gevoel in haar vingers had. Maar hun voedselproblemen waren nog niet opgelost. Als ze niet snel iets anders te eten zouden vinden, moest er weer een schaap geslacht worden. 'Ik neem wel twee speren en mijn werpbijl mee,' zei Ole. 'Geef me mijn jas eens aan, anders kan ik niet door het gat. Wens me maar geluk.'

'Ik ga mee,' zei Ingrid vastbesloten. 'Ik kan de slee met de voorraden trekken en je helpen met het aan stukken snijden van je prooi. Vader, zeg dat hij me moet meenemen.'

Haar oudste broer keek haar weifelend aan. 'In mijn eentje schiet ik veel sneller op. Ze zal me alleen maar voor de voeten lopen. En meisjes willen altijd praten, waardoor het wild afgeschrikt wordt.'

'Ole,' zei Halvard. 'Als ik me het goed herinner, heb je voordat Ingrid werd geboren van haar moeder geleerd hoe je moet jagen. Zij heeft je ook geleerd dat je stil moet zijn.' Ingrid kneep haar lippen op elkaar. Ze was bang dat de uitbrander van haar vader een averechts effect zou hebben.

Maar voordat Ole iets kon zeggen, ging Halvard verder: 'Je moet ook niet vergeten dat als Sira Pall hier mannen naartoe stuurt ze niet alleen jou maar ook Ingrid mee zullen willen nemen. Jij hebt hem geslagen, maar zij heeft hem beledigd. Het lijkt me beter dat jullie samen weggaan. Laat je zusje niet alleen achter om hem het hoofd te bieden.'

'Ik weet best dat we allebei in gevaar verkeren.' Ole haalde met een hulpeloos gebaar zijn schouders op. 'Maar je moet wel goed naar me luisteren,' zei hij tegen zijn zuster. 'En ik wil je niet horen klagen.'

'Dat lukt me wel,' zei ze. 'Maar jij hebt langere benen. Als je sneller opschiet dan ik, volg ik je spoor wel.'

Ze vertrokken op hun sneeuwschoenen, met genoeg eten voor twee dagen op hun rug. Ingrid liep achter Ole aan en trok een kleine slee mee, terwijl Ole zich een weg over de sneeuwvlakte zocht door regelmatig met zijn speer te proberen of het veilig was om verder te gaan. Een op het oog geschikt pad kon een dun ijslaagje zijn. Alle herkenningspunten waren verdwenen. Zelfs de heuvels en de bergtoppen zagen er door het veranderde perspectief onbekend uit.

Tegen de tijd dat de zon begon te zakken, deden Ingrids benen pijn. Maar ze schonk er geen aandacht aan en liep verder, omdat ze geen zin had aan Ole te vragen of hij wilde stoppen. Op haar sneeuwschoenen waggelde ze meer dan ze liep. Ze moest haar benen vanuit haar heupen in beweging zetten. Toen Ole stil bleef staan om rond te kijken, bukte ze zich om op adem te komen.

Hij pakte een handjevol sneeuw op en liet het bij wijze van drinken in zijn mond smelten. Ze volgde zijn voorbeeld, blij met de korte rustpauze, hoewel ze nu de kou nog meer voelde. Ze keek ook om zich heen, maar ze kon het huis van haar vader en dat van Osmund niet meer zien. Het was net alsof zij en Ole de enige overgebleven mensen waren in deze barre witte wereld.

Hoewel de dag al ten einde liep, hadden ze niet veel meer gezien dan een paar sneeuwhoentjes en een haas. Omdat de haas wit was, hupte hij bijna ongemerkt door het verwarrende spel van licht en schaduw tussen de rotsen. Voordat Ole zijn speer uit de houder op zijn rug had getrokken, was de haas al buiten bereik en verdwenen achter een hoop opgewaaide sneeuw.

Ze gebruikten een bekende bergtop als herkenningspunt. Ingrid kreeg het gevoel dat het een beetje minder koud begon te worden. Waarschijnlijk hielden de heuvels de sterkste windvlagen tegen. Toen ze Ole er onderdanig attent op maakte dat het donker begon te worden en dat ze eigenlijk een onderkomen voor de nacht moesten gaan zoeken reageerde hij geprikkeld, maar hij zag toch in dat ze gelijk had. 'Er zitten hier wolven,' zei ze.

Ole verstijfde. 'Kijk maar of je een goede plek ziet om een sneeuwhut te bouwen. We kunnen een tunnel graven die groot genoeg is om in te liggen.'

'Wacht even,' zei ze toen ze net weer op weg waren gegaan. 'Loop achter me aan, maar maak geen lawaai.' In haar opwinding was ze vergeten dat ze hem geen orders mocht geven. Maar Ole liep achter haar aan naar een bewegend bruin vlekje. Het was de kop van een eenjarig rendier, het enige dat nog boven de sneeuw uitstak. 'Hij is erdoor gezakt,' zei Ole.

Het beest was al te koud om een kreet te slaken toen Ole hem met zijn mes de keel doorsneed. Het warme bloed gutste uit de wond en kwam gedeeltelijk op Oles hand terecht. Hij likte het weg en veegde zijn hand af aan de sneeuw voordat hij zijn want weer aantrok. Met behulp van zijn bijl hakten ze de sneeuw om het dier weg tot ze het mee konden slepen. Ingrid maakte een lange snee in de buik om de ingewanden eruit te halen. 'De wolven zullen het bloed ruiken. Misschien komen ze hier op af, dan kunnen wij ondertussen een schuilplaats zoeken en een vuur aansteken,' zei ze. Olaf hees het karkas op de slee en hielp met trekken.

Inmiddels was de hele omgeving in schaduwen gehuld. De zonsondergang veroorzaakte nog even een roze gloed op de sneeuw, maar die maakte al snel plaats voor de grauwe schemering. Ole vond een plek met losse sneeuw en begon die op te hopen om een sneeuwhut te bouwen. Ingrid verzamelde een paar broze takjes om een vuur te maken, maar haar vingers waren zo koud dat ze haar vuursteen niet vast kon houden. 'Luister,' zei ze. Ze konden de wolven horen die zacht tegen elkaar jankten. Er zat een roedel achter hen aan, dat snel dichterbij kwam. Ze probeerde haast te maken met het vuur.

'Ze weten dat we hen hebben gehoord,' zei Ole. Hij had zijn bijl in zijn ene hand en zijn speer in de andere. Ze trok haar mes uit de schede in haar binnenzak. 'Hou het bij de hand, maar probeer toch het vuur aan te steken. Ik zorg wel dat ze niet bij je kunnen komen.'

De vonken spatten in het rond, maar het vochtige hout wilde geen vlamvatten. Met trillende vingers probeerde ze het opnieuw. 'Ik zie ogen,' zei ze. 'Links van je.' Ineens hoorde ze iets dat op een windvlaag leek en een donkere schaduw stak tegen de hemel af. Ingrid bukte zich en priemde haar mes in de onderbuik van het grote beest dat boven op haar sprong. Ze hoorde een schrille kreet van pijn en het gewicht dat haar tegen de grond drukte, verdween met een boze grauw.

Opnieuw werden ze door een van de grommende wolven besprongen. Ole gooide zijn bijl naar hem toe, maar het wapen schampte langs een behaarde schouder en viel in de sneeuw.

Ingrid was doodsbang, maar ze verdrong haar angst en hield haar mes klaar. 'Kom achter me staan,' riep haar broer, die zich

bukte om zijn evenwicht beter te kunnen bewaren. 'Als ik ze te-
genhoud, heb jij meer kans om te ontsnappen.' Ze gingen met hun
rug tegen elkaar staan.

De volgende wolf die in de aanval ging, liep recht in Oles speer,
maar hij bleef niet staan. Ole viel op zijn knieën door de kracht van
de volwassen wolf die hem omlaag drukte. Hij schoof opzij en probeerde zich om te draaien zodat hij de speer dieper in het beest kon
duwen. 'Vlucht, Ingrid!' schreeuwde hij.

Ze had de bijl gevonden en probeerde dichterbij te komen in de
hoop dat ze de kans zou krijgen om de wolf zo te verwonden dat
het dier zijn tanden niet in de hals van haar broer kon zetten. De
wolven waren veel te snel voor haar. Opnieuw sprong er een grau-
wend beest vanuit het roedel op hen af, maar ineens zoefde er iets
door de lucht, dat met een plof doel trof. De tweede keer viel de
wolf aan Oles speer dood aan zijn voeten. De laatste wolf rende
jankend de donkere heuvels in, gevolgd door de rest van het roedel.

Ingrid draaide zich met een ruk om en tuurde naar de persoon
die de pijlen had afgeschoten. Twee in bont gehulde boogschutters
stonden rechtop in het donker, met nieuwe pijlen in de aanslag.
Aan hun houding te zien waren het Skraelings. 'Jullie daar,' zei een
van hen nors in het Noors, terwijl hij met zijn half gespannen boog
naar hen wees. Uit het rode, loshangende haar van Ole en Ingrid
hadden de boogschutters waarschijnlijk opgemaakt dat ze in het
Noors aangesproken moesten worden. De man die het woord
deed, wenkte. 'Kom eens in het licht, jullie allebei. Schiet op.'

Hoofdstuk 16

In de schaduw van de klif greep Ole Ingrids arm vast en trok haar naar zich toe om haar iets in het oor te fluisteren. 'Ze zijn niet van plan ons te doden. Anders zouden ze de wolven hun gang hebben laten gaan.'

Die gedachte was ook al bij haar opgekomen. 'Maar dat weten we niet zeker,' fluisterde ze terug. 'We kunnen beter doen wat ze zeggen. Je bent gewond.' Toen ze in het licht kwamen, zag ze dat de linkerkant van Oles jas onder het bloed zat. 'Leun maar op mij.'

Ze tuurde naar de vreemdelingen die hen hadden gered. Ze spraken Noors en dat hield in dat het verbannen Groenlanders waren, gewelddadige mannen die zich niet in de provincie mochten vertonen. Maar hoewel alleen zijn ogen onbedekt waren, kwam de man die tegen hen had gesproken haar toch bekend voor. Hij was absoluut een Skraeling, maar zijn kleren waren niet van dezelfde kwaliteit als die van Sammik. Het was een samengeraapt zootje van slordig aan elkaar gezette huiden en bontvellen. Was hij een Inuit of een ontvluchte slaaf?

'Laat jullie gezichten zien,' eiste de tweede boogschutter. Hij tilde zijn boog op om hen sneller te laten reageren. Ole en Ingrid trokken de sjaal los die ze om hun gezicht hadden gewikkeld.

'God!' riep een van de mannen uit voordat hij zijn boog liet vallen en naar hen toe rende. 'Ole! Ingrid! Ik ben het, Kettil.' Hij klonk even opgelucht als Ingrid zich voelde. 'Ik heb nog nooit iemand gedood,' legde hij uit. 'Als jullie vreemden waren geweest die onze schuilplaats hadden kunnen verraden… dan zouden jullie ons in gevaar hebben gebracht.'

Han kwam wat langzamer naar hen toe. 'Han!' zei Ingrid terwijl ze een zucht van opluchting slaakte. 'Kettil. Dank je wel dat jullie ons gered hebben. Ole is gewond. Kunnen jullie me helpen hem naar een veilige plek te brengen waar we het bloeden kunnen stelpen?'

Maar toen Kettil Oles arm pakte, vertrok zijn gezicht van pijn. 'Pak jij hem bij zijn andere arm, Han,' zei hij tegen zijn jongere broer. 'Het is niet ver, maar hij verliest veel bloed. Misschien kan ik hem beter dragen.'

'Ik kan wel lopen,' hield Ole vol, maar hij stond zo wankel op zijn benen dat niemand hem geloofde. Zijn gezicht was asgrauw geworden.

Kettil pakte Ole voorzichtig op. 'Loop jij maar vast vooruit,' zei Han tegen zijn broer. 'We moeten opschieten, anders verliest hij te veel bloed. Ik help Ingrid wel met het vlees.'

Hij had de wolf in een handomdraai gevild en schoongemaakt. Daarna legde hij het onthoofde karkas naast dat van het rendier op de slee. Ingrid hielp hem zo goed mogelijk, maar hij gedroeg zich afstandelijk, heel anders dan de jongen met wie ze de afgelopen zomer bevriend was geraakt. 'Is er iets mis, Han?' vroeg ze. 'Ben je niet blij me te zien?'

'Het is koud. We moeten zo snel mogelijk naar huis.' Hij legde nog meer buit op de slee.

Hij had geen antwoord gegeven op haar vraag. Wat zou er aan de hand zijn? Ze probeerde het opnieuw. 'Ik heb je zoveel te vertellen over Sira Pall en Sira Mars en wat er allemaal bij de Althing is gebeurd nadat jullie weg waren. Skuli en Pall Thorvaldson zijn vertrokken voordat ze voor hun misdaden gestraft konden worden en de mannen uit de noordelijke provincie zijn met hen meegegaan. Niemand heeft sindsdien meer iets van hen vernomen.'

'Daar weten we alles van. Alle nieuwtjes gaan bij ons volk als een lopend vuurtje rond. Sven heeft het allemaal gezien.' Ze keek hem aan. 'Een oude man. Een van ons.' Zijn stem klonk kil en kortaf, alsof zij daar toch niets van snapte.

'Kom, ze zijn al een heel stuk voor ons,' zei hij terwijl hij het touw pakte. Ingrid had moeite om hem bij te houden. Wat zou er aan de hand zijn? Vond hij het vervelend dat ze weer in zijn leven was gekomen?

Inmiddels was het nacht geworden. De sterren en het noorderlicht dat tegen de heldere hemel gloeide, verlichtten de sneeuw en de rotsachtige uitlopers van de bergen. Ze kwamen bij een donkere helling, waar een kleed dat net iets lichter was dan de rotsen de ingang naar hun hol bedekte. 'Hier wonen we,' zei hij. 'We zullen naar boven moeten klimmen.'

Hij hield het gordijn opzij om de andere drie naar binnen te laten. 'Welkom in ons huis,' zei hij bitter. Zijn stem klonk vreemd in de duisternis van de grot. Toen haar ogen aan het donker gewend waren, zag Ingrid boven hen een geel lichtschijnsel, de weerschijn van een paar vuurtjes op het manshoge stenen plafond. Ze zag een richel op een meter boven de ingang. 'Sigrid en Helga, laat de ladder zakken. We hebben bezoek,' beval Kettil. 'Schiet op. Een van hen is gewond.'

Twee vrouwengezichten tuurden over de rand. Het was zo donker dat ze niet veel konden zien. 'Weet je zeker dat ze ons niet zullen verraden?' vroeg een van hen angstig in vloeiend Noors.

Han keek om naar Ingrid en toen naar Ole, die slap tegen de grauwe binnenmuur leunde. 'Ja, dat weten we zeker.'

Sigrid liet een touwladder zakken die gemaakt was van gedraaide stukken ongelooide dierenhuid. Kettil bleef beneden staan om Ole te helpen als dat nodig was, maar hij slaagde erin zonder hulp naar boven te klimmen. Daarna ging Ingrid naar boven, gevolgd door Kettil. 'We moeten het bloeden stelpen voordat hij nog meer verzwakt, Sigrid,' zei hij tegen de vrouw. 'Kijk alsjeblieft wat je voor hem kunt doen.' Sigrid knikte. 'Han, geef me eerst het vlees aan, dan kunnen we daarna de slee ophijsen.'

Terwijl ze daarmee bezig waren, begon Ingrid langzaam maar zeker te begrijpen wat er gebeurd was nadat Han en Kettil acht maanden geleden tijdens de Althing bij hen weg waren gegaan. De vrouwen moesten de echtgenotes van de broers zijn. Ze had van het begin geweten dat de kalverliefde die ze voor Han had gevoeld toch op niets zou uitlopen. Ze hadden Skraelings tot vrouw genomen, en zo hoorde het ook, maar toch was het een ontnuchterend idee. Geen wonder dat Han zo afstandelijk was. Ze besloot dat het verstandiger was als zij erover begon, om Han te tonen dat ze er begrip voor had.

'Dus Helga is jouw vrouw, Han?' vroeg Ingrid.

'Op dezelfde manier als ik haar man ben. We weten niet precies hoe een huwelijk bij de Inuit wordt gesloten en omdat we weg zijn gelopen kunnen we het ook niet op jullie manier doen.'

'Maar als jullie samenwonen zijn jullie toch gewoon man en vrouw,' zei Ingrid. 'Dan vormen jullie een gezin.'

'Dat is niet bepaald een christelijk standpunt,' wees Kettil haar terecht. Hij zorgde eerst dat Ole gemakkelijk lag en keek haar toen aan.

Ze werd bijna kwaad. Deze zoons van Inuit-slaven waren christelijk opgevoed, terwijl haar familie, allemaal Noorse Groenlanders met uitzondering van haar moeder, nog steeds waren wat ze altijd waren geweest: heidenen, buitenbeentjes vergeleken bij het gros van de bevolking.

'Zeg dat maar tegen een christen.' Ze keerde zich om en haastte zich om Helga te helpen met het verwijderen van Oles kleren zodat ze zijn wond konden bekijken. Sigrid kwam naar hen toe met een kom water en ze had ook een stapeltje huiden bij zich om Oles schouder en hals schoon te maken en te verbinden. 'Het is nog maar net gesmolten. Het spijt me dat ik geen tijd heb gehad om het warm te maken,' zei ze verontschuldigend.

Hij beet zijn tanden op elkaar en snakte naar adem toen de koude lappen op zijn opengereten huid werden gelegd. Terwijl ze met hem bezig waren, vertelde Ole wat er was gebeurd en wie ze waren. 'Ik ben Ole Halvardson en dit is mijn halfzusje Ingrid.'

Sigrid knikte. 'Dat had ik al geraden. Jouw vader was eigenaar van Han en Kettil voordat ze tijdens de Althing zijn ontvlucht.'

'Ze zijn niet ontvlucht,' zei Ingrid heftig. 'Onze vader heeft hen in het bijzijn van getuigen hun vrijheid teruggegeven. Niemand kan hen ervan beschuldigen dat ze voortvluchtig zijn.'

'Maar dat zou wel gebeuren als iemand ons zou vinden,' zei Han boos. 'Groenlanders malen niet om getuigen.'

'Sira Mars wel,' wees ze hem terecht. Ze was genegenheid voor de geduldige en onkreukbare priester gaan koesteren en wilde geen kwaad woord over hem horen. 'En mijn vader heeft jullie allebei verdedigd.'

'Dat is waar,' beaamde Kettil. 'Je vader is anders dan de rest. En als priester is Sira Mars ook een uitzondering.'

Ingrid vroeg zich af waarom Han en Kettil naar het oosten waren getrokken, in plaats van naar de kust of naar het noorden. Maar in plaats van dat te vragen informeerde ze hoe het kwam dat Helga en Sigrid zich bij de broers hadden aangesloten.

'We zijn weggelopen toen we de kans kregen. Ze zeggen dat in onze dorpen de vrouwen zelf mogen beslissen met wie ze willen trouwen. Dat wilden wij ook.' Ze boog haar hoofd alsof ze zich daarvoor schaamde.

'Als ik jullie was geweest was ik ook weggelopen,' flapte Ingrid uit. 'Maar ik heb geen volk waar ik naartoe kan. Jullie vieren hebben verwanten in het noorden, ook al kennen jullie hen niet.' Ole draaide zich om en keek haar doordringend aan. Maar zelfs die blik leek hem al te veel kracht te kosten. Hij deed zijn ogen weer dicht. Sigrid had zijn schouder verbonden met zachte lappen die door repen ongelooide huid op hun plaats werden gehouden. Het verband had het bloeden gestelpt, maar hij was erg verzwakt. 'Hij gaat toch niet dood, hè?' vroeg ze aan Helga, die naast haar was komen zitten.

'We zullen doen wat we kunnen. Hij moet een beetje soep eten. Dan zal hij weer warm worden en nieuw bloed kunnen aanmaken. Zorg dat hij warm blijft tot de soep klaar is, Ingrid. Het vlees kookt al, maar we hebben niet veel kaarsvet meer om het hier wat warmer te maken. Kruip maar bij hem onder de bontvellen. Hij mag niet koud worden.'

Ingrid gehoorzaamde. Terwijl ze languit tegen haar broer ging liggen, kon ze voelen hoe hij rilde en probeerde niet te kreunen. Het was raar om zo dicht bij haar broer te zijn. Ole hield haar altijd op afstand. Maar als ze in moeilijkheden zat, was Ole toch altijd de eerste die haar te hulp schoot, ook al had hij haar nooit aardig gevonden. Ze wenste dat ze begreep waarom hij zich zo gedroeg. Als hij vannacht dood zou gaan, zou ze daar nooit achter komen. Ze sloeg haar armen om hem heen, kroop tegen zijn rug aan en blies haar warme adem in zijn nek.

'Ingrid?' zei Ole zwak. 'Kun je me verstaan? Ik wil je iets vertellen.'

'Ja, hoor,' zei ze, terwijl de angst in haar opwelde. Zou hij doodgaan? Sommige mensen wisten dat van tevoren, net als haar moeder. 'Wat is er?'

Hij liet zijn tong over zijn lippen glijden. 'Weet je nog dat Leif in het noorden gewond raakte? Toen voorkwam Sammik dat hij door de Inuit gedood werd. Hij kende Sammik niet eens, maar toch was hij zijn vriend.'

'Ja,' beaamde Ingrid. Ze hoopte dat hij niet lag te ijlen.

'De wolven zouden mij gedood hebben, en waarschijnlijk jou

ook, als Han en Kettil niet in de buurt waren geweest en hoorden dat ze ons aanvielen.'

Ingrid moedigde hem aan om door te gaan. Zijn stem begon zwakker te worden en ze was bang dat hij in slaap zou vallen voordat hij uitgesproken was. Hij moet iets eten, dacht ze, anders wordt hij misschien niet meer wakker. Ze wilde het eigenlijk niet toegeven, maar het idee dat ze hem kwijt zou raken was ondraaglijk.

'Misschien was dat het laatste beetje geluk dat we nog over hadden. Als dat weg is, wat zal er dan met ons gebeuren?' Zijn oogleden trilden en hij haalde snel adem.

'Het is helemaal niet gedaan met ons geluk,' zei ze vastberaden. Ze hoopte dat het waar was en wenste dat hij niet over zulke akelige dingen was begonnen. 'Je krijgt zo iets te eten. En dat moet je wel opmaken, anders zul je Sigrid kwetsen. Ga niet dood.' Ze had die laatste woorden wel weer willen inslikken, maar na dat dringende verzoek deed Ole zijn ogen weer open en de pijn scheen wat minder te worden.

Nadat Ingrid hem een hele kop soep met brokken vlees had gevoerd, zakte hij vermoeid in elkaar. 'Ik heb slaap,' zei hij. Ingrid pakte de stapel huiden weg die ze achter hem hadden gepropt om hem gemakkelijker te kunnen voeren en dekte hem zorgzaam toe. 'Als ik morgenochtend niet meer wakker word, zal er meer voor jou overblijven. Ik heb grootvader beloofd dat ik voor je zou zorgen.' Ingrid zag dat hij weer een beetje wazig begon te worden en ging ijlen.

Zou hij de geest van hun grootvader zien? 'Ik laat je niet doodgaan,' zei ze tegen hem. Ze kroop weer tegen zijn rug om hem warm te houden en vroeg zich af hoe lang het zou duren voordat vader en Leif zouden gaan denken dat ze nooit meer thuis zouden komen. Al gauw viel Ole uitgeput in slaap.

Het duurde nog een dag tot Ole weer sterk genoeg was om te reizen. Han en Kettil waren 's morgens al op pad gegaan en toen ze terugkwamen hadden ze een slee vol sneeuwhoenen en hazen. De vrouwen vilden de dieren, kookten een deel van het vlees en sneden de rest aan stukken om het in te vriezen.

Daarna overlegden ze wat hen te doen stond. Kettil was voornamelijk aan het woord, terwijl de anderen luisterden en af en toe ook een duit in het zakje deden. 'We waren eigenlijk van plan om tot de lente te wachten, maar misschien is het wel beter om te vertrekken nu we de fjords nog lopend over kunnen steken. Hier loeren ergere dingen dan wolven op ons. Maar voordat we naar de kust gaan, zullen we jullie thuisbrengen.'

'Als jij ons niet te hulp was geschoten, waren we nu dood geweest. En nu wil je ons opnieuw helpen,' zei Ole dankbaar. 'Maar we kunnen dat op geen enkele manier terugbetalen.'

Kettil maakte een wegwerpgebaar. 'Zeg maar liever dat wij iets terug konden doen voor alles wat je vader voor ons heeft gedaan. Jullie hebben ons nooit slecht behandeld. En het is beter voor ons om samen met jullie te reizen, dan vallen we minder op. Als we jullie achterlaten, zijn we overgeleverd aan de genade van mensen die ons waarschijnlijk niet zo goed zullen behandelen als je vader heeft gedaan. Onze vrouwen hebben recht op een beter leven dan we hen hier kunnen geven.'

Helga sloeg haar ogen neer en legde haar handen beschermend op haar buik. Nu pas drong tot Ingrid door dat Helga waarschijnlijk een kind verwachtte.

De volgende dag pakten ze bij het krieken van de dag hun spullen in en gingen op pad. Ze hoefden hun gezicht niet langer te beschermen met hun sjaals. Toen de zon boven de bergen in het oosten verscheen, werd het licht zo scherp weerkaatst door de sneeuw dat ze hun maskers nodig hadden.

Ze stopten bij de eerste boerderij die ze onderweg tegenkwamen. Er waren geen Groenlanders te zien. Slaven zorgden voor het vee en schepten de smeltende sneeuw uit de stal en uit het weiland. Een kleine, gezette man met een lange dunne baard, gele tanden en een donkerbruin, verweerd gezicht liet de andere arbeiders in de steek en kwam naar de reizigers toe. 'Sven!' Kettil en Han begroetten hem door om beurten zijn beide handen vast te pakken.

'Jullie hebben de grot al vroeg vaarwel gezegd.' Het was duidelijk dat hij hen nu nog niet had verwacht. Sven knikte even in de richting van Ole en Ingrid en trok vragend zijn wenkbrauwen op. Wat moesten de broers met twee Groenlanders? Was het wel verstandig dat Kettil en Han voor hen hun leven op het spel zetten door zich weer in de provincie te vertonen?

'Dit zijn twee vrienden.' Kettil wenkte hen en vertelde de oudere man hoe ze heetten. 'Sven zal een van onze leiders zijn. Hij is als jongeling door zeelieden gevangengenomen, dus hij kan voor ons met de dorpelingen onderhandelen. We hebben besloten om allemaal samen terug te gaan naar ons volk. We zijn nu zeker al met vijftig mensen op deze boerderij en dan tel ik de kinderen niet eens mee. We wachten op het juiste moment om te gaan,' legde hij Ingrid en Ole uit. 'Als we door de dorpelingen worden afgewezen, zullen we zelf een gemeenschap moeten stichten, hoewel we dat liever niet willen. Omdat we zelf nooit als Inuit zijn opgevoed, kunnen we onze kinderen ook hun manier van leven niet bijbrengen.'

Omdat Kettil zo openhartig was geweest en hen dus kennelijk vertrouwde, knikte Sven Ole en Ingrid ook toe. Hij leek meer belangstelling te hebben voor Ingrid, wat heel ongebruikelijk was voor een Skraeling-man. 'Deze jonge vrouw... zij moet de dochter zijn.' Hij deed een stapje achteruit en keek haar met zijn scherpe kleine ogen vol respect aan.

Maar Kettil had toch al gezegd dat ze Halvards dochter was? Sven wendde zich weer tot Kettil en Han. 'Is het beloofde moment dan eindelijk aangebroken? Hebben jullie een speciaal teken gehad? Hebben jullie daarom jullie schuilplaats verlaten?'

'Ole is gewond en zijn vader en broer hebben voedsel nodig. Dat was ons teken. Misschien zal de Vrouw van de Zee ons nog een ander teken geven als ze wil dat we aan onze reis naar huis beginnen.'

Ole keek Ingrid even bezorgd aan. Ze haalde haar schouders op. Ze kregen geheimen te horen.

'Wat voor teken verwacht je dan?' vroeg Ingrid, die zich nog steeds afvroeg waarom Sven had gezegd dat zij 'de dochter' was.

'Het teken dat we weg moeten. Ik hoop dat we het signaal van Nerrivik zullen begrijpen. We zijn geen van allen als Inuit opgevoed, maar volgens de voorspelling kan het niet lang meer duren. Ingrid is de dochter van Mikisoq, de Vrouw uit de Legende. Iedere slaaf in de oostelijke provincie is op de hoogte van de voorspelling van de Vrouw van de Zee en weet dat ze die via jouw moeder heeft doorgegeven. Het is een eer voor mij dat ik haar dochter mocht leren kennen.' Ingrid ging wat dichter bij Ole staan omdat ze troost putte uit zijn aanwezigheid nu ze geconfronteerd werd met al die mysteries.

'Na vorig jaar dachten we dat de Vrouw van de Zee wilde dat we nog langer zouden wachten,' zei Sven. 'De oogst was goed. Maar toen kwamen al die vliegende beesten.' Hij deed met zijn handen fladderende vleugels na. Hij had het over de ontelbare groen-blauwe vlinders die het vorig jaar door de lucht hadden gevlogen en zich aan de bloemen te goed hadden gedaan. 'We wisten niet zeker wat ze betekenden. De Groenlanders beschouwden het als een goed voorteken.'

'Mijn moeder dacht dat de Groenlanders door de strenge winters zouden verhongeren tot er niet een meer over was.' Ze wierp een aarzelende en treurige blik op Ole. 'Maar wat kan je gebeuren als jullie gewoon weggaan? Waarom zouden jullie wachten?'

'Ingrid!' zei Ole verwijtend. De profetie van haar moeder hield in dat zijn volk verdoemd was. Hoe kon ze daar zo gemakkelijk overheen stappen?

Svens ogen werden groot. 'Heeft de Vrouw van de Zee gezegd dat je ons dat moest vertellen?'

Ingrid kneep haar handen in elkaar om te voorkomen dat ze zouden gaan trillen. 'Niemand heeft iets tegen me gezegd. Ik ken de Vrouw van de Zee niet,' protesteerde ze, terwijl ze zich tegelijkertijd afvroeg waarom dat idee helemaal niet zo vreemd leek. 'Mijn moeder heeft alleen zolang ik me kan herinneren gezegd dat jullie je land weer terug zouden krijgen. Als jullie allemaal samen vertrekken, kan niemand jullie toch tegenhouden?'

'Wat heeft Mikisoq, de Vrouw uit de Legende, nog meer tegen je gezegd?'

Ze wachtten gespannen haar antwoord af. Inmiddels waren de andere slaven ook om hen heen komen staan. Dit keer dacht Ingrid na voor ze iets zei. 'Alleen dat ik mijn familie in leven moest houden.'

'Denk goed na, Kind van een Groenlander en de Vrouw uit de Legende. Heeft ze gezegd dat wij zouden weten wanneer we moesten vertrekken?'

Ingrid pijnigde haar hersens, maar er schoot haar niets te binnen. Verslagen schudde ze haar hoofd. 'Als jullie sterk genoeg zijn, als het volk van mijn vader genoeg tegenslag heeft gehad en de laatste hoop vervlogen lijkt.' In plaats van dingen die ze van haar moeder had gehoord, zei ze gewoon wat ze zelf dacht. 'Als jullie een teken van de Vrouw van de Zee willen hebben, wat denken jullie dan van al die strenge winters?'

'Wil je zo graag een eind aan onze manier van leven maken?' vroeg Ole. 'Je bent zelf half Groenlands. Denk daar dan maar aan, als de gedachte aan onze vader niet genoeg is.'

'Ik denk heus wel aan vader, maar of ik dat nou wil of niet, er zal toch een eind aan komen. Dat heeft moeder zelf gezegd. Als de Groenlanders vermoord of verjaagd zullen worden, laten we dan ons uiterste best doen om ons gezin te redden.'

Sven had zijn ene hand op Hans schouder gelegd en de ander op die van Kettil. 'Wanneer het ijs begint te smelten, verzamelen we ons in het noorden aan de monding van de Isafjord. Als we daar kans toe zien, moeten we boten meebrengen. Als jullie voor die tijd geen huis hebben gevonden, kom dan daar naartoe. Zorg goed voor jezelf en voor jullie vrouwen.' Hij draaide hen de rug toe en ging weer aan het werk.

Ze gingen snel verder met hun beide sleeën. Onderweg kwamen ze langs boerderijen waar Groenlanders de smeltende sneeuw weg-haalden om het gras bloot te leggen. Ole noch Ingrid kenden de ei-genaren van die hofstedes en ze spraken ze ook niet aan, omdat ze niet als Groenlanders herkend wilden worden. Er kwam altijd een slaaf naar hen toe om het laatste nieuws te horen en iedere keer kregen ze van Kettil te horen wat Sven van plan was, nadat hij had verteld dat ze Ole en Ingrid konden vertrouwen. 'Als het water aan de noordelijke monding van de Isafjord weer stroomt. Breng een boot mee als jullie daar de hand op kunnen leggen.'

'Zullen we dan een teken krijgen van de Vrouw van de Zee?' vroeg een vrouw, terwijl ze met een bezorgd gezicht naar het huis keek.

'Dat weten we niet.'

'Misschien is het dan niet het juiste moment. Dan worden we vast weer gevangengenomen en teruggebracht. Of we komen om van de honger, omdat niemand ons onderdak wil geven.'

Kettil wenkte Ingrid en draaide haar om zodat ze met haar ge-zicht naar de vrouw stond. 'Dit is de dochter van Mikisoq, de Vrouw uit de Legende.'

De slavin sloeg haar hand voor haar mond. 'Dit meisje? Haar dochter?' Ze keek Ingrid vol ontzag aan. 'Jij moet niet samen met al die anderen sterven.'

'Dat ben ik roerend met je eens,' beaamde Ingrid van ganser har-te. Ze wenste dat ze daar ook zeker van kon zijn. Ze waren alleen van plan te gaan omdat zij had gevraagd waarom ze zouden wach-ten. Het was haar schuld.

Toen kwamen ze langs een huis waar een man en een vrouw zo

druk bezig waren de sneeuw op een grote hoop te gooien, dat ze niet eens zagen dat er vreemdelingen langskwamen. Plotseling kwam een klein meisje op hen af rennen. 'Ingrid! Ik ken je nog van de Althing, waar je verdwaald was.' Vol blijdschap sloeg ze haar magere armpjes om Ingrid heen.

'Aama, woon jij hier?' riep Ingrid uit, toen ze zich herinnerde wie ze was. 'Je bent het dochtertje van Blijde Glimlach en Erik.'

Het kind wees naar haar ouders. 'Daar komen ze al aan. Kom je bij ons op bezoek? Het is eindelijk weer lente. We hebben al tijdenlang geen mens meer gezien.'

Blijde Glimlach en Erik holden naar hen toe. 'Wat een verrassing,' zei Blijde Glimlach, terwijl ze haar naam eer aandeed. Ze was in de winter niet bepaald mager geworden, maar ze was minder mollig. Haar versleten jas bungelde om haar heen. 'We hebben een stoofpot van schapenvlees. Kom gauw binnen allemaal en eet met ons mee.'

Ze gingen het huis binnen, waar de met huiden beklede luiken open waren gezet, zodat de vieze luchtjes van zweet, ranzig vet en bij elkaar opgesloten mensen en dieren weggeblazen konden worden door de zoele wind. Toen ze van Kettil te horen kreeg wat Sven van plan was, knikte Blijde Glimlach ernstig. 'Eindelijk,' zei ze en keek Ole en Ingrid aan. 'Wat naar dat je vader zijn land kwijt zal raken. Waar gaan jullie naartoe?'

'Dit is zo'n groot land. Waarom is hier niet genoeg plaats voor iedereen?' vroeg Ingrid onschuldig. 'Waarom moet mijn vaders volk weg?'

'Als schapen te lang op één plek grazen, groeit daar uiteindelijk geen gras meer,' legde Erik uit. 'Daarom willen we ze niet op het erf hebben. Ze vernielen de weidegronden, waardoor de rendieren dieper de bergen in moeten om te grazen. De Inuit willen vlak bij de oceaan wonen en ze houden er niet van om in het binnenland op jacht te gaan. En Groenlanders zoeken ook altijd ruzie. De sterksten verzamelen genoeg mannen om zich heen, zodat ze de anderen kunnen overheersen. Dat heb je zelf toch ook wel meegemaakt?'

Ingrid gaf toe dat ze wel een paar van dat soort grootgrondbezitters kende, hoewel haar vader nooit een van hen trouw had gezworen. 'Dus jullie wachten tot de kust vrij is en dan zien we jullie nooit meer terug?'

Maar dat hoefde nog niet hun einde te betekenen. Groenlanders woonden hier al meer dan driehonderd jaar. Zonder slaven zouden er minder monden te vullen zijn. Het vruchtbare seizoen begon alweer wat langer te worden. Binnenkort zouden er weer schepen komen en dan kwam alles weer in orde met het volk van haar vader. Ze telden nog steeds twee- of driehonderd personen, zoals ze tijdens de Althing zelf had gezien. Het leek wel alsof Blijde Glimlach, Sven en de rest van hun aanhang verwachtten dat ze zouden verdwijnen, alsof ze schepen hadden waarmee ze de oceaan over konden steken. 'Ole en ik moeten nu snel naar huis. Mijn vader en broer hebben het voedsel nodig dat we bij ons hebben.'

'Ze heeft gelijk. Wij moeten ook voorbereidingen gaan treffen, Erik. We moeten al onze dieren slachten en vlees drogen voor de reis.' Ineens aarzelde Blijde Glimlach. 'Hoewel we al zo lang hebben gewacht komt dit toch nog plotseling.' Ze lachte even. 'Maar we wachten niet langer op een teken. Dat zal binnenkort wel komen.'

'Ze weet dat haar volk daar toch op rekent,' zei Erik. 'Han en Kettil, kom met jullie vrouwen maar naar ons toe als jullie onderdak nodig hebben tot de fjords ijsvrij zijn. We hebben een boot en uit het hout van ons huis kunnen we er nog een bouwen.' Toen ze hem onderzoekend aankeken, voegde hij eraan toe: 'We moeten de Vrouw van de Zee tonen dat we erop vertrouwen dat ze haar belofte nakomt.'

Al dat gepraat over die terugkeer naar de dorpen begon Ole op zijn zenuwen te werken. 'Wat moet er dan van ons worden?' vroeg hij aan Erik. 'Jij bent ook een Groenlander.'

'Het is waar dat wij een stelletje stijfkoppen zijn, maar het volk van mijn vrouw heeft nu lang genoeg geleden. Zelfs als er géén teken komt, kan iedereen de dochter van de profetes zien rondlopen. Maak je maar niet druk. Als de tijd daar is, kunnen wij onderdak krijgen bij de familie van Blijde Glimlach. Ga maar met ons mee. Je zuster brengt geluk. De Inuit zullen geen haar op jullie hoofd krenken, zolang zij bij je is.'

Ole werd niet vrolijker van Eriks voorstel. 'Ons volk heeft al eeuwenlang winters overleefd, langer dan wij in dit land aan de rand van de wereld hebben gewoond. De Vrouw van de Zee kan ons niet met kou alleen vernietigen. Daar zijn we te gehard voor.'

Erik knikte. 'Je hebt gelijk. Er zal meer aan te pas moeten komen dan kou.' Ole wist niet wat hij daarop moest zeggen. En ze moesten trouwens weer opstappen.

De dag liep al ten einde toen ze bij Halvards boerderij aankwamen. Er kwam geen rook uit de luchtgaten van het huis. De deur zat dicht, maar de sneeuw ervoor was vertrapt en vervuild met een groot aantal skisporen. Ingrid zette het geschrokken op een lopen. Ole ging zo goed en zo kwaad als het ging op zijn sneeuwschoenen achter haar aan, geholpen door Kettil. Sigrid volgde in hun kielzog, gebukt onder de zware bundel met al hun bezittingen. Han en Helga moesten het iets rustiger aan doen, want zij trokken de sleeën met de rest van de bundels mee: vlees, dekens, vet en wapens.

Ingrid duwde de deur open. 'Vader? Leif?' riep ze. De lammetjes en de jonge geitjes begonnen zwak te blaten van honger en dorst. Ze liep haastig door de donkere kamer en struikelde over hun spulletjes die achteloos op de grond waren gesmeten. De angst gaf Ole vleugels. Hij trok de deuren van de bedsteden open en tilde de met dons gevulde lappendekens op. Ingrid hield haar adem in, uit angst voor wat ze te zien zouden krijgen, maar ze vonden niets. Met uitzondering van de verzwakte beesten, was het huis leeg. Zelfs de hond was verdwenen.

'Ze zijn meegenomen,' concludeerde hij terwijl hij op Halvards lege bed neerviel. De verdwijning van zijn vader en broer werkten net zo verlammend op Oles kracht als het bloedverlies dat de wolven hem hadden bezorgd. Hij keek zijn zuster aan met een trek van wanhoop om zijn samengeknepen lippen.

Hoofdstuk

De anderen kwamen ook binnen en trokken de beide sleeën mee. Zonder iets te zeggen deed Kettil de deur dicht. Ole zat ineengedoken naar de rommel te kijken. 'Wie zou hier nou verantwoordelijk voor zijn?' vroeg hij ironisch, terwijl hij naar de overhoop liggende kamer en hun halfverhongerde dieren wees.

De stank van de opgesloten beesten deed hen kokhalzen. Ingrid gooide de luiken open om licht en frisse, zilte lucht binnen te laten. Daarna deed ze de deur weer open en probeerde zwaaiend de verschaalde lucht naar buiten te wapperen. Han gaf de dorstige dieren water, maar er was lang niet genoeg. 'Ik loop wel even naar de bron,' zei hij.

Ingrid was zo geschrokken dat ze niet helder kon denken. Uit de opgedroogde bloedsporen op de muren bleek dat er een hevig gevecht had plaatsgevonden tussen vader en Leif en de personen die het huis waren binnengevallen. Sigrid ruimde de troep rond de olielamp op. 'Kettil, terwijl ik een vuur maak, kun jij de dieren te eten geven,' stelde ze voor. 'Laat Ingrid maar even gaan zitten om bij te komen.' Helga begon uit eigen beweging het huis op te ruimen.

De geitjes en de lammetjes drukten zich tegen hun moeders aan. 'Hoe kan iemand zomaar dieren achterlaten zonder eten en drinken?' vroeg Ingrid zonder antwoord te verwachten. Ze probeerde te beredeneren wat er tijdens hun afwezigheid was gebeurd. 'Sira Mars heeft ons gewaarschuwd. Pall Knudson moet een stuk of zes van zijn mannen hier naartoe gestuurd hebben.' Ze haalde snel adem. Ze had het liefst een keel opgezet om uiting te geven aan haar boosheid over die brutaliteit, maar ze onderdrukte haar woede en sloeg haar armen over elkaar om het beven tegen te gaan. Ole kon niets doen. Ze moest nadenken en keek toe hoe hun vrienden het huis opruimden en zorgden dat ze iets te eten kregen. Ze was intens dankbaar voor hun hulp. Maar wat moesten ze nu doen? 'Waren ze niet gewaarschuwd?' vroeg ze hardop denkend terwijl ze haar overgebleven broer aankeek.

Ole zat naar een gebroken ivoren lepel te staren alsof die hem kon vertellen wat er was gebeurd. 'Vast wel,' zei hij bitter. 'Kwispel moet geblaft hebben.' Toen drong ineens tot hem door wat hij had gezegd. 'Kwispel! Waar zit hij?'

Het was niet bij hen opgekomen om de hond te gaan zoeken. 'Als vader en Leif vermoord zijn door die monniken, moeten ze hun lijken hier ergens neergegooid hebben,' zei Ole. Hij slaagde erin om alleen naar de deur te lopen en die open te trekken. Hij stond even te roepen en te fluiten, maar er was niets te horen, geen geblaf en geen gejank. Met gebogen hoofd sjokte hij terug naar het bed. Onderweg zag hij iets op de vloer liggen, tussen de bemodderde huiden. Hij bukte zich en pakte een stukje donkere stof op. 'Kijk eens. Wat is dit?'

Hij gaf het aan Kettil die het bij het licht hield en eraan snuffelde. 'Dat is een stuk van een monnikspij. Er zit geronnen bloed op.' Kettil betastte de grove stof en stak zijn vingers door een gat. 'In ieder geval hebben ze zich verzet. De tanden van Kwispel zijn hier dwars doorheen gegaan en hij heeft de vent tot bloedens toe gebeten. Daar durf ik een eed op te doen. Misschien vinden we buiten ook wel het lijk van een monnik.'

'Han had allang terug moeten zijn met het water,' merkte Ingrid op. Ze begon zich zorgen over hem te maken.

'Buiten waren de sporen van ski's te zien. Misschien is Han die gevolgd om te zien of hij iets meer te weten kan komen.' Helga scheen niet ongerust te zijn. Ze pakte de tweede emmer op en vroeg: 'Waar is de bron?'

Ze kwam terug met twee volle emmers water. Kennelijk had Han de andere bij de bron laten liggen, dacht Ingrid. 'Heb je Han gezien?' vroeg ze aan Helga.

'Alleen zijn sporen en de emmer. Hij moet iets hebben gezien anders had hij die nooit zo laten liggen. Hij zal zo wel terugkomen.' Ze keken allemaal naar de open vensters en zagen dat het al donker begon te worden.

Han stond gebukt over het spoor en lette goed op dat hij het niet uitwiste. Hij zag de afdrukken van hondenpoten op het punt waar ze afweken van het brede skispoor, plus een paar bloeddruppels. De hond was geveld door een trap of door een klap met een stomp voorwerp. De plek waar hij in de sneeuw had gelegen was nog steeds zichtbaar. Maar de hondensporen waren verser dan die van de ski's, wat betekende dat de hond weer was opgestaan nadat de mannen verdwenen waren. Kwispel moest achter hen aan zijn gelopen, met zijn neus op de sneeuw om hun geur op te pikken. Zijn spoor verdween achter een hoop opgewaaide sneeuw.

En daarachter vond hij Kwispel. Hij lag opgerold, met zijn staart over zijn neus. Zijn tong hing uit zijn bek en zijn ogen waren spleetjes. Han dacht eerst dat het beest morsdood was, maar toen hij zijn hand over de ruige vacht liet glijden om te voelen of het hart nog klopte, piepte het half bewusteloze dier even. Han haalde opgelucht adem. 'Ik ben het, Kwispel, oude maat van me,' zei hij. 'We hebben de afgelopen zomer samen achter de kudde aan door de heuvels gerend, weet je nog wel?' Hij maakte zichzelf wijs dat de opwaaiende sneeuw zijn ogen deed tranen. Zouden Inuit-jagers weleens huilen als een van hun honden gewond was? Hij betwijfelde het. Zijn volk had ze nodig om te kunnen jagen en reizen, maar hij wist zeker dat ze geen sentimentele gevoelens voor ze koesterden. De hond probeerde op te staan, maar hij viel weer om. Hij was verstijfd van de kou. 'Ik draag je wel,' zei Han terwijl hij hem oppakte. 'Binnen zal het nu lekker warm zijn.'

Er hing een warme geur in de kamer. De dieren stonden te drinken en te eten. Ze waren mager en uitgehongerd, maar er was er niet een meegenomen door de personen die het huis overhoop hadden gehaald. Ingrid had Ole een kom soep overhandigd en zag tot haar blijdschap dat hij die helemaal leeg at. Hij begon alweer de oude te worden.

Plotseling werd de deur open geschopt en Han kwam binnen met Kwispel in zijn armen. 'Hij is gewond. Ik denk dat hij een trap heeft gehad. Toen ik hem vond, was hij bijna doodgevroren. Geef hem maar een kop soep, want hij heeft vooral behoefte aan iets warms.' Sigrid haastte zich om de deur dicht te doen terwijl Han de hond op een paar schaapsvellen bij de kachel legde.

Ingrid maakte de bloedende wond schoon met een uitgewrongen lap. 'Je bent een brave kerel, Kwispel,' zei ze. 'Je hebt met ze gevochten.' Hij likte haar hand en haar gezicht terwijl ze met hem bezig was. 'Wat hebben ze met vader en Leif gedaan? Waar zijn ze nu?' Haar stem leek hem gerust te stellen, hoewel de hond bleef hijgen. 'Wat als hij gebroken ribben heeft?' Ze keek Sigrid en Helga aan.

'Als hij gebroken ribben had, zou hij nu dood zijn,' zei Helga bot. 'Hij blijft wel leven.'

Ole liet Han het kapotte en bebloede stuk donkere stof zien en vertelde wat Kettil had gezegd.

'Hij heeft gelijk. Dat is van een priesterkleed of van een monnikspij,' zei Han. 'Wat ben je nu van plan?'

'Het spoor volgen en kijken of het naar een of andere boerderij of naar de kathedraal leidt,' antwoordde Ole. 'Sira Pall wilde ons straffen, dus hebben ze vader en Leif als gijzelaars meegenomen. Ik wil niet dat zij in mijn plaats moeten lijden.' Hij schoot zijn jas weer aan, waarbij hij zijn schouder ontzag. Toen hij zich bukte om zijn sneeuwschoenen onder zijn laarzen te binden werd hij bleek en viel bijna op de grond. Ingrid bracht hem haastig naar zijn bed en ging een kopje water voor hem halen.

Ole was niet flauwgevallen, maar de lange tocht naar huis had hem zo verzwakt, dat hij niet eens zelf het kopje vast kon houden. Hij ging staan, maar toen hij opnieuw op zijn benen stond te zwaaien, zakte hij weer terug. 'Ik vervloek die zwakheid,' zei hij. 'Ik had ervoor moeten zorgen dat Sira Pall dood was voordat we uit de cel van Sira Mars wegliepen.'

'Jij moet hier blijven en rusten om aan te sterken,' zei Ingrid. 'Ik ga wel achter vader en Leif aan.'

'Jij?' protesteerde Ole. 'Je bent een meisje.'

Ingrid negeerde hem en keek neer op haar afgedragen en smerige reiskleren: de broek van geitenhuid en het grove boerenhemd. 'Maar dan moet ik wel iets anders aantrekken, anders denken ze dat ik een wilde Skraeling ben die de kathedraal is binnen gedrongen om hun het hoofd af te bijten. Dat is trouwens helemaal niet zo'n gek idee,' zei ze heftig, maar ze trok toch een nette rok aan die tot op haar enkels hing en een lijfje met lange mouwen. 'Dit is wel goed. Ik moet alleen nog iets om mijn hoofd slaan waarmee ik mijn gezicht kan verbergen,' zei ze. Zodra ze aangekleed was, vroeg ze ernstig aan Kettil en Han: 'Zouden jullie in ieder geval tot de deur van de kathedraal met me mee willen gaan?'

'We gaan allebei mee,' antwoordde Kettil.

Ole zat zich te verbijten, maar de vlam in zijn ogen was even vurig als zijn haar. 'Wij wachten hier wel tot je weer terugkomt,' zei Sigrid. 'We zullen zorgen dat het huis warm is wanneer je vader en je broer thuiskomen.'

Maar zo gemakkelijk liet Ole zich niet afschepen. 'Ingrid kan toch niets doen? Ze hebben het op ons allebei gemunt.'

'Ik kan in ieder geval proberen het met hen op een akkoordje te gooien,' zei Ingrid het eerste wat in haar hoofd opkwam. 'Misschien is Sira Pall wel bereid te onderhandelen, als hij het idee heeft dat hij jou later in handen kan krijgen. Dan hebben we in ieder geval wat tijd gewonnen en kunnen we proberen vader over te halen om samen met onze vrienden naar het noorden te trekken.' Ze weigerde te geloven dat vader en Leif dood waren en nu Sira Pall hun gezworen vijand was, leek dat het enige wat ze nog konden doen, omdat hij altijd belust zou blijven op wraak.

Ingrid wilde Ole geruststellen door te zeggen dat alles vast goed zou gaan, maar hij was geen kind meer dat zich liet troosten met zoete woordjes. Zeker niet door haar. Daarom boog ze zich over hem heen en legde haar hand op zijn voorhoofd. 'Het is nou drie dagen geleden dat je door die wolf bent gebeten en je voelt nog steeds koel aan. Als je braaf bent en naar Sigrid en Helga luistert, overleef je het misschien wel.'

Hij duwde haar hand weg. 'Dit keer heb je me te pakken. Ik moet wel naar je luisteren. Zorg in ieder geval dat je hen bevrijdt. En je moet verstandig zijn. Als de sporen rechtstreeks naar de kathedraal lijken te lopen, ga dan eerst naar Osmund en vertel hem wat er is gebeurd. Misschien gaat hij dan wel met je mee om met de priesters te praten. Hij heeft in ieder geval meer invloed op Sira Pall dan jij of ik.'

De zwakke en gewonde Ole was veel aardiger dan de gezonde Ole. Om niet te laten zien dat ze in de lach schoot, draaide Ingrid zich snel om. En ze keek niet meer om, ook niet toen Han en Kettil afscheid namen van hun vrouw. Het was voor hen net zo goed een gevaarlijke tocht. Helga waarschuwde hen dat ze zich niet moesten laten zien als Ingrid met de priesters praatte.

Het begon al donker te worden toen ze bij Osmunds boerderij aankwamen. 'Ben jij het, Ingrid?' riep Ludmilla toen ze haar aan zag komen. 'Wat is er aan de hand? Wie heb je daar bij je?' Ze sloeg haar hand voor haar mond toen ze Kettil in het oog kreeg. 'Vader, Einar!' gilde ze. 'Kom gauw!'

Osmund kwam zo snel als hij kon op zijn brede ski's naar hen toe. Ludmilla's man sloot zich bij hem aan en ze zwaaiden allebei met hun sneeuwschuivers om het gevaar het hoofd te bieden. Osmunds kleinzoons renden heen en weer, nieuwsgierig maar toch angstig.

Ingrid ging snel tussen hen in staan en legde in een paar zinnen uit wat er aan de hand was. 'Dus Han en Kettil hebben ons thuisgebracht en nu zijn ze bereid om tot de kathedraal met me mee te lopen. Ik moet de priesters vragen om mijn vader en Leif vrij te laten.'

'Kom maar even binnen om je te warmen, want hier moet ik eerst over nadenken,' zei Osmund. Ze liepen achter hem aan het huis in.

Einar viel Ingrid in de rede toen ze het hele verhaal nog een keer vertelde. 'Toen Ole Sira Pall neersloeg, had de brave priester hem zijn andere wang moeten toekeren. Die raad geeft hij ons tenminste altijd.'

'Hou je mond, Einar,' zei Ludmilla. 'Je mag een dienaar van God niet slaan. Zij kunnen ervoor zorgen dat onze zonden worden vergeven. Ze staan boven gewone mensen. Ingrid had geen afgodsbeeld mee mogen nemen naar de kerk.'

'Bij het oog van Odin!' riep Ingrid ongeduldig uit. 'Een stukje ivoor in de vorm van een zeehond is toch geen afgodsbeeld?' Maar ze had geen tijd om in discussie te gaan met Ludmilla, die haar kil en boos stond aan te kijken. 'Ik maak me zorgen over mijn familie,' zei ze bij wijze van verklaring tegen haar buurvrouw. Toen Ludmilla niet reageerde, vroeg ze onomwonden: 'Wat moet ik nu doen, Osmund? Sira Pall wil mij en Ole straffen. Maar als mijn vader en Leif nu niet willen dat ik mezelf overgeef aan de priesters in ruil voor hen? Ik weet niet wat ik ze anders moet aanbieden.'

Osmund streek over zijn grijze baard. 'Laat me daar eens goed over nadenken,' zei hij fronsend. Even later vroeg hij: 'Denk je dat de mensen die jouw familieleden hebben meegenomen misschien het idee hadden dat jij en Ole ergens in de buurt verstopt zaten? En dat ze zich daarom niet om jullie dieren bekommerd hebben?'

Ingrid knikte, maar ze vroeg zich wel af waarom hij over de dieren begon in plaats van over veel dringender zaken. 'Je begrijpt niet waarom ik dat vraag, Ingrid.' Het was geen vraag, maar ze schudde toch haar hoofd. 'Als ze dachten dat jij en Ole in de buurt waren, hoeven we ze niet te beschuldigen van dierenmishandeling. Daarom bestaat de kans dat de priesters bereid zijn naar ons te luisteren. Natuurlijk wil je zelf graag het woord doen, maar het lijkt me toch verstandiger dat ik met Sira Pall in discussie ga. Hij zal waarschijnlijk eerder bereid zijn om naar mij te luisteren dan naar jou.'

Ingrid vouwde onwillekeurig haar handen. 'O, zou u dat willen doen? Ze kunnen toch niet weigeren om met u te praten!'

Haar vertrouwen ontlokte Osmund een treurig glimlachje. Ludmilla keek haar vader verbaasd aan en haar ongerustheid nam toe. 'Lach niet, vader. Dit is veel te ernstig. Ole heeft Sira Pall geslagen!'

'Daar heeft Sira Pall zelf om gevraagd, Ludmilla,' wees hij haar terecht. 'Een robbertje vechten doet elke Noorman goed. Ingrid heeft het volste vertrouwen in me. Waarom heb jij dat niet?' Toen ze geen antwoord gaf, dacht hij hardop verder. 'Sira Mars heeft niet zoveel gezag als Sira Pall, maar hij kan ons toch van nut zijn. We zullen moeten afwachten wat er besloten wordt, maar hoe eerder we dat weten des te beter. Einar, je ziet er nogal indrukwekkend uit. Ga je ook mee?'

'Ik zou het voor geen goud willen missen,' antwoordde zijn schoonzoon.

'Dan ga ik ook mee,' verkondigde Ludmilla. 'Iemand moet een oogje op mijn mannen houden.'

Ludmilla zei tegen haar zoontjes dat ze thuis moesten blijven om op hun zusje en op de dieren te passen. 'Maar Halvards slaven gaan wel,' pruilde de oudste, een jochie van zeven. 'Waarom laat je hen niet hier blijven, dan kunnen wij wel mee.'

'Ze zijn geen slaven,' snauwde Ingrid. 'En luister naar je moeder.' Het jongetje schrok zo van de toon die ze aansloeg, dat hij achteruitweek. Maar zijn reactie ontging haar, want ze was al op weg naar de deur.

Bij de kathedraal viel Ingrid op dat er nergens dieren te zien waren en ze vroeg zich hardop af of de priesters de beesten naar binnen hadden gehaald om te voorkomen dat ze dood zouden vriezen. Maar Einar vertelde haar dat er de laatste paar weken een stroom vluchtelingen uit de kerken in de omgeving naar de kathedraal was gekomen, met inbegrip van alle nonnen uit twee verschillende kloosters, compleet met hun moeder-overste. Alle dieren waren inmiddels opgegeten, ook de grote stier en de pony's, en alle leerlingen en de oude slaven waren op straat gezet.

Toen ze bij de grote houten, met koper beslagen deuren aankwamen, zei Osmund: 'Jij moet je niet laten zien, Ingrid. Kettil en Han, blijf met haar in de schaduw staan en probeer ervoor te zorgen dat niemand jullie in de gaten krijgt. Ik ga met Ludmilla en Einar naar binnen om uit te vissen wat er met je vader en Leif is gebeurd.'

Ingrids boosheid, die haar op de been had gehouden, was inmiddels verdwenen. Ze was dankbaar dat Osmund bereid was om in haar plaats met de priesters te praten. Samen met Kettil en Han ging ze in de schaduw van de hoge, vensterloze westmuur staan. Osmund, geflankeerd door Ludmilla en Einar, bonsde met zijn wandelstok op de deur.

Ingrid hoorde het geluid van voetstappen op de stenen vloer van de hal. Het weerkaatste tegen de stenen muren, tot een man de deur op een kier opendeed. Er viel een streep licht op de sneeuw. Achter de deur stond een monnik die zijn mantel omgeslagen had. 'Wie is daar?' vroeg hij.

Osmund richtte zich in zijn volle lengte op en zei met diepe stem: 'Rechter Osmund Erlandson. Ik heb mijn dochter en schoonzoon bij me. Ik moet Sira Pall over een belangrijke kwestie spreken. Hij kent me.'

De monnik knikte even. 'Ik ken u, rechter Osmund, en uw familie ook. Heeft iemand van uw gezin een schrijver nodig of moet er voor u gebeden worden?'

'Nee, maar bedankt dat u dat vraagt. Wilt u nu alstublieft tegen Sira Pall gaan zeggen dat ik hem graag wil spreken?'

'Ik zal uw boodschap overbrengen.'

De monnik wilde de deur weer dichtdoen, maar Osmund pakte hem bij zijn mantel en trok hem terug. 'Het is koud en het begint al donker te worden. Zou het niet wat christelijker zijn als u ons aanbiedt om binnen op Sira Pall te wachten?'

'Natuurlijk, edelachtbare. Neem me niet kwalijk dat ik dat niet gevraagd heb. We hebben geen voedsel over, vanwege al die nonnen en monniken die bij ons in zijn getrokken,' zei hij verontschuldigend. Osmund woof het excuus weg en stapte naar binnen, met Ludmilla en Einar op zijn hielen. 'Ik zal tegen Sira Pall zeggen dat u er bent. U moet hier maar even wachten, als u wilt.'

Ingrid kon het gesprek duidelijk volgen, ook al was de deur weer dicht. Het geluid van de stemmen kwam uit een van de luchtgaten in de muur boven hun hoofd. En aangezien monniken en priesters altijd met stemverheffing praatten, zou ze de bemiddelingspoging van Osmund woord voor woord kunnen volgen.

Hoewel ze even bang was dat Sira Pall misschien niet met Osmund zou willen praten, duurde het niet lang voordat ze zijn boze stem hoorde. 'Ja. Ik heb ze hier. Halvard en zijn jongste zoon zullen alleen vrijgelaten worden als die barbaar Ole zichzelf overgeeft om gestraft te worden. En dat geldt ook voor die halfbloedzuster van hem.'

Ze konden Osmunds antwoord niet verstaan, maar wel het snelle antwoord van Sira Pall. 'Het meisje zal aan de moeder-overste worden gegeven, die haar mee zal nemen als ze terugkeert naar haar klooster. Ingrid Halvardsdottir zal de nonnen de rest van haar leven moeten dienen. Misschien dat ze op die manier haar ziel kan redden, iets wat haar in dat heidense gezin nooit zal lukken.'

Osmund had daar kennelijk op gereageerd, want even later kwam de stem van Sira Pall weer door het luchtgat. 'Iedereen weet toch dat de moeder van dat kind een heks was! Als het niet om de ziel van dat meisje ging, zou ik dit nooit doen. Maar iedere heiden moet de kans krijgen om tot de zaligheid van Onze Lieve Heer toe te treden. Wat ben jij eigenlijk voor soort christen, Osmund Erlandson, dat je altijd opkomt voor die ongelovigen?'

De stem van Sira Mars onderbrak en overstemde die van zijn meerdere. 'Sira Pall!' riep hij uit. 'Deze man is een rechter. Let op uw woorden!'

En dit keer konden ze Osmund wel verstaan, want hij sprak zo luid dat iedereen in de grote kerk hem kon verstaan. 'Ik ben het soort christen dat in de praktijk brengt wat ú preekt.' Ingrid kon zelfs horen dat Ludmilla haar adem inhield en ontzet 'O!' riep bij het onbeschaamde antwoord van haar vader.

Osmund die nu pas goed op gang kwam, vervolgde: 'Ik ben het soort dat altijd op zoek is naar de goede kant van mensen, Sira Pall. Zou Onze Lieve Heer Halvard en zijn gezin vervolgen of zou Hij hen vriendelijk tegemoet treden en voor hen bidden?'

'Ik heb voor hen gebeden,' bulderde Sira Pall. 'Ik bid iedere dag dat ze het licht zullen zien en zich zullen bekeren. Dit gezin moet tot de orde worden geroepen, voordat ze hun ketterse ideeën op anderen overbrengen. Ik weiger om Halvard en Leif te laten gaan voordat ik Ole en Ingrid heb. Halvard Gunnarson en Leif Halvardson zitten opgesloten op een plek waar jij ze nooit zult vinden. Wat heb je met die broer en zus gedaan? Zijn ze weggelopen toen wij hen kwamen arresteren? Zijn ze bij jou thuis?'

Osmund had met geen woord gesproken over het feit dat hij Ingrid bij zich had en dat Ole gewond was, maar hoe lang zou hij blijven praten terwijl de kans op succes zo klein was? Ingrid wendde zich af omdat ze niet wilde dat Han en Kettil zouden zien hoe wanhopig ze was en toen viel haar oog ineens op de kleine achterdeur bij de keuken, waarvan ze altijd gebruik had gemaakt als ze naar Sira Mars ging.

Sira Pall had gezegd dat vader en Leif opgesloten zaten op een plek waar niemand hen zou vinden. En op de eerste verdieping was een kamer waar altijd monniken en priesters die iets op hun geweten hadden, werden opgesloten om te bidden en te vasten. Als die deur nou maar niet op slot zat. Ze hoopte dat iedereen naar de kerk was gelopen, om bij wijze van verzetje naar Osmund te luisteren. Ondertussen zou zij stiekem naar vader en Leif kunnen sluipen.

'Blijven jullie hier maar wachten,' zei ze tegen Kettil en Han. 'Ik ga naar binnen.'

Han keek haar met grote ogen aan. 'Dat meen je toch niet? Dan geven ze je aan Sira Pall en die zal je nooit meer laten gaan.' Hij pakte haar arm vast om haar tegen te houden.

Ze keek alleen maar naar zijn hand op haar arm en Han trok hem haastig terug. 'Probeer me niet tegen te houden. Niemand weet dat wij hier zijn. Terwijl de priesters en alle anderen in de kerk naar het gekibbel van Osmund en Sira Pall staan te luisteren, kan ik mijn vader en Leif bevrijden en mee naar huis nemen.'

'Maar je loopt gevaar als je naar binnen gaat. Laat ons nu maar meegaan, dan kunnen we je beschermen,' stelde Kettil voor.

'Nee. Eén persoon zal waarschijnlijk niet opvallen. Drie mensen die hier niet thuishoren zullen te veel aandacht trekken. Ik moet dit in mijn eentje doen.' Ze liet haar korte ski's bij de deur staan en glipte naar binnen.

Een non met een jeugdig gezicht en lang, lichtblond haar dat onder haar kap uit kwam, stond met een lange lepel in een grote pot te roeren. In een nis boven haar hoofd brandde een lampje. Het zorgde voor een kleine plek licht in de donkere keuken. De non keek op en zag Ingrid over de tegelvloer lopen. 'Ik ken jou niet,' riep ze haar toe. 'Wat kom je hier doen?'

Ingrid was blij dat ze zich had omgekleed. Haar losse omslagdoek bedekte het grootste deel van haar lichaam en haar hoofd en haar lange, ongeverfde rok leek veel op die van de non. 'Ik ben van de andere orde,' zei ze, in de hoop dat de non daar niet dieper op in zou gaan. 'Jouw moeder-overste wil dat je naar de kerk gaat om te luisteren naar het debat tussen Sira Pall en rechter Osmund. Ik let wel op de soep.'

'Dat is lief van je,' zei de jonge vrouw glimlachend. Ze overhandigde haar dankbaar de lepel en maakte zich uit de voeten.

Ingrid slaakte een zucht van opluchting en onderdrukte het zenuwachtige lachje dat in haar keel kriebelde. Terwijl ze zo geruisloos mogelijk over de tegelvloer liep en op zoek ging naar de trap, klonken haar voetstappen haar luider in de oren dan eigenlijk de bedoeling was. Vandaar dat ze niet hoorde dat de deur achter haar open en weer dicht werd gedaan.

Hoofdstuk 18

De gang boven aan de trap werd verlicht door kleine ronde raampjes aan weerszijden van de kerk. Er kwam geen licht uit de cellen of uit de slaapzaal van de nonnen. De bewoners van de kathedraal waren te verstandig om zomaar lampen te laten branden op hun door stenen muren en wanden van geperst stro afgescheiden ruimtes op de tweede verdieping.

Omdat het overdag zo warm was geweest, was het ijs onder het met plaggen bedekte dak gaan smelten en daardoor waren overal in de gang plasjes ontstaan die bij het invallen van de duisternis weer waren bevroren. Ingrid liep voorzichtig verder, met haar hand tegen de muur. De gang leek op een ondergrondse tunnel. De plafondbalken waren zo laag, dat ze bijna haar hoofd raakten.

Terwijl ze langzaam doorliep, zag ze aan het eind van de gang een streepje wit maanlicht dat door een smal raam viel. In een van de met huiden bedekte luiken was door weer en wind een kier ontstaan, waardoor ze iets meer kon zien.

Dankbaar telde Ingrid de schaapsvellen voor elke deuropening. Ze passeerde zes priestercellen en vervolgens de slaapzalen van de nonnen. Ten slotte kwam ze bij de massieve deur. Ze was er blindelings van uitgegaan dat vader en Leif in deze kamer opgesloten zaten, maar stel je voor dat ze zich vergiste? Zouden de monniken hen niet in een cel bij de keuken hebben gestopt? Of in een kelder onder de vloer? Waren ze nog wel in leven?

Er was niets anders te horen geweest dan het geluid van haar eigen laarzen over de houten vloer. Nu had ze het idee dat iemand achter de gesloten deur zijn adem inhield. Ingrid stond stil en luisterde. 'Ik weet zeker dat ik iemand hoorde lopen.' De stem van

Leif! Haar hart begon te bonzen. Ze had gelijk gehad.

Voordat ze had bedacht wat ze nu moest doen, gaf haar vader antwoord. 'Als die Pall hiernaartoe komt om ons lastig te vallen, dan zweer ik bij het ene oog van Odin dat ik die magere nek van hem omdraai en zijn lijk aan mijn geiten voer.'

Ingrid schoof heel voorzichtig de grendel van de deur en trok die vervolgens open. De scharnieren produceerden een gepiep dat op een angstkreet leek. 'Wie is daar?' wilde haar vader weten.

'Ik ben het. Ingrid,' zei ze fluisterend. 'Ik kom jullie bevrijden, zodat we weer naar huis kunnen.'

'Ingrid?' riep Halvard met een schorre fluisterstem. Leif kreunde van verbazing, een geluid dat halverwege veranderde in een zachte kreet van blijdschap. 'Hoe ben je binnengekomen?' Vier armen werden tegelijk om haar heen geslagen.

Ze viel tegen Halvard aan en klampte zich aan hem vast om op de been te blijven. Haar knieën begonnen te knikken. 'Ik dacht dat ik jullie nooit weer zou zien.' Ze voelde hete tranen in haar hals, maar ze wist niet of die van haar, van haar vader of van Leif waren. Ze waren weer samen.

'Waar is Ole? Hoe ben je hier gekomen? Waar zijn de priesters?' wilde vader weten. 'Worden we vrijgelaten?'

'Ole is thuis. We zijn aangevallen door wolven en daarbij raakte hij gewond. Ik heb nu geen tijd om alles uit te leggen. We moeten wel opschieten. De priesters zijn beneden en luisteren naar Osmund die ruzie staat te maken met Sira Pall. Hij is met me meegekomen, samen met Einar en Ludmilla, om hen zover te krijgen dat ze jullie vrijlaten. Ze weten niet dat ik door de achterdeur naar binnen ben geglipt. Ik heb alleen een non gezien die in de keuken in de soep stond te roeren en die heb ik naar de kerk gestuurd om naar de discussie te luisteren. Ze dacht dat ik ook een non was, die haar kwam aflossen. Waar zijn jullie jassen? We moeten opschieten.'

'Die hebben de mannen van de priesters meegenomen om te voorkomen dat we zouden ontsnappen,' zei vader. Hij stond onzeker voor de deur van de kamer waarin hij opgesloten had gezeten.

Ingrid huppelde bijna naar hem toe. 'De trap is deze kant op,' zei ze, terwijl ze hem de gang in trok. 'Ik hoop dat die non niet terug is gekomen.'

'Maar we moeten wel jassen hebben,' merkte Leif op. 'Heb je die nergens gezien?'

Ingrid bleef even staan. 'Nee, maar ik weet iets beters. Kom.' Ze liep voor hen uit naar een van de cellen, omdat ze wist dat daar een kist stond waarin de monniken hun wijde, warme buitenpijen bewaarden. 'Doe die maar aan en trek de kap naar voren, zodat niemand jullie gezicht kan zien. Gauw, dan kunnen we nog weg terwijl Osmund hun aandacht afleidt. Deze kans moeten we aangrijpen.'

Zuster Marie, de jonge non uit de keuken, had zich bij haar zusters in de kerk gevoegd, blij dat iemand anders haar taak had overgenomen. Rechter Osmund was verwikkeld in een woordenstrijd met het hoofd van de kathedraal. Het meisje vond het heel dapper van de edelachtbare dat hij het lef had om zich de woede van Sira Pall op de hals te halen. Zij durfde hem niet eens in gedachten tegen te spreken, laat staan openlijk. En zelfs haar moeder-overste had ontzag voor Sira Pall.

'Wie is die man die het tegen Sira Pall durft op te nemen?' vroeg ze fluisterend aan zuster Agatha. Dat was een al wat oudere non, die haar halve leven in het klooster had doorgebracht, maar ze had evenveel ontzag voor de heilige vaders als zuster Marie. 'Ze zeggen dat het de rechter is, die niet zo lang geleden is gekozen. Zijn wereldse status is zo hoog dat hij Sira Pall als zijn gelijke mag beschouwen.' Zuster Marie sloeg verbaasd haar hand voor haar mond.

'En daar komt nog bij,' vervolgde zuster Agatha, 'dat hij de naaste buurman en beste vriend is van de heidenen die Sira Pall in de boetekamer heeft opgesloten. Hou nou je mond, ik wil luisteren.'

Maar hun gefluister had de aandacht getrokken van hun moeder-overste en de strenge dame kwam naar hen toe. 'Wat doe jij hier, zuster Marie? Heb jij je taak in de keuken verlaten om te luisteren naar iets wat je niet aangaat? Is er nu niemand die op de soep let?'

Zuster Marie maakte een diepe revérence. 'O, nee, hoor,' legde ze uit toen ze weer opstond, een beetje bang dat ze klappen zou krijgen omdat ze ongehoorzaam was geweest. 'De andere eerwaarde moeder heeft een van haar nonnen gestuurd om me af te lossen. Ze zei dat u wilde dat ik naar de kerk kwam om naar het gesprek te luisteren.'

De moeder-overste keek boos. 'Hier is iets vreemds aan de hand. Ik heb niemand naar je toe gestuurd en alle anderen zijn nog steeds hier. Ga maar mee naar de keuken, zuster Marie, dan zullen we eens gaan kijken wat er aan de hand is.'

Ze liepen samen de kerk uit en gingen naar de keuken, waar niemand zich om de soep bekommerde. 'Waar is die zuster die naar je toe is gestuurd om je af te lossen?' vroeg de moeder-overste op dreigende toon. 'Heb je haar verzonnen omdat je je nieuwsgierigheid wilde bevredigen? Moet je een paar zweepslagen hebben om te leren dat je gehoorzaam moet zijn?'

'Dat zou ik nooit doen.' Zuster Marie week achteruit en keek zoekend om zich heen. Ze wist dat ze nog zwaarder gestraft zou worden als ze probeerde er onderuit te komen. 'Nee, moeder-overste, ik heb het echt niet verzonnen. Kijk maar, daar is de zuster die me afgelost heeft. Ze komt net met twee priesters de trap af.' In het halfduister werden de schaduwen van de drie personen die naar beneden liepen groter naarmate ze dichterbij kwamen. De vrouwen weken achteruit en knielden neer om de mannen in de monnikspijen te laten passeren. 'Deze kant op, Sira's,' zei de moeder-overste vol respect, terwijl ze naar de kerk wees.

Halvard en Leif hadden net op het punt gestaan de achterdeur uit te lopen, maar omdat de nonnen zo aandachtig naar hen keken, wandelde Halvard in de richting van de kerk. Het was misschien verstandiger om zich onder de anderen te mengen en later weg te glippen. Hij wenkte dat Leif voor hem uit moest lopen. Ingrid wilde achter hen aan gaan toen ze over de drempel stapten, maar de moeder-overste greep haar pols vast en trok haar terug. 'Wie ben jij, meisje?' wilde ze weten. 'Ik heb je nog nooit gezien.'

'Ik ben van de andere orde,' stamelde Ingrid. Dat leugentje had haar al een keer gered.

'Welke orde dan? Vertel me maar hoe je moeder-overste heet.'

Ingrid worstelde om zich los te rukken. Leif en Halvard liepen haastig terug om haar te helpen. 'Laat haar los,' blafte Halvard. 'Ze hoort bij ons.' Het scherpe bevel bracht de moeder-overste zo in verwarring, dat ze Ingrid losliet. Het meisje holde meteen naar haar vader. Halvard sloeg zijn arm beschermend om haar schouders en trok haar mee naar de achterdeur.

Maar de moeder-overste was al snel over haar schrik heen. Het beeld van een priester die een non zo familiair bejegende, was een raadsel dat meteen opgelost moest worden. Ze rende naar de achterdeur en ging ervoor staan, om te voorkomen dat de mannen en de jonge vrouw daardoor naar buiten konden lopen. 'Wie zijn jullie?' wilde ze weten. Ze stak haar hand uit en probeerde Leif de kap van het hoofd te trekken. Hij gaf haar een harde zet, waardoor ze met een klap tegen de muur viel.

Inmiddels was zuster Marie over haar eerste schrik heen. Dit waren helemaal geen priesters, maar gevaarlijke mannen die zich vermomd hadden en zelfs de eerwaarde moeder met geweld durfden aan te pakken. Haar kreet om hulp galmde door de keuken. En ze bleef schreeuwen tot een paar mensen die achter in de kerk hadden gestaan de keuken in holden.

Halvard duwde Ingrid en Leif eerst naar buiten en sloeg daarna de achterdeur achter zich dicht. Ze renden door de diepe sneeuw die alweer begon aan te vriezen en probeerden het Althingmeer te bereiken, waar ze zich achter de rotsen konden verschuilen om aan hun achtervolgers te ontsnappen. Na ongeveer vijftig passen, waarbij ze voortdurend in de sneeuw wegzakten en ieder moment verwachtten dat ze een speer in hun rug zouden krijgen, bleef Halvard hijgend staan en draaide zich om, benieuwd hoeveel mensen hen achtervolgden en hoe ver ze achterlagen. Maar hij zag niemand. 'Stop!' riep hij.

Ingrid, die gemakkelijker had kunnen rennen als ze een broek aan had gehad, struikelde over haar rokken en Halvard kon haar nog net vastgrijpen voordat ze viel. Leif, die al een stuk verder was, kwam teruglopen naar zijn vader en zuster. Zijn ogen speurden de sneeuw af. 'Dat is raar. Er komt niemand achter ons aan. Dat meisje en die oude vrouw hebben ons gezicht toch gezien en ze wisten dat wij de gevangenen waren.'

'Bovendien kon je die non op mijlen afstand horen schreeuwen,' zei Halvard die nog steeds stond te hijgen. 'Waarom hebben ze ons laten gaan?'

'Kijk!' riep Ingrid, wijzend naar de kathedraal. 'Daarom!' De grote deuren van de kerk waren opengegooid en de mensen holden door elkaar, scherp afgetekend tegen helder oranje licht. 'Dat zijn geen lampen. De kerk staat in brand. En Osmund, Ludmilla en Einar zijn nog binnen!'

'Dan moeten we meteen terug om ze te redden,' verklaarde Halvard. Hij draaide zich om en begon met grote passen terug te lopen.

'Bent u gek geworden? We zijn net ontsnapt. Moeten we nu weer terúg?'

'Jij mag hier wel blijven wachten,' zei Halvard tegen Leif. 'Maar ik laat mijn vrienden die mij te hulp zijn gekomen niet verbranden.' Hij liep weer verder, waarbij hij zijn voeten precies in zijn oude sporen zetten, zodat hij niet opnieuw weg zou zakken. Leif keek Ingrid even aan, haalde zijn schouders op en liep licht hinkend achter zijn vader aan. Ingrid zuchtte en volgde in hun kielzog.

Het was moeilijk om bekende gezichten te ontdekken tussen de mensen die uit het gebouw waren ontsnapt, maar Ingrid was er toch van overtuigd dat ze haar buren wel zou herkennen. Ze waren immers heel anders gekleed dan de monniken en de nonnen. Maar het gezin bevond zich niet tussen de mensen die in de sneeuw stonden te bidden. Door de deur zagen ze dat het wollen wandtapijt achter het altaar op verschillende plaatsen in brand stond.

Halvard baande zich samen met Leif een weg door de nutteloze menigte. Ze liepen het heiligdom binnen, op de voet gevolgd door Ingrid, die bedacht hoe gemakkelijk ze bij al deze verwarring hadden kunnen ontsnappen. In plaats daarvan liepen ze tussen knielende christenen die met gebogen hoofd en gevouwen handen zaten te bidden weer naar binnen.

Donkere rook wolkte omhoog uit het zware tapijt achter het altaar. Monniken stonden de brandende stukken die op de grond waren gevallen uit te trappen. Iemand was al op het idee gekomen om water tegen de muren te gooien en anderen kwamen van buiten met schorten vol sneeuw die ze omhooggooiden in de hoop zo de vlammen te doven.

De plafondbalken boven de vlammen stonden nog niet in brand, maar de handgevormde stenen waren bedekt met meer dan twee eeuwen lampenzwart, dat ook zijn sporen had achtergelaten op de schitterend geweven wandtapijten, die ouder waren dan de oudste nog in leven zijnde wever in Groenland.

Pas toen ze weer bij de deuren van de kathedraal waren, herinnerde Ingrid zich dat ze Kettil en Han bij de ingang van de keuken had achtergelaten. Waar waren ze gebleven en wat hadden ze gedaan?

Ze zagen hun buren meteen toen ze de kerk in holden. Osmund probeerde de vlammen te doven met zijn natte jas. Samen met Einar stampte hij het zich verspreidende vuur uit en beval de biddende broeders op te staan en hun handen uit de mouwen te steken. Einar verhief zijn stem om de vlammen te overstemmen. 'Ludmilla, ga naar buiten!' bulderde hij.

'Ik laat je niet alleen!' antwoordde haar schrille stem.

'Als we de brand niet kunnen blussen, zal het dak instorten en ons verpletteren. Denk aan de kinderen en maak dat je wegkomt!' smeekte hij wanhopig. 'De baby heeft je nodig!'

Toen ze dat hoorde, pakte ze haar lange rokken bij elkaar en rende naar de deur, waar ze bijna struikelde over het drietal dat naar binnen kwam. 'Halvard? Leif? O, lieve God en daar is Ingrid ook.' Ze had gedacht dat de beide mannen boven opgesloten zaten en dat Ingrid veilig buiten stond. 'Wat doen jullie hier?' Ze gaven geen antwoord, maar renden verder. Toen Ingrid omkeek, zag ze Ludmilla nog net in de menigte verdwijnen.

Sira Pall had zich met gespreide armen tegen het kruisbeeld achter het altaar gedrukt om het te beschermen. Het leek net alsof er twee lichamen aan het donkere houten kruis gespijkerd waren in plaats van één. 'We moeten Sira Pall in veiligheid brengen,' riep Sira Mars tegen de monniken. Hij kon zich maar met moeite verstaanbaar maken boven het geknetter van de vlammen. Zijn gezicht was zwart van het roet.

'Jullie tweeën. Help me eens even.' Hij herkende Halvard en Leif niet eens. 'Hij hoort me niet en hij wil dat kruisbeeld niet loslaten. Het lijkt wel alsof hij al in het hiernamaals is,' kreunde hij. 'Wat moet ik doen?' Hij leek met zijn kreet rechtstreeks de hemel aan te roepen.

'We moeten dat tapijt omlaaghalen,' brulde Halvard. Hij liet de twee priesters aan hun lot over en keek naar de muur om te zien hoe hij dat het best voor elkaar kon krijgen.

'Ik help u wel, Sira Mars,' zei Osmund. 'Laat mij maar eens met hem praten. Kom, Sira Pall, het is hoog tijd dat we naar buiten gaan.' Hij klopte Sira Mars geruststellend op zijn rug. 'Samen krijgen we hem wel mee.' Hij sloeg zijn armen om Sira Pall heen en zei op een toon alsof hij het tegen een van zijn kleinzoons had: 'We gaan nu weg, Sira. Jezus is in de hemel, niet in dat hout. Laat dat maar los.'

'Nooit!' antwoordde Sira Pall. Zijn gezicht vertoonde een serene koppigheid, alsof hij zich opmaakte om tot de gelederen van de martelaren toe te treden. Osmund begreep dat praten geen zin had. Hij trommelde een stel potige monniken op, die hem konden helpen het houten beeld naar buiten te brengen, in de wetenschap dat Sira Pall wel zou volgen.

De vlammen likten langs het tapijt omhoog en klommen langzaam in de richting van de plafondbalken. 'We moeten het tapijt van de muur halen voordat het dak vlamvat,' riep Halvard. Einar probeerde het zware tapijt omlaag te trekken, maar de dikke koorden waaraan het hing, braken niet.

'Vader, laat mij op je schouders staan,' schreeuwde Ingrid. Halvard bukte zich en Leif tilde haar op. Met haar kleine ijzeren mes ging ze de dikke koorden te lijf. Een paar mensen, die hadden gezien wat ze deden, waren al bezig met de andere kant. Een ogenblik later waren de koorden doorgesneden. Anderen grepen de hoeken van het tapijt vast en begonnen te sjorren, waardoor het zware tapijt naar beneden kwam, de bovenkant eerst. Ingrid was nog maar net van haar vaders schouders in Leifs armen gesprongen toen het kletsnatte kleed boven op hen viel.

Ingrid had het gevoel dat ze stikte, maar sterke armen trokken het tapijt van haar gezicht. 'Ik draag je wel,' zei vader. 'Kun je je armen om mijn nek slaan?' Dat hoefde hij geen twee keer te zeggen. Hij pakte haar op alsof ze niets woog. Ze legde dankbaar haar hoofd tegen zijn borst en zoog gretig de frisse nachtlucht in haar longen terwijl de achterblijvers de laatste vlammen doofden. En ze was nog nooit zo blij geweest met de kou, als toen Halvard haar op de smeltende sneeuw neerzette. 'Ik moet weer naar binnen om Osmund in veiligheid te brengen,' zei hij.

Ze keek hem na, maar hij verdween al snel in de duisternis. Nu het gevaar geweken was, zouden de priesters hem weer gevangennemen. Ze waren geen steek opgeschoten. Waarschijnlijk zou zij de dans wel ontspringen, want niemand kon in het donker goed zien en het leek onwaarschijnlijk dat de heilige zusters haar opnieuw zouden vragen tot welke orde ze behoorde. Ingrid liep naar een paar vrouwen toe die over de oorzaak van de brand stonden te praten. Ze hield haar hoofd gebogen, zodat ze haar beroete gezicht niet zouden zien.

De oudere vrouw die het hoogste woord had, leek op de moederoverste. 'Toen zuster Marie alarm sloeg, rende ik terug naar de keuken. Daar heb ik die wilde Skraelings voor het eerst gezien. Ik dacht dat we hier in Gardar veilig voor ze waren, maar ze worden steeds brutaler naarmate de winters strenger worden. Volgens mij zaten ze al die tijd verstopt in de keuken te wachten op een kans om onze kathedraal af te branden. Het waren er twee en ze kwamen uit de keuken. Waarschijnlijk hebben ze daar aan een van de lampen hun pijlen aangestoken en die vervolgens in het tapijt geschoten. En daarna renden ze huilend als een stel wolven de kerk uit. Wie weet hoeveel er buiten nog verstopt zaten te wachten tot wij levend verbrandden?'

De zusters mompelden en zuchtten. Een paar lieten zich op hun knieën vallen en baden om genade. 'Skraelings in onze eigen kathedraal. Heilige Moeder Gods. Here Jezus. Waar gaat dat heen?'

Ingrid maakte zich in het donker uit de voeten om haar familie te zoeken en vroeg zich tegelijkertijd af waar de twee wilde Skraelings die de brand hadden veroorzaakt waren gebleven. Opnieuw ging ze het gebouw binnen dat haar zoveel angst aanjoeg en zag tot haar stomme verbazing dat haar vader samen met Sira Mars de bewusteloze Sira Pall naar een kleine alkoof droeg. Osmund en Einar volgden hen op de voet. Leif draaide zich om toen hij het geluid van haar voetstappen hoorde. 'Ingrid!' Hij wenkte haar en ze stapten samen de alkoof binnen.

Zodra Sira Pall op zijn divan was gelegd, week Halvard achteruit en trok Leif en Ingrid mee. 'Ik moet er samen met mijn zoon en dochter vandoor, voordat hij weer bij zinnen is,' fluisterde hij tegen Sira Mars en Osmund. 'Als hij ziet dat we vrij zijn, laat hij ons weer gevangennemen.'

'Nee.' Sira Mars legde zijn hand op Halvards arm, niet om hem tegen te houden, maar om zijn aandacht te trekken. 'Dat zal niet gebeuren. Ik heb me erbij neergelegd dat hij zich als mijn superieur gedroeg en de leiding overnam toen onze bisschop naar de hemel ging. We zijn in Noorwegen samen opgegroeid en op dezelfde dag tot priester gewijd. Nu hij zo ziek is, moet ik zijn taak overnemen. Toen ik de leiding had over de kerk in Brattahild, heeft Pall Knudson me er vaak van beschuldigd dat ik te slap was. Vanavond heb ik gezien wat er kan gebeuren als één man te veel macht krijgt.'

Er waren een paar priesters binnengekomen om te zien of Sira Pall nog in leven was. Sira Mars hief zijn beide armen op alsof hij hen wilde zegenen. 'We danken Onze Gezegende Heer dat Sira Pall nog steeds onder ons is, maar hij is ernstig gewond.' De priesters gaven zijn woorden fluisterend door. 'Daarom heb ik, Sira Mars, zijn taak overgenomen. Jullie zullen mijn gezag moeten aanvaarden tot onze bisschop in Noorwegen op de hoogte wordt gesteld van onze hopeloze toestand en ons een nieuwe meester stuurt.'

Er klonk geen woord van protest. Een paar priesters zeiden amen. Ze waren tevreden dat ze weer een herder hadden die ze moesten gehoorzamen. Ze wisten niet beter. Sira Mars vervolgde: 'Ik, Sira Mars, vroeger uit Nidaros in het koninkrijk Noorwegen en nu uit Gardar in het koninklijk protectoraat Groenland, verklaar dat jij, Halvard Gunnarson, met je hele familie onder mijn bescherming staat. Ik bezweer je heilig dat niemand die onder mijn bevel staat jou en je kinderen zal lastig vallen of opnieuw zal proberen het graf van je vader in handen te krijgen.'

De anderen beaamden zijn woorden. De mannen die Halvard en Leif op bevel van Sira Pall uit hun huis hadden weggehaald, bogen hun hoofd. Halvard en zijn kinderen hadden met hun dappere optreden hun leven gered. Een voor een bevestigden ze de eed van Sira Mars.

Meteen daarna kwam Sira Pall weer bij. Hij ging rechtop zitten en keek verward om zich heen. Kennelijk besefte hij wat er was gebeurd, want hij stak zijn armen omhoog. 'Is de brand geblust?' wilde hij weten.

'Ja en jij bent veilig, dankzij de aanwezigen hier en de hulp van Onze Lieve Heer,' antwoordde Sira Mars.

Een van de priesters stelde voor om wat ruimte te maken zodat Sira Pall meer lucht zou krijgen. Halvard wilde net met Leif en Ingrid de kamer uit lopen, toen Sira Mars hem vertelde wie hem werkelijk hadden gered. 'Halvard en Leif Halvardson hebben de brand geblust, nadat Ingrid de dikke koorden had doorgesneden waaraan het wandtapijt hing. Als ze nog een paar ogenblikken hadden gewacht, zouden de dakbalken vlam hebben gevat en dan waren wij door onze instortende kathedraal bedolven.'

'Waren de gevangenen dan ontsnapt?' Sira Pall schudde even heftig met zijn hoofd alsof hij zijn ogen niet kon geloven en kwam onzeker overeind. 'Halvard Gunnarson?' zei hij. 'Ben jij het echt? Hoe kan dat nou?' Sira Pall richtte zich op alsof hij zijn voormalige gevangenen eens stevig wilde aanpakken, maar Sira Mars dwong de andere priester om weer te gaan liggen. Hij knikte Halvard toe en glimlachte bemoedigend.

'Ze zijn tijdens de brand ontsnapt,' antwoordde Osmund. 'Niemand weet hoe.' Daar keek Ingrid van op, want hij was de enige die wist dat Han en Kettil weer terug waren in de provincie. Zelfs haar vader en Leif waren daar niet van op de hoogte. Osmund zou toch ook wel hebben gehoord hoe mensen hadden gezien dat twee wilde Skraelings brandende pijlen afschoten om zich vervolgens in het donker uit de voeten te maken. 'Halvard en Leif waren het gebouw al uit, maar ze zijn teruggekomen om te helpen toen ze zagen dat de kerk in brand stond.'

Sira Pall krabde zich over zijn geschoren hoofd en keek met knipperende ogen naar Halvard, die inmiddels weer naast de bank stond en als een reus boven hem uit torende. 'Je was ontsnapt en toch ben je teruggekomen om ons te helpen? Na alles wat ik je heb aangedaan en na de manier waarop de kerk je Skraeling-vrouw heeft behandeld? Heeft Jezus jou uitgekozen om ons in onze nood bij te staan? Hij is tot alles in staat, Hij kan zelfs mensen die Hem afwijzen van gedachten doen veranderen.'

Halvard keek neer op de zielige kleine priester en tot zijn verbazing voelde hij geen haat, maar medelijden. 'Zelfs jij verdient het niet om levend te verbranden, maar eerlijk gezegd zijn we voor Osmund, zijn dochter en zijn schoonzoon teruggekomen, niet om jou te helpen. Dit gebouw betekent veel voor hen. Het zou jammer zijn om het in vlammen op te laten gaan.'

'Laat me opstaan,' zei Sira Pall dringend. Sira Mars liet hem los. Sira Pall liep wankelend naar de kist die tegen de muur stond en deed het deksel open. Zelfs bij het licht van de kleine lampen in de ontvangstkamer glinsterde de inhoud hen toe. Sira Pall schoof een paar kronen opzij, met juwelen bezette kruisbeelden en de met robijnen bezette mijter van de laatste bisschop. Daaronder lag iets dat in een wollen doek was gewikkeld. Sira Pall pakte het uit de kist en gaf het aan Halvard. Halvard knipperde verbaasd met zijn ogen toen hij het zware pak aanpakte. 'Maak maar open,' zei Sira Mars. 'Het is van jou.'

Halvard schoof de doek ver genoeg opzij om te zien dat het zijn leren schede was. Het stalen mes met het ivoren handvat zat er nog steeds in, hetzelfde mes dat zijn vrouw over de ijsvlakte mee had gebracht uit haar eigen land. In het ivoor stond de naam van Halvards voorvader Ole in Noorse runen gegraveerd. Ole was lang geleden samen met de vikingleider Leif Eriksson naar Vinland gezeild. Ingrid wist dat haar moeder het tijdens haar tocht van haar geboorteland naar het noorden van iemand had gekregen en dat zij het op haar beurt aan vader had gegeven.

Halvard trok het antieke mes uit de schede. Hij liet het een tijdje op zijn platte hand liggen en stond er vanwege alle herinneringen die het opriep met een warme en tedere blik naar te kijken. Ingrid kreeg een brok in haar keel en wendde haar ogen af tot hij het mes weer in de schede stopte en de riem over zijn monnikspij omgespte.

Toen Halvard Sira Pall weer aankeek, viel de priester bevend en snikkend op zijn knieën. 'Alles is mijn schuld. Met mijn trots zou ik ons allemaal te gronde hebben gericht. Ik ben degene die gezondigd heeft.' Hij keek omhoog, alsof hij dwars door het dak in de hemel wilde kijken en boog toen weer zijn hoofd. 'Ik verzoek u nederig om genade,' riep hij wanhopig uit. 'Vergeef me mijn arrogantie!'

Niemand wist of hij tot zijn god sprak of tegen Halvard, maar zijn handen omklemden Halvards knieën en zijn tranen drupten op zijn vingers. Iedereen verdrong zich om hen, waardoor Halvard geen stap kon verzetten. Hoewel hij het valse gezicht van Sira Pall niet uit kon staan, stond het idee om de man te vernederen Halvard tegen. 'Toe nou maar,' moedigde Osmund hem aan. 'Het is de enige manier om hem zover te krijgen dat hij je loslaat en dan kunnen we hem in bed stoppen.'

Halvard gaf toe. 'Ik vergeef u,' zei hij. Osmund en Sira Mars trokken Sira Pall overeind en legden de ontmoedigde man weer op zijn bank. Sira Pall kruiste zijn armen over zijn borst en sloot zijn ogen.

Sira Mars liep terug naar Halvard. 'Hij slaapt al. Het was goed van je om hem vergiffenis te schenken, na alles wat hij jou en je gezin heeft aangedaan. Daarmee heb je genade en medelijden getoond. Misschien gaat er onder je ruwe bolster toch een christelijke ziel schuil,' zei hij om te zien hoe Halvard daarop zou reageren.

'Ik ben blij dat u er zo over denkt, maar hij zat te kwijlen op mijn jas.'

Sira Mars begreep dat hij Halvard verkeerd had beoordeeld en hij maakte een lichte, verontschuldigende buiging. 'We zullen een wapenstilstand moeten sluiten, jij en ik, maar ik moet je toch nog één vraag stellen, Halvard Gunnarson. Maak je je nooit zorgen over wat er straks met je onsterfelijke ziel zal gebeuren?'

'Ik maak me alleen zorgen over dingen die ik ken en begrijp, en dat is meer dan genoeg. Stel je nu eens voor dat u het mis hebt en dat Odin besluit u te straffen omdat u hem nooit een offer hebt gebracht?'

Leif schoot in de lach toen zijn vader dat zei en vroeg zich af wat de priester daarop zou zeggen. In plaats van antwoord te geven zei Sira Mars: 'Kom maar mee. Ik zal zorgen dat je het gebouw kunt verlaten zonder problemen te krijgen met de mensen.' 'Dank u wel,' zei Halvard. 'Maar ik wil u toch nog één ding vragen. Waarom bent u zo anders dan de rest?' Dat vroeg hij zich werkelijk af.

'Omdat jij hebt voorkomen dat ik die onschuldige Skraelingjongens veroordeelde en omdat ik je kennis wil laten maken met de liefde van Christus. De kerk heeft zich niet altijd zo hard opgesteld als nu. Toen Onze Lieve Heer onder de mensen kwam, heeft Hij zich met veel liefde voor ons allemaal opgeofferd.' Halvard schudde zijn hoofd, hij snapte niets van de uitleg van Sira Mars.

De brave priester bracht hen zoals beloofd naar de hoofdingang en gebood de menigte aan de kant te gaan voor de mensen die de brand hadden geblust en hun leven hadden gered. Daarna deelde hij mee dat Sira Pall gewond was geraakt en zich terugtrok uit zijn ambt. 'Sira Pall wil zich voortaan geheel aan het gebed wijden. We zijn gered dankzij het ingrijpen van Halvard Gunnarson, zijn zoon en zijn dochter. Ik beveel u in de naam van de Heilige Familie om nooit te vergeten wat zij vanavond voor ons hebben gedaan. Zij mogen nu vrij naar huis terugkeren, zonder dat iemand hen lastigvalt.'

Hoofdstuk

Hun blijdschap dat ze weer thuis waren, werd enigszins getemperd door hun bezorgdheid over Ole, die hen vermoeid vertelde dat Han en Kettil meteen terug waren gekomen om hun vrouwen en hun bezittingen op te halen. 'Ik heb nooit veel opgehad met Skraelings,' zei Ole, 'maar Kettil en Han hebben alles wat wij voor hen hebben gedaan dubbel en dwars terugbetaald. Ze hadden het ook nog over een brand die in de kerk was uitgebroken, waardoor iedereen het te druk had om jullie achterna te gaan.'

'Dat klopt. Die hadden zij uiteraard aangestoken.' Halvard legde uit dat ze terug waren gegaan om met blussen te helpen en vertelde wat er daarna was gebeurd.

'Dus Sira Mars heeft het nu voor het zeggen. Geen verplichte lessen meer, geen dreigementen en we mogen gewoon onze gang gaan. De wonderen zijn de wereld nog niet uit.'

De volgende paar dagen bleef er vanuit het zuiden een warme wind waaien. Het smeltwater van de sneeuw liep de fjorden in. Vanaf de oceaan klonken de donderslagen van het brekende ijs, dat in ijsschotsen wegdreef. Het duurde niet lang voordat de eerste grassprietjes te voorschijn kwamen. Ze schoten de eerste dag al een vingerdikte omhoog en binnen drie dagen waren ze tot handhoogte opgegroeid. Mossoorten en struiken werden getooid met roze en oranje bloemen. Mannen teerden de naden van hun boten en gooiden hun netten uit. De mensen gingen weer bij elkaar op bezoek.

Het feest van de Wederopstanding werd in Gardar gevierd met een uitgebreid feestmaal van jong geiten- en lamsvlees en veel soorten vis. Ludmilla nodigde hen uit om mee te gaan, maar Halvard en zijn familie bedankten beleefd. Daarna leverden de kleinzoons van Osmund namens de kerk een voorraad vlees bij de boerderij van Halvard af, als dank voor hun hulp bij de brand.

Wanneer Ingrid met haar vaders kudde naar de weidegrond ging, strekte het land zich voor haar uit in een panorama van groen gras en blauwe meren. Alleen de muren tussen de landerijen waren grijs. Ze zag minder mensen dan vroeger op het land dat eigendom was van de kerk. Schapen en geiten graasden op het nieuwe gras en begonnen eindelijk wat dikker te worden. De meeste wintergasten van de kathedraal waren teruggekeerd naar hun kloosters in het oosten. De jonge dieren dronken niet meer bij hun moeder en werden twee keer zo groot. Hun vacht werd lang en dik. Ingrid voelde de olie in hun pels en smeerde dat in haar haar en op haar blote huid die in de winter bijna was uitgedroogd. Op een ochtend werd ze wakker en merkte dat ze vrouw was geworden. Die ontdekking maakte het gemis van haar moeder nog groter. Het leek bijna alsof ze opnieuw was overleden. Ze ging naar Ludmilla toe om te vragen wat ze moest doen.

'Fijn om je te zien,' zei Ludmilla. 'Het gaat deze lente een stuk beter met ons allemaal. Je vader ziet er ook veel jonger uit, zonder al die zorgrimpels. Mijn vader begint weer aan te sterken en loopt minder vaak met zijn stok. Ga maar mee naar mijn bedstee, dan zal ik je laten zien hoe je een gordel moet maken met schoon wolpluksel die je tijdens je maandstonde kunt dragen. Ik denk niet dat je moeder de kans heeft gekregen om je dat te vertellen, maar het betekent wel dat je nu zwanger kunt worden. Blijf bij mannen uit de buurt, tot je vader je uitgehuwelijkt heeft.'

'Wie wil er nou met een halfbloed trouwen?' vroeg Ingrid. Ze keek even naar haar handen.

'Dat valt nog te bezien. Er zal echt wel een man voor je te vinden zijn. Je vader heeft ook een Skraeling uitgekozen.' Ze zag dat Ingrid wit wegtrok en sneed haastig een ander onderwerp aan. 'Toen we vanmorgen wakker werden, waren alle slaven verdwenen. Beide gezinnen, en ze hebben niet alleen al hun kleren en voedsel meegenomen, maar ook een van onze boten. De andere hebben ze laten liggen. Ik neem aan bij wijze van dank omdat we hen zo fatsoenlijk hebben behandeld en tijdens de winter altijd ons voedsel met hen hebben gedeeld.'

'Wij zijn al een week lang de boerderij niet af geweest, dus dat wist ik nog niet. Ik vraag me af waarom ze nu ineens zijn vertrokken.'

'Nou ja, mijn vader heeft hen nooit tegen hun wil vastgehouden. Het schijnt dat alle Skraelings hun meesters verlaten hebben. In zekere zin hadden we dat wel verwacht, maar door er zo stiekem midden in de nacht vandoor te gaan, zullen ze hun onsterflijke ziel kwijtraken.'

Ingrid bedankte Ludmilla voor haar hulp en ging terug naar huis. Overal in de provincie waren de Skraeling-slaven verdwenen. Als dat kon, hadden ze boten meegenomen, of ze hadden boten weggehaald bij verlaten huizen, zodat niemand hen van diefstal kon beschuldigen. Er waren te weinig Groenlanders om hen achterna te gaan. En de lentejacht was dit jaar afgelast, omdat de priesters hadden gezien hoe weinig rendieren er nog over waren op Hreiny Eiland. Maar in de fjorden zat kabeljauw, de weilanden bij de huizen stonden vol gras en er was meer dan genoeg kaas en zure melk om de honger te stillen. De herinnering aan het voorspelde onheil vervaagde.

Tot grote vreugde van veel mensen kwamen de groenblauwe vlinders weer terug zodra er bloemen waren. Hun aantal was dit jaar nog groter dan het jaar daarvoor. Het leek alsof het merendeel vanaf de oceaan in het zuiden door krachtige winden landinwaarts werd geblazen. Vissen sprongen uit het water om ze uit de lucht te happen. Ook de zeemeeuwen deden zich te goed aan de dubbel gevleugelde diertjes, maar dat scheen de vlinders niet te schaden, want er was geen dak, geen bloem en geen grassprietje waar ze niet op neerstreken.

Osmund pakte zijn wandelstok en liep naar het huis van Halvard om een buurpraatje te maken. Halvard en Leif waren bezig met het repareren van de muur die Halvards land scheidde van hun buren aan de noordkant. Door de hevige sneeuwval en de felle windvlagen was de muur gedurende de winter ingestort en de stenen lagen nu overal op het veld verspreid.

'Ja, ze zijn prachtig,' beaamde Leif. 'Heb je die mooie gezien met alle kleuren van de regenboog? Die zijn nieuw.'

'Die blauwgroene waren er vorige zomer ook al,' zei Osmund. 'Ik heb nooit geweten dat er zoveel soorten vlinders bestaan. Waarom zouden ze hier nu ineens opduiken? Mijn leven lang heb ik nooit andere gezien dan die kleine witte vlinders die je altijd bij de bloemen in de bergen vindt. Zijn deze allemaal nieuw, of zouden er een paar van vorig jaar tussen zitten? Houden vlinders een winterslaap? Je zou toch nooit denken dat deze tere diertjes onze winters kunnen overleven.'

'Jij weet er meer van dan ik.' Halvard smeerde een nieuw stuk van de muur in met modder die vermengd was met schelpgruis dat ze langs de oever van de fjord hadden weggehaald. 'Zolang ze genoeg gras overlaten voor ons vee maak ik me er niet druk over.'

Osmund stak zijn hand uit. Meteen streken er twee vlinders op neer die voorzichtig met hun sprieterige tongetjes het zweet uit de verweerde huidplooien oplikten. 'De warme zuidenwind voert nieuwe aan alsof het een wolk sprinkhanen is. Ze mogen dan alleen nectar drinken, maar het is toch een beetje verontrustend dat je ze overal om je heen ziet.' Hij schudde de twee vlinders van zijn hand af. 'Het lijken wel wormen die over mijn graf kruipen.'

Halvard maakte het teken van het oog om het onheil af te wenden. 'Praat niet over wormen,' zei hij. 'En ook niet over graven. We moeten nog een stuk muur afbouwen, maar we gaan zo eten. We hebben gisteren een paar dikke, vette vissen in de fjord gevangen die Ingrid nu aan het bakken is. Eet je een hapje mee?'

Toen ze door het hoge gras terugliepen naar het huis, fladderden een paar vlinders in Osmunds baard. Hij schepte ze er voorzichtig af en gooide ze in de lucht. 'Ze moeten wel manieren leren. Ik wou dat ze niet over mijn gezicht en over mijn eten liepen.'

Halvard krabde op zijn hoofd en keek om naar het glooiende groene land de helderblauwe lucht die de besneeuwde bergtoppen in het binnenland leek in te kapselen. Op de hooggelegen bergweiden lagen nog steeds plekken sneeuw. Het gouden zonlicht weerkaatste van de gletsjer alsof het een diamant was en veranderde in een kleurige regenboog.

Een week later wiekten er veel minder kleurige vleugels over de velden en het huis. Ze zochten naar gevleugelde lijkjes, maar ze vonden alleen uitgedroogde vleugels tussen het gras. 'Ze zullen wel door de vogels opgegeten zijn,' zei Leif. Omdat de beestjes zo onaards mooi waren, hielden ze de mensen voortdurend bezig. En overal, of het nu op het platteland of rond de kathedraal was, vroegen mensen zich af of er betekenis school in het voortdurende komen en gaan van de vlinders. Er waren dit jaar trouwens minder vogels dan normaal. Misschien waren de dieren door de warmte op een dwaalspoor gebracht en nestelden ze nu in de kliffen verder naar het noorden in plaats van langs de fjorden.

Ingrid en Kwispel waren met de kudde van haar vader naar de hooggelegen weidegronden getrokken. De zachte lucht uit het zuiden had binnen een maand een soort verjongingskuur bij de hond veroorzaakt en nu draafde hij rond de kudde om afgedwaalde geitjes terug te jagen naar hun moeders. Ingrid droeg kleren die ze zelf had gemaakt. Ze vond het niet de moeite waard om een groot gedeelte van haar tijd te besteden aan het weven en naaien van lijfjes met lange mouwen of schorten en rokken. Ze maakte leer van geitenhuiden zoals ze van haar moeder had geleerd. Met behulp van rook werd het donker en waterdicht gemaakt. En toen ze haar gezicht en armen inwreef met gebruikt lampenvet om de muggen op afstand te houden, voelde ze zich echt op haar gemak.

Op de volgende helling zag ze een andere kudde. Thorunn en Jona stonden met hun handen boven hun ogen naar haar te turen. Ingrid woof. Hoewel ze terugzwaaiden en naar haar toe kwamen, hadden ze haar niet herkend. Ingrid moest inwendig lachen toen ze hun vlechten en hun jurken gladstreken, omdat ze dachten dat ze een jongen was, dezelfde vergissing die Sira Mars had gemaakt toen ze uit het noorden kwamen.

Sinds de Althing had ze de zusjes allang vergeven dat ze haar lastig hadden gevallen en haar op verzoek van Sira Pall achterna hadden gezeten. Dat leek alweer zo lang geleden. Ze was blij dat ze eens iemand anders zag in plaats van haar broers. 'O, ben jij het,' zei Thorunn. 'Waarom kleed je je niet als een fatsoenlijk meisje? Heeft je moeder je geleerd hoe je zo'n pak moet maken?'

Ingrid zag er dankzij haar ogen en haar hoge voorhoofd veel exotischer uit dan de blonde zusjes met hun lichte huid. Ze had haar roodbruine haar achterover gestreken en er één lange vlecht van gemaakt die tot halverwege haar rug hing. Thorunn vroeg nog steeds alles wat haar voor de mond kwam. 'Ja, mijn moeder heeft me geleerd om broeken en hemden van geitenleer te maken. Als jullie die mooi vinden, wil ik het jullie ook wel leren.'

'Ingrid Halvardsdottir!' zei Jona, niet boos maar wel nadrukkelijk. 'Je bent heel anders dan de rest van de meisjes in de provincie en dat zul je wel altijd blijven ook. Het komt niet alleen omdat je nog met de oude beginselen bent opgevoed. Je denkt anders dan wij.'

'Hartelijk bedankt. Je bent vandaag wel erg vriendelijk.' Ingrid wist heel goed wat ze eigenlijk bedoelden, en ze was Ole dankbaar dat hij haar had geleerd hoe je door iemands woorden te verdraaien lik op stuk kon geven. Dat had hij haar en de rest van de familie vaak genoeg geleverd.

'Ze bedoelde het niet zo,' zei Thorunn, bij wijze van verontschuldiging. 'Maar als jij je als een man kleedt, zul je nooit een echtgenoot krijgen. De priester zegt dat vrouwen zich ingetogen moeten kleden. Het kan jou kennelijk niets schelen hoe je eruitziet met al dat vet op je gezicht.'

'Dit is mijn werkkleding. Niemand ziet me hier, met uitzondering van de andere herders. Jullie weten best dat ik beneden in het dal wel jurken draag. Waarom zou ik me door de muggen laten bijten als dat vet ze op afstand houdt? Het zou verstandiger zijn als jullie hetzelfde deden.' Ingrid deed opnieuw een poging om van onderwerp te veranderen. 'Wat denken jullie van die arme vlinders? Waarom zijn ze hier gekomen om vervolgens weer te verdwijnen?'

Daar gingen ze wel op in. Jona tuitte haar lippen. 'Vorig jaar zei iedereen dat ze een goed voorteken waren. Achter alles schuilt toch een betekenis?' Ze liepen verder omhoog met hun kudden en zorgden er met behulp van de hond voor dat de geiten niet over allerlei richels afdwaalden. Boven de weidegrond hing de zoete geur van kruiden en klaver.

'Misschien steekt er helemaal niets achter,' veronderstelde Ingrid toen ze vers gras vonden. Ze overtuigde zich ervan dat er geen dieren waren afgedwaald en liet zich toen languit in het gras vallen, met haar kin op haar armen. 'Als de vlinders niet uit het binnenland zijn gekomen, moeten we ze hier op de weidegronden eigenlijk ook aantreffen, net als vorig jaar.' Ze kroop naar een tros roze bloemen en keek eronder om te zien of er dode vlinders op de grond lagen, verborgen tussen de bladeren, de grassprieten en de dovenetels. 'Kijk! Ik heb gelijk.' Ze vonden de restanten van witte vleugels, die inmiddels bruin en verscheurd waren. 'Hun lichamen zijn verdwenen, waarschijnlijk opgegeten.'

Maar er was meer. 'Moet je dit zien,' zei Ingrid en hield een lang smal blad omhoog waarop een groot aantal bobbeltjes zaten. De drie meisjes keken rond en vonden soortgelijke bobbeltjes op grasprietjes, op de takken van vruchtdragende slingerplanten en op de stengels van bloemen en riet. 'Zouden dat doorns worden? Of is het een ziekte waaraan de planten zullen sterven? Dat moeten we aan iedereen vertellen.'

Jona en Thorunn gingen op hun hurken zitten, draaiden de bloemen om en bekeken de onderkant. 'Ze zien eruit als nieuwe doorns, maar klaver heeft geen doorns en zeker niet onder op de blaadjes.'

'Die bobbeltjes zitten overal in de wei,' zei Thorunn, terwijl ze een geelbloeiende netel en een paar knalrode klaprozen bekeek. Ze liep verder en bestudeerde ook andere blaadjes en grassprieten. 'Moet je zien. Misschien is dit iets nieuws, net als de vlinders zelf. Dat moeten we onze vaders vertellen en de priesters. Die zullen wel weten wat dit is en wat we eraan moeten doen.'

'Ja, dat denk ik ook. We kunnen beter teruggaan,' zei Ingrid. 'Laten we maar een paar blaadjes plukken zodat we kunnen laten zien wat we bedoelen.' Ze liepen heen en weer over de weidegrond om voorbeelden te verzamelen. Ingrid vond het bijna jammer dat ze weer terug moest. Het was zo fijn in de heuvels, ver weg van alles en iedereen.

Het schuine dak van de kathedraal was nog net zichtbaar toen ze naar de horizon keek. Het was hersteld en met nieuwe plaggen bedekt. Het gebouw leek een zandbank tussen de groene landerijen, het meer en het glinsterende lint van de fjord. Ze hield haar hand boven haar ogen en tuurde opnieuw. Ze zag ze nog steeds, drie schepen met twee masten die achter elkaar vanuit het zuiden door de fjord voeren. Niemand had ooit dergelijke schepen gezien. Zouden het handelaren zijn die op weg waren naar de steiger in Gardar met nieuwe kolonisten en voorraden? De laatste keer dat daar een schip aanlegde, was in de zomer voor haar geboorte geweest. Ze kon haar ogen niet geloven, maar kleine vissersbootjes maakten haastig plaats en voeren naar de oever.

'Thorunn, Jona, kom gauw. Zien jullie ook wat ik zie?' Ingrid stond bijna te dansen van opwinding. Toen de twee meisjes met fladderende blonde vlechten naar haar toe kwamen rennen, wees Ingrid naar beneden. 'Zijn dat geen schepen die daar door de Eriksfjord zeilen? Ze lijken niet op de zeeschepen die ik op tekeningen heb gezien, maar ze hebben zeilen en er zitten mannen in.'

'Buitenlandse schepen?' herhaalden de meisjes. 'Zou het echt waar zijn?' Thorunn hield haar hand boven haar ogen. 'Na al die jaren?' De meisjes vielen elkaar opgewonden om de hals.

'Zijn hier weleens eerder dat soort schepen geweest?' vroeg Ingrid, maar Jona noch Thorunn gaf antwoord.

'Alle heiligen! De wereld heeft zich eindelijk ons bestaan herinnerd! Er komen kooplui aan!' schreeuwde Jona. 'Laten we gauw naar huis gaan.'

Thorunns mond viel open en er kwam een bezorgde blik in haar ogen. 'Straks meren ze al aan de steiger af voordat iemand hen kan begroeten. We moeten een paar schapen slachten en zorgen dat we vis hebben. Ze zullen wel ijzer en hout bij zich hebben en kolonisten met paarden en koeien. Nu wordt alles weer net als voor de lange winters.'

'De wereld heeft zich eindelijk ons bestaan herinnerd.' Jona maakte een rondedansje met Thorunn. 'Kijk eens hoe prachtig die handelsschepen zeilen. Ze zijn nog mooier en groter dan de oude zeeschepen. We moeten gauw naar de vallei om te kijken wat ze allemaal mee hebben gebracht. We kunnen allerlei dingen ruilen voor mooie stoffen en gereedschap, potten, hout en misschien zelfs wel een koe. Wat jammer dat jij je in die Skraeling-kleren niet kunt vertonen. Kom gauw, Thorunn.'

Ingrid floot Kwispel, die naar de ram die het verst was afgedwaald rende en hem dwong terug te lopen door een paar keer naar zijn billen te happen. Zij liep haastig naar de andere kant om haar vaders kudde voort te drijven met haar zweep.

'De mensen dachten dat de vlinders boodschappers uit de hemel waren, die ons troost moesten brengen,' riep Thorunn haar na. 'Nu hun belofte van betere tijden is uitgekomen, zijn ze weer terug naar hun hemelse bloemen.'

Ingrid slaakte een diepe zucht en klopte de grassprietjes van haar kleren. Ze wreef over het vet op haar hals en haar gezicht en wenste dat ze beter voorbereid was geweest op de komst van de buitenlandse kooplui.

Het dal ging schuil achter de heuvels toen ze naar beneden liepen, maar ze zagen de zwarte rook al voordat ze bij de boerderijen waren. Thorunn bleef boven aan een helling staan en tuurde in de verte. 'Wat gebeurt daar? Er komt rook uit ons huis. Vergeet die dieren maar, Jona. We moeten rennen!' Ze holden weg, zo hard als ze konden. Hun honden liepen met de dravende kudde geiten en schapen mee.

Ingrid liep achter haar vriendinnen aan, in plaats van naar hun eigen land. Er rees meer dan één rookpluim omhoog. Hoeveel mensen hadden per ongeluk een brandende lamp op een baal hooi laten vallen? Ondanks het feit dat ze zweette van inspanning liep er een koude rilling over haar rug. Vlak bij het huis van Thorunn en Jona was een kleine vijver en een zijtak van een vlakbijgelegen bron. Misschien konden ze het vuur blussen.

Voordat ze bij het huis waren, hoorden ze het gegil al. Mannen en vrouwen renden heen en weer, met emmers, harken en zeisen. Een van de schepen was vlak bij het strand voor anker gegaan. De bemanning zwaaide met zwaarden en kruisbogen en slaakte angstaanjagende strijdkreten om de boeren schrik aan te jagen. Hun hoofden werden beschermd door ijzeren helmen met zilverkleurige neusbeschermers waardoor hun gezichten onherkenbaar waren, maar ze hadden allemaal blonde haren en baarden in de kleur van een waterig winterzonnetje. Hun kapitein schreeuwde bevelen in een onbekende taal en liep driftig te gebaren.

'Bij het oog van Odin!' riep Ingrid uit. 'Bestaan de vikingen nog steeds?' Een paar van de vreemdelingen hadden geslachte dieren op hun schouders, waarvan het bloed nog uit de doorgesneden kelen droop. Ingrid rende naar een bijgebouw en verschool zich in de schaduw. Dit kon gewoon niet. Er waren geen vikingen meer. Dat hadden Osmund, Sira Mars en haar eigen vader zelf gezegd. Het was driehonderd jaar geleden dat de laatste drakenschepen van de vikingen waren uitgevaren om boerderijen en nederzettingen te plunderen.

Thorunn slaakte een gil en jammerde: 'Vader!' Hun buren, die waren toegerend om te helpen met blussen, gingen aan de kant zodat ze bij het lijk van haar vader kon komen. Zijn hoofd was ingeslagen. De moeder van de meisjes had zich op het lichaam van haar man gestort en smeekte de hemel om deze misdaad te wreken. Thorunn wierp zich op de dichtsbijstaande vreemdeling en probeerde zijn ogen uit te krabben. De zeeman lachte haar uit, smeet haar op de grond en trok haar rokken omhoog.

Jona vloog hem aan en bewerkte hem met haar vuisten. Een van de andere mannen pakte haar met één arm op en rende met haar weg in de richting van zijn schip. Hij had een kort zwaard in zijn vrije hand waarmee hij iedereen bedreigde die hem probeerde tegen te houden. De eerste zeeman was al snel met Thorunn klaar. Hij nam niet de moeite om zijn broek weer dicht te binden, maar rende achter zijn scheepsmaat aan.

Het meisje had een shock en bleef met de handen over haar ogen liggen. Ze trok niet eens haar rokken naar beneden en deed geen enkele poging om op te staan, hoewel haar borst schokte van de ongecontroleerde snikken. Een van de piraten die langs haar heen liep, kon de verleiding niet weerstaan.

'Blijf van haar af,' schreeuwde Thorunns jongere broertje. De jongen rende met getrokken mes op hem af. Een pijl uit een kruisboog trof hem in zijn been en een tweede smakte in zijn heup. Door de kracht van de projectielen werd hij opgetild en hij vloog door de lucht. Een paar meter verderop kwam hij als een hoopje op de grond terecht.

Ingrid stond verbijsterd te kijken naar alles wat zich voor haar ogen afspeelde. Het leek alsof de mensen zich langzamer bewogen dan normaal. Ze renden wel degelijk, maar elke beweging leek onderdeel van een droom, een nachtmerrie. Dit kan niet waar zijn, dacht ze. Haar leven lang had ze nooit een bezoeker uit de buitenwereld gezien en nu kreeg ze te maken met plunderende piraten? Ze kwam tot de conclusie dat ze in haar eigen bedstee moest liggen, vast in slaap. En als ze wakker werd, zou alles weer bij het oude zijn.

Buren staken hun vuisten op, schreeuwden en zwaaiden met hooivorken, maar de overvallers rekenden snel af met iedereen die zich in hun buurt waagde. Een Groenlander slaagde erin een van de vreemdelingen met zijn werpmes te doden. De overvaller werd door twee van zijn scheepsmaten weggesleept, maar de anderen liepen langzamer terug, achteruit om te voorkomen dat ze gevolgd zouden worden. Er was geen Groenlander die bij de arme Thorunn in de buurt kon komen om haar te helpen. Ingrid liep naar haar vriendin toe, in de wetenschap dat ze zouden denken dat zij, in haar geitenleren broek en hemd, een jongen zou zijn.

Ze trok haar korte mes, bukte zich en dreef het met alle kracht die ze kon opbrengen in de nek van de man die boven op de krijsende Thorunn lag. Hij rolde onder haar handen weg. Ondanks alles was de wond die ze hem had toegebracht ondiep, al bloedde hij hevig. De overvaller slaakte een kreet van pijn en woede en draaide zich naar haar om. Ze week achteruit, nog steeds met haar wapen in haar hand. De metgezel van haar slachtoffer dwong haar op haar knieën en tilde haar hemd op, waardoor haar borsten zichtbaar werden. Hij riep iets naar zijn kameraad en lachte hem uit omdat hij bijna het onderspit had gedolven tegen een vrouw.

Kwispel grauwde en viel de man die boven Ingrid uit torende aan. De vreemdeling trok zijn mes en stak toe. Het gegrom van de hond veranderde in een hoge kreet en stierf weg. 'Nee!' schreeuwde Ingrid.

De zeeman trok zijn mes terug uit de nog stuiptrekkende hond, veegde het af aan het gras en liep op een holletje achter zijn kameraden aan. Ingrid staarde hem na, terwijl de haat als gif aan haar hart vrat. Ze legde Kwispels kop op haar schoot en prees en streelde de oude hond terwijl zijn levensgeesten wegvloeiden. Ondertussen trokken de zeelieden hun ankers op en hesen de zeilen. Door de rook en haar tranen keek Ingrid het prachtige schip na dat door de glinsterende fjord voer om zich bij de twee andere vaartuigen te voegen.

Ingrid droeg de trouwe Kwispel naar huis zonder nog meer overvallers tegen te komen. Ten slotte leunde ze doodmoe tegen de deur en gaf er met haar harde laars een trap tegen. Toen Leif opendeed, wankelde ze naar binnen, nog steeds overstuur van alles wat ze had gezien. Alsof hij nog gevoel had, legde ze Kwispel voorzichtig op een schaapsvel dat als vloerkleedje fungeerde. 'Hij is dood,' kon ze nog net uitbrengen, tussen alle vragen door waarmee ze bestookt werd. 'We zijn aangevallen.'

'Wat is er in vredesnaam gebeurd? Je zit onder het bloed en het vuil. Wie heeft je aangevallen?' vroeg Halvard. 'En waar?'

'Vreemdelingen.'

'Ole, ga naar buiten en kijk rond. Alle goden nog aan toe, ben jij ook gewond?' vroeg hij aan Ingrid.

Ole rende het erf op, waar hij stond te luisteren en bleef wachten voor het geval iemand zijn zuster was gevolgd.

'Laat die hond nou maar even liggen,' zei Halvard. Hij tilde zijn dochter op en zette haar op de rand van haar bed. Ze was nog steeds rood van de inspanning die het haar had gekost om de hond naar huis te dragen en zat naar adem te snakken. Leif gaf haar een kom verse melk.

Ole had buiten alleen de kudde aangetroffen, die uit zichzelf naar huis was gekomen en nu in het weiland stond te grazen. Toen hij weer binnenkwam, klopte Halvard Ingrid op haar wang en zei bemoedigend: 'Vertel ons nu maar eens wat er precies gebeurd is.'

Ingrid trok haar knieën onder zich. 'Mannen met geel haar. Van vreemde schepen. Tweemasters. Niet zoals die van ons. Drie stuks varen in noordelijke richting door de Eriksfjord. Ze steken huizen in brand, stelen schapen en moorden. De vader van Thorunn en Jona en haar broertje zijn vermoord. Ze hebben Thorunn verkracht.' Het verhaal kwam er met horten en stoten uit. 'Een van hen heeft Jona meegenomen naar hun schip.' Haar ogen staarden in de verte alsof ze alles opnieuw zag gebeuren.

'Vreemde schepen, zei je?' herhaalde Halvard om haar bij de les te houden. Toen ze grimmig knikte, keek Halvard Leif aan en stak zijn gebalde vuist op. De jongeman begon hun wapens te voorschijn te halen, terwijl Halvard Ingrids kapotte hemd over haar hoofd trok. Leif kwam aanlopen met een pan warm water en haar vader waste voorzichtig het kleverige bloed weg tot hij er zeker van was dat zij zelf niet gewond was. Het was eigenlijk nooit tot Halvard doorgedrongen dat Ingrid sinds hun terugkeer al zo volwassen was geworden, omdat ze altijd loshangende kleren droeg. 'Waren er veel vreemdelingen?'

Zijn vragen brachten Ingrid weer bij haar positieven. 'Dat kan ik zelf ook wel,' zei ze terwijl ze hem de lappen afpakte. Ze draaide zich om en waste de rest van haar lichaam. 'Ik heb er een stuk of tien gezien, maar er stonden veel boerderijen in brand.' Ze pakte een lang hemd uit de leren kist onder haar bed, trok het aan en knoopte haar gordel om haar heupen. De ongeverfde wol hing tot over haar knieën op haar geitenleren broek. 'Ze hebben ons overvallen alsof het vikingen waren.'

Halvards gezicht stond grimmig. 'Wie ze ook zijn, het was een vergissing om hier een overval te plegen. Ze wisten niet wat hen te wachten staat.' Halvard pakte zijn zwaardgordel, die tussen de balken en het dak verborgen had gelegen, gewikkeld in met olie doordrenkte lappen. Het was een erfstuk van zijn voorouders uit de vikingtijd. 'Ik had niet gedacht dat ik dit ooit weer nodig zou hebben,' zei hij. Desondanks had hij het lemmet altijd gepolijst en scherp gehouden. 'We zullen die indringers het hoofd bieden en hen in de pan hakken.' Zijn stem was zacht en uitdrukkingsloos. Ole en Leif pakten hun strijdbijlen en hun speren. Ole stopte de bijl in de diepe zak van zijn broek.

Buiten werden ze begroet door het wuivende gras en het zachte gekabbel van het water onder aan de heuvel. De mannen trokken bij wijze van harnas de dikke leren schorten aan die ze anders bij het slachten droegen. 'Kwispel!' fluisterde Ingrid. 'Ik moet hem begraven voor we weggaan.'

'Dat doe ik wel,' zei Leif. Binnen een tel had hij de hond in een van huiden gemaakt kleed gewikkeld en liep het huis uit.

Ineens herinnerde Ingrid zich waarom ze zo haastig vanuit de heuvels naar beneden waren gerend. Ze hadden hun vaders de kleine bobbeltjes willen laten zien die op de grassprietjes en op zaaddozen hadden gezeten. Ze had een paar voorbeelden meegenomen, die nog in de zakken van haar bebloede hemd zaten. Ingrid overwoog of ze er nu over zou beginnen, maar besloot dat het verstandiger was om eerst met het dreigende gevaar af te rekenen.

Halvard bleef in de deuropening staan wachten tot de indringers in zicht zouden komen, maar hij ging aan de kant toen Leif terugkwam. Ingrid pijnigde haar hersens om zich dingen te herinneren waar haar vader en broers iets aan hadden. 'Ze dragen maliënkolders, net als de Engelse inwoners die hun steden tegen de vikingen moesten verdedigen. Daar heb ik prenten van gezien in de oude boeken van Sira Mars. En ijzeren helmen met neusbeschermers.' Ze likte haar droge lippen af en probeerde zich nog meer bijzonderheden te herinneren. 'Korte bogen met een dikke kolf. De pijlen worden er bovenop gelegd.'

Halvard slaakte een diepe zucht. 'Kruisbogen. Dat is niet mooi. Die pijlen komen hard aan en we hebben niets om ze af te weren. We moeten vlak bij hen in de buurt komen om onze speren en onze zwaarden te kunnen gebruiken.'

'Kunnen we ze wel tegenhouden?' vroeg Leif.

'Dat zal wel moeten,' antwoordde Halvard.

'Spreken ze dezelfde taal als wij?' vroeg Ole aan Ingrid. 'Zijn het Noormannen?' Voordat ze antwoord kon geven, voegde hij er ernstig aan toe: 'Ik hoop het niet, want ze zullen sterven.'

'Dat weet ik niet zeker. Een van hen zei tegen een ander dat hij op moest schieten. Hun woorden leken een beetje op die van ons, maar toch anders. Ze zien er heel anders uit dan wij.'

'Mooi,' zei Ole. 'Het lijkt me het verstandigst dat we de boot pakken. Ingrid zei dat ze op weg waren naar Gardar.'

'Neem jij de boot maar. Ik ga Ingrid eerst naar Ludmilla brengen. De mensen zullen allemaal naar de kathedraal stromen om de belastingopbrengst en de priesters te verdedigen. Dat lijkt me een goede plek om een veldslag uit te lokken. Wij kennen de omgeving en zij niet.'

Ingrid voelde dat het zweet haar uitbrak. 'De vreemdelingen

dachten dat ik een jongen was. Ik wil niet bij de vrouwen en de kinderen achterblijven.'

Halvard schudde zijn hoofd. 'Daar hoor je wel bij. Als je een jongen van dertien was, zou ik je opdracht geven om het huis te bewaken. Voor een meisje ben je behoorlijk sterk en er is niets mis met je uithoudingsvermogen, maar tegen volwassen mannen heb je geen schijn van kans. Je kleren zullen je geslacht niet lang kunnen verbergen. En spreek me niet tegen,' voegde hij eraan toe.

Ze staakte haar verzet, maar klopte op de broekzak waarin haar mes zat. Ze zou nog liever zelfmoord plegen dan zich mee laten voeren naar hun schip. Halvard zag het gebaar en knikte.

'Laten we maar eens gaan kijken of Einar al op de hoogte is van de inval. Osmund is te oud om nog ten strijde te trekken. Hij zal het huis en zijn kleinkinderen moeten bewaken.' De woorden waren nog niet over zijn lippen toen de klok van de kathedraal driftig begon te luiden. Het geluid weergalmde over de heuvels en de fjorden, maar het hield even plotseling op. De klokken werden niet opnieuw geluid.

'Nu weet iedereen het,' zei Leif. 'Als de indringers de kathedraal hebben bereikt, moeten we opschieten. Iedereen weet dat de kerk belasting int en bovendien over goud en kostbare bekers beschikt. Het kan best zijn dat de indringers de klokkenluider hebben gedood, maar hij heeft toch alarm geslagen.'

'Waarom zouden wij ons druk maken over de kathedraal of hun goud?' vroeg Ole.

'Het lijkt me de beste plek om de indringers in de val te lokken,' antwoordde Halvard die ook hun stijve, uit twee lagen leer bestaande schilden van de dakbalken had gepakt. De felle kleuren van de beschilderingen waren inmiddels vervaagd, maar het was nog goed te zien wat ze voorstelden.

Op Halvards schild stond het roodomrande oog van Odin in een zwart veld. 'Voor wijsheid, hoop ik,' zei hij. Het tweede bevatte een afbeelding van een door bokken getrokken strijdwagen, bruin op blauw. Hij gaf het aan Leif. 'Voor snelheid,' zei hij. Het laatste schild was versierd met een strijdbijl met een korte steel, aan weerszijden geflankeerd door gele schichten op een blauwe ondergrond. Halvard gaf het aan Ole. 'Mjollnir, de strijdhamer van Thor,' zei hij. De steel van zijn eigen strijdbijl, verborgen onder zijn leren jas, rustte tegen zijn zij. Zijn stalen mes met het ivoren handvat zat in de smalle schede in de schacht van zijn laars. Het waren wapens waarmee hij zich zou kunnen verdedigen als zijn zwaard gebroken was en hij op de grond lag. 'Kom, laten we die indringers niet laten wachten.'

Zodra ze buiten waren, hoorden ze geschreeuw, mannen die hun metgezellen riepen, blaffende en jankende honden en het angstige geblaat van kuddedieren. Uit de verte klonk het gekletter van metaal op metaal. Leif omhelsde Ingrid en drukte zijn wang tegen de hare. Ole kwam niet naar haar toe, maar hij wierp zijn zuster een lange en indringende blik toe. 'Veel geluk. Hak ze in de pan,' riep Halvard zijn zoons na, toen ze lichtvoetig over het stenen voetpad naar de boot renden.

Einar stond buiten waar zijn kinderen ernstig toekeken hoe Ludmilla hem hielp zijn gewatteerde leren harnas over zijn hemd vast te gespen. Hij deed zijn zwaardgordel om en trok het antieke zwarte wapen te voorschijn. 'Mijn grootvaders zwaard heeft een tijdlang moeten vasten,' zei hij, terwijl hij het ijzeren gevaarte optilde. 'Nu snakt het naar bloed.' Hij week achteruit en zwaaide het een paar keer met een hand rond zijn hoofd om aan het gevoel te wennen. Hoewel hij een uit de kluiten gewassen kerel was, moest hij toch toegeven dat het gewicht hem tegenviel. 'Ik denk dat ik het beter met twee handen vast kan houden.'

Einar droeg een helm met twee flappen die zijn oren beschermden en het leren harnas bedekte het grootste deel van zijn bovenlijf. Zijn schild was kleiner dan dat van Halvard, maar het had wel een zwarte ijzeren piek in het midden, zodat het ook als wapen kon worden gebruikt. 'Laten we maar hopen dat ik snel leer hoe ik moet pareren en toesteken.'

'Ze hebben kruisbogen. Leer eerst maar met je schild om te gaan, in de hoop dat het sterk genoeg zal zijn. We hebben te lang vrede gehad, maar noodzaak schijnt de beste leermeester te zijn.'

Toen ze zag hoe indrukwekkend Einar en haar vader eruitzagen, kreeg Ingrid weer hoop. 'Breng hun hoofden maar mee naar huis, dan kunnen we die aan de dakbalken hangen,' zei ze.

Het was fijn om te horen dat ze weer helemaal de oude was. 'Als jij iedere dag naar die lelijke koppen wilt kijken, zullen we ons best doen,' beloofde Halvard, die probeerde optimistisch te blijven. 'Dan kunnen de vogels zich er in ieder geval aan te goed doen.'

Het was duidelijk dat Ludmilla het een schandalige opmerking van Ingrid vond. 'Ik verwacht dat soort dingen wel van die kerels, maar ik wist niet dat jij zo bloeddorstig was,' zei ze. 'Dat zal je Skraeling-bloed wel zijn.' Halvard keek haar vernietigend aan en ze kneep haar lippen op elkaar, alsof ze wenste dat ze haar woorden weer kon inslikken.

'Ons land wordt aangevallen, Ludmilla,' zei Osmund. 'Geestdrift is broodnodig.' Hij keek Halvard en zijn schoonzoon aan. 'Maak er alsjeblieft ook een paar uit mijn naam een kopje kleiner.' Einar omhelsde zijn familie en Halvard omstrengelde Ingrid alsof hij die kans nooit meer zou krijgen. Ze reikte al bijna tot zijn kin. Ze was nu al net zo lang als haar moeder.

Toen ze op weg gingen naar de kathedraal keek hij nog een keer om. Ingrid stond hen met de handen op haar heupen na te kijken, haar in leer gehulde benen iets gespreid. Vanuit de verte kon ze gemakkelijk doorgaan voor een gebruinde jongeman met groene ogen. Het zonlicht tekende gouden lichtjes in het roodbruine haar dat om haar gezicht waaide.

Zijn dochter deed hem denken aan de Astrid die hij in het dorp van de Skraelings had leren kennen. Ingrid was nu bijna even oud als haar moeder destijds was geweest. Hij kon alleen maar bidden dat hij zijn dochter levend terug zou zien.

Onderweg kwamen ze veel meer mannen tegen, tot hun aantal zo groot was dat hun marcherende laarzen op tromgeroffel leken. 'Laten we hopen dat we niet te laat zijn,' gromde een grote man, die zijn zoons en een aantal vazallen bij zich had. Hij was grof gebouwd, met een rood gezicht en lichtbruin haar dat onder zijn helm uit kwam. Zijn leren kuras reikte maar tot zijn ellebogen en hij had zijn strijdbijl in zijn grote knuist. Het was Finn Kollgrimson, een van de grootgrondbezitters. Hij woonde op een grote boerderij en voerde het bevel over een groot aantal mannen.

'Halvard! Einar!' schreeuwde hij. Halvard keek ervan op dat hij hun namen kende. 'Sluiten jullie je bij ons aan voor het gevecht?' Halvard en Einar accepteerden het aanbod gretig en Finn grijnsde gemeen in de richting van de kathedraal voordat hij zich omdraaide naar zijn vazallen. 'Kijk eens, mannen, hier zijn twee grote krijgers die onze groep komen versterken om de indringers te verjagen!' Finns mannen verwelkomden hen met luid gejoel en het kleine leger marcheerde verder.

Ze kwamen te laat om te voorkomen dat het plunderen een aanvang nam. Lichamen lagen op de plek waar ze waren gevallen. Uit de kathedraal klonk een luid gejammer en een kreet van afschuw, gevolgd door mannengelach. Een paar ogenblikken later kwam een volwassen non, zonder de kap en de sluier die haar afgerukt waren, naar buiten rennen. Ze hield haar gescheurde rokken omhoog om niet te struikelen terwijl ze zich een weg baande door de groep mannen en scheen precies te weten waar ze naartoe wilde. Voordat iemand haar tegen kon houden, sprong ze van de rotsen alsof ze verwachtte dat ze vleugels zou krijgen. Ze maakte geen geluid, zodat de klap waarmee haar lichaam op de scherpe rotsen beneden belandde nog luider klonk.

Halvard had slechts een glimp van de non opgevangen toen ze voorbijrende, maar hij had haar meteen herkend. Het was de oude moeder-overste, die hen had tegengehouden toen hij samen met Ingrid door de keuken naar de achterdeur liep.

Een andere non holde achter de eerste aan, een jonge vrouw, ook zonder kap, waardoor haar blonde haren wapperden in de wind. 'Eerwaarde moeder!' riep ze. Maar ze bleef op de rand van de steile helling staan, keek omlaag en knielde toen neer om te bidden, de handen gevouwen. Halvard herkende haar ook: het was de jonge zuster Marie.

Er klonk opnieuw gebulder vanuit het stenen gebouw. 'De priesters en monniken zijn ongewapend,' zei iemand. 'Het is een stel schapen, dat klaar is voor de slacht,' zei een ander. 'Ze kunnen zichzelf niet verweren.' De verdedigingstroepen overlegden wat hen te doen stond. 'Tja,' zei iemand, 'die vreemdelingen kunnen de kathedraal niet uit zonder ons tegen het lijf te lopen. Dan zijn ze beladen met allerlei buit, dus ver zullen ze niet komen voordat wij hen in de pan hakken. Laten we hen maar opwachten.'

Een andere man noemde hem een lafaard. 'Als wij de priesters gewoon laten afslachten, denk je dan dat Jezus voor ons wil vechten?' Daarop rende een stel mannen met getrokken zwaard naar binnen.

Finn wist te voorkomen dat het merendeel van zijn mannen hen volgde. 'De indringers kunnen binnen beter zien. Als we hier blijven wachten zijn wij in het voordeel. Hou je gereed,' beval hij zijn mannen. 'Ze moeten langs ons heen om bij hun schepen te komen.'

Halvard en Einar keken elkaar aan. 'Er is ook nog een achterdeur, bij de keuken,' merkte Halvard op. De andere mannen hoorden wat hij zei en keken Finn aan.

'En hoe moeten wij dan volgens jou gebruikmaken van die achterdeur, Halvard Gunnarson?'

Als Finn de leiding van de aanval op zich wilde nemen, was Halvard best bereid hem als commandant te erkennen. Ze waren niet met elkaar bevriend, maar Finn vond het kennelijk geen probleem om de voor- en nadelen van een plan te bespreken. 'De achterdeur is heel smal, waardoor degenen die binnen zijn alleen achter elkaar naar buiten kunnen lopen. Als we nu voor de hoofdingang het gras in brand steken en dat vochtig houden, zal de rook voorkomen dat ze gebruik kunnen maken van hun kruisbogen. Een paar van ons moeten hier aan de voorkant de wacht houden met speren, dan kan de rest naar de zijkant gaan.'

'Het gras in brand steken?' Finn krabde aan zijn kin. 'Ga door.'

'Ik kan geen andere manier bedenken om hen te dwingen een bepaalde route te kiezen. Het gras is hoog en droog genoeg en zodra het brandt, kunnen we er water op gooien om te zorgen dat er rook ontstaat. Natuurlijk loopt dan ook de kathedraal gevaar, dus ik laat de keus aan jou over. Als jij een beter plan hebt, vertel ons dan maar wat we moeten doen.'

Finn keek zijn mannen aan, maar niemand had een beter idee. 'Dat plan van jou zou best kunnen slagen, Halvard Gunnarson,' zei hij. 'We kunnen in onze helmen water uit de fjord halen. Heeft iemand een vuursteen bij zich?' Er verscheen een kille glimlach om de mond van Finn Kollgrimson toen een van zijn mannen knielde om het vuur aan te steken.

'Ik zal het gras bij de achterdeur wel aansteken,' bood een van de anderen aan. 'De wind staat in de richting van de fjord, dus de kathedraal zelf loopt geen gevaar. Als de indringers naar het strand proberen te vluchten, kunnen we ze een voor een doden en het brandende gras weer uitstampen voordat de brand zich uitbreidt.'

Halvard vond een tweede brand eigenlijk niet zo'n goed idee, maar Finn ging ermee akkoord. 'We hebben zeisen, strijdbijlen en zwaarden. Sommigen van jullie zijn zelfs met pijl en boog gewapend. Het zijn geen kruisbogen, maar we zullen het ermee moeten doen. Ik zweer bij het bloed van Jezus dat ze niet zullen ontsnappen. De monniken en de priesters zullen waarschijnlijk als eersten uit die zijdeur komen, maar we kunnen de indringers herkennen aan hun maliënkolders. Begin maar.'

Het duurde even voordat het vuur aan was, maar zodra het onderste, bruin verdroogde gras vlam vatte, spatten de vonken ervan af. De wind wakkerde de vlammen aan en een donkere rookwolk bedekte de ingang. De Groenlanders bleven op een afstandje van het gras staan. Vonken en as sloegen op hen neer. Binnen klonk geschreeuw toen de rook zich door de onderste verdieping van het gebouw begon te verspreiden.

'De wind wakkert aan,' riep iemand. 'We moeten water halen.' De mannen goten haastig meer water op het vuur. De rook sloeg ervan af, maar het vuur verbreidde zich zo snel dat ze er niet in slaagden het te blussen. Tegen de tijd dat de vlammen langs de muren omhoogkropen en de balken bereikten, was de brand volkomen uit de hand gelopen.

Een van de indringers gluurde naar buiten en riep iets naar zijn metgezellen. Kennelijk konden ze niet geloven dat de Groenlanders hun eigen kathedraal in brand zouden steken om hen te verdrijven en dat was natuurlijk ook niet de bedoeling geweest. De mannen kreunden en sloegen een kruis toen de oranje vlammen langs de balken lekten en over het dak kropen. 'Het hele gebouw zal afbranden. Al het water in de fjord kan dat niet meer voorkomen. De dakbedekking heeft vlam gevat.'

Overal om hen heen werd gebeden, gegild en geschreeuwd. Vier mannen met zakken over hun schouders, diep gebogen om nog een beetje frisse lucht te kunnen happen, kwamen de hoofdingang uit stormen. Ze konden zich niet verzetten omdat ze naar adem snakten. 'Wij zijn Groenlanders!' bulderde de stem van Sira Pall. 'We brengen de relikwieën in veiligheid. Laat ons door.'

Zolang ze de gezichten van de mensen die het gebouw uit vluchtten nog konden zien, rekenden de Groenlanders af met een paar van de indringers. De vlammen speelden om hun voeten en iemand maakte zich uit de voeten terwijl zijn kleren in brand stonden. In de rook slaagden een paar mannen, ook in pijen gehuld en met de kappen over hun hoofd getrokken, erin zich door het strijdgewoel te worstelen. Ze legden de heilige voorwerpen die ze bij zich hadden neer, voornamelijk kandelaars en crucifixen, draaiden zich om en vielen de aanvallers aan. 'Dat zijn geen mensen van ons!' schreeuwde iemand. 'De vreemdelingen hebben zich als monniken verkleed!'

'Doe die kappen af en laat je gezicht zien!' riep een andere man. De indringers legden pijlen op hun kruisbogen. Maar dat nam meer tijd in beslag dan bij een gewone boog, waardoor de Groenlanders de kans kregen zich op hen te storten. Aan beide zijden vielen slachtoffers, terwijl de laatste personen die nog binnen waren door de deuren naar buiten renden voordat het dak instortte. Kuchend en met hun mouwen voor hun gezicht holde een aantal vrouwen de achterdeur uit. Ze trokken de rokken en de schorten van hun habijten tot boven hun knieën op en vluchtten weg van de verstikkende, zwarte rook.

Twee mannen volgden hen op de voet. Een, die zijn kap ver over zijn hoofd had getrokken, droeg een zak over zijn schouder. Halvard greep de man vast en trok de kap af om te zien welk vlees hij in de kuip had. Het halsstuk van zijn harnas was nog net te zien, maar Halvard slaagde erin met een ferme klap van zijn scherpe zwaard de hals half te doorklieven.

Pijlen vlogen door de lucht. Halvard kon nog net op tijd zijn schild optillen om de eerste af te weren, maar de tweede ging dwars door zijn linkermouw en schampte zijn arm. Hij voelde nauwelijks pijn en zou niet eens gemerkt hebben dat hij gewond was, als hij de groter wordende rode plek niet had gezien.

Een paar van de indringers slaakten een kreet van ontzetting toen ze de man die hij had geveld herkenden. Daaruit maakte Halvard op dat hij een van hun leiders had gedood. Opnieuw zoefde een pijl uit een van de kruisbogen rakelings langs Halvard heen. Finn Kollgrimson die naast hem stond, zakte in elkaar en viel met een klap op zijn zij. De Groenlander probeerde op te staan, maar dat lukte niet.

Halvard trok zijn werpbijl uit zijn gordel en mikte zorgvuldig op de man wiens pees nog natrilde van het dodelijke schot. Zijn worp veroorzaakte een kreet van pijn. De bijl was half in de schouder en half in de hals van een van de indringers terechtgekomen. Het bloed stroomde over zijn maliënkolder en drupte op het gras. Zijn dodelijke wapen viel, waardoor de volgende pijl afgeschoten werd, maar die belandde zonder enige schade aan te richten tegen Halvards laars.

'Finn,' riep Halvard uit en draaide de man op zijn rug om te zien of hij nog leefde. De Groenlander ademde wel, maar de pijl had zich tussen zijn ribben geboord. Finns blozende gezicht was bleek geworden, maar hij beet zijn tanden op elkaar. 'Dit heeft niets te betekenen. Er is meer dan één pijl nodig om mij van kant te maken.

Trek dat ding er maar uit en help me overeind.'

'Zo meteen. Hier moet een genezer aan te pas komen, daar begin ik niet aan,' zei Halvard. Hij schoof zijn schild over Finns gezonde arm. 'Gebruik dit maar om jezelf te beschermen, dan ga ik op zoek naar een van de heilige broeders.'

Tegen de tijd dat hij een monnik bereid had gevonden zich in het strijdgewoel te storten, vonden de felste gevechten al op enige afstand van de kathedraal plaats. 'Ik had niet verwacht dat je terug zou komen, Halvard,' zei Finn.

'Een fatsoenlijke soldaat laat zijn commandant toch niet in de steek?' zei Halvard. Finn trok zijn wenkbrauwen op, maar gaf geen antwoord. 'Dit is onze leider. Denk je dat we hem naar een veiliger plekje kunnen brengen?' vroeg hij aan de monnik.

De man ging op zijn hurken zitten en betastte de plek waar de pijlpunt zat. 'Ja, volgens mij wel. De punt zit vast in een van zijn ribben en daardoor heeft hij het hart en de longen niet geraakt. Ik weet wel een plek. Help me maar hem daar naartoe te dragen.' Ze droegen Finn samen naar een van de melkschuren.

Grote rookwolken rezen omhoog. De brand ging gepaard met een suizend geluid dat aan de wind deed denken. Toen het interieur vlamvatte, werd de zwarte rook vermengd met witte. Halvard keek toe hoe het dak door begon te buigen en vervolgens met een enorme klap in de kerk zelf terechtkwam. De schade bleef grotendeels verborgen achter de hoge muren, maar in symbolisch opzicht had het instorten van de kathedraal een grotere betekenis. Dit gebouw was bijna drie eeuwen lang de spil geweest waarom de meeste levens hadden gedraaid.

Mannen vielen op hun knieën en smeekten de hemel om regen, maar met uitzondering van de rookwolken bleef de lucht smetteloos blauw. Vanaf het Althingveld en de oevers van het meer klonken de smeekgebeden van de nonnen en de vrouwelijke bedienden, die daar verscholen achter de rotsblokken hun leven zagen instorten.

Een stuk of tien indringers hadden zich vechtend een weg gebaand door de rijen van hun tegenstanders en probeerden hun schip te bereiken. De Groenlanders die voor de hoofdingang hadden gestaan renden achter de vijanden aan die langs de helling probeerden te ontsnappen. Finns volgelingen stroomden toe om hun leider te beschermen. Zodra hij omringd was door zijn eigen mannen en de indruk wekte dat hij in leven zou blijven, pakte Halvard zijn schild terug. 'Het ziet ernaar uit dat Odin je goed heeft beschermd,' zei hij, en liet Finn zien wat er op het schild stond.

Finn trok een gezicht en bracht de afbeelding op het schild een saluut. 'Hartelijk dank, oog van Odin,' zei hij. De monnik keek boos, maar bleek toch bereid om Halvards gewonde arm ook te verbinden.

Met zijn zwaard in de hand holde Halvard de helling af. Geharnaste mannen renden langs hem heen, op weg naar hun zeilschip, maar een van de indringers bleef stokstijf staan toen hij Halvard in het oog kreeg. Voordat hij zich vloekend op hem wierp, schreeuwde hij naar zijn kameraden dat dit de man was die hun commandant had gedood. Groenlanders schoten toe om Halvard te helpen, maar een tweegevecht scheen onvermijdelijk en Halvard was gewond.

Halvard was zo sterk dat hij het zwaard met een hand de baas kon. De andere man slaakte een doordringende oorlogskreet en stormde op hem af. 'Als je erop staat, loop dan maar samen met je baas naar de hel,' schreeuwde Halvard en haalde vernietigend uit met zijn zwaard. Hij trof de ander in zijn middel en hakte de man bijna in tweeën. Alleen de maliënkolder hield de stukken nog bij elkaar.

De man bleef bij bewustzijn, maar schreeuwde zo hard van pijn dat Halvard uit medelijden zijn zwaard nogmaals op hem neer liet komen en zijn hoofd van de romp scheidde. Het hoofd rolde met helm en al tegen Halvards laars aan. Heel even voelde Halvard het bloed in zijn oren kloppen. Hij zag het gevecht om hem heen door een waas.

Hijgend en bevend ging hij op zijn knieën liggen en trok de helm af om naar het gezicht van de man te kijken. De blauwe ogen waren nog open. Hij pakte het lange blonde haar en tilde het hoofd op als een pot aan een hengsel. 'Hoe zou je het vinden om aan een van mijn dakbalken te hangen?' vroeg hij. 'Om mijn dochter een plezier te doen?' Hij begon zacht te lachen, maar ondertussen sprongen de tranen hem in de ogen en biggelden over zijn wangen. Hij legde het hoofd op zijn knieën en drukte de ogen van de dode dicht. Daarna legde hij het hoofd voorzichtig naast het lichaam.

Einar liep naar hem toe terwijl de anderen doorliepen naar de aanlegsteiger. 'Waarom zit je daar te janken? Je bent een held. Je hebt hun commandant en zijn onderbevelhebber gedood,' zei hij vol bewondering. 'Je hebt Finn gered. We hebben hen op de vlucht gejaagd. Dat was een enorme klap waarmee je hem hebt geveld.' Hij wees naar het verminkte lijk.

Halvards schouders schokten en zijn tranen drupten in zijn baard. 'Ik ben een vreedzame boer. Mijn enige wens was om de rest van mijn leven in vrede door te brengen en mijn land na te laten aan mijn zoons.' Hij wreef in zijn ogen waardoor zijn gezicht vol bloedvlekken kwam te zitten. 'Gottfried en Steinthor zijn dood. Hun vrouwen en kinderen zullen alleen een lijk terugkrijgen om te begraven. Zelfs degenen van ons die de slag overleefd hebben zijn verdoemd. Volgens mij kunnen we beter allemaal in tranen uitbarsten.'

Onder hen op de heuvel hoorden ze mannenstemmen, nog steeds schreeuwend en hijgend van bloeddorst of angst. 'Naar de schepen!' Halvard kon het zelf niet meer opbrengen. Er waren nog genoeg jongere mannen die de strijd konden voortzetten. Ze renden voorbij onder het slaken van oorlogskreten.

'Ik denk dat ik ook maar even mijn beurt voorbij laat gaan,' zei Einar. 'Kennelijk zit de kunst van het vechten ons in ons vikingbloed. We hebben de Engelsen op de vlucht gejaagd. Ze zitten tussen hun schepen en onze mannen aan de wal gevangen als kabeljauw in een net.'

Halvard keek hem aan. 'Engelsen? Weet je dat zeker?'

'Dat heeft Sira Pall gezegd. We hebben een paar van hen gevangengenomen. We hoeven ze nu alleen nog maar in de pan te hakken.' Einar ging vermoeid zitten en legde zijn zwaard op zijn knieën. 'Ik ben bekaf. We kunnen de rest van de slag ook vanaf deze plek bekijken. Ik ben doodmoe van het zwaaien met dat zwaard.' Hij zette zijn bezwete leren helm af en pakte de leren veldfles die hij een van de gevallenen had afgepakt. Nadat hij hem halfleeg had gedronken, zei hij: 'Hier. Was je gezicht maar. Je mag de rest hebben.'

Halvard nam een paar slokken, goot het overgebleven water in zijn handen en wreef over zijn gezicht. 'Hoe moet het nu verder? We hadden toch al te weinig inwoners in onze nederzetting, na al die ruzies en de lange winters. Het zou beter voor ons zijn geweest als de rest van de wereld ons links had laten liggen.' Halvard gebaarde met twee handen naar het bloedbad om hen heen, bij de kathedraal en op het strand.

Einar keek hem onderzoekend aan. 'Ben je gewond?' vroeg hij ernstig. Hij begreep de somberheid van zijn vriend niet en Halvard was vrijwel van top tot teen met bloed bedekt.

'Licht,' gaf Halvard toe. 'We hebben dit soort toestanden heel lang weten te voorkomen. Een volgende winter zullen we vast niet overleven. Ik weet niet of mijn zoons nog in leven zijn. Er zijn vandaag al te veel brave mannen gestorven en voordat het morgen is, zullen er nog meer volgen. Kom, laten we maar eens kijken hoe het gevecht langs het water verloopt.'

Einar probeerde Halvard op te vrolijken terwijl ze achter de Groenlanders aan naar het strand liepen. De twee schepen die aan de kade lagen, hesen de zeilen en trokken het anker op. Blonde mannen renden naar de kust, sprongen in het water en probeerden aan boord te klimmen. Het derde schip zeilde door de fjord tot het bijna uit het zicht was en pikte om de bocht haar bemanning op. Halvard bad dat zijn zoons zich niet aan boord van dat derde schip zouden bevinden.

Overal op de helling lagen gewonden te kreunen. In pijen gehulde mannen knielden naast hen neer om hen de laatste sacramenten toe te dienen of hulp te geven. Er waren meer bebloede lijken dan gewonden, maar de helft daarvan droeg maliënkolders. De priesters Mars, Pall en Audin hielden zich samen met de heilige broeders onvermoeibaar met de doden en gewonden bezig, biddend en kruisen slaand.

Halvard trof Sira Mars aan terwijl hij zich over een man boog die hij zelf met zijn stalen mes had verwond. De priester verbond de wonden van de man om het bloeden te stelpen. 'Je blijft wel in leven,' zei hij tegen zijn patiënt.

'Waarom helpt u hem?' vroeg Halvard. Sira Mars gaf geen antwoord, maar maakte een incisie in de heup van de man om er een pijlpunt met weerhaken uit te trekken. De Engelsman maakte een vreemd, gesmoord geluid, waardoor Halvard zich afvroeg of hij misschien liever samen met zijn kameraden was gestorven. 'Wilt u dan dat hij in leven blijft?' vroeg Halvard opnieuw aan de priester.

Sira Mars keek op. 'Halvard? Ben jij het?' Toen Halvard dat vermoeid bevestigde, vroeg hij of Halvard gewond was, maar die verzekerde de priester dat zijn lichte wond al was verzorgd. 'Ik had je niet herkend. Ja, natuurlijk wil ik dat deze man blijft leven. Ook zijn ziel moet gered worden.'

Halvard wilde net doorlopen, toen Sira Mars opnieuw zijn mond opendeed. 'Bovendien zal hij ons, als hij in leven blijft, kunnen laten zien hoe de zeilen en de tuigage van dit soort nieuwe schepen bediend moeten worden.' Halvards ontzag voor de priester steeg met sprongen.

Hoofdstuk

Ingrid had het voorstel van Ludmilla om maar te gaan spinnen geërgerd afgeslagen. 'Ik wil een zwaard in mijn handen hebben, geen spinrok.'

Toen zag een van de jongens de rook boven Gardar. 'Lieve God,' riep Ludmilla uit. 'De indringers hebben onze kathedraal in brand gestoken. Vader, kijk!'

Ze renden allemaal naar buiten. Ingrid klom tegen de heuvel op die de achterkant van het huis stutte en sprong op het dak. 'Kun je iets zien, meisje?' vroeg Osmund.

Terwijl de kinderen ook naar boven klommen zei ze: 'Ik zie niets anders dan rook, maar het moet de kathedraal zijn. Waarschijnlijk zijn Sira Mars en zuster Marie daar nu en misschien Einar en mijn vader ook wel.' Het was toch raar dat ze na hun korte ontmoeting zo'n band met de jonge non voelde. 'Wat vreselijk om door een brand ingesloten te worden. Ik hoop dat onze mannen hen kunnen redden.' Ze bevonden zich in een ondiep dal omgeven door heuvels, zodat Ingrid, terwijl ze daar samen met de jongens op de uitkijk stond en zich afvroeg wat er precies aan de hand was, de twee schimmige figuren die vanuit de heuvels naar hen toe slopen niet in de gaten had. Ze besefte pas dat er gevaar dreigde, toen een grote, zweterige hand over haar mond werd gelegd.

Ze was boos op zichzelf omdat ze daar niet op voorbereid was geweest. De man die haar vasthield, pakte haar rechterhand waarmee ze haar mes had willen grijpen. Lachend trok hij het uit haar vingers. Ze kronkelde en wist zich lang genoeg uit zijn ruwe omhelzing los te rukken om haar tanden in zijn arm te zetten, maar het lukte haar niet om door te bijten. De oudste jongen schreeuwde: 'Opa!' voordat hij met een knuppel bewusteloos werd geslagen. Een van de vreemdelingen gooide hem over zijn schouder en sleepte ook de worstelende en schoppende kleinste jongen mee. De ander hield Ingrid in bedwang.

Osmund zag de mannen vlak voordat ze uit hun schuilplaats te voorschijn sprongen en kon nog net zijn dochter waarschuwen die naar binnen holde. 'Laat ze los,' schreeuwde hij terwijl hij met opgeheven speer achter hen aan liep. Maar hij struikelde en viel op zijn knieën. De indringers zouden zich uit de voeten kunnen maken, zonder dat Osmund de kans kreeg om zijn kleinzoons en Ingrid te redden. Osmund vervloekte zijn leeftijd.

De mannen holden snel het erf af, enigszins gehinderd door de last die ze met zich mee torsten. Ze vervloekten de Groenlanders. Ze hadden niet verwacht dat er nog overlevenden zouden zijn. Maar als ze geen verdedigers tegen het lijf liepen, zouden ze tijd genoeg hebben om hun gestolen kostbaarheden en deze kinderen weg te brengen en zich weer bij hun kameraden te voegen. Het meisje zou misschien nog wel meer opbrengen dan de jongens, als ze de reis tenminste overleefde.

Osmund zwaaide hulpeloos met zijn speer en de tranen rolden over zijn gerimpelde wangen. Hij keek op toen hij een zoevend geluid en een bons hoorde. De man die de twee jongens vasthield, zakte in elkaar. De kleinste jongen ging er als een speer vandoor op het moment dat zijn voeten de grond raakten. De oudste, die nog maar nauwelijks bij bewustzijn was, kroop weg. 'Wat gebeurt daar? Wat is dat?' schreeuwde Osmund.

'Een van de gewichten van het weefgetouw,' zei Ludmilla die het had gegooid. De man die ze had geraakt leefde nog wel, maar zijn helm was van zijn hoofd gevallen, waardoor een diepe, bloedende wond zichtbaar was. De tweede man liet Ingrid los en probeerde zijn vriend te helpen. Hij bukte zich net toen Ludmilla's tweede projectiel hem omver kegelde. Hij bleef lang genoeg liggen om Osmund de kans te geven hem met zijn speer aan de grond te nagelen. De punt was dwars door zijn keel gegaan. De man brulde en kronkelde, maar het bloed spoot uit de wond en hij verzwakte snel, totdat hij roerloos bleef liggen.

Ingrid had haar mes teruggepakt. De tweede man kwam wankelend overeind en toen hij de doodsstrijd van zijn metgezel zag, brulde hij van woede. Hij stond al bijna weer op zijn voeten en wilde zich op Osmund werpen, toen Ingrids smalle mes zich door de bredere ijzeren ringen bij het armsgat van zijn maliënkolder boorde. Ze had genoeg schapen geslacht om te weten hoe ze het hart van een man moest raken. De vreemdeling was niet ouder dan Ole. Het was niet gemakkelijk om toe te kijken hoe hij als een vis op het droge naar adem hapte en ten slotte stierf. Ondanks de woorden die ze haar vader bij het vertrek had toegevoegd, kwam Ingrid tot de ontdekking dat ze helemaal geen behoefte had aan het hoofd van haar vijand.

Ludmilla, Ingrid en Osmund stonden met open mond en hijgend te kijken naar wat ze voor elkaar hadden gebracht, niet zozeer van vermoeidheid maar meer uit opluchting. Tranen van ergernis stroomden over Ingrids wangen. Ze was ervan overtuigd geweest dat zij Ludmilla zou moeten verdedigen, maar het was toch de oudere vrouw die het heft in handen had genomen.

'Het is voorbij en er dreigt geen gevaar meer,' zei Osmund. 'Dat waren de enigen die deze kant op zijn gekomen.' Hij omhelsde zijn dochter. 'Ik was vroeger vast niet zo vaak boos op je geworden als ik had geweten hoe trefzeker jij met die dingen bent.'

Ludmilla schoot onwillekeurig in de lach. 'Vader! Nu hoop ik alleen nog maar dat Einar veilig thuiskomt.'

'We hebben echt alles aan jou te danken, Ludmilla,' erkende Ingrid.

'Ik moest wel.' Ludmilla knuffelde haar zoons. 'Ze wilden mijn jongens meenemen. En niemand pakt mij mijn jongens af.'

'Gewichten van het weefgetouw,' zei Osmund nadat hij zijn dochter opnieuw een complimentje had gemaakt. 'Wie zou daar nou op zijn gekomen?'

De veldslag bij de kathedraal was in een chaos geëindigd. De overgebleven Engelsen trokken zich haastig terug en lieten alle kostbaarheden vallen om voor hun leven te kunnen vechten terwijl ze terugvluchtten naar hun schepen. De bemanningen hadden de meeste trossen al losgegooid toen de vluchtende plunderaars aan boord klommen, maar ze werden tegengehouden door Groenlanders die vanaf het strand aan boord probeerden te komen en door grote groepen jongemannen die vanaf hun boten touwen met enterhaken naar de schepen gooiden.

Aan de landzijde liepen nog meer Groenlanders te hoop die onder het slaken van oorlogskreten aan boord sprongen. De Engelsen hakten het laatste touw door en hesen het laatste rechthoekige zeil, terwijl de riemen werden uitgestoken. Twee scheepsmaten sjorden aan de zware roerpen om het schip weg te laten draaien van de wal. Maar de hoge oevers hielden de wind van zee tegen en beide schepen zochten met moeite de stroming op. Ze waren echter nog niet ver toen ze al omsingeld werden door boten en de Groenlanders die aan boord waren geklommen als vlooien op een dooie rat over de dekken krioelden. Ole klom achter zijn broer aan in een touw, klaar om hem een zetje te geven als Leifs zwakke been dienst weigerde. De indringers kwamen in het nauw omdat ze hun schip onder controle moesten houden en tegelijkertijd moesten vechten. Een van de zeelui hakte het touw van Leif door. Leif kon zich nog net aan het touw ernaast vastgrijpen, maar Ole viel terug op de boot. Het was een val van nog geen twee meter en hij landde ongedeerd naast zijn kameraden.

Omdat hij zich zorgen maakte over Leif deed Ole nog een poging om aan boord te komen. Met zijn strijdhamer in de hand rende hij over het dek en stortte zich met een luide kreet in het strijdgewoel. Hij zag Leif gebukt bij de boeg staan, waar hij zich twee tegenstanders van het lijf probeerde te houden. Ole wilde hem te hulp schieten, maar andere strijders liepen hem in de weg. Een van de indringers mikte vanuit het want met zijn kruisboog op Leif. De pijl lag al klaar om afgeschoten te worden. Als de man de kans kreeg, zou de pijl dwars door Leif heen gaan, maar de boogschutter aarzelde. Hij wachtte tot zijn kameraden buiten schot waren en riep hen toe dat ze aan de kant moesten gaan.

Met een snelle beweging gooide Ole zijn strijdhamer naar de boogschutter. Hoewel het geen voltreffer was, gleed de man toch uit en viel met kruisboog en al op het dek. De pijl vloog omhoog en kwam in een van de zeilen terecht.

Leif zwaaide even om Ole te bedanken en mengde zich weer in de strijd. De Groenlanders sleepten de gevallen man mee naar een van de boten. Hij was hun eerste gevangene en bood geen weerstand.

Ole haalde zijn hamer weer op die van dichtbij even dodelijk was als van veraf. En de strijd keerde zich ten gunste van de Groenlanders. Tijdens een korte gevechtspauze, terwijl een van zijn slachtoffers aan zijn voeten de laatste adem uitblies, viel Oles oog toevallig op de kathedraal. 'Hé, Rolf,' schreeuwde hij naar de

Groenlander die zichzelf tot hun commandant had uitgeroepen. 'Kijk eens wat dat buitenlandse schorem met jullie kathedraal heeft gedaan.'

Rolf keek om en zei: 'Vuile Engelsen. Dat zijn ze namelijk, ik heb een paar woorden herkend. Misschien hebben die zwijnen het vuur niet aangestoken, maar de kathedraal zou niet in brand staan als zij niet waren gekomen.'

Uiteindelijk gaven de Engelsen zich over. Er waren er nog maar vijf of zes die niet gewond waren. Drie Groenlanders waren aan hun verwondingen overleden op het schip dat inmiddels al door andere Groenlanders naar de wal werd gesleept. Rolf riep over de reling naar de boten die achter hen aan kwamen: 'Het is voorbij en wij hebben gewonnen. Het schip is van ons!'

Toen de overlevenden smeekten om niet gedood te worden, besloot Rolf hen te sparen. 'Ze kunnen de plaats innemen van de Skraelings die ervandoor zijn gegaan. Het is toch schorriemorrie dat het op ons vee en onze kinderen had voorzien.'

'Hoe zit het met hun wapenrusting?' informeerde Leif. 'Die kunnen wij goed gebruiken.' Hij had de wapens al verzameld en in een van de vissersboten laten zakken. De andere mannen waren het met hem eens. Ze ontdeden alle mannen die ze hadden gedood van hun maliënkolders. 'Laat de gevangenen hun maliënkolders nog maar even aanhouden,' beval Rolf. 'Als ze overboord springen, zullen ze met al dat ijzer aan hun lijf meteen zinken.' Hij keek de vijf zielige Engelsen aan die rond de voorste mast zaten. 'Jij.' Hij stootte een jongeman aan met zijn voet. 'Spreek je Noors?'

De man had een kort geel baardje en zag eruit alsof hij ieder moment verwachtte dat hij het leven vaarwel zou moeten zeggen. Hij knikte onzeker. 'Elke handelaar spreekt Noors.'

Rolf gaf hem een schop en de man kromp in elkaar om zich tegen een volgende aanval te beschermen. 'Noem je dit handeldrijven? Hoe heet je?'

'Richard uit Hull,' zei hij, zonder zijn ondervrager aan te kijken.

'Ik ga je losmaken, Richard. Dan kun jij de zeilen neerlaten en vastzetten. En wel zoals het hoort, anders maak ik je een kopje kleiner.' Richard gehoorzaamde. Zodra het canvas was opgerold ging hij weer bij zijn kameraden zitten, die hem boos aankeken. De mannen van Rolf hadden zich aan de riemen gezet en roeiden het schip terug naar het strand.

'Waarom hebben jullie ons aangevallen?' blafte Rolf.

'We dachten dat jullie allemaal dood zouden zijn en dat we de schapen en het goud uit de kathedraal zo mee zouden kunnen nemen. Maar wat konden we anders doen toen jullie jezelf verdedigden?'

Rolf zette zijn handen in zijn zij. 'O ja? Dus jullie dachten dat het een makkie zou worden? Nou, wij zijn niet dood, maar de meesten van jullie wel.'

'Jullie hebben geen koning meer,' zei Richard. 'Jullie koning Olaf is dood. Zijn Deense moeder, Margarethe, regeert nu over alle Noorse landen, zelfs over Zweden. Jullie hebben niemand aan wie jullie hulp kunnen vragen.'

Een andere man uit Yorkshire, die begreep dat alles toch verloren was, zei: 'We hadden recht op dat goud. Waarom zouden de Denen alles krijgen?' Rolf balde zijn vuist en gaf hem een klap tegen zijn kin, maar de gevangene verroerde zich niet.

De Groenlanders waren sprakeloos van schrik, tot een man uitriep: 'Is de hele koninklijke familie dood? Allemaal? Horen wij nu bij Denemarken?'

Rolf was de eerste die zijn evenwicht hervond. 'Dat maakt niets uit. Begrijpen jullie dat dan niet? Wij horen bij niemand alleen bij onszelf. Niemand heeft zich ooit druk om ons gemaakt. Niemand heeft ons geholpen dit land te veroveren en het te behouden. Wij waren toch maar kolonisten en alleen goed om belasting aan de koning te betalen. Nu zijn we vrij en van het hele stel af!' Een paar mannen begonnen te juichen, maar vrolijk was anders.

'Vrij? We zijn vrij om van honger te sterven,' zei iemand.

'Maar dat was toch altijd al zo?' vroeg Ole. Niemand gaf antwoord.

Rolf wendde zich weer tot de gevangenen. 'Waar zijn de kinderen?' wilde hij weten.

Richard wees naar een gesloten ruim. Nu het gevecht voorbij was, hoorden ze de gedempte kreten om hulp, het gesnik en het gesmoorde gekuch. Leif en Ole schoven het luik opzij. De zweetlucht van jonge lichamen, bang en smerig, deed Ole naar lucht happen. 'Lisle, Katla, Orm!' riep Gaute Olafson. 'Hier is opa. Zijn jullie daar?'

'Ja, opa.'

De man wreef met zijn smerige knokkels in zijn ogen. 'Jullie zijn gered. Dit schip is nu van ons,' zei hij tegen hen. 'Jullie worden niet ontvoerd. Orm, kun jij zelf naar buiten klimmen en de kleintjes helpen?'

'Nee,' zei Orms schorre stem vanuit het donkere ruim. 'We zijn aan handen en voeten gebonden.' Ole kende de jongen niet goed, maar uit zijn stem kon hij opmaken dat de kinderen niets te drinken hadden gehad sinds ze gevangen waren genomen.

'We komen jullie wel ophalen,' zei Gaute. Rolf, Ole en nog een paar anderen lieten zich in het ruim zakken en werden begroet met zachte, dorstige kreten van opluchting. De kinderen werden een voor een uit het muffe, vochtige ruim getild. Ole zag een verfomfaaide jonge vrouw met blond haar, die in een hoekje was weggekropen. Hij herkende haar meteen. 'Je mag weer naar huis,' zei hij tegen haar.

Ze kroop achteruit tot ze tegen de scheidingswand aan zat. 'Laat me met rust,' siste ze.

'Wat is er aan de hand, Ole?' riep Leif van boven. 'Moet ik je helpen?' Ole schreeuwde dat hij even moest wachten. Hij was niet van plan om haar in dat ruim te laten zitten, ook al zou hij haar over zijn schouder naar boven moeten slepen, precies zoals de indringers haar vanaf haar huis hadden meegesleept. 'Je komt naar buiten, op eigen kracht of over mijn schouder. Zeg maar wat je wilt.' Ze liet toe dat hij haar boeien doorsneed. Jona was de laatste die omhoogklom naar het door de zon gebleekte dek.

Toen ze bij de aanlegsteiger kwamen, barstten volwassen mannen in tranen uit bij de aanblik van de puinhoop. De broers wendden hun ogen af van de smeulende ruïne en speurden de helling af naar bekende gezichten. Leif stootte Ole aan en wees. 'Dat is vader toch?'

Ole zag Halvard, die voorovergebogen op een helling vol lijken zat te kijken naar het schip dat naar de steiger voer. Naast hem zat een andere man. 'De goden zij lof. Volgens mij zit Einar naast hem, maar vanaf deze afstand en met al die rook durf ik dat nog niet te zweren.'

Hoofdstuk 22

Alleen de buitenmuren van de kathedraal stonden nog overeind toen Halvard, Leif en Ingrid een dag later de schade kwamen opnemen. Het hele interieur was verdwenen. De gevangenen waren aan het puinruimen gezet en deden schoorvoetend hun werk.

Sira Mars had alle mannen en vrouwen over wie hij het bevel voerde opgedeeld in ploegen die moesten proberen zoveel mogelijk heilige voorwerpen te redden uit het puin. 'O, ben je daar, Halvard,' zei hij toen hen aan zag komen. Hij wenkte hen. 'Uiteraard bouwen we de kerk weer op. Er komen veel boerderijen leeg te staan en daar kunnen we de dakbalken van gebruiken. We moeten God danken dat we dit hebben overleefd.' Hij keek Halvard indringend aan, wachtend op een of andere reactie.

'Wij hebben onze goden al bedankt, Sira Mars. U mag de uwe wel bedanken, maar als ik uw god was geweest en ook maar enige macht had, had ik niet de helft van mijn volgelingen laten sneuvelen. Probeer het eens bij Odin of Thor als het om oorlogshandelingen gaat, of bij Freya met betrekking tot vruchtbaarheid en mooi weer.'

Sira Mars zuchtte en schudde zijn grijzende hoofd. 'Ik ben bang dat niets jouw ziel zal kunnen redden, mijn zoon, maar die eigenwijsheid van je is een goede Noorse eigenschap. Je slaagt er altijd in om mijn woorden te verdraaien en als iets je ter harte gaat, vecht je als een leeuw. En toch mag ik je graag.'

Halvard grijnsde hem toe. 'Hetzelfde geldt voor mij. Misschien kan uw Jezus ons helpen de schapen weer bij elkaar te drijven. Ik heb gehoord dat die Jezus een herdersgod is. Volgens mij zouden jullie er wel een goede oorlogsgod bij kunnen gebruiken. Ik zou

257

maar eens over Thor nadenken. Ondertussen ga ik met Ingrid de heuvels in, om te proberen onze dieren te vangen. Ik wens u nog een goede dag, Sira Mars.'

Overal op de hooggelegen weidegrond stonden dieren te grazen. Halvard zuchtte. 'Zonder Kwispel kunnen we de helft van onze dieren wel vergeten.'

Ingrid onderdrukte een gevoel van verdriet en zei: 'Nu de Skraeling-slaven weg zijn, zullen we vandaag wel veel Groenlanders tegenkomen die niet weten hoe ze met hun honden moeten omspringen. Die zullen de schapen alleen maar nog verder de heuvels in jagen. Kijk.' Ze wees naar een paar jongens die met onervaren fluitsignalen hun honden aan het werk probeerden te zetten. Een ram boog zijn nek en krabde snuivend in de grond. Toen de jongens achteruitweken, draaide de ram zich om en draafde aan het hoofd van zijn ooien en lammeren weg.

Het tweetal probeerde zo goed en zo kwaad als het ging hun dieren naar huis te brengen, maar zonder hond dwaalden er voortdurend beesten af. Toen Ingrid floot om haar vaders aandacht te trekken, zag ze tot haar verbazing een stel halfvolwassen honden aan komen draven. Ze dreven een kudde van meer dan twintig schapen en geiten voor zich uit. Ingrid tastte in haar schortzak en wierp de honden die haar waarschuwend toe gromden ieder een stuk gedroogde vis toe. Ze schrokten het op en bedelden om meer. Van wie zouden ze zijn? 'Kijk eens wat ik heb gevonden, vader,' zei ze toen Halvard dichterbij kwam. 'Een reu en een teefje. Ze zijn nog jong. Ik vraag me af of ze afgericht zijn en of hun eigenaar nog in leven is.'

De jonge honden gedroegen zich nederig ten opzichte van Halvard. Hij gooide ze nog een paar stukken gedroogde vis toe, die ze in de vlucht opvingen. En zodra ze gegeten hadden, drukten ze hun neus tegen Halvards hand om gestreeld te worden.

'Ze zijn mensen gewend, dat staat vast. Laten we maar eens kijken waar ze wonen.' Halvard gaf ze door middel van een fluitsignaal het bevel de afgedwaalde dieren naar de kudde terug te drijven. Het rossige mannetje had wat moeite met een ram, die weinig ontzag voor hem had omdat hij nog zo jong was, maar hij kreeg hulp van zijn zwart-witte, langharige zus.

'De honden zullen alle dieren naar hun eigen boerderij drijven,' zei Ingrid. 'Ook die van ons.'

Halvard knikte. 'Ja, wij hebben voorlopig weinig in te brengen. Als we daar eenmaal zijn, kijken we wel weer verder. We kunnen die van ons later naar huis brengen. Ik vraag me af of we hun eigenaar over kunnen halen om ons deze pups te geven. Het lijkt me duidelijk dat ze bij de kudde zijn gebleven om de dieren bij elkaar te houden, maar ze zijn er niet aan gewend om zonder hun herders te werken.'

Toen ze bij een snelstromend beekje kwamen, probeerde Halvard uit zijn hoofd na te gaan wiens land dit was. Het lag ten noordwesten van het zijne. Overal langs het water stonden honden, geiten en schapen hun buik rond te drinken aan het frisse, koude water. Halvard en Ingrid knielden ook neer om het water in hun handen op te scheppen en ook hun dorst te lessen na de lange tocht, die ze rennend hadden moeten afleggen.

Zodra het vrouwtje vond dat ze lang genoeg stil hadden gestaan, begon ze de kudde naar een vrij groot huis te drijven. Het weiland voor het woonhuis was dichtbegroeid.

Een man met een rond gezicht en een goed geklede vrouw keken op toen ze het gerinkel van de bellen hoorden. Een paar andere honden kwamen aan rennen om het bevel over de kudde over te nemen. De pups kwispelden en renden naar een grote vrouwtjeshond toe. Ze likten haar snuit en gingen aan weerskanten van haar zitten.

'Dus dat is hun moeder,' merkte Ingrid op. 'We moesten maar eens met die mensen gaan praten. Misschien willen ze die pups wel aan ons afstaan, uit dankbaarheid dat we hun kudde teruggebracht hebben. Ze hebben genoeg andere honden.'

'Dat is waar. Neem me niet kwalijk,' riep hij luid. 'Kan ik even met u praten?'

'Wat?' schreeuwde de man. 'Wie zijn jullie? Zei je iets tegen me?' Hij keek Halvard strak aan, terwijl de vrouw het hek opendeed en haar kudde plus Halvards dieren opsloot alsof ze net door een stel slaven thuis waren gebracht.

Halvard stelde zichzelf en Ingrid voor. 'Klopt het dat deze zwervers van u zijn?' vroeg hij. 'We waren onze eigen dieren aan het verzamelen en de rest liep rond te dwalen door de heuvels.'

'Ze waren van mijn broer, Oskar Asgeirson,' zei hij. 'Helaas is hij bij die aanval om het leven gekomen. Dus nu zijn ze van mij.'

'Nee, ze zijn van mij, Anders,' weerlegde de vrouw. Haar hoofd was bedekt met een kap van mooie, rookkleurige stof, versierd met rood en groen borduursel. 'Ik ben Vrouwe Sigurny Eriksdottir, de weduwe van Oskar Asgeirson, grootgrondbezitter en leider van dit district. Dit is Heer Anders Asgeirson, de broer van mijn overleden man.'

Ze keek hen uit de hoogte aan, alsof ze zich eigenlijk te goed voelde om kennis te maken met een stel schaapherders. 'In ieder geval bedankt dat jullie de dieren teruggebracht hebben.' Ze draaide hen de rug toe alsof ze lucht waren. Halvard stond met zijn mond vol tanden.

'We moeten onze eigen dieren nog van de rest scheiden,' zei hij. Kennelijk konden ze de pups wel vergeten, want die waren alleen van huis weggelopen om de afgedwaalde dieren terug te brengen. Die man en die vrouw moesten zelf maar uitvechten wie nu eigenaar was van de kudde en de boerderij. Hij stond op het punt zijn eigen dieren weg te drijven, toen Ingrid haar hand op zijn gezonde arm legde en er een waarschuwend kneepje in gaf.

'Vrouwe Sigurny,' zei Ingrid. De man en de vrouw keken haar met grote ogen aan. 'U zou deze dieren helemaal niet terug hebben gekregen als mijn vader ze niet bij elkaar had gedreven en mee had genomen. Als dank zouden we graag deze twee half afgerichte pups willen hebben, om de plaats in te nemen van onze eigen hond die gedood is.' Ze sloeg haar ogen niet neer uit eerbied voor de hogere rang van de andere vrouw. Ze was zelfs een halve kop groter, waardoor de vrouw naar haar op moest kijken.

Hoewel de houding van Vrouwe Sigurny hooghartig bleef en ze zich niet verwaardigde om antwoord te geven, merkte Heer Anders op: 'Volgens mij ben jij die heiden die sinds de slag bij de kathedraal een vazal is van Heer Finn.'

'Nee, dat ben ik niet. Ik ben niemands vazal,' antwoordde Halvard. Hij nam een iets strijdlustiger houding aan. 'Maar wat mijn dochter zegt, is waar. U zult de familie van uw man om bescherming moeten vragen en uw have en goed met hen moeten delen. U kunt hier in geen geval alleen achterblijven. Nu u zonder slaven zit, hebt u te veel dieren om te verzorgen en te voeren.'

Heer Anders keek Halvard fronsend aan. 'Volgens sommige mensen hebben we dat aan jou te danken. Aangezien jij jouw slaven hun vrijheid hebt geschonken, was dat voor de anderen een teken om er ook vandoor te gaan. Wat bedoelde je met die opmerking dat mijn zuster hier niet alleen kan blijven wonen, heidense Halvard? Was dat soms een voorstel om samen met je gezin bij haar in dienst te komen in plaats van de Skraelings die de benen hebben genomen?' Hij keek naar het restant van Halvards armzalige kudde. 'Dan zouden jullie in ieder geval meer te eten krijgen.'

In plaats van boos te reageren, kon Halvard zijn lachen nauwelijks onderdrukken. Heer Anders liep rood aan van kwaadheid, maar Halvards gezicht bleef uitgestreken. 'Ik wil bij niemand in dienst komen, ook al is het een grootgrondbezittter. En hetzelfde geldt voor de rest van mijn gezin. Maar in ruil voor het feit dat ik een deel van de kudde van Vrouwe Sigurny heb teruggebracht, wil ik wel graag die pups hebben.'

De man stond op het punt om nee te zeggen, maar de vrouw zei: 'Ach, laat ze die beesten maar meenemen. Het maakt mij niets uit.'

Halvard floot de honden naar zich toe en pakte de reu in zijn nekvel terwijl Ingrid het teefje vasthield. 'Hoe heten ze?' vroeg ze, blij dat ze hun zin hadden gekregen.

'Ik maak me niet druk over de namen van honden. Geef ze zelf maar een naam,' zei Vrouwe Sigurny tegen Halvard alsof Ingrid lucht was.

'Goed,' zei Halvard. 'Dan gaan we nu naar huis.'

'Kom, Loki. Kom, Hella,' zei Ingrid. Ze gaf hen het fluitsignaal om de kudde te bewaken. De pups begonnen meteen om de loslopende dieren heen te rennen en hen met hoog, opgewonden geblaf in de richting te drijven die Ingrid aangaf.

Terwijl ze de kibbelende Heer Anders en Vrouwe Sigurny de rug toe keerden, vroeg Halvard: 'Hoe kwam je ineens op die namen?'

'Dat weet ik niet,' bekende Ingrid. 'Waarschijnlijk omdat ik aan de echte Loki en Hella moest denken. De godin van de onderwereld en de god van de bedriegers hebben zich vast vrolijk gemaakt over onze kleine overwinning. In plaats dat Heer Anders en Vrouwe Sigurny elkaar proberen te troosten omdat hij zijn broer en zij haar man heeft verloren, doen ze niets anders dan kibbelen en op ons neerkijken. Volgens mij zullen ze hun verdiende loon krijgen.'

De volgende ochtend maakte Ole zich op om het gras van het weiland bij het huis te gaan maaien. Maar hij zag iets onder aan de grassprietjes dat hem zorgen baarde. Hij ging op zijn knieën liggen om het beter te kunnen zien. 'Bij alle Aesir in Asgard!' vloekte hij. 'Wat is dit nu weer?' Hij had vier bruine beestjes gevonden, met lange, in segmenten verdeelde lijven die bedekt waren met wollige sprietjes. Ze zagen er teer en onschadelijk uit en leken zich ondanks een groot aantal poten met moeite te verplaatsen. 'Leif!' riep hij. 'Kom eens gauw kijken.'

Leif kwam naar hem toe en liet zijn vinger voorzichtig over een van de zwart-met-bruine diertjes glijden. Het voelde zacht en week aan. De ogen leken te groot voor het kopje toen het dier zich ophief en om zich heen keek, op zoek naar een manier om weer naar beneden te komen. De beesten bleven staan toen ze bij de rand van Oles hand kwamen. Drie ervan staken hun voelsprieten uit en trokken zich terug. De vierde bleef even met zijn kop naar beneden hangen, liet zich vallen en verdween onder een grassprietje.

Leif ging op zijn hurken zitten om het diertje terug te vinden, maar hij stond meteen weer op. 'Er zitten er nog veel meer. Het wemelt ervan. Het bevalt me niets, maar ik ga eerst even verder met melken, dan kun jij vader en Ingrid roepen.'

'Ik geloof niet dat ze gevaarlijk zijn. Ze zijn zo klein en ze proberen niet te bijten. Ze eten alleen maar gras.' Ole keek met een ruk op, alsof nu pas tot hem doordrong wat hij net had gezegd. 'Alleen maar gras,' herhaalde hij op een heel andere toon. 'Alle goden nog aan toe!' riep hij opnieuw en holde naar het huis.

Halvard rukte een pol purperkleurige klaver met wortel en al uit de grond. Op de plek waar de blaadjes overgingen in de pol krioelde het van de beesten die zich onder hun ogen hongerig te goed deden aan het groen. Een ervan leek niet belangrijk, maar zoveel? Bijtend en kauwend leken ze te groeien terwijl hij ernaar stond te kijken en de blaadjes zienderogen kleiner zag worden. Halvard slaakte een kreet van afschuw en liet de pol vallen alsof de plant in brand stond. Hij kreunde zacht en sloeg zijn handen voor zijn ogen. 'Wat is er?' riep Ingrid terwijl ze om zich heen keek. Ze zag niets onrustbarends.

'Dit is het einde. We kunnen hier niet langer blijven. Als je goed kijkt, kun je de dood in de ogen kijken.' Met gebogen hoofd wachtte hij tot Ingrid beduusd gehoorzaamde. Het duurde even, maar toen besefte ze wat hij bedoelde.

'Dit had ik je willen vertellen. De bobbeltjes die overal op de weidegronden op de blaadjes zaten.' In de verwarring die de invasie had veroorzaakt, was ze vergeten hem te waarschuwen. Het meisje had niet begrepen dat ze vlindereitjes had gezien. Ingrid stak haar hand in haar zak om de verdroogde blaadjes nog eens te bekijken die ze had geplukt vlak voordat ze de vreemde schepen zag.

'Kijk! Nog meer van die kleine monsters, die rondkruipen op zoek naar voedsel.' Ze wierp de restanten in het gras en veegde haar handen af alsof ze walgde van de aanraking.

'Die beesten zullen elk grassprietje opvreten,' zei Halvard. 'Je zag ze vroeger ook wel, maar dan waren het hooguit een stuk of twee. Nu zitten hier honderdduizenden van een soort die ik nooit eerder heb gezien in al die jaren die ik in dit land heb doorgebracht. Wat de winters, de ziekten en de Engelsen niet voor elkaar konden krijgen, zal deze beestjes wel lukken. Als we hier blijven, zijn we ten dode opgeschreven. Deze wormachtige wezens zijn het begin van nieuwe vlinders, De Vrouw van de Zee heeft ons uiteindelijk toch verslagen.'

'Maar we kunnen er toch wel iets tegen doen,' wierp Ole tegen. 'We kunnen ze plattrappen en verbranden. Kijk maar.' Hij verpletterde een stel onder de zool van zijn laars. 'Ze kunnen gemakkelijk gedood worden.'

Halvard schudde zijn hoofd. 'Het is hopeloos. Het zijn er veel te veel. Toen de Vrouw van de Zee aan Ingrids moeder vertelde dat het land weer in handen zou komen van de oorspronkelijke bewoners, was dit haar bedoeling. En er is geen mens of god die haar uit naam van ons het hoofd zal bieden. Het is voorbij.'

Ole wierp uitdagend zijn hoofd in de nek, nog niet bereid om zich erbij neer te leggen dat ze niets konden doen. 'We hoeven hier niet op onze dood te gaan zitten wachten. We hebben de schepen.'

Het grote veld naast de ruïne van de kathedraal was nog steeds de plek waar de mensen bij elkaar kwamen. Toen het langzaam tot de bewoners door begon te dringen wat hen te wachten stond, stroomden ze in groten getale naar Gardar, alsof de klokken van de kathedraal hen hadden opgeroepen. Halvard en zijn gezin voegden zich bij hen.

Iedereen had het over de zwermen harige monsters. Niemand wist wat ze ertegen moesten doen. Voor ieder exemplaar dat ze doodtrapten, doken tien andere op die in elk weiland en op alle weidegronden het gras verzwolgen. Gezinshoofden riepen de hemel aan en anderen eisten in heftige bewoordingen dat hun priesters een eind zouden maken aan de plaag.

Heer Finn Kollgrimson, omringd door de mannen die hem trouw hadden gezworen, vormde het middelpunt van een groep die voornamelijk uit getrouwde mensen bestond. Heer Rolf Peterson stond aan het hoofd van een andere groep. Einar en Ludmilla stonden met hun gezin naast Osmund, net als Halvards gezin en andere mensen die respect hadden voor de wijsheid van de oude man. Een vierde groep werd gevormd door de priesters en mensen die tot de kerk behoorden. Iedereen moest erkennen dat deze bedreiging zo wijdverbreid en verraderlijk was dat er niets tegen te doen viel.

De leiders pleegden overleg. Na een poosje begonnen hun plannen vorm te krijgen. Heer Finn verklaarde: 'Ik zal samen met mijn mannen en onze gezinnen naar IJsland varen. Daar kunnen we nog voor de najaarsstormen aankomen. Dan kunnen we in de lente terugkomen met genoeg schepen om de achterblijvers op te halen.'

'En hoeveel mensen zullen volgens jou de winter overleven en kunnen wachten tot jij terugkomt?' informeerde Rolf.

'Het lijkt me juist dat de ouderen en de zwakken achterblijven om de sterksten een kans te geven,' zei Osmund. 'Ik ga niet mee. Ik vind het niet erg om te sterven op het land waar ik mijn leven lang gewoond heb.' Ludmilla pakte zonder iets te zeggen zijn handen vast, maar de tranen biggelden over haar roze wangen.

'Wij die aan God toebehoren, zullen hier ook blijven,' verklaarde Sira Mars. 'Misschien dat onze gebeden jullie terug zullen brengen om ons te redden.'

Hun woorden gingen als een lopend vuurtje door de omstanders, die met allerlei suggesties kwamen. Ten slotte bleek dat alleen degenen met gezinnen wilden proberen om IJsland te bereiken. De meesten herinnerden zich nog de verhalen over de pest en de vulkaanuitbarstingen op dat eiland, maar dat was inmiddels jaren geleden. 'Ze zullen christenen in nood echt niet de toegang ontzeggen,' verklaarde Finn. 'Maar een paar van onze priesters zouden eigenlijk wel met ons mee moeten gaan om onze zaak te bepleiten of de IJslanders te dreigen dat ze vervloekt zullen worden als ze weigeren ons te helpen. Sira Pall, wilt u niet met ons meegaan?'

De priester knipperde verrast met zijn ogen. 'Het lijkt me verstandiger als jullie broeder Audun meenemen,' zei hij. 'Ik ben door koning Magnus naar Groenland gezonden om de christenen hier te beschermen. Ik heb een gelofte afgelegd. Dus moet ik hier blijven en degenen die achterblijven een hart onder de riem steken. Als jullie terugkomen om ons op te halen en iedereen kan mee, dan ga ik ook terug. Tot dan is mijn plaats hier. Ik ga niet met jullie mee.'

Osmunds gerimpelde hand sloot zich om de magere vingers van Sira Pall. De priester had gevast en maar één maaltijd per dag gebruikt om boete te doen voor wat volgens hem zijn zonden waren. 'We zullen samen afwachten of het Onze Lieve Heer behaagt ons te redden of ons tot Zich te roepen.'

Het was een ontroerend tafereeltje, maar de anderen moesten besluiten wat ze zouden doen nu ze nog tijd hadden. Heer Rolf, de man die door de jongeren tot hun aanvoerder was verkozen, kwam vervolgens met een verklaring die veel mensen met stomheid sloeg. 'Jaren geleden hebben wij de IJslanders die hiernaartoe wilden komen toen daar de pest heerste de toegang geweigerd. Het kan heel goed zijn dat wij daar nu ook niet welkom zijn. Vergeet niet dat we hen niets te bieden hebben, we zijn weinig meer dan bedelaars. Ik stel voor dat degenen met kracht en moed samen met mij naar het westen varen. Dankzij onze nieuwe slaven, de Engelsen, hebben we ijzeren wapens, maliënkolders en kruisbogen. Dit keer zullen we niet proberen om daar hetzelfde leven te leiden als hier. Die tijd is voorbij. We kunnen tijdens de overtocht geen kudden meenemen.'

'Wat moeten we dan eten?' riep iemand.

'Wat we in voorraad hebben. Plus wat we met onze visnetten binnen kunnen halen. Daarna zullen we net als de Vinlanders moeten jagen.'

'Er zijn Skraelings in Vinland die ons al eerder verjaagd hebben,' zei Finn Kollgrimson. 'We moeten allemaal naar IJsland gaan. We kunnen een vuist maken als we maar met genoeg gezinnen komen. In ieder geval zijn de IJslanders ook Noormannen en christenen.'

'Dat zeg jij,' weerlegde Rolf. 'Als we allemaal naar het westen gaan, zijn we met honderd man. Genoeg om een nederzetting te verdedigen tegen de Skraelings en in ons nieuwe land voor voedsel te zorgen. Ga met mij mee naar het westen, dan hoeven we niet te bedelen. Dan kunnen we de mensen daar aan ons onderwerpen.'

'Naar het westen,' schreeuwden de aanhangers van Heer Rolf.

'Nee, naar IJsland,' schreeuwden anderen. Ze zouden waarschijnlijk met elkaar op de vuist zijn gegaan als de priesters niet hadden ingegrepen. Sira Nicholas, Sira Mars en Sira Pall Knudson steunden elkaar. 'Kinderen,' riep Sira Pall met opgeheven en gespreide armen als een profeet uit vervlogen tijden, 'bedenk dat samenwerking noodzakelijk is. Dit is het einde der tijden in Groenland. Door onderlinge onenigheid zullen jullie elkaar kapotmaken voordat jullie de kans krijgen weg te gaan.'

Hij slaagde erin de meute lang genoeg te kalmeren om de mannen de kans te geven een akkoord te sluiten. Elke hoofdman zou één schip krijgen. Rolf gebaarde naar degenen die hem steunden. 'Iedereen die mij wil volgen moet naar huis gaan om zijn dieren te slachten nu ze nog vet zijn. Droog zoveel mogelijk vlees in de wind. Kom dan over drie dagen weer hiernaartoe, met al het vlees en water dat jullie kunnen dragen. Breng dekens en leer mee, waarvan we bij aankomst tenten kunnen maken. We varen terug naar Vinland om het land te heroveren.'

Er klonk gejuich. Nog meer jongelui renden naar voren om zich bij Heer Rolf aan te sluiten. Zuster Marie liep naar hem toe en wierp de doeken die haar hoofd bedekten af. 'Jullie zullen jonge vrouwen nodig hebben in jullie kolonie,' zei ze. Haar dagen als non waren voorbij.

'Ik ben van gedachten veranderd. Ik ga met jullie mee,' verklaarde Sira Mars tot grote vreugde van het merendeel. 'Misschien zullen mijn gebeden helpen om een succes te maken van onze onderneming en als God het wil, kunnen we de Skraelings daar ook bekeren.'

Thorunn en Jona sloten zich bij Rolf aan. 'Ga met ons mee, Ingrid,' riep Thorun, 'Wil je het land van je moeder niet zien?'

Het was een verleidelijk idee om de oceaan over te steken en voet te zetten in het land waar haar moeder het levenslicht had aanschouwd. Echt ontzettend verleidelijk, maar toen herinnerde Ingrid zich dat het land van haar moeder ver van de kust lag. In de dorpen aan de kust waar de Groenlanders aan wal zouden komen, woonden alleen vijanden. Ze vroeg zich af of zij dat samen met een paar anderen zou kunnen overleven om op zoek te gaan naar het volk van haar moeder. Met ijzeren wapens, kruisbogen en sterke krijgers die de groep konden verdedigen als ze werden aangevallen, zouden ze misschien naar het binnenland kunnen trekken om in het zuiden op te zoek gaan naar een brede rivier omzoomd door hoge bomen. Moeder had verteld dat er uit hun stammen water sijpelde dat nog zoeter was dan bessen. De verhalen die haar op winteravonden bij de vlammen van olielampen waren verteld speelden door haar hoofd alsof het haar eigen herinneringen waren en niet die van haar moeder.

'En hoe denk jij erover, Leif?' zei Heer Rolf uitnodigend. 'En Ole. Jullie allebei, samen met jullie zuster. Zij kan tegen die wilden praten en ons vertellen hoe ze leven, zodat we erachter kunnen komen hoe we ze het best in de pan kunnen hakken.' De felle blik van Leif scheen Rolf te ontgaan. Ingrid deinsde achteruit. Ze voelde er niets voor om zulke destructieve mannen naar het land van haar moeder te brengen.

Leif verwoordde zowel haar gevoelens als die van Ole toen hij zei: 'Wij gaan niet mee.'

Rolfs gezicht betrok, maar die blik verdween weer snel toen hij zijn pogingen hervatte om zoveel mogelijk medestanders te werven.

Ze liepen naar hun vader die samen met andere gezinshoofden bij Finn stond. 'Ga met ons mee, Halvard,' riep Finn. 'Jij en je hele gezin. Waarom zou je achterblijven in dit land dat binnen de kortste keren in een steenwoestenij zal veranderen?' Halvard stond over het voorstel na te denken, toen iemand de anderen eraan herinnerde dat het Halvard was geweest die had voorgesteld om het gras in brand te steken op de dag dat de kathedraal was afgebrand. Osmund had al voorspeld dat dit zou gebeuren. Er werden die dag trouwens nog veel meer beschuldigingen geuit.

'Idioot,' zei Heer Finn tegen de man. 'Zelfs de priesters hebben hem dat vergeven. Niemand wist dat de wind zo zou aanwakkeren. En je kunt op hem bouwen.'

'Alleen christenen mogen deze reis ondernemen,' riep een andere man luid. 'Heidenen brengen altijd ongeluk. Als we hen allemaal hadden uitgeroeid, zoals de kerk ons heeft gevraagd, dan zou die duivelse zeegodin van de Skraelings het nooit voor het zeggen hebben gekregen. Ik zeg dat we die heidenen hier maar van honger om moeten laten komen.'

'Je bent een verdomde stomkop, Heer Anders. En er is niemand meer die naar je moet luisteren. Je hebt geen land meer en ook geen aanhang.'

'Jullie hoeven om ons geen ruzie te maken.' Halvard sprak met stemverheffing om boven het gekibbel uit te komen. 'Wij gaan niet met jullie mee naar IJsland. Wij zoeken onze eigen weg, zoals we altijd hebben gedaan.' Hij wendde zich tot zijn zoons en dochter. 'Zijn jullie het met me eens? Als jullie wel met een van de schepen mee willen, zal ik jullie niet tegenhouden.'

'Wij zijn niet voorbestemd om naar het oosten of naar het westen te trekken,' zei Leif terwijl hij over zijn neus wreef en een blik in de richting van het noorden wierp. Halvard begreep wat hij bedoelde, maar Heer Finn niet.

'Je hebt gelijk,' zei Halvard. 'Dat is de beste oplossing.'

'Jullie zullen van honger omkomen op die verdomde kale rotsen van Groenland.' Het was Finns laatste poging om Halvard op andere gedachten te brengen, maar hij had geen succes.

'Met hulp van Odin en de Vrouw van de Zee zullen we ons best redden. Er zijn nog steeds vogels in de lucht en vissen in de zee.' Hij stak zijn hand op en wenste Heer Finn en zijn volgelingen geluk. 'Kom,' zei hij en wenkte zijn zoons en zijn dochter. 'Onze plaats is niet bij deze mensen.'

Toen ze buiten gehoor van de Groenlanders waren, zei Ingrid: 'Ik zou het leuk hebben gevonden om Vinland te zien, vader, als ze daar tenminste terechtkomen. Maar ik dacht dat het net zo fijn zou zijn om onze oude vriend Sammik weer te ontmoeten. Hij zit daar ergens in het noorden.'

'Dat klopt.' Halvard sloeg zijn arm om haar schouders en keek niet om toen ze met hun vieren naar huis liepen.

DEEL III

Bij de Inuit

GROENLAND

Innuit

Het vroegere dorp
van Qisuk

Het nieuwe dorp
van Qisuk

Het vroegere dorp
van Niroqaq

Westelijke
Nederzetting

Innuit

Het nieuwe dorp van
Niroqaq

Oostelijke
Nederzetting

Het Handelseiland

Naskapi

LABRADOR

Algonquian

St. Law-
rencebaai

Brede rivier

Algonquian

Doteoga

Ganeogaono

← naar Oneida

← naar Onondaga

- - - Niroqaq steekt de
Davis Strait over

Hoofdstuk

Voordat Halvard en zijn gezin vertrokken, gingen ze bij Osmund en Sira Pall langs om afscheid te nemen. Hun buurman had de priester in huis genomen om voor hem te zorgen en alles met hem te delen tot er niets meer over was. Veel mensen die achter waren gebleven hadden onderdak gegeven aan monniken en nonnen. Ze hadden hun kans op redding opgegeven voor gezinnen met kinderen of echtparen die nog jong genoeg waren om kinderen te krijgen. In ruil daarvoor hadden ze nu iemand die hen de hemel in kon bidden.

Osmund en Sira Pall stonden op de klif. 'De schepen varen nu waarschijnlijk door de fjord,' zei Leif. 'Ik wil ze ook zien.' Hij rende vooruit.

De vierkante zeilen van de schepen hingen slap. Mannen trokken gelijktijdig aan de riemen om ze op gang te helpen tot ze de stroming bereikten en de wind in de zeilen zouden krijgen. Einar, Ludmilla en de kinderen stonden aan de reling vlak bij de steven en keken omhoog toen ze langs dreven. Osmund zwaaide met een lap stof om hun aandacht te trekken. 'Ik vraag me af of ze me kunnen zien.' De stof wapperde als een vaandel in de wind tot ze hem zagen. Ludmilla stak haar arm op en zei tegen haar jongens dat ze naar hun grootvader moesten wuiven. Einar tilde de kleine Jenny op en wees naar de mensen op de heuvel.

Osmund veegde met de rug van zijn hand over zijn ogen. De schepen bereikten de zuidelijke eilanden op de plek waar de fjord naar het westen boog en een paar tellen later waren ze uit het zicht verdwenen. 'U was eigenlijk de allerlaatste die hier achter had moeten blijven,' zei Ole een beetje kribbig tegen Osmund. 'U bent een rechter. Als Heer Rolf Peterson en Heer Finn Kollgrimson er niet op hadden gestaan om twee van die piraten mee te nemen, zou er ook plaats voor u zijn geweest.'

'Je hoeft je over mij geen zorgen te maken. Ik ben een oud man. Ik wil liever hier onder mijn eigen stenen en grond begraven worden dan als vreemdeling in een land te moeten wonen dat ik niet ken. Maar mijn familie is wel afhankelijk van dat tuig. Onze Groenlandse mannen weten niet wat ze moeten doen als het gaat stormen. Die Engelsen zullen proberen om de schepen op koers te houden en zo hun eigen huid te redden, maar hoe en waarheen?'

'Regelrecht terug naar Hull in plaats van naar IJsland,' zei Leif. 'Zouden onze vluchtelingen merken dat er een verkeerde koers wordt gevolgd voordat het te laat is? En wat het schip van Heer Rolf betreft, niemand weet hoe ze in Vinland moeten komen. Als ze naar het westen blijven varen, zullen ze wel op een of andere kust stuiten, maar zullen ze zich daar ook kunnen redden?'

'We weten wel hoe we in IJsland moeten komen, alleen niet hoe de zeilen bediend moeten worden,' zei Halvard. 'Heer Rolf is een dwaas. Hij had ook naar IJsland moeten gaan. Het is driehonderd jaar geleden dat de Noormannen met Leif de Gelukkige als kapitein op weg gingen naar Vinland. Daar zijn ze nooit terechtgekomen. Als het Leif Eriksson niet is gelukt, dan geef ik niet veel voor de kansen van Heer Rolf.'

'Ze hebben Sira Mars en zuster Marie bij zich om voor hen te bidden,' zei Osmund. 'Als mede-Groenlander zou je ze succes moeten wensen.'

'Dat doe ik ook. Ze hebben iets meer kans dan degenen die hier achter moeten blijven.' Halvard besefte op hetzelfde moment wat hij had gezegd en maakte een gebaar alsof hij zijn woorden weer wilde inslikken. 'Met een beetje geluk zul je hier de winter niet meer hoeven door te maken. Als Kollgrimson het voor elkaar kan krijgen, stuurt hij voor die tijd vast wel een stuk of drie schepen om de rest van jullie op te halen.'

'Het is aan God om te beslissen of er nog een beetje geluk voor ons over is.' Het was de eerste keer dat Sira Pall zijn mond opendeed. Hij had al die tijd naast hen gestaan, maar zo stil dat ze hem bijna vergeten waren.

'U hebt gelijk, Sira Pall. Het zijn de Nornen die ons lot bepalen en wij zijn maar stervelingen.' Het was tijd om afscheid te nemen.

'In de meeste huizen ligt nog een voorraad gedroogd vlees en kaas. Wij nemen genoeg mee voor de reis, maar de rest laten we thuis. Met een beetje geluk vinden we een dorp waar we onderdak kunnen krijgen. Jullie mogen alles wat jullie kunnen gebruiken uit mijn huis weghalen. Als er een schip terugkomt, ga dan mee.' Hij omarmde Osmund. 'Wij trekken bij zonsopgang naar het noorden.'

'Ik wens jullie goede reis, beste vrienden,' zei Osmund. En tot Halvards stomme verbazing zei Sira Pall: 'Amen.'

Leif en Ole joegen de overgebleven beesten van hun kudde met geschreeuw en een paar klappen de heuvels in. Halvard hield de honden vast die hun mensen met een scheve kop aankeken alsof ze stapelgek geworden waren. 'Dit is het beste wat we kunnen doen. Hopelijk zullen een paar van die arme beesten in het binnenland overleven.' Op zijn velden was vrijwel geen groen sprietje meer te vinden. Het aantal rupsen was inmiddels al verdrievoudigd. Het schapenvlees dat ze in stukken hadden gesneden zou hen de eerste paar dagen van de reis in leven houden. De gedroogde vis en de kaas gingen wat langer mee, maar daarna zouden ze zich met jagen in leven moeten houden.

De laatste avond die ze op de hofstede doorbrachten knielde Halvard naast de graven van zijn vader en zijn eerste vrouw neer. Leif en Ole lagen naast hem op hun knieën. Ingrid respecteerde hun rouw, maar nam er geen deel aan. Gunnar, de grootvader die haar in zijn armen had gehouden, was gestorven voordat zij hem had leren kennen.

Vlak nadat ze de volgende ochtend hadden ontbeten, wilden Ole en Leif de boot gaan laden. 'Dit keer komen we niet meer terug,' zei Halvard. Hij omhelsde zijn zoons en sloeg zijn ogen op naar de hemel. 'Odin, we kunnen je vandaag geen geit geven. Ik hoop dat je daar begrip voor hebt. Ik zou het ook op prijs stellen als je de Rode Thor wilde vragen om zijn bliksemschichten bij zich te houden terwijl mijn zoons op het water zijn.'

Ole en Leif onderdrukten hun glimlach. 'Ik heb nooit beweerd dat ik een priester ben, net als mijn vader,' zei hij toen hij de uitdrukking op hun gezicht zag. 'Ik wind er geen doekjes om. De goden begrijpen gewone taal ook wel.'

'Ik weet zeker dat hij snapt wat u bedoelt,' beaamde Ole, voordat hij met Leif naar de steiger liep. Alle pakken met voedsel, de warme kleren, speren, tenthuiden en netten werden samengepakt tot nette bundels en in de kleine boot gelegd. Nadat Ole en Leif aan boord waren gegaan, zette Halvard Hella en Loki in de boot. Ole hees het zeil en Halvard duwde hen af, voordat hij samen met Ingrid weer naar boven liep.

Toen ze twee dagen later bij een onbekende fjord kwamen, zetten Ole en Leif hen over. Het zou niet lang duren voordat het donker werd, dus ze moesten een geschikte plek zoeken om hun kamp op te slaan. Een klein stukje verder, om de volgende bocht, zagen ze op het strand aan de noordzijde van een inham een grote hoeveelheid tenten en kampvuren. Volgens Halvard en Leif leek dit niet op de Skraelingdorpen waar zij hadden gelogeerd. 'Als ze ons vijandig bejegenen, steek dan je handen op ten teken dat we niet willen vechten. We moeten ons overgeven,' zei Halvard. 'We kunnen nu niet meer terug.'

Ze sleepten hun boot op het zwarte, met stenen bezaaide strand. Het geblaf van de waakhonden werd door Hella en Loki beantwoord. De mensen uit het tentenkamp liepen te hoop en kwamen vervolgens naar hen toe, wijzend en roepend. Sommigen droegen aan elkaar genaaide huiden, maar de meesten droegen wollen kleding of een combinatie van beide. Toen twee mannen zich een weg door de menigte baanden, herkende Ingrid Han en Kettil. Helga en Sigrid liepen achter hen. Daarna zag ze nog een bekend gezicht. 'Ken je ons nog? Blijde Glimlach en Erik? We hebben op jullie gewacht.'

Kettil rende naar Halvard toe. Nadat hij zijn verbijsterde voormalige meester omhelsd had, draaide hij Halvard om naar de anderen. Leif, Ole en Ingrid bleven al even verbaasd naast hun vader staan. Overal waar ze keken, zagen ze lachende gezichten. 'We wilden absoluut op jullie wachten,' legde Kettil uit. 'We wisten dat het niet lang meer zou duren.' Hij verhief zijn stem en riep naar zijn mensen: 'Het wachten is voorbij. Morgenochtend zeilen we naar het noorden.'

Niemand scheen het vreemd te vinden dat ze op het Groenlandse gezin hadden gewacht. Sommigen wisten niet precies wie ze waren, maar hun verhaal was bekend. Toen ze aan de reizigers werden voorgesteld, kwamen ze erachter dat een groot aantal als kind gevangen was genomen, maar nog veel meer waren in de provincie geboren en opgegroeid. Er was nauwelijks iemand die de taal van de dorpen sprak. Blijde Glimlach, die nog ieder jaar bij haar ouders op bezoek ging, en Sven, die als jongeling weggevoerd was naar de provincie, deelden de mensen in groepen in om ze de taal van de zeejagers te leren. Nadat ze hadden gegeten kregen de nieuwkomers hun eerste les, maar Blijde Glimlach stuurde hen al voor het donker terug naar hun tenten om te gaan slapen.

De reizigers ontbeten snel en verlieten de beschutte inham. De ochtend was nog maar net voorbij toen Blijde Glimlach een bepaalde fjord aanwees. De groep richtte de steven naar het oosten en zeilde de fjord in. 'Vader!' riep Ingrid uit. 'Kijk eens waar we zijn! Dit is onze oude fjord.' Ze zat voor in de boot, de voeten aan weerskanten van hun bagage, terwijl Hella boven op de bundels lag en de zilte lucht op snoof. Ze keek angstig naar de andere boten. Loki zat zenuwachtig hijgend tussen Ole en Halvard in.

'Zo meteen zien we de ruïne van ons oude huis,' zei Halvard. 'De muren zullen nog wel overeind staan. Misschien kunnen we even aanleggen om een bezoek te brengen aan het graf van je moeder.' Ingrid keek hem aan en zag de verdrietige blik in zijn ogen. 'Ja, dat moesten we maar doen,' ging hij verder. 'We halen de anderen later wel weer in.'

Ingrid keek ervan op toen hij zei: 'We hebben geluk dat deze mensen het goed vonden dat we ons bij hen aansloten, met name je broers en ik. De zeejagers in het noorden zullen jou wel onderdak willen geven. Ik weet niet zeker of dat ook voor mij en je broers geldt. In ieder geval heb jíj in zekere zin recht op hun hulp.'

'Ik? Waarom zou ik daar recht op hebben?'

'Je bent de dochter van de vrouw die Nerrivik heeft uitgekozen om haar woorden aan de mensen door te geven.'

Daar had Ingrid niet aan gedacht. Zou dat de reden zijn dat behalve Blijde Glimlach nog geen van de vrouwen naar haar toe was gekomen? Zouden ze zoveel respect voor haar hebben? 'Maar u hebt voorkomen dat Han en Kettil gestraft zouden worden door de Noorse wet, als je dat zo mag noemen.'

'En dat weet iedereen,' zei Leif tegen zijn vader. 'Ze hebben het van Han en Kettil zelf gehoord. Bovendien waren de meesten van hen aanwezig op de Althing en hebben gezien hoe u hun de vrijheid schonk. Het zal allemaal best in orde komen.'

'En jaren geleden heeft Sammiks vader u gered,' hielp Ole hem herinneren. 'Hij is het hoofd van zijn dorp. Hij zal u echt niet wegsturen. Misschien kunnen we het daar het best proberen.'

'Ik heb Qisuk negen maanden voor Ingrids geboorte het laatst gezien.' Halvard krabde in zijn baard. 'Hij kent me vast niet meer. Bovendien trekken ze achter het wild aan. Dit land is zo groot, ik heb geen flauw idee waar ze momenteel uithangen.'

'En als ze hier nu niet meer zijn?' vroeg Ingrid plotseling. 'Misschien zijn ze wel teruggekeerd naar hun oude land aan de andere kant van de oceaan.'

'Van Skraelings kun je alles verwachten. Hoewel ik ze van nu af aan beter Inuit kan noemen, denk ik.' Hij streek de mast. 'We moeten maar naar de wal roeien. Op die manier is de boot gemakkelijker onder controle te houden.' Samen met Ole zette hij zich aan de riemen.

Ze legden aan bij hun oude steiger. 'Dat is raar,' zei Halvard. 'Waarom komt iedereen achter ons aan?'

De boten botsten tegen elkaar aan, terwijl ze op het woelige water op en neer deinden. De reizigers legden hun boten aan elkaar vast en daarna werd het bevel gegeven dat iedereen aan wal moest gaan. De kinderen renden over de geïmproviseerde schipbrug naar de oever. Honden sprongen om hen heen.

'Waarom leggen alle boten hier aan?' vroeg Ole aan zijn vader. 'Er is geen dorp in de buurt.' Hij keek naar de bekende helling.

'Gisteren heeft Blijde Glimlach me gevraagd waar we in het noorden hebben gewoond. Daar komt ze aan. Misschien kan zij dit raadsel oplossen.' Blijde Glimlach baande zich samen met Erik en hun kinderen een pad door de mensen tot ze bij Halvard waren.

'Jij moet ons maar wijzen waar we precies naartoe moeten, Halvard,' zei ze.

'Wijzen?' vroeg Halvard verbijsterd. 'Wat moet ik jullie wijzen?'

'Het graf van je vrouw natuurlijk. Zij was de Vrouw uit de Legende, die Nerriviks belofte aan ons heeft doorgegeven.'

Ingrid voelde een golf van dankbaarheid opwellen toen ze samen met haar vader en broers de heuvel op klom. Blijde Glimlach en haar gezin liepen achter hen aan naar hun oude huis, gevolgd door alle anderen. Vlinders fladderden over hun erf.

Bij het graf aangekomen, zagen ze dat er een paar stenen gevallen waren. Ingrid en Halvard bukten zich aan weerszijden van het graf om ze op te pakken en terug te leggen. Ingrid voelde het bloed naar haar wangen stijgen toen ze zag dat haar vader de stenen streelde alsof haar moeder zijn hand kon voelen.

Bij de aanblik van de reizigers die vol respect stonden te wachten tot zij klaar waren, begon Ingrids hart te bonzen. Moeders wezen naar de grafheuvel en legden hun kinderen met gedempte stem uit dat het gebeente van de vrouw die Nerriviks woorden in de wind en de golven had gehoord onder die stenen rustte.

Ingrid wreef over haar armen, maar ze had niet het gevoel dat haar moeder aanwezig was. 'Wil je liever alleen zijn?' vroeg Blijde Glimlach toen Halvard achteruitstapte.

'Nee, blijf alsjeblieft bij me, Blijde Glimlach,' zei Ingrid. Ze was blij toen de vrouw haar arm om haar middel legde. Zo bleven ze een tijdje staan, tot Ingrid de stilte verbrak. 'De geest van mijn moeder is niet hier.' Ze bukte zich en drukte haar wang tegen de stenen. 'Alleen haar gebeente.'

'Ze heeft geen banden met dit land,' beaamde Blijde Glimlach. 'Wat zit je dwars? Of zijn het alleen de nare herinneringen?'

Ingrid slikte en hoestte. 'Ik ben altijd samen met mijn vader en mijn broers. Ik weet niet eens hoe ik me eigenlijk behoor te gedragen. Ik ken de gewoonten niet.' Ze hield bevend haar mond en wenste dat ze beter kon uitleggen wat er aan de hand was.

'Onze vrouwen kunnen weven en onze mannen kunnen schapen hoeden,' zei Blijde Glimlach. 'De meeste mannen weten nauwelijks hoe een harpoen eruitziet. En deze jongetjes hebben er nooit van gedroomd hun eigen kajak te maken.' Maar Ingrid bleef bezorgd kijken. 'Wat is er nog meer aan de hand? Geneer je maar niet.'

'Er zal geen Inuk te vinden zijn die met mij wil trouwen. Mijn broers zullen vrouwen krijgen die mij niet in hun iglo's willen hebben.'

'Dus jij hebt je broers al uitgehuwelijkt. Als je zo doorgaat, ben je in de lente een oude vrouw.' Blijde Glimlach stond even met gefronste wenkbrauwen en getuite lippen na te denken. 'Als je je nuttig maakt en je best doet om dingen te leren, zullen de Inuit wel verder kijken dan je huid en je haar. Voorlopig moet je maar bij mij in de boot komen zitten. Wat heb je bij je vader en je broers te zoeken? Jonge huwbare vrouwen horen met andere vrouwen op te trekken, net als in onze dorpen. En tijdens hun maandstondes bevinden meisjes zich nooit met jagers onder één dak. Dan gaan ze naar een speciale iglo.'

Ingrid snakte naar adem. 'Hoe wist je dat?' Ze had geprobeerd om discreet te zijn, maar in een boot vol mannen was dat niet meegevallen.

'Ik heb je goed in de gaten gehouden, omdat ik me zorgen om je maakte. Ik zal het je vader wel uitleggen. Hij weet best dat mannen jongens opvoeden en vrouwen meisjes. Je zult het al gauw te druk hebben om nog te kniezen. De winter staat voor de deur en dan moeten we ergens onderdak hebben. Ik pas wel op je. Vind je dat goed?'

Ingrid lachte aarzelend. 'Ik... ja. Dat vind ik best.'

'Mooi zo. Laten we het maar meteen aan je vader vertellen.'

Haar vader leek zelfs opgelucht, waardoor Ingrid blij was met haar besluit. Hij had kennelijk gemerkt dat ze ergens over in zat. Toen ze weer in de boten stapten, bleef Ingrid onder het kleine tentzeil zitten dat Blijde Glimlach had opgehangen om haar kinderen tegen de kou te beschermen. Voorlopig had ze er vrede mee dat anderen haar vertelden wat ze moest doen. De dag dat ze haar eigen beslissingen zou moeten nemen, zou niet lang meer op zich laten wachten.

Hoofdstuk

De bijeengeraapte vloot voer de monding van een grotere fjord binnen. Langs de oevers glooide het land omhoog naar de hoge kliffen die de middagzon verborgen zodat de boten in schaduw werden gehuld. De kliffen beschermden hen tegen de scherpe wind, maar zorgden er ook voor dat ze niets aan hun zeilen hadden. Sven gebaarde dat iedereen ze moest inhalen en bij een van de oevers aan moest leggen.

Eriks boot kwam langzaam tot stilstand. Omdat ze voorin zat, zonder andere boten die haar het uitzicht belemmerden, kon Ingrid haar eerste blik werpen op een Inuit-dorp. Het lag op een helling naar het plateau, zodat de dorpelingen gemakkelijk naar boven konden lopen om in de zoetwatermeren te gaan vissen of water te halen. De huizen leken uit de heuvel omhoog te spruiten. De stenen waren bedekt met groen en in de helling ingegraven. Tunnels vormden de ingangen van de stenen iglo's. Blijde Glimlach legde uit dat de Inuit hun stenen huizen bedekten met een paar lagen turf en met mos begroeide stenen om ze winddicht te maken. Het enige raam van de huizen bevond zich boven de tunnels, maar het was zo groot dat een volwassene erdoor kon klimmen. In de winter werden ze dichtgemaakt met zeehondendarm, maar nu waren ze open, zodat de zomerlucht vrij spel had.

Honden blaften en kinderen wezen schreeuwend naar de reizigers terwijl ze hun vaders riepen om gauw te komen kijken. Mannen in broeken van berenbont die tot op hun hoge laarzen vielen, renden naar het strand. Ze werden gevolgd door de vrouwen die in hun lange jassen met de capuchons die nu op hun rug hingen zelfs uit de verte gemakkelijk herkenbaar waren. Het duurde niet lang tot ze de oever bereikt hadden om de vluchtelingen uit het zuiden te bestuderen. De hoofdman overlegde snel met zijn raadgevers. Sven gaf zijn bevelen door. Geen enkele boot mocht dichter bij het dorp komen. 'Ze mogen niet denken dat wij van plan zijn hen uit te dagen.' Sven en Erik manoevreerden hun boten wat dichter bij elkaar, zodat ze gemakkelijker konden communiceren als de Inuit in hun kajaks stapten om poolshoogte te nemen.

Ingrid was blij dat ze de kans kreeg om aan Blijde Glimlach te vragen of dit het dorp van haar ouders was. 'Nee, ons dorp ligt nog verder naar het noorden,' antwoordde de vrouw. Voordat ze die ochtend weer in de boten waren gestapt, had Blijde Glimlach kleren aangetrokken die meer leken op wat de Inuit droegen. Natuurlijk waren de hare niet van vossen- of zeehondenbont, maar van geprepareerde geitenvellen. Ze droeg laarzen tot aan haar dijen. In plaats van de tuniek met de lange mouwen en haar beenstukken droeg ze nu een lange anorak met een capuchon en een vetersluiting tot in haar hals, met daarop een losse *atisak*. Het mouwloze vest zorgde voor extra warmte tijdens de reis. 'De mensen in dit dorp kennen die in het mijne wel. Er zijn verschillende huwelijken gearrangeerd tussen de twee plaatsen. Mijn moeder is hier opgegroeid, maar nu woont ze in het dorp van mijn vader. Volgens mij zijn er uit dit dorp ook kinderen gestolen door de Groenlanders. Sven en ik zullen vragen of ze mensen herkennen en bereid zijn hen weer op te nemen.'

'Waarom zouden ze hen niet terug willen hebben?'

'De Inuit denken misschien dat wij besmet zijn door onze contacten met de Qallunaat.' Toen Ingrid haar niet-begrijpend aankeek, legde ze uit: 'Qallunaat is de Inuit-naam voor Groenlanders. Het betekent "Dikke Wenkbrauwen". Af en toe vergeet ik gewoon welke taal ik spreek.'

Toen ze het geluid van peddels hoorde, keek Ingrid weer naar de kust. Een paar mannen hadden hun kajaks te water gelaten en kwamen snel naar hen toe peddelen. De man in de middelste kajak keek speurend met samengeknepen ogen langs de verzameling boten, alsof hij op zoek was naar de leider. Zijn lange zwarte haar viel tot over zijn schouders en glansde van de olie. De familie van Sven stapte over in andere boten, zodat de oude man als hun woordvoerder kon fungeren.

Ingrid begreep niet wat er gezegd werd, omdat ze de taal nog niet goed genoeg sprak. Bovendien praatten ze veel te snel. Een van de jagers gebaarde naar de houten boten en wees toen specifiek op de boot met haar vader, Leif en Ole. In de wind wapperden hun haren en baarden om hun gebruinde gezicht. Maar kennelijk had Sven de Inuit gerustgesteld door te vertellen dat deze Groenlanders heel anders waren dan de rest. De leider van de Inuit keek sceptisch, maar hij haalde zijn schouders op en begon over iets anders.

Sven vertelde wat ze wilden en de leider van de Inuit nam een besluit. Even later kregen de reizigers van Sven te horen wat hij had gezegd. 'We moeten aan wal gaan bij een smal strand voorbij het dorp en daar wachten. Dan komen families uit het dorp naar ons toe om te zien of ze de kinderen die ze kwijt zijn geraakt nog herkennen. Ze willen maar een paar van ons opnemen.'

De Inuit-mannen peddelden weg. Sven wees waar ze naartoe moesten. De reizigers roeiden naar de kleine inham. Op de rotsen achter het zandstrand was te zien dat het water hier tot manshoogte kon stijgen, dus lang konden ze hier niet blijven. Maar er was in ieder geval genoeg tijd om uit te rusten en te eten.

Al vrij snel kwamen er een paar brede boten aan, waar zowel mannen als vrouwen in zaten. 'Umiaks. Gezinsboten waar gebruik van wordt gemaakt als een heel dorp op pad gaat,' zei Blijde Glimlach. 'Ze zijn gemaakt van walrus- of zeehondenhuiden over een karkas van in vorm gebogen drijfhout. De kajaks die we eerder zagen, zijn de eenpersoonsboten van de zeejagers. Iedere jager maakt zijn eigen kajak, maar de vrouwen prepareren de huiden en naaien ze aan elkaar.' Van de plek waar zij stond, kon Ingrid geen naden ontdekken, zo zorgvuldig waren ze aan elkaar genaaid.

De Inuit schoven hun boten op het strand en liepen zonder schroom naar de reizigers toe. 'Wij kunnen hier wel blijven wachten tot de Inuit hun keuze hebben gemaakt,' zei Halvard. 'Lang zal het niet duren.' Ole en Leif sloegen hun benen over elkaar en ontspanden zich. Sven liep met de Inuit mee en vertaalde hun vragen voor de vluchtelingen.

Toen ze bij Halvard en zijn gezin kwamen, staarden de dorpsvrouwen vol wantrouwen naar de roodharige groep. De Inuit-mannen bekeken hen nieuwsgierig terwijl Sven uitlegde waarom zij er ook bij waren. Ten slotte leken de dorpelingen gerustgesteld en het merendeel liep verder.

Na een poosje vertaalde Sven de opmerkingen van de hoofdman

in het Noors. 'Hij zegt dat de jacht de laatste tijd niet zo best is geweest. Ze willen niemand opnemen die daar geen recht op heeft.'
Een kind klopte op Leifs wilde rode haardos en zei iets tegen zijn moeder. Leif stak zijn hand uit en klopte het jongetje op zijn zwarte haar. Het kind begon te lachen en Leif lachte terug.

Een vrouwtje met een platte neus raakte Halvards baard aan en giechelde terwijl ze met een hoog stemmetje een opmerking maakte die door Blijde Glimlach werd vertaald. 'Ze zegt dat jij veel te groot bent om een mens te zijn, Halvard. Volgens haar kun je best een *tupilat* zijn. Dat is een ijsduivel. Trek niet zo'n gezicht anders denkt ze nog dat ze gelijk heeft.'

Vanaf zijn plek op de grond keek Halvard de dorpsvrouw recht in de ogen, precies zoals haar eigen mannen zouden hebben gedaan bij een brutale vrouw. Hij had niet voor niets drie weken bij de Inuit doorgebracht. Toen ze verdwenen was, tikte Halvard Ingrid even op haar arm. 'Je moeder dacht ook dat ik een duivel was toen ze me voor het eerst zag. Ze was bang dat ik haar op zou eten.'

Ingrid schoot in de lach. 'Mag ik even een eindje gaan wandelen? Ze kiezen ons toch niet uit.'

Halvard keek haar aan. 'Waarheen?'

'Alleen maar naar boven, om mijn benen even te strekken.' Ze klom naar een hoge plek, waar ze sommige gesprekken die beneden werden gevoerd kon volgen. Ze fronste onwillekeurig toen ze zag hoe nederig Blijde Glimlach zich gedroeg als ze met een van de jagers sprak. Tegenover de vrouwen van het dorp gedroeg ze zich wel als een gelijke. Maar nu ze in werkelijkheid zag wat Blijde Glimlach eerder had uitgelegd, viel het haar toch tegen. Per slot van rekening was zij een van de leiders van hun groep. Maar ze had gezegd dat vrouwen gehoorzaam moesten zijn, anders zouden hun mannen hun niet beschermen en geen vlees voor hun meebrengen. Ingrid vroeg zich af of zij zich daarbij zou kunnen neerleggen. Toen prentte ze zich in dat ze verstandig moest zijn. Ze had geen andere keus.

Toen ze bij de anderen terug was, pakte Ingrid een halve kaas uit haar rugzak. 'Willen jullie ook een stuk?' Ze deelde de geitenkaas in vieren in de wetenschap dat het de laatste keer was dat ze dat aten. Daarna stapten ze weer in de boten en voeren verder.

Naarmate ze langs meer dorpen kwamen, nam het aantal reizigers af. Bij aankomst in zijn eigen dorp werd Sven herenigd met de familie van zijn jongere broer. 'Ik blijf hier,' zei hij tegen de rest van de groep. 'Mijn botten zijn te oud om nog verder te reizen. Voordat de maan haar volgende reis heeft afgelegd zullen de sneeuwstormen beginnen. Ik wens jullie geluk.' De mannen schudden hem de hand. Blijde Glimlach zei dat ze bij de overgebleven reizigers zou blijven tot iedereen onderdak had gevonden.

De volgende dag bereikten ze het dorp van Blijde Glimlach. Haar kinderen werden met vrolijk gejuich ontvangen toen Blijde Glimlach haar ouders vertelde dat ze voorgoed bij hen zouden blijven. Samen met Erik en hun kinderen ging ze een uit stenen en turf opgetrokken iglo binnen. 'Dit dorp kan ons niet allemaal opnemen,' vertelde Erik de reizigers nadat hij met de vader van Blijde Glimlach had gesproken. 'Het is te klein. Een stukje verderop ligt nog een dorp, ongeveer een dagreis hier vandaan als jullie de wind mee hebben. Daar kunnen jullie het ook proberen. Mijn schoonvader nodigt jullie wel uit om de nacht hier door te brengen. Leg de boten maar op het strand. Ze zullen jullie te eten geven en laten zien waar jullie de waterzakken kunnen vullen.'

'Mogen we daar dan wel blijven?' vroeg Helga, die samen met Sigrid, Kettil en Han aan was komen lopen. Helga maakte zich duidelijk zorgen over haar baby, die ze in de capuchon van haar anorak meedroeg. Ze hadden allemaal rode gezichten en een gesprongen huid als gevolg van de wind en het zoute water en ze konden bijna niet meer op hun benen staan, omdat ze te lang hadden gezeten. Nu het steeds kouder werd, begon iedereen een beetje zenuwachtig te worden.

'Dat zal ik wel voor je vragen,' zei Blijde Glimlach. 'Erik gaat ook mee, maar daarna keren we snel terug om bij onze kinderen te zijn.' Voordat ze vertrokken, besloot het dorp toch een paar van de weeskinderen en een aantal jongemannen op te nemen. Dat betekende dat er nog vijf gezinnen over waren, vierentwintig mensen die verder moesten reizen op zoek naar onderdak. Hun aantal was te klein om zelf een dorp te stichten en ze beschikten ook niet over de vaardigheden om zonder hulp de komende winter door te komen. De tijd begon te dringen.

Hun laatste schapenvlees en kaas waren allang op, toen de gereduceerde vloot op een school zeehonden stuitte. Met behulp van touwen en speren slaagden de mannen erin zes stuks te harpoeneren en in de boten te trekken voordat de rest de zee in zwom. De vrouwen maakten de zeehonden onmiddellijk schoon en gooiden het afval overboord voor de vogels en de vissen.

Ze stopten in een beschutte inham waar ze de nacht wilden doorbrengen op het smalle strand. Iemand schreeuwde en wees. Iedereen keek om en ze zagen een waterstraal omhoogspuiten die snel naderbij kwam. Ze hoorden de fluitende kreten en het gespetter van het dier dat zich nog steeds probeerde te verzetten. 'Het is een walvis!' riep een van de kinderen.

'Aan land!' riep Blijde Glimlach heftig zwaaiend. 'Trek de boten uit het water!' Ze gehoorzaamden haastig en hielpen elkaar hun houten boten op het strand te trekken. De families keken stil en vol ontzag toe hoe de jachtgroep van Inuit hun stervende prooi binnenhaalde. De walvis dreef half op zijn zij. Alleen aan de vinnen en het bloederige spuitwater konden de reizigers zien dat het dier nog leefde.

Meer dan twaalf Inuit hadden hun van weerhaken voorziene harpoenen in de bloedende bek van de bultrug geschoten. De leden van de jachtgroep waren zo druk bezig dat ze de mannen en de vrouwen op het strand pas zagen toen ze recht op hen af voeren. De Inuit staarden vol argwaan naar de reizigers en een paar van hen tilden hun wapens dreigend op.

'Verroer je niet, anders denken ze nog dat wij hun walvis willen stelen,' zei Blijde Glimlach. 'Steek jullie handen omhoog, zodat ze kunnen zien dat we ongewapend zijn. Goed zo.' Ze knikte toen de mannen gehoorzaamden. 'Vanavond zal er een feest zijn om de geest van de walvis te eren en Nerrivik dank te zeggen. Misschien nodigen ze ons wel uit.'

'Wat een manier om te jagen!' riep Leif zacht. 'Dat je in staat bent om een walvis te vangen!' Halvard en Ole keken hem aan. 'Als ze ons dat willen leren, hoef ik verder niets van hen. Nou ja, misschien een gehoorzame vrouw om het zware werk op te knappen.' Ingrid trok een gezicht en hij lachte haar plagend toe. 'Ik zou maar vast gaan oefenen als ik jou was,' zei hij.

Toen de jachtgroep verdwenen was, bleven ze nog een tijdje wachten, maar er kwam niemand opdagen. 'Misschien moeten we zelf naar het dorp toe,' zei Blijde Glimlach. 'Het kan niet ver weg zijn en dan moeten we maar bidden dat ze ons niet verjagen.' Voor het eerst scheen ze niet te weten wat hen te doen stond. Toen hoorde ze in de verte gezang. 'Wat is dat?'

Halvard wees. 'Kijk. Umiaks!' Alle reizigers hielden hun adem in toen ze Han en Helga samen met Kettil en Sigrid op een heuvel zagen staan, met hun gezicht naar de boten. Ze hadden Nerrivik met behulp van gezongen gebeden gesmeekt de dorpelingen terug te sturen. 'Onze vrienden hebben ze met gebeden hier gebracht.'

'Daar lijkt het wel op.' Leif was onder de indruk. 'De Vrouw van de Zee heeft hun gebeden verhoord. Hopelijk hebben wij daar ook baat bij.'

Blijde Glimlach overlegde namens hen met de vrouw van het dorpshoofd. Hijzelf stond iets verderop toe te kijken. Af en toe stelde hij een vraag, die zijn vrouw dan voor Blijde Glimlach herhaalde zodat hij haar niet zelf hoefde aan te spreken. Toen het gesprek voorbij was, liep de hoofdman naar de reizigers toe. Hij droeg een paar ivoren amuletten om zijn hals die tegen elkaar klikten terwijl hij liep.

Leif pakte Oles pols vast. 'Die hoofdman... hij komt me bekend voor.'

'Denk je dat het dezelfde is?' vroeg Ole. Halvard en Ingrid luisterden gespannen toe.

'Hun dorp lag niet zo ver naar het noorden, maar Inuit trekken achter de zeehonden aan.' Hij schudde zijn hoofd. 'Het is twee winters geleden dat ik gewond raakte. Laten we maar even wachten tot hij dichterbij komt.' Ze zagen hoe het dorpshoofd de reizigers op hun schouders tikte en naar de zeehonden wees. 'Iyeh. Ja. Die hebben wij gevangen,' antwoordde Han. Ole en Leif bleven met Halvard en Ingrid op een afstandje staan.

Misschien had dit dorp al gehoord dat er een groep vluchtelingen was die onderdak zocht. 'Ik ben Niroqaq. Hoe heet jij?' Aangezien Han de eerste was geweest die zijn mond opendeed, vroeg hij het aan hem. Han vertelde hoe ze allemaal heetten.

'Qallunaat namen. Die moet je veranderen,' raadde hij hen aan. Han en Kettil keken elkaar even aan. Als hij hen uitnodigde om hun intrek te nemen in zijn dorp zouden ze dat onmiddellijk doen, leek die blik te zeggen. Niroqaq liep weg en keek toen om. Ze hadden zich niet bewogen.

'Sta op en ga met me mee,' zei hij. 'Spreek je onze taal?' vroeg hij toen ineens.

'Een beetje,' zei Kettil, terwijl hij tegelijkertijd het bijbehorende gebaar maakte. 'Blijde Glimlach heeft ons dat geleerd.' Hij wees naar haar.

Niroqaq knikte even naar Blijde Glimlach, ten teken dat hij begreep dat zij de lerares was. 'Mooi.' Hij liep tussen hen door alsof hij probeerde te doorgronden wat hun sterkste en zwakste punten waren. Plotseling werd zijn aandacht afgeleid. 'Meisje! Kom hier.'

Ingrid verstond hem wel, maar het was niet tot haar doorgedrongen dat hij haar bedoelde. Blijde Glimlach liep naar haar toe en gaf haar een zetje. Ze bleef op een meter van de hoofdman staan en zorgde ervoor dat haar ogen op zijn mond gevestigd bleven. Dat was niet onbeleefd en het zou haar helpen hem te verstaan. 'Dichterbij,' wenkte hij. Ze gehoorzaamde zonder hem aan te kijken. Hij stak zijn hand uit alsof hij haar wilde aanraken. Ze probeerde niet achteruit te deinzen toen hij de ivoren zeehond pakte die ze al zo lang om haar nek droeg. Ze was vergeten hem onder haar kleren te stoppen.

Niroqaq rukte het amulet niet van haar nek, zoals Sira Pall had gedaan, maar liet de ivoren hanger eerbiedig op zijn platte hand rusten. 'Dit heeft Sammik gemaakt,' zei hij. 'Hoe ben je daaraan gekomen?'

Blijde Glimlach, die niet zeker wist of Ingrid de vraag begrepen had, vertaalde hem snel. Voordat iemand antwoord kon geven liet Niroqaq de amulet weer los en keek de drie Groenlandse mannen, die naast Ingrid waren gaan staan, vorsend aan. Halvard en Ole waren stomverbaasd toen ze de naam van hun oude vriend hoorden, maar Leif liep naar de hoofdman toe. 'Dus we ontmoeten elkaar opnieuw?'

'De Qallunuk-jager?' De twee mannen keken elkaar aan terwijl de herkenning langzaam daagde.

'U hebt me geholpen,' zei Leif. 'U en Sammik.'

'Sammik is de man van mijn dochter. Ze woont nu in zijn dorp, twee dagreizen roeien per umiak. Kun je weer goed lopen?'

'Ik kan goed lopen,' antwoordde Leif in de taal van de Inuit. Ze hadden de hulp van Blijde Glimlach niet nodig gehad bij hun korte gesprek. Ze stond vlakbij en luisterde glunderend naar haar leerling. 'Dit is Ingrid, mijn…' Hij keek hulpzoekend naar Blijde Glimlach.

'Zijn zuster,' zei ze.

De hoofdman knikte en keek vanaf het heuveltje waarop hij stond naar de rest van de reizigers, die wachtten tot hij een besluit zou nemen. Hun verlangen stond op hun gezicht te lezen. Niroqaq legde zijn handen op zijn borst en iedereen kwam dichterbij om hem beter te kunnen verstaan. 'Ik heb gehoord hoe Nerrivik de Qallunaat verdreven heeft met behulp van kleine slangen. Dat is mooi. De zeehonden en de vogels hebben zich eraan volgevreten, dus nu hebben wij meer te eten. Nerrivik heeft ons zojuist een walvis geschonken, waarvoor wij zowel de walvis danken als onze goede Vrouw van de Zee, die voor haar volk zorgt. Jullie zijn welkom in ons dorp om deel te nemen aan ons feest. Misschien mogen jullie langer blijven.'

De meeste reizigers hadden zijn toespraak niet kunnen volgen, daarom werd die vertaald door Blijde Glimlach. Toen ze bij de opmerking kwam dat iedereen meer te eten had dankzij de rupsen die het einde hadden ingeluid voor de Groenlanders begonnen een paar van de voormalige slaven te lachen. Er verscheen een hoopvolle blik op de gezichten.

'We zijn uitgenodigd om naar hun dorp te komen,' verkondigde ze en herhaalde dat in het Inuit, zodat de jagers haar ook konden verstaan. Toen schakelde ze weer over op het Noors. 'Zorg maar dat jullie een goede indruk maken, zodat ze ons vragen om te blijven.' Ze sloeg haar hand voor haar mond en er verschenen lachrimpeltjes om haar ogen. 'Maar volgens mij hebben we dat al gedaan.'

Hoofdstuk

Ingrid zat samen met drie andere vrouwen in de met plaggen bedekte stenen iglo waar ze moesten blijven tot hun maandstonde voorbij was. De oudere vrouw uit het dorp en twee van de nieuwkomers zaten met gestrekte benen op de verhoging met het beddengoed. Het tweetal had al Inuit-namen aangenomen. Een van hen, Natuk, zei tegen Tuneq, de ander: 'Ik vraag me af of de Groenlanders nog voor de winter zullen sterven, of dat de eerste sneeuwstorm hun het leven zal kosten. Wat denk jij, Tuneq?' Vanaf de illeq keek Natuk met halfgeloken ogen naar Ingrid.

Ingrid negeerde de blik en begon de gebruikte lonten in de olielamp in te korten, alsof het de belangrijkste taak in het dorp was. In zekere zin was dat ook zo. Als gebruikte lonten te lang werden, kwam in het hele vertrek een dikke zwarte walm te hangen, die niet meer door de luchtgaten naar buiten kon.

Tuneq haalde haar schouders op. 'Wat maakt dat nou uit,' zei ze slaperig. Het was duidelijk wat ze bedoelde: het waren toch maar Groenlanders.

'Jullie zijn onbeleefd. Spreek onze taal,' beval Kleine Neus, de dorpsvrouw, op scherpe toon. In gedachten vertaalde Ingrid haar opmerking. Er waren veel dingen die de dorpelingen onbeleefd vonden. Ze moest nog veel leren en onthouden, om te voorkomen dat ze op haar vingers werd getikt. En de meeste beperkingen golden voor de vrouwen: wat ze wel en niet mochten eten, wat ze op bepaalde momenten niet mochten doen en waar ze wel en niet naar mochten kijken. Wie kon dat nu allemaal onthouden?

Blijde Glimlach had hen geleerd dat het zelfs al onbeleefd was om hun oude taal te gebruiken als er één dorpeling bij was. Het was de plicht van de nieuwkomers om te leren niemand voor het hoofd te stoten. De dorpelingen hadden hun gastvrij onderdak geboden, nog voordat ze zichzelf nuttig konden maken. Ingrid begreep best dat ze dat hadden gedaan omdat er meer dan voldoende vlees was. Er werd van de nieuwelingen verwacht dat ze snel zouden leren.

De nieuwe mensen konden nog geen van allen een behoorlijk gesprek in de taal van de Inuit voeren en het was maar goed dat de oudere vrouw er niets van had verstaan. Toch had Ingrid het idee dat Kleine Neus wist wat haar probleem was. Natuk en Tuneq hadden gepikeerd gereageerd op haar terechtwijzing. Ingrid had gehoopt dat de twee haar kameraadschappelijk zouden behandelen omdat ze ook afkomstig waren uit de Groenlandse nederzetting, en dat ze samen konden proberen de nieuwe taal onder de knie te krijgen. Het drietal had al dagenlang nieuwe lampenpitten zitten draaien uit kapotgescheurde oude huiden en de stapel in een hoek van het vertrek werd steeds groter.

Maar hoewel ze zelf gemengd bloed had en haar vader voortdurend overhoop had gelegen met de Groenlanders gedroegen de jonge vrouwen zich allesbehalve hartelijk. Ze wisten gewoon niet wat ze met haar gemengde afkomst aan moesten. Ze waren allemaal vreemdelingen in een vreemd land, maar dat was kennelijk niet genoeg om haar afkomst te negeren. Ingrid zag dat Kleine Neus haar aankeek met iets dat op sympathie leek.

Iemand schraapte haar keel in de tunnel die toegang gaf tot hun verblijf. Ze kikkerden allemaal op bij het vooruitzicht dat ze bezoek kregen, want inmiddels waren ze wel op elkaar uitgekeken. 'Mag ik binnenkomen?' vroeg een bekende stem. 'Ik ben het, Blijde Glimlach.'

'Natuurlijk. Kom binnen,' antwoordde Kleine Neus ook namens de anderen. Ingrid had haar al een paar dagen niet gezien, waardoor ze nog kwader was dat ze zo lang in die menstruatiehut moest blijven zitten. Als ze vroeger ongesteld was geweest, hadden haar broers of haar vader echt niet minder geluk bij de jacht gehad omdat zij in hetzelfde huis woonde. Haar moeder had zelf ook gejaagd en zij kon beter met een pijl en boog overweg dan de meeste mannen.

Blijde Glimlach kwam afscheid nemen. Het was inmiddels gaan sneeuwen en de reis zou alleen maar moeilijker worden als ze langer wachtten.

'Zet maar een kop thee voor haar,' zei Kleine Neus. Natuk en Tuneq verstonden haar heel goed, maar ze hadden kennelijk geen van beiden zin om van de illeq op te staan.

'Ik sta toch, ik doe het wel,' zei Ingrid. 'Ga zitten,' voegde ze eraan toe, wijzend op de illeq. Daarna herhaalde ze haar opmerking in het Inuit. Ze had haar best gedaan om de nieuwe taal te leren, vooral omdat ze toch niet veel anders te doen had. Als ze met hen zou kunnen praten, zouden de vrouwen uit het dorp misschien wel vriendschap met haar willen sluiten. Ze zaten nu al gezellig te kwebbelen over haar vreemde uiterlijk: haar neus die veel rechter was dan die van hen en de rossige tint van haar haar. Af en toe moest ze lachen om hun nieuwsgierigheid en dan lachten ze terug. Maar ze had nauwelijks tijd gehad om met iemand kennis te maken voordat ze naar het huis buiten het dorp was gestuurd. Ze wenste dat Blijde Glimlach niet terug zou gaan naar haar eigen dorp, maar dat was natuurlijk onvermijdelijk.

Blijde Glimlach ging op de illeq zitten en trok haar knieën op onder haar anorak. Ingrid gaf haar een kom klaverbloesemthee en nam er zelf ook een. Ze glimlachte haar triest toe. 'Ik zal je missen.'

'Ik jou ook, maar ik ben al te lang weg bij mijn kinderen.' Ze nam een slokje en keek haar over de rand van de kom aan. 'Maak je geen zorgen. Er zijn hier genoeg anderen die je de taal kunnen leren en je kunnen vertellen hoe je je moet gedragen. Kleine Neus, bijvoorbeeld.' De vrouw knikte toen ze haar naam hoorde.

'Zullen we je ooit weerzien?' vroeg Natuk.

'Ik zou niet weten waarom niet,' antwoordde Blijde Glimlach. 'De reis per boot duurt maar een dag en per slee doen we er twee dagen over. Dat is niet zo ver.' Ze zette haar kom neer en sloeg haar ronde bruine armen om Natuk heen. 'Natuk,' zei ze. 'Dat is een mooie naam.' Daarna omhelsde ze Tuneq en keek haar beide leerlingen aan. 'Het is verstandig dat jullie Inuit-namen hebben aangenomen. Als het lente wordt, spreken jullie de taal alsof jullie hier geboren zijn.' Er verschenen kuiltjes in haar wangen. 'Er zijn nog genoeg ongetrouwde jagers in dit dorp die vrouwen nodig hebben om hun kleren te maken en hun bezittingen te verzorgen. En ze zullen ook zoons willen hebben.' Ze knipoogde tegen om hen aan het lachen te maken. Het lukte.

Blijde Glimlach kwam het laatst naar Ingrid toe en drukte haar even hartelijk tegen zich aan. 'Neem jij geen Inuit-naam aan? Dan zullen de anderen vast gemakkelijker aan je wennen.'

Hoewel ze het niet toe wilde geven, had Ingrid het gevoel dat ze nooit vertrouwd zou raken met zo'n vreemd klinkende naam. 'Ik geloof niet dat ik aan een nieuwe naam zou kunnen wennen. Misschien over een tijdje.'

Blijde Glimlach haalde haar schouders op. 'Je moet het zelf weten.' Ze scheen te beseffen dat het Ingrid meer moeite zou kosten om zich thuis te voelen dan de anderen. Ze deed een stapje achteruit. 'Ik zal je nog één raad geven. Maak jezelf nuttig. Je zult de kans krijgen om alles te leren. Padlunnguaq, de vrouw van Niroqaq, heeft gezegd dat zij je wel wil helpen. Vraag maar of je iets voor haar kunt doen. Je moet leren om broeken en hemden van dierenhuiden te naaien en hoe je *kamiks* moet maken.' Ze kenden de hoge laarzen van zeehondenbont wel. Ze hadden omgeslagen randen en waren waterdicht. De vrouwen droegen ze als ze in de getijdenpoelen waadden om zee-egels en krabben in hun netten te vangen. De kamiks van de mannen waren korter, omdat ze dan beter achter het wild aan konden rennen. 'En als er een pak sneeuw ligt, zullen ze ook nieuwe tuigen voor de honden nodig hebben. Je moet leren hoe je die in elkaar moet zetten.'

Ze had Noors gesproken, maar vertaalde voor Kleine Neus wat ze had gezegd.

Kleine Neus glimlachte. 'We zullen genoeg voor hen te doen hebben.'

Blijde Glimlach droogde haar tranen zonder zich te schamen. 'Erik en ik moeten nu snel naar huis. Ik hoop dat jullie een rustige winter zullen hebben.' Ze wensten haar hetzelfde toe en toen ze wegging, sloeg Ingrid haar *artisak* om en kroop achter haar aan naar buiten.

Ze mocht niet verder dan de ingang, maar het was haar wel toegestaan om even wat frisse lucht te happen, als ze er maar voor zorgde dat ze niet naar de jagers keek. Ze sloeg haar armen over elkaar en leunde tegen de muur terwijl ze toekeek hoe Erik en Blijde Glimlach hun kleine umiak boven hun hoofd naar het water droegen. Ze leken sprekend op een schildpad, vier benen met een schild. Haar moeder had er tekeningen van gemaakt toen ze nog klein was, om haar te laten zien hoe zo'n dier eruitzag. Moeder had gezegd dat haar wereld boven op een reusachtige schildpad in de Grote Oceaan dreef.

Het echtpaar legde de umiak in het water, klom erin en begon te peddelen, ieder aan een kant. Ze zwaaiden nog even naar de dorpelingen die hen vanaf het strand nakeken. Onder aan de heuvel waarop Ingrid stond, liepen vier jagers voorbij met hun honden. Toen ze Ingrid voor de vrouweniglo zagen staan, wendden ze haastig hun ogen af.

De wolken pasten goed bij haar stemming. Ingrid voelde haar eenzaamheid groeien toen de boot van Blijde Glimlach en Erik langzaam maar zeker veranderde in een vlekje op het water. Al gauw waren ze niet meer te zien. Ingrid draaide zich met een zucht om. Ze moest nog één nacht in de iglo blijven, maar dan kon ze weer terug naar de hut waar haar familie woonde om te zien of haar vader en haar broers het inmiddels een beetje konden vinden met de dorpelingen.

De volgende dag rende ze meteen naar de hut toe, maar daar trof ze niemand. Toen ze tussen de negen iglo's door liep die het dorp telde, zag ze dat ze stonden te kijken hoe de mannen hun sleeën repareerden. Het gesprek ging over het weer en het wild. Mannenpraat. Als ze dichterbij kwam, zou ze weggestuurd worden, dus liep ze maar door en vroeg zich af wat ze moest doen.

Padlunnguaq, de vrouw van het dorpshoofd, zag haar tussen de huizen door lopen. Ze wenkte het meisje en fluisterde: 'Is je maandstonde voorbij?' Ze was geërgerd dat ze de vraag een paar keer moest herhalen en Ingrid schaamde zich een beetje toen ze zich eindelijk met behulp van gebarentaal verstaanbaar wist te maken.

'Iyeh,' antwoordde Ingrid bedeesd, toen ze het eindelijk begreep.

'Mooi. Er is genoeg werk te doen. Ga maar mee.' Ze droeg Ingrid op om verwarmde stenen in de smeltputten te gooien en de brokken geel walvisvet door het water in de met huiden gevoerde bakken te roeren. Het vlees van één walvis was voldoende voor iets meer dan een maand, met het vet zouden ze vrijwel de hele winter doen. Ingrid had gehoopt dat ze iets meer te weten zou komen over het dorp, hoever het van de bron en het meer af lag en in welke hutten de vrouwen bij elkaar kwamen om te roddelen en thee te drinken. Dat komt een andere keer wel, troostte ze zichzelf.

Ingrids ogen traanden van de rook, dus ze zag Helga niet aankomen. Ze dacht zelfs even dat ze een van de vaste bewoners was. Ze had een zak met twee vakken over haar schouder. Haar baby hing op haar rug, in de extra grote capuchon. Hij keek naar buiten, zodat het net leek alsof Helga twee hoofden had.

Helga vertelde haar dat ze op weg was om samen met Sigrid kruiden en klaver te plukken voordat alles onder de sneeuw verdween. 'Sigrid is nu ook zwanger en Kettil is blij. Het is heel verstandig van ons dat we hierheen zijn gegaan. Ik zal ook wat voor jou plukken,' zei ze.

Ingrid wilde net afscheid van haar nemen toen ze een wolk vlinders zagen die door de wind werden meegevoerd. Toen ze over het dorp dreven, leek het even alsof de schemering was ingevallen. 'Ze gaan weg.'

'Zij waren het teken van de Vrouw van de Zee dat we op weg moesten gaan naar onze dorpen en dat de Groenlanders zich uit ons land zouden terugtrekken.' Helga wierp haar vriendin een blik vol sympathie toe. 'Het duurde lang voordat ze zich lieten verdrijven. Het is een taai volk.'

'Ze gaan wel ergens anders wonen,' zei Ingrid. 'De twee schepen zullen inmiddels veilig in IJsland en Vinland zijn aangekomen. Mijn vader en broers wilden liever bij jouw volk gaan wonen.'

'Jouw familie is anders. Dat weet iedereen,' erkende Helga. 'Ze hebben ons geholpen. En we hebben allemaal bewezen dat we ons hier in het dorp nuttig kunnen maken.' Ingrid glimlachte toen ze besefte dat Helga vond dat zij en haar familie bij hen hoorden en niet bij hun voormalige onderdrukkers.

Inmiddels waren Kettil en Han begonnen met de bouw van hun eigen iglo. Toen hun huis klaar was, hielpen ze Ole en Leif met het bouwen van een onderkomen voor Ingrids familie. Ze hadden nooit verwacht dat hun toevallige kennismaking met de twee Inuitjongens hen zo goed van pas zou komen.

Ingrid leerde nieuwe manieren om het huishouden te doen en andere klusjes op te knappen. Toen haar broers thuiskwamen met een lading zalm maakte ze die schoon met behulp van een rond stuk leisteen en het ivoren vrouwenmes en sneed de vis aan plakken om gedroogd te worden. Die avond legde Halvard tijdens het eten uit wat hun positie was. 'Zij zullen voorlopig zorgen dat we vlees genoeg hebben, maar er wordt wel van ons verwacht dat we binnen niet al te lange tijd voor onszelf kunnen zorgen. Ze hebben ons verteld dat het drie maanden duurt om met een slee te leren omgaan en nog eens drie maanden voordat we onze eigen honden mogen hebben.' Ingrid schonk nog een kom thee voor hem in. 'Kun jij een beetje opschieten met de vrouwen en de meisjes?' vroeg Halvard.

'Ik red me wel,' antwoordde ze. 'Ik doe mijn best. Ik kan al als de beste rendiervet roeren en in zakken schenken.' Ze trok een gezicht. Halvard haalde zijn schouders op en ging er niet verder op in.

Gedurende de nacht had een van de teven een nest jongen gekregen. Ingrid stond vlakbij toen de eigenaar van de hond de pups bekeek en week achteruit om de jager en de nieuwe moeder niet te storen. De man tilde alle pups bij hun achterpoten op. De eerste drie worstelden om zich op te richten en probeerden kronkelend hun kopjes op te tillen. De volgende pup slaagde daar niet in. De man mompelde een verwensing en liep weg. Hij hield het jong bij zijn nekvel vast. Ingrid vroeg zich af wat ermee zou gebeuren en volgde hem op een afstandje. De Inuk draaide het dier de nek om en gooide het toen naar zijn honden. Ze scheurden het in stukken om het op te eten. Ingrid wendde zich af.

Loki en Hella waren inmiddels volgroeid en hadden een dikke wintervacht gekregen. Niroqaq had ze bij hun aankomst bekeken en gezegd dat ze mochten blijven leven als ze met de andere honden konden opschieten en leerden gehoorzamen. Aangezien Halvard, Leif en Ole geen hondenploeg hadden, gingen Loki en Hella naar een man die bij de jacht in het binnenland een paar honden was kwijtgeraakt.

Ingrid liep samen met Leif door het dorp toen de jonge Inuit-jager zijn honden net hun portie zeehondenbrokken had gegeven. Hella zag Ingrid en liep weg bij het roedel. Ze was inmiddels groot genoeg om Ingrid omver te lopen als ze in volle vaart tegen haar opsprong, maar het dier bleef voor haar staan en zakte door haar voorpoten. Haar achterlijf kwam omhoog en haar staart begon wild te kwispelen toen ze haar oude baasjes zag.

'Brave meid, Hella,' zei Ingrid. 'Kijk eens, ik heb iets voor je.' De hond sprong vrolijk blaffend op en snuffelde aan haar hand. Ze had een paar stukjes gedroogde vis bewaard die ze later had willen opeten. Nu gaf ze die aan Hella.

'Je mag haar niet verwennen,' waarschuwde Leif, die snel om zich heen keek of iemand het gezien had. 'Ze is van Mitsoq. Misschien bevalt het hem helemaal niet dat ze naar je toe komt.'

Ingrid balde haar vuisten. 'Waarom zou ze niet naar me toe komen? Ik ben degene die ervoor heeft gezorgd dat we haar en haar broer mee konden nemen. Ik mag Mitsoq niet. De manier waarop hij naar me kijkt, bevalt mij niet.'

Leif liep achteruit. 'Hier mogen vrouwen geen honden hebben. Zorg nou maar dat je geen moeilijkheden krijgt. Vergeet niet dat we afhankelijk zijn van de goedgeefsheid van dit dorp.'

Hella krulde zich om Ingrids benen en hijgde verrukt toen Ingrid haar streelde. 'Je hebt gelijk,' gaf Ingrid toe. 'We moeten ons aan de gebruiken van de Inuit houden als we in leven willen blijven.' Haar woorden klonken verstandig, maar het was duidelijk dat ze boos was.

'Ga maar gauw terug naar je baas, Hella,' zei ze en vertelde haar met een fluitsignaal dat ze weg moest. Hella huppelde terug naar de Inuit-honden, die haar grommend en happend begroeten. Maar ze liet haar tanden zien, tot de andere teven hun staart tussen de poten lieten zakken. Ze hadden haar niet zonder slag of stoot geaccepteerd, maar ze had zich staande weten te houden. En de leider van Mitsoqs honden had haar ook geaccepteerd toen de teven dat deden. En Loki had zich ook een plaatsje verworven tussen de half-wilde honden.

Toen het echt begon te sneeuwen en te vriezen, vroegen Ole en Leif aan Mitsoq of ze hun oude honden mee op jacht mochten nemen. Nadat ze een beer die zijn winterslaap deed, hadden gedood en meegesleept naar het dorp werd er een feest georganiseerd ter ere van hun jachtcapaciteiten en de geest van de beer. Het dier was drachtig geweest en de dorpelingen smulden van de ongeboren jongen. Alles werd gebruikt, van pels tot pezen.

Na de berenjacht werd de familie uitgenodigd om bij Niroqaq en zijn vrouw te komen eten. Niroqaq was zowel het dorpshoofd als de sjamaan. De Inuit en de nieuwkomers verbaasden zich erover dat Halvard met zijn gezin door de hoofdman was uitgenodigd.

Terwijl Ingrid na het eten met Padlunnguaq op de verste illeq zat en naailes kreeg, bestookte Niroqaq Halvard, Leif en Ole met vragen. Hij wilde weten waarom de Qallunaat met elkaar vochten op grote schepen met zeilen. 'Jullie hadden dus een goed leven, ' zei hij, 'met dieren bij de hand om op te eten en boten die door de wind kunnen vliegen. En toch staan jullie elkaar naar het leven. Kun je me uitleggen waarom?'

'De indringers kwamen uit een ander land,' verklaarde Halvard. 'Ze wilden onze eigendommen hebben. Ze waren niet tevreden met wat ze zelf hadden.'

'Qallunaat zijn veel te oorlogszuchtig. Ze kunnen niet delen. Het is maar goed dat de Vrouw van de Zee ze uit ons land heeft verdreven.'

Leif, die de taal inmiddels beter sprak, voegde eraan toe: 'Ja, ze hadden de Inuit beter als voorbeeld kunnen nemen. Dan hadden we het land met jullie kunnen delen.' Halvard knikte bij die tactvolle opmerking van zijn zoon. Het dorpshoofd was duidelijk gevleid.

Niroqaq liet zijn tong over zijn lippen glijden en drukte zijn vingers tegen elkaar. 'Waarom zijn jullie zo anders? Waarom hebben jullie ons volk verdedigd tegen jullie eigen mensen?'

'Wij hebben andere goden dan zij,' zei Leif. Ingrid vroeg zich af wat dat ermee te maken had, maar Niroqaq ging er niet op in. Leif keek Niroqaq aan. Toen het dorpshoofd zijn blik retourneerde, wendde Leif zich beleefd af.

Toen de zon achter de bergen in het oosten was verdwenen en de bevroren fjord in het maanlicht lag te glinsteren, hoorden ze vanuit het noorden twee hondensleeën aankomen. Niroqaq stond al voor zijn huis toen de bezoekers uit hun sleeën stapten. 'Padlunnguaq! Putu en Sammik komen op bezoek,' kondigde hij aan. 'En Sammiks vader en moeder zijn er ook bij.'

Ingrid kwam haastig naar buiten om ze te zien. Halvard pakte haar pols en hield haar vast. 'Bij het oog van Odin! Dat is Qisuk. Ik herken hem nog steeds, ondanks die grijze haren. Daar heb je Sammik met zijn vrouw. En als dat Padloq niet is, eet ik een walrus rauw.'

Ingrid had hem vaak genoeg over Qisuk horen praten, maar toen ze Padloq zag, de beste vriendin die haar moeder aan deze kant van de oceaan had gehad, was het alsof een sprookje waar werd. Als haar ouders over hun eerste ontmoeting hadden gepraat en Padloqs naam was gevallen, had Halvard zijn tong over zijn lippen laten glijden zoals hij af en toe deed als hij iets niet wilde vertellen. Wat was er met Padloq? Wat kon er zijn, als moeder van haar had gehouden?

De vrouw zelf sprong van de bepakking van de slee, omhelsde de ouders van Putu en kwam samen met Padlunnguaq en Putu naar Halvard en zijn kinderen toe, terwijl de mannen zich om de sleeën en de honden bekommerden. 'Halvard!' zei ze. Haar stem klonk verbaasd toen ze naar zijn grijzende baard keek. 'Er is een mensenleven voorbijgegaan sinds wij afscheid van elkaar namen. Ik had nooit verwacht dat ik je weer zou zien.'

'Padloq,' antwoordde Halvard. Hij stak zijn armen uit en ze omhelsden elkaar als oude vrienden die elkaar dood hadden gewaand. Het was een omarming die Ingrid koude rillingen bezorgde, maar Qisuk lachte toen hij het zag. Hij liet het aan Sammik over om zijn honden te voeren en kwam snel naar Halvard toe om zijn armen om hem heen te slaan. 'Mijn mesbroeder!' zei hij. 'We geloofden onze oren niet toen we het van Sammik hoorden. Wat verdrietig dat onze oude vriendin, jouw vrouw, zich bij haar voorouders heeft gevoegd. We hebben om haar gehuild, maar toen bereikte ons het gerucht dat roodharige mannen zich in dit dorp hadden gevestigd. We wilden zelf zien of het om jou en je zoons ging. En ik heb gehoord dat er ook een meisje is.'

'Ja, maar je zult wel eerst op bezoek willen gaan bij je familie. Als we tijd hebben om met elkaar te praten zal ik je precies vertellen hoe we hier terecht zijn gekomen,' zei Halvard.

'Je hebt de taal van de Inuit geleerd,' zei Qisuk stralend. 'We hebben elkaar veel te vertellen, maar dat kan wachten. We blijven hier drie dagen bij de familie van mijn schoondochter. Misschien hebben we morgen tijd om te praten.'

Voordat ze terugliepen naar Niroqaq en Padlunnguaq, kwam Padloq naar Ingrid toe. Ze glimlachte verlegen en toen Ingrid teruglachte, streelde ze Ingrids wangen en haar. 'Het is precies zoals Sammik ons heeft verteld. Je lijkt op je moeder zoals wij haar hebben gekend, alleen je kleur is anders.'

Hoofdstuk 26

Zodra hij klaar was met de honden omhelsde Sammik zijn schoonvader, Niroqaq. Putu rende naar haar moeder toe en liet haar enthousiast het bolle buikje onder haar anorak zien. 'Hopelijk is het een jongen,' zei Padlunnguaq met gepaste trots.

Daarna knelde Sammik Leif tegen zich aan. 'Mijn vriend!' zei hij. Zijn stem was schor van emotie. 'De Vrouw van de Zee heeft je zo dichtbij gebracht dat we jullie kunnen opzoeken.'

Ole, Halvard en Ingrid stonden op een afstandje toe te kijken, tot Sammik eindelijk ook hen begroette en toen Halvard zijn sterke armen om de jongeman sloeg, was duidelijk te zien dat er een speciale band bestond tussen de jonge Inuk en de Groenlander. De dorpelingen reageerden met een verbaasd gemompel.

'Waarom blijven we hier in de kou staan?' vroeg Niroqaq. 'Ik heb een warm huis en meer dan genoeg te eten. Kom.' Hij legde zijn arm om de schouder van Qisuk en troonde hem mee.

Padloq pakte Ingrids hand. 'Wie zou hebben gedacht dat ik jou hier in mijn eigen land zou ontmoeten?' Zonder op antwoord te wachten vervolgde ze: 'Tot vandaag was ik nog nooit in het dorp van mijn schoondochter op bezoek geweest. Pas toen ik hoorde dat jullie hier waarschijnlijk waren, wilde ik ook mee. Noemen ze je nog steeds Ingrid?' Ingrid knikte. 'Je zult gauw genoeg een betere naam krijgen. Loop maar met mij mee naar het huis.' Ingrid nam de aangeboden arm dankbaar aan.

Onderweg zei de oudere vrouw: 'Je moet me alles vertellen. We hebben zoveel geruchten gehoord over wat de ondergang van de Qallunaat heeft veroorzaakt. Ik wil het uit jouw eigen mond horen.' Ingrid staarde haar niet-begrijpend aan. Padloq had zo snel gesproken dat ze er niets van had verstaan. 'Spreek je onze taal nog niet?' vroeg Padloq bezorgd.

Ingrid onderdrukte haar verlegenheid. 'Jawel,' zei ze, 'maar nog niet zo goed.'

'Dat is mijn schuld. Ik praat veel te snel,' zei Padloq. 'Ik wil vijftien winters in drie dagen persen. Ik lijk wel een oude vrouw.' Ze verborg haar glimlach vol zelfspot achter haar hand. Daarna sprak ze langzamer, zonder de woorden aan elkaar te rijgen. 'Je weet toch wie ik ben, hè? Heb je mijn naam weleens gehoord?'

'Heel vaak. Mijn moeder praatte vaak over u,' zei Ingrid, die zich nog steeds verbaasde over het eerste wat Padloq tegen haar had gezegd. 'Lijk ik echt zoveel op haar?'

Padloq knikte en lachte. De laagstaande zon bracht een roze gloed op haar gezicht. 'Het winterlicht doet me pijn aan mijn ogen. Er springen tranen in. Kijk, we zijn er.' Ze bukten zich en kropen door de tunnel de iglo van Niroqaq in.

Ondertussen hielp Leif Sammik de honden van Qisuk vanaf het strand naar boven te mennen. Het was de eerste keer dat hij de leidsels van een hondenslee in zijn handen had. 'Ik ga wel eerst,' zei Sammik. 'Doe precies hetzelfde wat ik doe en laat de zweep boven hen in de lucht knallen. En je moet je bevelen schreeuwen, zodat ze begrijpen dat het menens is.'

Zodra ze boven waren, stuurde Sammik zijn honden naar de grens van het dorp en liet ze een halve draai maken. Hij deed het heel langzaam zodat Leif kon zien hoe hij de leidsels die aan hun tuigen waren bevestigd hanteerde en welke bevelen hij gebruikte om de honden te laten doen wat hij wilde. Leif deed alles precies na en zag tot zijn blijdschap dat de honden meteen reageerden. Hij grijnsde en woof naar Sammik en de anderen die stonden te kijken. Het zou niet lang duren voordat Niroqaq, die had betwijfeld of een Qallunuk dit ooit zou leren, hem toestemming zou geven zelf een ploeg honden bij elkaar te zoeken.

Toen Sammik eindelijk zijn honden inhield, deed Leif hetzelfde. 'Dat heb je keurig gedaan,' zei hij. 'Binnenkort ben je een echte Inuk.' Daarna legde hij de honden met de leidsels vast aan twee paaltjes die hij in de grond sloeg, waardoor ze nog genoeg bewegingsruimte hadden. De zestien honden stonden op een kluitje naar de dorpshonden te kijken. Het leken twee groepen strijdlustige kerels die het tegen elkaar op wilden nemen maar uiteindelijk, na veel intimiderend geblaf en gegrom, gingen ze toch liggen.

Nadat alle bezoekers in de iglo van Niroqaq hun buik rond hadden gegeten, kwam Qisuk met verrassend nieuws. Hij was van plan samen met zijn dorpelingen terug te keren naar hun oude land aan de andere kant van de ijsvlakte. 'Ga met ons mee,' zei hij tegen Niroqaq. 'Alle rendieren zijn verdwenen. Waarschijnlijk zijn ze op zoek naar gras het binnenland in getrokken. Wij kunnen ze in ieder geval niet meer vinden. In ons oude land zijn meer dan genoeg kariboes voor ons allemaal. Ik heb genoeg van zeehondenvlees en vis. Zorg dat je klaar bent als de ijsvloer dik genoeg is. Je kunt je dorp op een dagreis van het onze opbouwen, zodat onze jonge mensen met elkaar kunnen blijven trouwen. Dan kun je wanneer je wilt op bezoek bij je kleinkinderen. Het is een zware reis, maar niet te zwaar voor een dapper man. Denk eens aan de verhalen die je zult kunnen vertellen.'

Ingrid luisterde vol ontzag naar de achteloze manier waarop Qisuk over het gevaar sprak. De oversteek zou op een ramp kunnen uitlopen, maar Qisuk deed net alsof het een peulenschilletje was. Hij had het al een keer gedaan. Ze vroeg zich voor de zoveelste keer af hoe het zou zijn om aan dezelfde kant van de oceaan te wonen als het volk van haar moeder.

De plannen van Qisuk veroorzaakten een gekwetter van jewelste aan de vrouwenkant van de iglo. Een paar van hen vroegen meteen aan Padloq wat het voor hen inhield als de mannen besloten de tocht te ondernemen. Padlunnguaq maande de andere vrouwen hun mond te houden, zodat Padloq de kans kreeg antwoord te geven.

'Wat kan ik zeggen over mijn man?' vroeg Padloq met een mengeling van ergernis en trots. Ze sprak op gedempte toon, om de mannen die met elkaar zaten te praten niet te storen. 'Als hij eenmaal iets in zijn hoofd heeft, kan hij niet meer wachten. In dat opzicht lijkt hij af en toe nog een jongetje.' Het klonk als een klacht, maar haar ogen glansden.

'Moeder, ik zal met Sammik mee moeten,' zei Putu, terwijl ze zich angstig aan Padlunnguaqs arm vastklemde.

'Laat Padloq ons maar iets meer vertellen. Wannneer heb je die reis vanaf de eilanden in het westen gemaakt, Padloq?

'We zijn hier vijftien winters geleden naartoe gekomen, zonder zelfs maar een hond te verliezen, hoewel het later in het seizoen was. Tijdens de overtocht zijn twee baby's geboren. Ze zijn nu getrouwd. Dat spraken hun ouders destijds af, als de Vrouw van de Zee ons tenminste gunstig gezind zou zijn en we land zouden bereiken. We kunnen het dit keer beter plannen, omdat we het al een keer gedaan hebben. De winter is nog maar net begonnen. We hoeven niet bang te zijn dat het ijs onderweg onder onze voeten zal breken. De honden zijn sterk en dik omdat ze een zomer lang rust hebben gehad, niet zoals destijds, toen we al maandenlang niet genoeg te eten hadden gehad. We hadden maar één keer succes bij de jacht, voordat Qisuk besloot om uit het dorp van zijn vader te vertrekken.'

Toen Padloq was uitgesproken was de stilte tastbaar. Alle mannen zaten haar aan te kijken. Ze bloosde onder die blikken, sloeg meteen haar ogen neer en drukte haar vingers tegen haar lippen. 'Ik praat te veel,' zei ze.

De spanning brak, toen Qisuk in lachen uitbarstte. 'Mijn vrouw kan jullie meer over de reis vertellen dan ik,' zei hij vriendelijk. 'Zij heeft er net zo hard aan meegewerkt. Ze mag zich op de borst slaan.'

'Ik weet niet of het voor ons zo verstandig is om te gaan,' zei Niroqaq. 'De nieuwe mensen hebben nog niet bewezen dat ze een winter door kunnen komen, ze kunnen nog niet met een kajak omgaan. Hun vrouwen kunnen nauwelijks naaien. Dit is geen berenjacht waarvoor we een dag of twee het ijs op moeten. Jij vraagt ons om onze woonplaats voorgoed te verlaten.'

'Als het je daar niet bevalt, kun je ook weer teruggaan,' merkte Qisuk op. 'Ik neem aan dat je dit eerst met je jagers wilt bespreken en erover na wilt denken. Laten we ondertussen maar genieten van dit bezoek. We hebben berenvlees voor jullie meegebracht. Een goede gast heeft altijd geschenken bij zich. Het was Sammiks harpoen die het beest doodde, dus je eerste kleinzoon zal een nieuwe *nanu* hebbben om zijn beentjes warm te houden. Je dochter is een goede schoondochter, mijn zoon is heel blij met haar.'

Putu boog haar hoofd bij die lof van Qisuk en drukte haar voorhoofd tegen de schouder van haar moeder. 'Zorg alsjeblieft dat vader meegaat, moeder,' fluisterde ze. 'Ik wil dat je bij me bent wanneer mijn baby komt.'

Ingrid kon zich wel voorstellen hoe Putu zich voelde. Ze was niet veel jonger dan Sammiks vrouw. Ze dacht aan haar eigen moeder, die een kind had gekregen zonder dat er iemand bij was die ze kende. Daar stond tegenover dat haar moeder die reis met deze zelfde mensen had ondernomen.

De mannen praatten over de mogelijkheden om op de ijsvlakte op jacht te gaan. 'We hebben daar zeehonden gevonden die uit hun *allut* waren geklommen om op het ijs uit te rusten. In de lente gingen onze mensen altijd naar een eiland in onze zuidzee om de mensen van het vasteland te ontmoeten. Zij brachten verse jonge bomen uit hun wouden mee om mooie bogen van te maken. We zullen jullie wel leren hoe je met dat soort wapens op kariboes moet jagen. In het westen leven andere dieren dan hier en er zijn ook andere kruiden. Wacht maar tot je tabak hebt gerookt.'

Hoe zou het zijn om een bezoek te brengen aan het Handelseiland? Zouden de Inuit wel een vrouw mee willen nemen? Misschien kreeg Ingrid wel inwoners van het Schildpadeiland te zien!

Hoewel Qisuk, Padloq en de jonge Putu al snel teruggingen naar hun eigen dorp had het bezoek de dorpelingen van Niroqaq veel gespreksstof opgeleverd. De winter was nu pas echt begonnen en de verveling werd alleen af en toe onderbroken door een jachtpartij, waarvan de resultaten niet opzienbarend waren. De mensen hadden weinig anders te doen dan te praten over het voorstel van Qisuk.

Op de dag dat de zon voor het eerst weer boven de horizon verscheen en het dorp met een rozig schijnsel overgoot, riep Niroqaq zijn vier beste jagers bij elkaar. 'Ik wil weleens zien wat er zich op de ijsvlakte afspeelt. Ik overweeg serieus om op Qisuks voorstel in te gaan, maar ik wil eerst horen hoe jullie erover denken. Daarna zal ik de Vrouw van de Zee consulteren, om zeker te weten dat we haar goedkeuring hebben. Denken jullie dat er op het ijs genoeg walrussen en beren zullen zijn om de overtocht te wagen?'

'De overtocht naar de eilanden in het westen?' vroeg een van de jagers. 'Zou je dat echt willen?'

Hij glimlachte en knikte. 'Misschien wel. Ik denk nog steeds na.' Hij zweeg even en wreef door zijn dunne baard. 'Het zou best aangenaam kunnen zijn om aan de overkant geroosterde kariboe te eten. Ik begin ook een beetje genoeg te krijgen van zeehondenvlees.'

Hoofdstuk 27

Eigenlijk mochten alleen zijn raadslieden en zijn vrouw Padlun-nguaq in de iglo van het dorpshoofd zijn als Niroqaq zijn reis in de geest maakte naar Nerrivik, de Vrouw van de Zee. Aangezien zij op de bodem van de oceaan woonde, ver onder de ijsvlakte, moest er een speciale ceremonie en een gevaarlijke reis van de ziel aan te pas komen om haar een bezoek te brengen. Maar tot Leifs verbazing nodigde Niroqaq hem ook uit, niet als deelnemer maar als toeschouwer. Hij was ervan overtuigd dat de Groenlander over een geest beschikte die opleiding verdiende.

Na afloop strompelde Leif verbijsterd naar huis. Halvard ving zijn zoon op en begon meteen zijn bleke gezicht en handen warm te wrijven. 'Ik was zo ongerust dat ik niet kon slapen,' zei hij. Hij wikkelde Leif in zijn bontvellen. 'Ingrid, steek eens wat meer pitten aan.'

Ingrid gooide haar dekens van zich af en gehoorzaamde. 'Hoe ging het?' vroeg ze. 'Mag je ons dat vertellen?'

Ole was ongeduldiger. 'Wat heeft Nerrivik tegen Niroqaq gezegd? Gaan we met Qisuk mee naar het westen of niet?'

Leif keek hen klappertandend aan. 'Ik kan nog steeds niet geloven wat ik heb gezien, maar ik kan jullie één ding vertellen. We gaan.'

Halvard pakte hem bij zijn schouders. 'Ik begin bijna te denken dat je zelf die reis naar de bodem van de oceaan hebt gemaakt. Je trilt helemaal. Wat is er gebeurd, Leif? Mag je ons dat vertellen?' Hij warmde zijn handen boven de vlammen en begon opnieuw Leifs huid warm te wrijven.

Ingrid gaf Leif een kom soep en trok de bontvellen steviger om zijn schouders. 'Zijn wangen zijn ijskoud, maar zijn nek voelt vochtig aan, vader. Hij zweet. Trek hem zijn kleren uit, anders wordt hij ziek,' zei ze.

Halvard kleedde Leif tot op zijn lendendoek uit. Daarna stopte hij hem weer in en gaf hem zijn kom warme soep terug. Leif nam een paar slokjes en zei: 'Ik zal jullie precies vertellen wat er is gebeurd.'

Ingrid liep terug naar haar bed en ging op haar zij liggen om te luisteren.

'Niroqaq stuurde zijn geest op reis om overleg te plegen met Nerrivik. Lang geleden heeft Ingrids moeder ons al eens het verhaal verteld over de ceremonie die ze zelf had bijgewoond, maar eigenlijk geloofde ik nooit dat iemand daartoe in staat was. Nu weet ik zeker dat een angakkoq wonderen kan verrichten en dat geldt ook voor Niroqaq. Ik volgde hem door de zee naar beneden, of ik droomde dat ik dat deed. Maar het leek te echt om een droom te zijn. De Vrouw van de Zee zat op een ivoren bank op de bodem van de zee, omringd door de geesten van alle dieren die zijn gestorven en van alle dieren die nog geboren moeten worden. Dat zijn haar dienaars.'

'Bij het oog van Odin!' riep Halvard uit. 'Astrid zei dat een angakkoq er jaren over deed om in de geest te leren reizen. Hoe kon jij hem dan volgen?'

'Daar kan ik alleen maar naar raden,' bekende Leif. 'De Inuit staan nader tot hun goden dan andere volken. Grootvader sprak tot Odin door middel van de rook van een offer, of richtte zijn verzoeken in gewone taal tot de goden. Odin antwoordde met tekens, met behulp van zijn vogels of door wolken een bepaalde vorm te geven. Sommigen horen de stem van Thor in de donder. Ik had het gevoel dat mijn geest mijn lichaam verliet en naar het huis van Nerrivik afreisde. Ik ben nooit uit een droom ontwaakt in een warme kamer terwijl ik toch huiverde van kou.'

'Maar waarom jij?' vroeg Ole. 'Hoe heb je dat klaargespeeld?'

'Ik had er niets mee te maken. Ik wilde alleen maar toekijken. Niroqaq moet me hebben opgehaald, of anders de Vrouw van de Zee.'

'Wat gebeurde er toen je in Niroqaqs iglo kwam?' vroeg Halvard. 'Er waren ook andere mensen aanwezig bij die ceremonie. Vroeg hij je of je naast hem wilde gaan staan? Heeft hij je verteld wat er zou gebeuren?'

'Nee. Ik voelde me eigenlijk een vreemde. Ik hoor niet eens bij zijn stam. Ik wilde zoveel mogelijk op de achtergrond blijven. En niemand protesteerde toen ik achter de andere mannen tegen de muur ging staan, naast Padlunnguaq. Niroqaq liep een tijdje heen en weer en zong. Padlunnguaq legde me uit dat heilige mannen een speciale taal gebruiken om met geesten of goden te spreken. Na een poosje hield Niroqaq op met dat gedrentel. Hij verstijfde en zakte in elkaar. Maar zijn begeleiders waren erop voorbereid. Zijn neef Odak stond naast hem en ving hem op. Hij legde hem op zijn illeq en dekte hem toe. Niroqaqs gezicht werd doodsbleek en hij haalde geen adem meer, of hij ademde zo licht dat ik het niet zag. Hij zag eruit als een dode.' Leif staarde naar de stenen muren alsof de ceremonie in de iglo van Niroqaq zich weer voor zijn ogen afspeelde.

'Hoe lang duurde dat?' vroeg Ingrid. Leif draaide zich langzaam om, alsof haar vraag hem wakker deed schrikken.

'Dat zou ik je niet kunnen vertellen. Ik vroeg me af wat er gebeurde. Het werd steeds warmer in de kamer, omdat Padlunnguaq meer pitten in de lampen aanstak. Ze vertelde me dat het lichaam van Niroqaq warm moest blijven terwijl hij weg was, anders zou hij doodgaan. Ik probeerde niet te gapen terwijl ze me alles uitlegde, want dat was heel vriendelijk van haar en ik wilde haar niet beledigen. Maar toen alle pitten uitgingen, kwam ik tot de ontdekking dat ik alleen was in het donker. Ik tastte naar Padlunnguaq, maar ze was er niet meer. Daarna probeerde ik de muren of de illeq te vinden, maar die waren ook verdwenen. De lucht was heel drukkend en het kostte me de grootste moeite om te bewegen.

'Daarna hoorde ik stemmen die mijn naam riepen. Een eindje verder zag ik een groen schijnsel. Ik liep ernaartoe en de stemmen werden luider. Ik schoof een gordijn opzij dat als zeewier aanvoelde en toen zag ik hen, Niroqaq en de Vrouw van de Zee, in een vaag licht.'

Er liep een rilling over Ingrids rug. 'Je hebt Nerrivik gezien!'

Halvard beet zijn tanden op elkaar, maar hij bleef op gedempte toon spreken. 'Ze heeft ons volk te gronde gericht, de Groenlanders uit dit land verjaagd en de rest van honger laten omkomen. Wat wilde ze van je?'

'Dat ik haar zou leren kennen. Ik weet wel dat ik eigenlijk boos op haar zou moeten zijn, maar dat lukte me niet. Haar gezicht golfde en veranderde voortdurend van uitdrukking. Eerst was ze vriendelijk en zorgzaam, als de moeder van alle leven die ze volgens de Inuit is. Toen deed ze haar mond open en haar tanden waren ijspegels. Je moet ontzag voor haar hebben, vader, en dat geldt in feite voor iedereen. Ze heeft meer macht dan wij ons kunnen voorstellen, ze kan sterke mannen vernietigen door hen haar adem in het gezicht te blazen en hele nederzettingen door middel van haar golven met de grond gelijk maken. Als ze boos is, laat ze zelfs haar eigen volk hongerlijden. Bedenk maar hoe boos ze was op de Groenlanders en hoe geduldig ze heeft gewacht tot wij leerden haar wetten te accepteren en haar volk niet te vernederen. Ze is de oceaan.'

'Wat gebeurde er toen?' vroeg Ingrid.

'Ik vroeg me af of iemand er wel voor zou zorgen dat mijn lichaam warm bleef en dat mijn hoofd werd ondersteund, net zoals ze bij Niroqaq hadden gedaan. Ik was bang dat ik de weg naar de iglo niet terug zou vinden en toen zei Nerrivik mijn naam. Ik knielde.' Leif hield even zijn adem in en nam een slokje van de afgekoelde soep. 'Toen Niroqaq tegen me begon te praten, kon ik hem perfect verstaan, alsof hij Noors sprak. Ik denk dat ik naar zijn gedachten luisterde in plaats van naar zijn stem. Hij zei tegen Nerrivik dat mijn geest de sterkste was die hij ooit was tegengekomen bij iemand die geen ervaren angakkoq was. Hij heeft de Groenlanders die op zijn grondgebied jaagden altijd gedood. Toen hij zag dat het amulet dat Ingrid draagt door Sammik was gemaakt, vermoedde hij dat Nerrivik ervoor had gezorgd dat wij bij hem terechtkwamen. Hij wilde dat Nerrivik hem uitlegde wat haar bedoeling met ons was en hij vroeg ook of ze wilde dat wij met Qisuk naar het westen trekken.

'Er verscheen een soort onderwaterlicht. Het haar van de Vrouw van de Zee dreef als zeewier om haar hoofd. Haar armen zonder handen lagen op haar schoot. Ze ving mijn blik op en hield die vast tot ik me niet meer kon afwenden. Ik denk dat ik daar was gebleven als ze me dat had gevraagd, dat ik dan niet meer tot leven zou zijn gekomen. Ik wilde haar niet verlaten.'

Hij legde zijn handen plat op zijn knieën en slaakte een diepe zucht. 'Haar stem klonk als golfjes die tegen het strand kabbelen. "Kom dichterbij, Leif," zei ze. "Pak mijn kam en verzorg mijn haar. Dat kan ik zelf niet." Ik deed mijn best en ondertussen praatte zij met Niroqaq.'

Het bleef stil in de kamer toen Leif uitgesproken was. 'Ze heeft je weggelokt bij onze eigen goden,' merkte Ole grimmig op. 'Nu hoor je bij haar. Daarom heeft ze je geroepen.'

Leif sprak hem niet tegen. 'Als dat waar is, vind ik het best. Onze goden zijn ver weg. Zij is hier. We moeten haar dienen als we in haar land en te midden van haar volk in leven willen blijven.'

Ole wendde ongelukkig zijn blik af.

'Kon je verstaan wat ze zeiden?' vroeg Halvard.

'Ze geeft haar goedkeuring aan de reis. Ze zei tegen Niroqaq dat hij niet moest proberen al zijn dorpelingen mee te nemen. Alleen de sterksten moeten de overtocht wagen. Het zal gevaarlijk zijn, maar volgens mij zullen we het redden. Ze hebben het ook nog over andere dingen gehad, maar toen kon ik hen niet meer verstaan. Vissen en zeehonden zwommen om ons heen, vol belangstelling maar ook een beetje angstig. Ze zijn niet gewend dat mensen op bezoek komen. Een walvisbaby kwam naar ons toe zwemmen en snuffelde aan Nerriviks knie. Ze streelde het dier met haar voetzolen, omdat ze geen handen heeft. Ik vroeg me af hoe de walvissen en de zeehonden zo lang onder water konden blijven zonder adem te halen. Zonder dat ze haar gesprek met Niroqaq onderbrak, hoorde ik haar antwoord in mijn hoofd. *Ze zijn nog niet geboren.*

Ondanks alle wonderbaarlijke dingen die er te zien waren, werd ik slaperig en ik raakte alle gevoel voor tijd kwijt. Na een poosje leek de Vrouw van de Zee zo groot te worden als een berg. Ze strekte haar arm uit over de golven en het ijs, over de fjorden en over het met sneeuw bedekte land ver onder ons. Ik had de wolken en het golvende noorderlicht aan kunnen raken vanaf mijn plekje in de holte van haar elleboog. De lucht voelde aan als warm water tot ik mijn ogen opendeed en tot de ontdekking kwam dat ik op de illeq in Niroqaqs iglo lag.

Er brandden zoveel pitten in de lampen dat ik bijna verblind werd. Padlunnguaq wreef mijn handen warm en klopte me op mijn gezicht. Ze bleef mijn naam herhalen. Ik had het zo koud dat het leek alsof ik in een brok ijs gevangenzat. Twee jagers hebben me naar huis gebracht. Ik weet niet hoe ik erin geslaagd ben de tunnel door te kruipen, maar ik heb het gered.'

Hij schudde zijn hoofd alsof hij alle beelden die door zijn hoofd spookten van zich af wilde zetten. 'Bij alle oude en vergeten goden, ik kan bijna niet geloven wat ik gezien heb. Was het maar een droom? Niroqaq heeft er niets over gezegd. Hij herstelde zich sneller dan ik en hij praatte alleen met zijn vrienden. Maar hij heeft niemand verteld dat ik er ook bij ben geweest.'

Halvard stelde een praktische vraag. 'Hoeveel tijd hebben we nog om voorbereidingen te treffen, voordat we weggaan?'

'Dat weet ik niet,' bekende Leif, en hij haalde zijn schouders op. 'Dat zal hij morgen wel vertellen. Ik ben ontzettend moe.' Hij gaapte en ging op zijn zij liggen.

De laatste stormen hadden het halfbevroren water opgejaagd en er kristallen kastelen van gevormd. De lucht was donker, met uitzondering van de sterren en het golvende noorderlicht, dat als een glanzend gordijn in sprookjeskleuren boven hen hing. De weerschijn danste over het met sneeuw bedekte ijs. Iedereen moest eraan te pas komen om de honden te helpen de sleeën over de ijsheuvels te trekken zonder dat de benen glijders braken. Het had twee dagen geduurd voordat ze vanuit hun baai de echte ijsvlakte bereikten. De nieuwe dorpelingen reisden in het midden van de stoet, zodat ze de ervaren menners konden volgen en als er iets mis ging geholpen konden worden door degenen die achter hen aan kwamen.

De helft van de dorpelingen was achtergebleven in de beschutte inham. Niroqaq had alleen degenen meegenomen die de reis graag wilden maken. Leif, Ole en Halvard hadden een slee gekregen en acht honden die geen echte ploeg vormden. Niroqaq had de nieuwkomers niet willen voortrekken.

Ingrid had niet verwacht dat ze meer zou moeten lopen dan dat ze op de slee zat. Ze liep de halve dag om het gewicht te verminderen en iedere keer als ze stopten, moest ze de leidsels van de honden ontwarren. Ze was doodmoe en had het gevoel dat ze lopend zou kunnen slapen. Als iemand klaagde en wilde rusten voordat Niroqaq een rustpauze aankondigde, werd dat verzoek met hoon begroet.

Een Inuit-meisje zou blij zijn geweest met de aandacht van een jager, maar toen Mitsoq, de nieuwe eigenaar van Ingrids honden, haar een compliment maakte over haar uithoudingsvermogen wierp Ingrid hem een killere blik toe dan ze ooit voor mogelijk had gehouden. 'Qallunaat-vrouwen zijn minstens zo sterk als die van jullie,' zei ze, onwillekeurig de Groenlanders verdedigend. Mitsoq haalde zijn schouders op en liep weg. Een van de Inuit-vrouwen had het gezien en keek Ingrid aan alsof ze wilde zeggen dat een dergelijke onbeleefdheid onvergeeflijk was. Ingrid haalde haar schouders op.

De wind draaide en kwam nu uit het zuidoosten. In het zuiden werd de lucht donkerder. Het noorderlicht verdween onder een wolkendek en er kwam mist op. Iedereen keek om zich heen, op zoek naar een beschutte schuilplaats. De wind wakkerde aan en bekogelde hen met vlijmscherpe stukjes ijs. Ze konden geen hand voor ogen zien en het was onmogelijk de richting te bepalen. Onder Ingrids capuchon liep het zweet van haar hoofd en drupte over haar rug.

Niroqaqs onderbevelhebber, een grijsharige jager die Kali heette, schreeuwde Halvard toe wat hij moest doen. Een vastgevroren ijsberg was nog net zichtbaar. De scherpgetande top reikte tot de wolken. 'Zoek beschutting aan de lijzijde,' zei de jager en liep verder om die aanwijzing ook aan anderen door te geven.

Ingrid struikelde. Ze had geen gevoel meer in haar vingers toen ze om zich heen tastte naar Halvard. 'Vader!' schreeuwde ze. 'Waar ben je?'

Maar boven het geloei van de wind kon ze haar eigen stem niet eens horen. Ze tastte zenuwachtig rond, verblind door de striemende ijskristallen, en viel op haar knieën in de hoop dat iemand zou merken dat zij achter was gebleven. Als ze de verkeerde kant op liep, zou ze de afstand tussen haarzelf en de anderen alleen maar groter maken.

Ineens doken Hella en Loki, haar oude honden, aan weerskanten van haar op en besnuffelden haar gezicht en haar wanten. Ze hadden naast Mitsoqs slee meegedraafd, wel met een tuig aan, maar niet aan de leidsels. Ze pakte Loki in zijn nekvel en hield Hella bij haar tuig vast. 'Goden zij dank,' mompelde ze. De honden liepen langzaam, tegen de sneeuwjacht in. Ingrid kon haar ogen nauwelijks openhouden, maar tussen de honden in slaagde ze erin om de relatieve luwte aan de lijzijde van de ijsberg te bereiken.

Daar stond minder wind, zodat ze elkaar weer konden zien en horen. Ze maakte de honden warm door ze snel over de nek en de flanken te wrijven en haalde het ijs tussen de kussentjes onder hun poten weg. De dieren kronkelden van genoegen bij die onverwachte liefkozing. Halvard trok haar naar zich toe om haar tegen de wind te beschutten. 'De goden zij dank dat de honden de fluitsignalen nog steeds herkenden,' zei hij terwijl hij zijn wang tegen haar met ijs bedekte gezicht drukte. 'Ik heb ze opdracht gegeven om je te gaan zoeken en hier bij mij terug te brengen, alsof je een verdwaald schaap was.'

Leif zette hun slee naast die van Mitsoq en legde huiden op het ijs ertussen en over de beide sleeën, zodat er soort tent ontstond. Mitsoq kwam naar hen toe om naar zijn honden te kijken, die zich hadden opgerold en hun neus onder hun dikbehaarde staarten hadden gestopt. 'Ik wou dat je mijn jachthonden ook leerde om op fluitsignalen te reageren, net als deze twee. Dat lijkt me een handig trucje.'

Halvard keek Mitsoq belangstellend aan en wierp toen een blik op Ingrid. 'Mijn dochter heeft deze honden zelf afgericht toen ze nog pups waren. Om ze opdracht te geven haar te gaan zoeken en bij me te brengen heb ik alleen de fluitsignalen gebruikt die zij hen heeft geleerd.'

Mitsoq keek even naar Ingrid die tussen de sleeën bezig was om uit de wind een kampvuurtje te maken. Ze probeerde de smalle stukjes dierenhuid die ze als tondels gebruikte aan te steken met behulp van haar vuurstenen, maar haar handen waren te koud.

Halvard pakte haar de stenen af. 'Dat doe ik wel,' zei hij. 'Jij moet eerst een beetje warmer worden.' Hij slaagde erin om de lonten in het gestolde vet aan te steken. Het werd al snel warm in de kleine geïmproviseerde tent, zodat de inzittenden zich van hun capuchons en hun wanten konden ontdoen. Ingrid legde brokken vlees naast de lamp om ze zover te ontdooien dat ze gekauwd konden worden.

Mitsoq ging op zijn hurken zitten en zocht tot hij zijn eigen vleesvoorraad tussen de pakken op zijn slee had gevonden. Hij gaf een paar stukken aan Ingrid. 'Warm die van mij ook maar op. Die vreemde honden van jou zijn kleiner dan de onze en hun schouders zijn niet sterk genoeg om een slee te trekken, maar ze kunnen goed jagen. Ik zal mijn beste hond kruisen met de teef uit het zuiden.' Hij glimlachte bij de gedachte. 'Iyeh. Dat is een goed idee.' Hij opende de bundel op zijn slee waar de brokken zeehondenvlees voor de honden in zaten. Ingrid kneep haar lippen op elkaar en keek haar vader, die haar min of meer aan Mitsoq had aangeboden, vernietigend aan. Halvard haalde zijn schouders op om haar duidelijk te maken dat hij het niet zo had bedoeld en dat ze er maar het beste van moest maken.

'Halvard,' zei Mitsoq. 'Voortaan moet Ingrid met mij meerijden. Dan kan ze me laten zien hoe ze honden met fluitsignalen africht.'

Hoofdstuk 28

Ingrid zat schrijlings op de slee van Mitsoq, tussen de bundels in. Mitsoq zat voorop, met zijn rug naar haar toe. In hun snelle tocht over het ijs dreven de menners hun honden tot het uiterste en gaven ze meestal pas te eten als ze hun werk hadden gedaan. Ingrid vond het vreselijk als Mitsoq zijn zweep over een hond legde die het even liet afweten, of die het waagde om zijn behoefte te doen. Iedere keer als hij de zweep liet knallen vertrok ze haar gezicht en knarste met haar tanden. Ze was blij dat ze achter hem zat, zodat hij het niet kon zien. Eigenlijk behoorde ze blij te zijn dat er een jager was die belangstelling voor haar had, iemand die ervoor zou zorgen dat ze genoeg vlees en kinderen zou krijgen. Maar ze walgde van zijn nabijheid en moest zich uit alle macht beheersen om dat niet te laten merken.

Loki en Hella droegen allebei een tuig. Toen Mitsoq stopte om de honden op adem te laten komen en wat sneeuw op te likken, maakte hij een stel van zijn eigen ploeg los en zette Loki en Hella in hun plaats. De in Groenland gefokte honden waren niet gewend om te trekken, maar ze begrepen gauw genoeg wat ervan hun verwacht werd. Mitsoq had ze aan weerszijden van de leider gezet, een groot grijs beest dat meer op een wolf dan op een hond leek en dat de nieuwkomers grommend duidelijk maakte dat hij de baas was.

'Kijk, Hella begint loops te worden,' merkte Mitsoq op. Het was een woord dat Ingrid nog niet kende, maar ze begreep toch wat hij bedoelde. 'Een krachtige reu en een geestdriftige teef. Hij zal haar snel bestijgen.' Mitsoq keek over zijn schouder om Ingrids reactie te zien. Ze bleef hardnekkig voor zich uit kijken.

Vanaf het punt waar zij zat, kon ze net zo goed zien hoe het met de gezondheid van de honden gesteld was als Mitsoq. Ze zag welke dieren zich verzetten, welke niet zo hard hoefden te trekken omdat hun tuig niet strak genoeg zat en welke teven loops waren geworden. Mitsoq gunde zijn leider de tijd om de pikorde aan te geven, door in de flanken van de twee nieuwe honden te bijten. Loki week zo ver achteruit als de leidsels toestonden, met de staart tussen de poten. Hella jankte en likte vervolgens onderdanig de snuit van de grijze hond, precies zoals ze bij haar moeder had gedaan toen ze nog een pup was.

Tevreden grijnsde de grijze hond over zijn schouder naar Mitsoq om aan te geven dat hij klaar was om te vertrekken. De Inuk legde zijn zweep over de ruggen van zijn honden. 'Aak! Aak!' De honden sprongen op en zetten zich met hun poten af op het ijs, maar er kwam geen beweging in de slee. Mitsoq stapte af om de vracht lichter te maken en de slee aan te duwen. Hij schreeuwde opnieuw zijn bevelen, maar de uitwerking was vrijwel nihil. Ten slotte brulde hij: 'Qorfa!' De honden keken geschrokken achterom en rukten aan hun tuigen, waardoor de slee eindelijk begon te glijden.

In het volgende kamp bond Mitsoq zijn slee aan die van Halvard vast. Hij had Ingrid onderweg beloofd dat zij de honden mocht voeren, maar hij bleef naast haar staan om ervoor te zorgen dat ze de stukken zeehondenvlees in de juiste volgorde verdeelde. Hij was nog steeds de baas. Maar ze wilde van hem weten hoe hij de honden zover had gekregen dat ze de slee op gang trokken. Ze moest even goed nadenken hoe ze de vraag moest stellen. 'Aak betekent dit,' zei ze terwijl ze met haar rechterarm een voorwaartse beweging maakte. Hij knikte grijnzend. 'En wat betekent qorfa dan?' vroeg ze met gedempte stem om de honden niet weer zo te laten schrikken. De dieren die het dichtst bij haar stonden keken behoedzaam om zich heen. Maar ze kreeg pas antwoord op haar vraag nadat alle honden gevoerd waren en zich oprolden om te gaan slapen. 'Ingrid!' Ze keek hem aan. Mitsoq tilde zijn armen op en kromde zijn vingers. Hij kwam stijf en dreigend naar haar toe lopen, met uitgestrekte armen als een beer die in de aanval gaat.

Ze had de betekenis al geraden, maar wees toch op zijn van berenhuid gemaakte kniebroek en vroeg: 'Is dat qorfa-huid?'

'Iyeh. Je leert het wel.'

Terwijl zij een vuur maakte voor de tent en dunne plakjes vlees in water opwarmde, vertelde Mitsoq aan Halvard en zijn zoons hoe ze met hun honden moesten omspringen. Ondertussen bleef hij naar Ingrid kijken, die gehurkt voor de kookpot stiekem mee zat te luisteren. 'Jullie zijn te aardig voor ze. Een Inuk laat zich niet zo gemakkelijk voor de gek houden.'

'We geven ze te eten voordat ze aan het werk gaan,' merkte Ole op. 'Wat is daar mis mee?'

'Qallunaat begrijpen niet hoe de wereld in elkaar steekt. Waarom zouden honden trekken als ze al een volle maag hebben? Jullie belonen de luiaards net zo goed als de harde werkers. Als jullie volk in het zuiden hetzelfde heeft gedaan, is het geen wonder dat ze dood zijn. Een paar harde winters en ze gaven het al op.'

Ole slikte een antwoord in. Ingrid hief haar hoofd op en kneep haar ogen samen. Ze besloot ter plekke dat als ze per se een jager moest kiezen die in de komende harde winters voor haar zou kunnen zorgen, het niet Mitsoq zou zijn. Zij had meer keus dan Hella.

'Maar goed, Nerrivik heeft jullie in leven gelaten zodat jullie naar ons toe konden komen. Zowel Niroqaq als Qisuk hebben jullie geaccepteerd, dus zal ik zo goed zijn om jullie te leren met een slee om te gaan. Dan zullen jullie al gauw niet meer van die Qallunaat-fouten maken.'

'Bedankt,' zei Halvard. Ingrid vroeg zich af of zij de enige was die het sarcasme in de stem van haar vader hoorde. Maar toen Mitsoq controleerde of zijn vlees al warm genoeg was, gaf Leif haar een knipoogje.

Toen de dorpelingen hun sleeën weer vollaadden en hun honden de tuigen aandeden, was Mitsoq niet bij hen. 'Waar is hij naartoe?' vroeg Ingrid. 'Heeft hij dat gezegd?'

'Niroqaq heeft hem een poosje geleden gezegd dat hij op zoek moest gaan naar *allut*. Odak en Kettil zijn meegegaan. De honden kunnen dit tempo niet aan zonder extra rust of beter voedsel. Ze worden mager van het rennen. Het zou goed zijn als de jagers een kudde walrussen vonden. Hun vlees is voedzamer. Ondertussen moeten wij zuiniger zijn met het voedsel om er zeker van te zijn dat de honden het de hele reis uithouden.'

'Zijn Hella en Loki mee op jacht gegaan?'

'Mitsoq liet ze naast de slee meelopen. Hij wilde zien hoe goed ze kunnen jagen.'

Ze gingen op weg, in de wetenschap dat de jagers hen wel weer zouden inhalen. De stoet verspreidde zich over de hele ijsvlakte terwijl de donkerpaarse lucht langzaam grijs werd en de zon ten slotte als een bleke schijf boven de horizon in het zuidoosten verrees. Halvard kneep zijn ogen samen. 'Kijk eens voor je. Jouw ogen zijn jonger dan de mijne. Wat zie je?'

Ze keek naar het westen. 'Ik zie wolken die beschenen worden door de zon. Het is fijn om weer eens een zonsopgang te zien, ook al moeten we daarvoor achterom kijken. Denkt u dat die wolken sneeuw brengen? Moeten we op zoek gaan naar een schuilplaats?'

Hij glimlachte. 'Ik denk dat je je vergist. Kijk nog eens goed.'

Ingrid knipperde met haar ogen, op zoek naar een ijsberg die hen beschutting zou bieden tegen de opwaaiende ijssplinters. 'Denkt u dat we recht op een sneeuwstorm af lopen?'

'Ik denk dat we naar rotsen kijken.' Ze richtte haar blik opnieuw op de horizon in het westen en knikte langzaam. 'Het is nog meer dan een dagreis, maar we kunnen eindelijk de overkant zien!' Om hen heen zaten alle Inuit op hun sleeën te schreeuwen en te wijzen. De kinderen begonnen te juichen. Zij hadden het ook gezien.

Toen het tijd werd voor hun enige warme maaltijd van de dag waren de jagers nog steeds niet terug. Ingrid pakte met haar hand een beetje gestold vet uit een zak van zeehondenhuid, net genoeg om hun geïmproviseerde tent en het vlees te verwarmen. Voordat ze het vuur aanstak, likte ze het laagje vet van haar hand en wreef de rest over haar wangen en neus als bescherming tegen de wind.

Ze pakte genoeg brokken vlees voor haarzelf, haar broers en Halvard. Gewoonlijk waren degenen die werden aangewezen om op jacht te gaan alweer terug bij de groep voordat ze hun kamp opsloegen. Dit keer bleven ze langer weg.

Sigrid, de vrouw van Kettil, kwam naar hun tent toe en ging op haar hurken zitten om met Ingrid te praten. Haar zoon stak net boven haar *amaaq* uit, de grote, extra capuchon van Sigrids anorak. 'Hallo,' zei Ingrid.

Sigrid beantwoordde haar groet nogal formeel. Haar ogen stonden onrustig en ze liet haar tong over haar lippen glijden. 'Heeft Mitsoq tegen jou gezegd hoe lang ze van plan waren om weg te blijven?'

Ingrid wenste dat ze wist waarom Sigrid voortdurend bij haar uit de buurt bleef. Zij en Helga waren de winter daarvoor veel aardiger voor haar geweest, toen ze hen voor het eerst had leren kennen. 'Ik heb hem niet gezien. Ik sliep nog toen hij wegging. Ze zullen wel blijven zoeken tot ze iets vinden. Je weet hoe dat gaat bij de jacht,' zei Ingrid.

'Ik weet niet hoe het gaat bij de jacht. Jij wel?'

Ingrid kon aan haar stem horen dat Sigrid zich zorgen maakte. 'Nou ja, dat hebben we toch vaak genoeg gehoord. Mannen praten nergens anders over. Misschien zijn de *allut* dichtgevroren. Ze blijven wel vaker meer dan een dag weg.' Ze hoopte dat ze Sigrid een beetje had gerustgesteld.

'Ik zou me eigenlijk geen zorgen moeten maken. En ik had jou niet lastig moeten vallen. Je geeft niet erg veel om Mitsoq, hè?'

'Nee, maar hij heeft mijn honden bij zich. Nou ja, het waren mijn honden voordat ze bij Mitsoq kwamen.' Plotseling drong het tot haar door waarom Sigrid bang was. Wat ontzettend dom van haar. 'Is Kettil bij hem?' Sigrid knikte. 'Nou ja, Inuit zijn toch de beste jagers ter wereld? Ze zullen zo wel komen.' Ze hoopte dat ze gelijk had. Er waren belangrijker dingen dan Loki en Hella.

En toen drong het plotseling tot Ingrid door dat ze haar alleen lieten om Mitsoq de kans te geven haar het hof te maken. Terwijl ze Sigrid ook een kom soep gaf, probeerde ze uit te leggen hoe ze zich voelde, in de hoop dat de jonge vrouwen haar niet langer alleen zouden laten. 'Mijn vader kan die beslissing niet voor me nemen en het kamp zeker niet. Ik ben er nog niet klaar voor. Ik ben net uit mijn eigen land verjaagd en we zitten hier midden op de oceaan. Als Nerrivik niest, gaan we allemaal dood. Ik wil nu niet aan een man denken.'

Toen hoorde ze buiten een stem roepen: 'Ze komen eraan!' Sigrid dook zonder iets te zeggen Halvards tent uit. Ingrid ging achter haar aan, blij dat ze haar benen even kon strekken. Vanuit het kamp hoorde ze roepen dat alle drie sleeën vol vlees lagen en dat er zelfs een beer bij was.

Nadat de sleeën knarsend tot stilstand waren gekomen, legden de jagers hun honden vast en gaven ze te eten voordat ze hun sleeën uitlaadden. Dit keer vroeg Mitsoq Ingrid niet of ze hem met zijn honden wilde helpen. Hij zag er bijzonder voldaan uit. Ingrid lette op de volgorde waarin hij de honden voerde. Hella was als tweede aan de beurt, na zijn grote grijze hond. Ze was kennelijk in rang gestegen. Toen Ingrid nog eens goed keek, zag ze het geronnen bloed dat aan haar poten en borst kleefde.

'Ze is gewond!' riep Ingrid terwijl ze naar de teef toe rende.

'Ga terug!' Ze bleef abrupt staan toen ze de strenge stem van Mitsoq hoorde. Hij bleef doorgaan met voeren, maar zei op gedempte toon: 'Ze is niet gewond. Dat is berenbloed.' De honden verstrakten, maar toen hij door bleef praten met een zachte, prijzende stem gingen ze weer zitten en wachtten op hun portie. 'Ze heeft hem afgeleid zodat ik mijn speer in zijn lever kon planten. Ik heb hem gedood, dus de huid en de voorpoten zijn van mij.' Hij gebaarde naar zijn slee. 'Daar kan een prima *nanu* van gemaakt worden. De mijne is kapot. Je mag hem later villen en de huid schoon kauwen,' zei hij edelmoedig. 'Padlunnguaq zei dat ze je geleerd heeft om nanus te maken. Ik zal je een kans geven om dat te bewijzen zodra we land hebben bereikt.'

Hoewel Ingrid helemaal niet had gezegd dat ze met hem wilde trouwen, ging Mitsoq daar blindelings van uit. Ze hadden zijn gepoch zonder morren aangehoord omdat hij hen hielp, maar Ingrid had het meest te verstouwen gekregen. 'Mijn Hella is een goede hond.'

Een metertje verderop mompelde Ole tegen Leif: 'Natuurlijk is ze dat. Ingrid heeft haar afgericht.' Ingrid kon hem wel verstaan, maar Mitsoq niet.

Dus het bloed op Hella's vacht was een teken van eer. Ingrid vroeg zich af waarom ze toch het gevoel had dat er iets mis was. Ze besefte dat Mitsoq iets voor haar verborg, daarvoor kende ze hem inmiddels goed genoeg. Ze keek hem recht aan. Hij wendde zijn ogen af. Plotseling drong het tot haar door. 'Waar is Loki?' vroeg ze.

Mitsoq sloeg zijn met bloed besmeurde wanten een paar keer tegen elkaar. 'Is ons eten klaar?'

'Waar is Loki?' vroeg ze opnieuw. Mitsoq deed net alsof hij haar niet verstond. Halvard ging naast zijn dochter staan. Zijn stem klonk bedrieglijk vriendelijk toen hij herhaalde: 'Waar is Loki?'

'Hij is er niet meer,' gaf Mitsoq nors toe. 'Hij is op de vastgevroren ijsberg in een spleet gevallen. Hij brak zijn poot voordat we bij de beer konden komen. Ik moest zijn nek breken om zijn geest te bevrijden.'

Halvard ontspande. Ingrid zei: 'O' en durfde weer adem te halen. Het was erg, maar iets anders had hij niet kunnen doen. Ze stapte opzij en gebaarde dat Mitsoq de tent in kon gaan. 'Je zult wel honger hebben,' zei ze. 'Het vlees is warm.' Halvard reageerde met opgetrokken wenkbrauwen op haar gedweeë toon, zodat Ingrid wist dat ze overtuigend genoeg had geklonken.

'Zo meteen,' zei Mitsoq terwijl hij zijn rugzak afdeed en er iets uit pakte. 'Dit is voor jou,' zei hij en gaf haar een opgevouwen huid. Er zaten doffe rode vlekken op de rossige pels. 'Pak maar aan. Je hield van die hond. Zijn vlees heb ik aan de andere honden moeten voeren. Ze hadden voedsel nodig.'

'O,' zei Ingrid opnieuw. Ze pakte de huid aan, drukte hem tegen haar gezicht en snoof Loki's geur op. Toen ze het vel liet zakken, zag ze dat haar vader en broers stiekem naar haar zaten te kijken. Maar zij kon even goed toneelspelen als zij. 'Dank je wel,' zei ze, nog steeds op de beleefde Inuit-manier die ze had geleerd.

'Zo is het leven in het noorden nu eenmaal,' mompelde Leif bij wijze van troost. 'Het leven komt voort uit de dood. Dat soort dingen gebeurt iedere dag.'

'Dat weet ik.' Ze slaagde erin haar stem effen te laten klinken. Haar moeder zou trots zijn geweest op haar droge ogen waarin niets te lezen stond. 'Mitsoq, je hebt hem een langzame dood bespaard. Daar ben ik je dankbaar voor.' Halvard slaagde erin een spijtige blik op zijn gezicht te toveren voordat hij zich omdraaide. Maar toen ze gingen eten, draaide ze zich om en drukte Loki's bebloede pels tegen haar borst. 'Ik hoef geen eten. Jullie mogen mijn portie ook hebben.'

'Eet nou maar een beetje,' drong Halvard aan. 'Je moet op krachten blijven.'

Ze sloeg haar ogen neer als een gehoorzame dochter. 'Iyeh, vader.' Ze vroeg zich af of ze zich de rest van haar leven zou moeten gedragen als een Inuit-vrouw en doen wat er van haar verwacht werd. Net zolang tot haar eigen geest met een laag ijs bedekt was en ze zichzelf niet meer zou herkennen.

Lang voordat de zon opkwam, braken de reizigers hun kamp op. De mannen bonden hun honden de tuigen om. Voor hen uit stak Niroqaq zijn harpoen omhoog, zodat hij beter te zien was tegen de donkere hemel en gaf het startsein. De honden sprongen blaffend op. Maar op het moment dat ze gingen staan, werd Hella bestegen door de grote grijze hond van Mitsoq. Mitsoq keek goedkeurend toe. Hij liet zelfs zijn zweep rusten tot de leider van zijn ploeg klaar was.

Hoofdstuk

Niroqaq gebaarde dat ze even moesten wachten terwijl hij de kust-
lijn bestudeerde. Het land in het westen was duidelijk zichtbaar, al
lag het nog ver weg. 'Denkt u dat hij weet wat hij zoekt?' vroeg Ingrid. 'Ik denk dat Qisuk hem wel heeft verteld waar hij op moest
letten,' zei Halvard. 'Hij zoekt waarschijnlijk een rots of een berg
in een bepaalde vorm.' Toen het bevel van Niroqaq om verder te
gaan hen bereikte, hadden de eerste sleeën zich al in beweging gezet. Ze konden het land letterlijk ruiken.

Maar hoewel Halvard zoveel mogelijk gebruik probeerde te maken van het spoor dat de sleeën voor hem hadden getrokken raakten ze steeds verder achterop. Ingrid was bij haar vader gebleven
maar toch probeerden ze zo min mogelijk Noors te praten. Halvard, die aan de andere kant van de slee liep, keek haar aan. 'Je
bent niet gelukkig.'

Ze schudde haar hoofd. 'Dat maakt niet uit.'

'Wil je er niet over praten?'

Ze glimlachte treurig. 'Ik zal wel met een van hen moeten trouwen, maar alsjeblieft niet met hem.'

'Ik zal binnenkort wel met hem praten,' zei Halvard en stelde
voor: 'Waarom men jij de honden niet een tijdje? Je kent de bevelen. En de zweep heb je niet nodig, je hoeft ze nu niet aan te sporen.
Ze ruiken dat ze binnenkort rust krijgen. En ik ook. Het zal de
honden goed doen als ik een eindje ga lopen.'

Hoewel de vluchtelingen uit het zuiden zich steeds beter aanpas-
ten bij hun nieuwe levensstijl groeide Ingrids gevoel dat zij hier niet
thuishoorde. Hoe goed ze inmiddels ook leidsels kon ontwarren,
kleren kon herstellen en vet kon smelten, ze kon zich niet voorstel-

len dat ze de rest van haar leven bij de Inuit zou doorbrengen en er dezelfde denkbeelden op na zou gaan houden. Natuk en de anderen hadden hun eigen manier van leven weer opgepakt. Een Inuk uit een ander dorp zou nu al moeite hebben om de nieuwkomers van de oude dorpelingen te onderscheiden. Maar Ingrid zag er anders uit en ze voelde zich ook anders.

Haar vader raakte achterop. Halvard piekerde er niet over om te klagen, maar ze zag hoeveel moeite hij had met het heuvelachtige terrein. Ze hield de honden in en gaf ze het bevel om te gaan liggen. Op die manier kon haar vader hen weer inhalen zonder de aandacht te vestigen op zijn vermoeidheid. Ze rekende in gedachten uit dat hij inmiddels zesenveertig moest zijn.

Nadat ze op de slee waren gaan zitten en wat ijs in hun mond lieten smelten, zei ze bemoedigend: 'We zijn er bijna.' Ze wilde zijn aandacht afleiden van zijn vermoeidheid. Respect en medelijden voor ouderen en zwakken bestond hier niet.

'We moesten wel met de Inuit meegaan, anders waren we van honger omgekomen,' zei Halvard. 'Een andere oplossing was er niet.'

'Dat zat ik me net af te vragen.'

Halvard keek zijn dochter strak aan. 'Als Mitsoq je niet bevalt, zul je toch iemand anders moeten kiezen en waarschijnlijk al voor de volgende winter. Niroqaq heeft gezegd dat het nieuwe kamp meer baby's nodig heeft.' Hij kon wel begrip opbrengen voor haar dilemma. 'Ons dorpshoofd heeft besloten dat de mannen en de vrouwen die nog geen levensgezel hebben gekozen samen in een grote iglo moeten wonen. Hij wil dat jullie elkaar leren kennen en partners kiezen. Dat is een bevel dat je niet naast je neer zult kunnen leggen.'

Zoiets had Ingrid nog nooit gehoord. Dus alle mannen en vrouwen die nog vrijgezel waren, moesten samen gaan wonen? Ze verborg haar lach achter haar hand, een gewoonte die ze van de Inuit-vrouwen overgenomen had. 'Wat is er?' vroeg Halvard. 'Vind je dat grappig?'

'Ik moest ineens aan Sira Pall denken en aan die oude moederoverste die op de vlucht sloeg voor de indringers. Wat zouden die van een dergelijke regeling denken?'

Halvard grinnikte. 'Je hebt gelijk. Ze hadden zelfs al bezwaar tegen onze eenvoudige manier van leven en het feit dat we onze eigen goden wilden houden, terwijl we in geen enkel opzicht een bedreiging voor hen vormden. Dus je bent niet van plan om te protesteren en te proberen er niet aan mee te doen?'

Ze knipperde met haar ogen en keek haar vader ernstig aan. 'Ik denk anders dan een Inuit-vrouw. Dat gold ook voor moeder. En ze hebben haar weggestuurd.'

'Dat klopt.' Halvard keek haar schuin aan. 'Ze hebben haar met mij meegestuurd. Maar wie moet jou meenemen en waar wil je naartoe? Uiteindelijk zul je toch een jager moeten vinden die voor je zorgt en je beschermt.'

'Wie zou mijn moeder als man hebben gekozen als u niet was gekomen?' Het was een achteloze vraag, alsof ze op die manier zijn argument kon weerleggen.

'Qisuk.' Ingrid sloeg haar hand voor haar mond. 'Padloq en Qisuk hadden de beslissing al genomen om haar te vragen zijn tweede vrouw te worden. Nadat haar eigen baby was gestorven, was je moeder namelijk een tijdlang geestelijk niet in staat om zelf beslissingen te nemen. En ze had al een tijdje bij hen gewoond om de baby te voeden. Zijn moeder, de oudere zuster van Padloq, stierf bij de geboorte van haar zoon vlak voordat jouw oudere zuster werd geboren.'

Dat wist Ingrid nog niet. 'De eerste baby van moeder? Dat was voordat ze u had leren kennen. Wie was de vader? Wat is er precies gebeurd?'

Halvard zuchtte diep. 'Haar meester, nadat ze gevangen was genomen. Ze moest hem doden om te kunnen vluchten. De vroedvrouwen hebben de baby op de dag dat ze geboren werd gesmoord, zoals bij hen de gewoonte was. Het was een meisje van buitenlandse afkomst, zonder vader die haar kon beschermen. Je moeder heeft zichzelf dat erg kwalijk genomen. Ze heeft me verteld dat de geest van haar grootmoeder haar genezing heeft gebracht. De eerste twee seizoenen dat ze bij de Inuit woonde, was ze een wezen zonder ziel. De geest van haar grootmoeder kwam vanaf Schildpad Eiland naar haar toe om met haar te praten. Uiteindelijk heeft de geest van haar vermoorde dochter haar vergiffenis geschonken. Pas toen deed ze haar ogen weer open en ontdekte waar ze was: in het huis van Qisuk, als voedster van zijn jongste zoon, de broer van Sammik.'

Ingrids ogen waren nog steeds groot van verbazing toen Halvard zijn honden scherp bevel om op te staan en zijn zweep boven hun kop liet knallen.

Bij hun eerste stappen op het land in het westen merkten ze weinig verschil met de ijsvlakte. De volgende dag ging Niroqaq met vier van zijn sterkste jagers op pad om het kamp van Qisuk te zoeken. En weer een dag later rees er in het zuiden een zwarte rookpluim omhoog. 'Daar moeten we naartoe,' riep Odak. 'Iedereen.' Tot de ontzetting van de honden werden de sleeën weer volgeladen, maar ze legden de afstand naar de rookpluim stapvoets af. Niemand had nog zin om te hollen.

De kinderen uit het dorp van Qisuk waren de eersten die de vreemdelingen zagen, maar al snel liep een menigte te hoop om de aankomst van de nieuwelingen gade te slaan. De mannen hadden hun speren in de hand, voor het geval dit niet het verwachte bezoek zouden zijn. Niroqaq liep het dorp uit en kwam naar hen toe. Odak deed hetzelfde, en zodra het dorpshoofd en zijn onderbevelhebber elkaar herkenden en omarmden, ging er een luid gejuich op. Padlunnguaq rende vooruit en knelde haar dochter tegen zich aan. 'Putu! Waar is mijn kleinkind? Is het een jager of een meisje?'

'Een jager, moeder. Sammik is ontzettend trots. Kijk, hier is je kleinzoon.' Ze tilde hem met een gracieuze beweging uit haar amaaq en gaf hem aan Padlunnguaq, die hem bekeek en zijn wangen en neus likte. Padlunnguaq tilde de baby op zodat iedereen hem kon zien. 'Voor dit kind zijn we hiernaartoe gekomen. Het is een jongen!'

Haar dorpelingen juichten toen ze met hem naar de iglo liep die Putu aanwees. Sammik gaf Halvard een snelle omhelzing. Later zouden ze wel meer tijd hebben om bij elkaar op bezoek te gaan. Om hen heen begroetten oude vrienden elkaar en werden de nieuwe mensen voorgesteld. Ze roken de heerlijke geur van geroosterde kariboe die door de luchtgaten naar buiten kwam.

Ingrid moest nog steeds denken aan wat ze had gehoord toen ze met gemengde gevoelens toekeek hoe Padloq haar vader begroette. Ze had verder geen bijzonderheden gehoord, maar ze vroeg zich nog steeds af waarom Padloq zoveel genegenheid voor Halvard koesterde en waarom Qisuk daar geen bezwaar tegen had. Padloq had haar kinderen bij zich, twee jongemannen en een meisje. Niroqaq en Padlunnguaq kropen samen met Putu en Sammik de iglo van Qisuk binnen. Qisuk nodigde ook het gezin van Halvard uit om met hem mee te gaan.

Binnen was het een drukte van belang. De vrouwen bewonderden de nieuwe baby en Qisuk en Halvard wisselden warme blikken. Padloq was gastvrouw en sloeg haar armen om Halvard heen, terwijl haar kleine ogen straalden van blijdschap. 'Qalaseq, Imina, Maki... dit is nu Halvard, over wie jullie zoveel hebben gehoord, samen met zijn zoons en dochter. Laten we maar gauw iets gaan eten, want jullie zullen wel honger hebben.'

Imina, de oudste zoon van Padloq, kwam naar Halvard toe. Hij moest gebukt lopen, net als Halvard. 'Ik kom bij u zitten,' zei hij. De jongeman was ongeveer even oud als Ingrid, volwassen maar nog steeds jong. Als hij rechtop stond was hij langer dan de andere Inuit en bijna even groot als Halvard. Ingrid vroeg zich af waarom Imina zoveel belangstelling koesterde voor de roodharige man die hij nog nooit had gezien.

Halvards mond viel open toen Imina naast hem op de zachte bontvellen van de illeq ging zitten. De jongen had groene ogen. Toen hij zijn capuchon afzette, bleek zijn haar door de rode gloed die erover lag nauwelijks donkerder te zijn dan dat van Ingrid. Ole tuurde strak in zijn kom en keek pas weer op toen hij zijn gezicht in bedwang had.

Leif en Ingrid zaten doodstil en geboeid naar hun vader te kijken. Qisuk zei tegen Maki, zijn dochter, dat ze haar moeder moest gaan helpen om de gasten van voedsel te voorzien.

Qisuk kauwde luidruchtig, slikte zijn vlees weg en nam toen een slok water. 'Kinderen van mijn vriend Halvard, ik zie aan jullie gezichten dat er allerlei vragen door jullie hoofd spelen, maar jullie zijn te beleefd om ze te stellen. Ik ben jullie gastheer, dus ik zal het zelf uitleggen. Padloqs oudere zuster was de moeder van Qalaseq. Ze stierf bij zijn geboorte.' Qisuk sloeg even zijn ogen neer, nog steeds aangedaan bij de gedachte aan dat verlies. 'Padloq is de tante van Qalaseq en de moeder van de anderen.' Qisuk pauzeerde even na die inleiding. 'Toen mijn vrouw stierf, heeft jouw moeder Qalaseq gevoed, Ingrid. Dat betekent dat je Qalaseq als je broer mag beschouwen.'

Qalaseq glimlachte tegen Ingrid. Terwijl ze teruglachte, moest ze iets wegslikken en ze vroeg zich af welke verklaring Qisuk zou geven voor het roodbruine haar en de groene ogen van Imina. Padloq

kwam bij hen zitten en glimlachte hen toe terwijl Qisuk zich opmaakte voor de rest van het verhaal.

'Toen Halvard met Ingrids moeder vertrok, zijn wij meegelopen
naar zijn magische boot. Onze laatste nacht hebben we bij wijze
van geschenk met elkaar gedeeld. Halvard was als een broer voor
mij en zijn vrouw was als een zuster voor Padloq. Onze zoon herinnert ons aan Halvards bezoek en aan onze vriendschap.'

Leif, Ole en Ingrid staarden naar hun nieuwe broer, die ze niet
durfden te erkennen uit vrees dat de Inuit dat onbeleefd zouden
vinden. Maar nu begreep Ingrid eindelijk waarom haar vader
had gebloosd toen Padloq hem zo vrolijk had omhelsd. Ze keek
Ole en Leif aan, maar ze wisten geen van allen wat ze moesten
zeggen.

'Neem nog wat te eten,' drong Qisuk aan. 'Padloq, jij kunt nu
met de vrouwen praten en hun alles vragen wat je wilt weten. Ik
moet iets met Niroqaq bespreken.' Hij stond op en liep naar de andere kant van het vertrek.

Ingrid zette haar kom neer en liep naar Qalaseq toe. Hij moest
een jaar of twee ouder zijn dan zij. Toen hij lachte, voelde ze zich
geen vreemde meer. 'Jij kende mijn moeder al voordat ik er was,'
zei ze.

'Daar kan ik me niets van herinneren, maar mijn tante en mijn
vader hebben me dat wel verteld. Ik kon nog maar net lopen toen
ze met je vader meeging.'

Ze zaten als vrienden met elkaar te praten. Kon ze dat ook maar
met Imina. Er liep een rilling over haar rug toen ze besefte dat hij
écht haar broer was, haar halfbroer, net zo goed als Ole en Leif. Qisuk en Padloq waren heel gelukkig met het resultaat van hun ge-
deelde nacht, maar Halvard had geen flauw idee gehad van wat hij
achterliet.

Ingrid zag dat Leifs eerste schrik in bewondering veranderde.
Ole keek van Padloq naar Imina en daarna met een bezorgde blik
naar zijn vader. Zoals gewoonlijk hield hij zijn mond.

'Mijn zusje Maki vindt al die dingen helemaal niet belangrijk,'
zei Qalaseq vertrouwelijk tegen Ingrid toen het meisje met haar eigen kom naar hen toe kwam lopen. Ze had ervoor gezorgd dat
eerst alle bezoekers iets te eten hadden. 'Ze is gewoon blij dat we
bezoek hebben. Ze is de jongste, bijna dertien.'

Maki ging naast Ingrid zitten. 'Ingrid,' zei ze. 'Wat een vreemde naam.' Ze raakte Ingrids rechte neus aan en streelde Ingrids haar. 'Hoe komt het dat je haar deze kleur heeft?' vroeg ze.

'Mijn moeder had donker haar en mijn vaders haar is rood. Dat van mij is een mengeling van die kleuren.' Ze kon zich nog net inhouden voordat ze opmerkte dat het haar van Imina een duidelijke mengeling was van dat van Halvard en Padloq. Ze vond het meisje aardig.

'Ik had nooit verwacht dat ik je zou ontmoeten, maar ik hoop dat je mijn vriendin wilt zijn,' zei Maki. 'Jouw moeder en die van mij waren ook heel goede vriendinnen.' Ingrid sloeg haar arm om Maki's middel. Het feit dat ze geen blad voor haar mond nam, beviel haar.

'Hebt u nog steeds die magische boot?' vroeg Imina aan Halvard.

Halvards stem klonk Ingrid vreemd in de oren toen hij Imina, zijn derde zoon van wiens bestaan hij niets had geweten, antwoord gaf. 'Mijn magische boot is in het oude dorp van Niroqaq in vlammen opgegaan. Hij had al zoveel jaren dienst gedaan dat hij in brandhout was veranderd. Ik wou dat je had kunnen zien hoe hij met de wind in het zeil over de golven gleed. Toen ze nog klein waren, vonden mijn jongens het heerlijk als ze mee mochten.' Het bloed steeg hem naar de wangen toen hij besefte wat hij had gezegd.

'Dat zou ik fijn hebben gevonden. Moeder en vader waren heel blij toen ik werd geboren. Het was een herinnering aan uw bezoek. Ze zeggen dat ik een deel van uw geest heb.'

'Een deel van mijn geest. Iyeh. Je hebt een deel van mijn geest. Ik ben blij dat je ouders daar gelukkig mee zijn.'

Maki keek de bezoekers een voor een aan, maar ze sloeg haar ogen neer toen ze bij Ole kwam, die terugstaarde met ogen als groene ijsblokjes. Daarna keek ze verder de kamer rond. Leif gaf haar een knipoogje en wierp haar een kushandje toe. Daar begreep ze niets van en ze lachte verbaasd. 'Je hoeft niet bang voor me te zijn,' zei hij hartelijk. 'We worden vast goede vrienden. Wilde je me iets vragen?'

Ze keek naar haar vader en haar moeder. Qisuk die met Niroqaq stond te praten glimlachte, maar Padloq gebaarde dat ze haar gang mocht gaan. 'Mag ik je baard aanraken?' vroeg ze aan Leif, gerustgesteld door zijn vriendelijke reactie. 'Ik heb nog nooit zoiets gezien. Zoveel haar, ik kan je kin niet eens zien. Toen mijn moeder vertelde hoe Qallunaat eruitzien, kon ik het bijna niet geloven. Jij bent mijn eerste.'

Er verscheen een stralende blik in Leifs ogen toen hij naar het meisje keek. 'En jij bent het eerste Inuit-meisje dat vraagt of ze mijn baard mag aanraken. Ga je gang.'

Maki liet haar hand met korte aaitjes over Leifs baard glijden, alsof ze een jong vogeltje streelde.

'Misschien trouw ik wel met je als je volwassen bent,' zei Leif. 'Zou je dat leuk vinden?'

Toen hij dat vroeg, trok ze haar hand terug alsof ze haar vingers brandde en slaakte een gilletje. 'Zei je dat je met me wilde trouwen?'

Iedereen keek naar hen. Padloqs mond viel open. Ingrid schudde haar hoofd alsof ze haar oren niet kon geloven. Alle gesprekken stokten en Maki bloosde en boog haar hoofd om haar gezicht te verbergen.

'Heb ik het verkeerd gezegd?' vroeg Leif.

'Als je het meende, heb je het precies goed gezegd. Mijn toestemming heb je,' zei Qisuk en lachte hartelijk. 'Meer zeegroene ogen in de familie. Daar zal Nerrivik, de Vrouw van de Zee, zeker haar goedkeuring aan hechten. Wat vind jij van dat aanzoek van je zoon, Halvard? Wil jij Maki wel als schoondochter?'

'Ik zou het prima vinden, maar dat moeten Leif en je dochter zelf beslissen,' zei Halvard. 'Ik weet zeker dat ze hem gelukkig zou maken. Misschien heeft Nerrivik daarom Leifs geest wel ontboden in haar huis op de bodem van de oceaan. De Vrouw van de Zee wilde zeker weten of hij goed genoeg was voor jouw dochter.'

Qisuk zette grote ogen op. 'Wat heeft ze gedaan? Is Leif op bezoek geweest bij onze Vrouw van de Zee? Wilde ze je echt ontmoeten?'

Leif knikte. 'Niroqaq ging eerst om haar te vragen of we deze reis moesten ondernemen. Daarna riepen ze me bij zich en toen was ik daar ook, op de bodem van de oceaan.' Qisuk bleef hem sprakeloos en met open mond aanstaren. 'Qisuk, ik wil echt graag met Maki trouwen. Als jij het tenminste goed vindt en zij het ermee eens is.'

Qisuk vond zijn stem terug. 'Zeker weten. Dat is dus afgesproken. Leif en Maki, jullie zijn verloofd.'

Ingrid hoopte dat het geen uit de hand gelopen plagerijtje van haar broer was. Leif had misschien aanvankelijk een grapje willen maken, maar nu meende hij het wel degelijk. Hij tilde Maki's kin op zodat ze hem moest aankijken. 'Denk je dat je het leuk zou vinden om mijn vrouw te zijn? Ik wacht wel tot je zover bent.'

Het meisje bloosde opnieuw en antwoordde fluisterend: 'Iyeh. Ik denk het wel.'

'Die zijn het nog sneller eens dan Halvard en zijn vrouw destijds,' zei Padloq met een zucht. Ze sloeg haar handen ineen en lachte van blijdschap. 'Weet je nog, Qisuk, hoe mijn vriendin begon te gillen van angst toen ze Halvard met zijn witte gezicht en zijn rode baard voor het eerst zag? Toen Qisuk hem aan een touw over de rand van die klif trok, dacht ze dat hij een steenduivel was met vlammen als haar. Ze zei dat hij haar deed denken aan een monster uit een van de verhalen van haar volk. Er zijn rare monsters in het land van je moeder, Ingrid.'

'Ze spreken de naam van een dode nooit uit,' fluisterde Halvard in het Noors tegen Ingrid. Daarmee was alweer een raadsel opgelost. 'Dat is waar,' zei hij in het Inuit. 'Ze gilde toen ze me voor het eerst zag.' Halvard slaakte een diepe zucht en lachte even triest. 'Jullie waren er allebei bij,' zei hij tegen Padloq en Qisuk. 'Jullie hadden net de reis over het ijs achter de rug en waren naar het binnenland gekomen om de sterrensteen te zoeken. De vrouwen bleven op de klip zitten en hoorden me om hulp roepen.' Hij keek zijn kinderen aan. 'Qisuk heeft die dag mijn leven gered.'

'Dat klopt,' zei Qisuk.

'Sammik was toen nog maar een klein jochie, net als mijn twee jongens thuis in Groenland.' Hij deed even zijn ogen dicht, verdiept in zijn gedachten. 'En nu is Sammik zelf al vader en mijn vrouw heeft zich bij haar geesten gevoegd. Ik wou dat ze wist dat we weer bij jullie terug zijn en dat Leif en Maki zich verloofd hebben.'

'Haar geest weet dat wel,' zei Padloq. 'Zolang er voldoende te eten is in ons dorp, mag je bij ons blijven wonen als je dat wilt.' Ze keek haar man aan, die zonder iets te zeggen knikte.

Later luisterde Ingrid slaperig naar het gefluister van Padloqs hoge stem en het diepere geluid van haar vader en van Qisuk. Padloq en Qisuk waren blij met de gang van zaken. Dit was een gezin vol hartelijkheid en liefde. Ze vroeg zich af of zij zelf ooit in zo'n gezin terecht zou komen.

Maki kroop dichter tegen Ingrid aan onder de deken van kariboehuid op de tweede illeq. 'Als ik met je broer trouw, word jij mijn grote zus.'

Voordat Ingrids ogen dichtvielen, keek ze nog even naar haar broer Ole, die in zijn dekens gewikkeld languit naast Halvard op de vloer lag. Hun blikken kruisten elkaar en ze had het gevoel dat ze precies wist wat haar broer dacht. Hetzelfde als zij: dit was een goede ontwikkeling voor vader en Leif.

Hoofdstuk

In het dorp van Niroqaq werden de eerste tekenen van lente zichtbaar. De mannen waren regelmatig weg om te jagen of hun kajaks te repareren, terwijl de vrouwen druk bezig waren kleren voor hen te maken. Of ze prepareerden walrushuiden waarmee de kajaks bekleed konden worden, zoals Ingrid, die inmiddels met heimwee terugdacht aan Ludmilla en haar weefgetouw. Toen ze zich per ongeluk met het droge puntige bot waarmee de gaten in de huid geboord werden in haar vinger prikte, keken alle vrouwen op. 'Je zat weer te dagdromen,' zei Natuk beschuldigend. 'Het is net alsof je altijd ergens anders zit met je gedachten. Waar dacht je nu weer aan?' Ze klonk niet meer zo vijandig als eerst. Mitsoq had nog geen belangstelling voor een andere vrouw getoond sinds Ingrid hem had afgewezen, maar Natuk mocht zijn kleren herstellen en beschouwde dat als een aanmoediging.

'Ik zat niet te dagdromen, ik zat na te denken,' zei Ingrid.

'Over de man met wie je wilt gaan trouwen?' vroeg Pammik, die zelf al min of meer had bepaald dat het Utaaq, de zeventienjarige zoon van Odak moest worden.

'Zij is niet zoals wij, Pammik,' zei Natuk. 'Ze denkt dat ze geen man nodig heeft. Ik wed dat ze zat te dagdromen over de oude tijd in Groenland. Het wordt tijd dat je een Inuit-naam neemt. We zullen je Dagdroomster noemen.'

'Je mag me noemen zoals je wilt,' zei Ingrid afwezig. 'Dat maakt me niets uit.'

'Denk je aan de mensen die je vroeger hebt gekend?' vroeg een van de meisjes uit het dorp.

Ingrid onderdrukte een zucht. 'Af en toe. Er was een oude man, een van onze buren, van wie ik hield alsof het mijn eigen grootvader was. Maar hij is nu dood.'

'Waar denk je nog meer aan als je aan je oude land denkt?' vroeg een vrouw uit het dorp.

'Dat iedereen dood is. Als het gras weer begint te groeien, zullen rendieren grazen tussen de stenen van de ingestorte huizen. De Vrouw van de Zee heeft dit lang geleden zo gepland en dat heeft ze mijn moeder al verteld voordat ik geboren was. En mijn moeder heeft het weer aan de Inuit verteld die in het land van mijn vader woonden, mensen zoals Natuk en Pammik, zodat ze zich daarop konden voorbereiden.'

'Is dat waar?' vroeg een dorpsmeisje aan Pammik. 'Heeft de Vrouw van de Zee dat echt aan de moeder van Dagdroomster verteld?' Natuk vond het leuk dat de naam die ze voor Ingrid had bedacht was blijven hangen, maar de vraag beviel haar minder.

'Dat zeggen ze tenminste,' zei Pammik. 'De voorspelling is van ver voor mijn geboorte, maar mijn moeder heeft het me verteld. Een vrouw uit het westen heeft de Vrouw van de Zee horen beloven dat ze de Groenlanders zou verdrijven.'

'Wij kwamen oorspronkelijk ook uit het westen, dus misschien is het een van ons geweest,' zei de vrouw uit het dorp.

'Maar jij bent in het oosten geboren,' zei Pammik. 'Het was iemand die hier is geboren en naar de overkant is gegaan. Ik geloof dat de vrouw uit het westen de moeder van onze Dagdroomster was.' Ze keek Ingrid aan, die flauw glimlachte om de vriendelijke manier waarop Pammik haar nieuwe naam uitsprak. *Onze Dagdroomster.* Misschien zouden de mensen haar met die nieuwe naam gemakkelijker accepteren.

'Dat betekent dat haar moeder ook een droomster was,' zei Natuk. 'Onze oudsten zijn het erover eens dat Halvards vrouw de belofte aan ons heeft doorgegeven en daarom hebben we hem en zijn gezin ook meegenomen naar de dorpen. Ik dacht dat ze nooit iemand zouden vinden die met ze wilde trouwen, maar Qisuk heeft Leif als zijn toekomstige schoonzoon geaccepteerd. Terwijl hij nauwelijks met een slee kan omgaan en nog nooit in een kajak heeft gezeten.'

'Dat zal hij heus wel leren, net zo goed als jij hebt geleerd om huiden aan elkaar te naaien,' verdedigde Ingrid haar lievelingsbroer.

'En hoe zit het met je andere broer, Dagdroomster?' vroeg het dorpsmeisje. 'Zal Ole een vrouw kiezen die zijn kleren kan maken en voor zijn honden kan zorgen?' Toen Ingrid geen antwoord gaf, zei ze: 'Je moet niet kwaad worden omdat we je Dagdroomster noemen. Het wordt tijd dat je die Groenlandse naam vergeet.'

'Ik heb al gezegd dat ik het niet erg vind. En ik maak Oles kleren wel, net als die van Leif tot hij getrouwd is. Als Ole belangstelling voor een van jullie heeft, heb ik daar niets van gemerkt.'

Een tijdje later zei Ingrid: 'Volgens mij ben ik inderdaad een dagdroomster. Maar ik denk niet zo vaak meer aan het land van mijn vader. Wel aan het land van mijn moeder. Ze vertelde dat daar bomen groeien die hoger zijn dan huizen. Door de bladeren kun je de lucht niet meer zien.'

'Dat land en de bomen die Dagdroomster beschrijft, bestaan helemaal niet,' zei Natuk. 'Bomen worden niet groter dan een mens. Je hoort niet te denken aan landen die alleen in je dromen bestaan.'

'Maar ze bestaan wel,' zei Ingrid. 'Het land van mijn moeder is net zo echt als dit land. We kunnen er met een umiak naartoe. Dan zouden jullie het zelf kunnen zien.'

'Alsof we ergens heen zouden gaan om er alleen naar te kijken,' zei Natuk.

'Ik ga ook niet mee,' was Pammik het met haar eens. 'Ik heb genoeg gereisd.'

'Je hoeft ook niet helemaal naar het vasteland te gaan,' zei Ingrid. 'De mensen uit het eerste dorp van Qisuk dreven in de zomer, als het ijs gesmolten was, handel met de zuiderlingen. Mijn moeder heeft de vader van Qisuk op het Handelseiland ontmoet en hem gevraagd of ze in zijn dorp mocht wonen. Van daaruit zouden we de bomen ook kunnen zien.'

'Ik hoef die bomen niet te zien,' hield Natuk vol. 'En waarom zou iemand weggaan uit een land dat ze goed kent?'

'Had jij dan in het zuiden willen blijven?' vroeg Ingrid.

'Dat is iets anders,' zei Pammik. 'Wij waren op zoek naar een beter leven. Als onze moeders niet als kinderen uit hun dorpen waren gestolen, zouden ze ook nooit slaven zijn geworden. Als jouw moeder zoveel van haar land hield, waarom wilde ze dan in het noorden wonen?'

Ingrid keek haar aan. 'Ze was nog maar een kind toen ze gestolen werd door een andere stam. Die maakten een slavin van haar.

Ze is naar het noorden gevlucht, precies zoals jullie, en ze was op zoek naar een dorp dat haar onderdak wilde geven.' Ze keek van Pammik naar Natuk en vervolgens naar de rest van de dorpsvrouwen om te zien hoe ze reageerden. 'En ze moest die reis helemaal alleen maken.' Dat wisten ze geen van allen. Natuks ogen werden groot, maar ze zei niets. Pammik slikte. 'Het leven is nooit gemakkelijk voor vrouwen,' zei het dorpsmeisje. 'En ook niet voor mannen, want die riskeren hun leven bij de jacht of op zee. In ieder geval zijn de Qallunaat weg. Ze kunnen onze kinderen niet meer roven om zich in ons oude land door hen te laten bedienen. Als er in het zuiden van deze wereld slechte mensen zijn, zullen Niroqaq en de jagers ons wel beschermen.'

'Iyeh, dat is waar,' beaamde Ingrid. Ze concentreerde zich op haar werk om te voorkomen dat ze zich opnieuw in haar vinger prikte.

Op plekken waar de zon doordrong, groeide het gras. Bloemen schoten op en gingen vrijwel dezelfde dag open. De gletsjers begonnen te smelten, waardoor het water in de baai steeg en het ijs brak. De mannen gingen op jacht. Een groep vrouwen was met uit dierenhuiden gemaakte rugtassen naar de hoger gelegen weidegronden geklommen om vers groen en varens te verzamelen.

Ingrid was niet met hen meegegaan. Ze was naar de bron geweest om haar waterzakken van zeehondenblaas te vullen en toen ze vlak bij het dorp was hoorde ze een geluid dat haar aandacht trok. Het was het gepiep van pasgeboren dieren en ze vond het hol al snel. Uit angst dat de moeder haar zou aanvallen, pakte ze een steen van de grond waarmee ze zich kon verdedigen. Het vlees van kleine roofdieren was niet lekker, maar hun wintervacht was schitterend. Ze zou het leuk vinden om Maki een hermelijnen kraag te geven bij wijze van huwelijksgeschenk, maar helaas zouden de diertjes inmiddels wel in de rui zijn. In de lente was hun vacht niets waard. Ze hoopte dat ze haar steen niet zou hoeven te gebruiken, maar ze wilde de jongen wel zien en kroop voorzichtig naar het hol toe om erin te kijken.

'Hella!' riep ze zacht uit. 'Je hebt jongen gekregen. Mag ik ze zien? Mag ik ze aanraken?' Hella tilde haar kop op, keek Ingrid aan en jankte bij wijze van welkom. Haar staart begon enthousiast te kwispelen. De hond was blij haar te zien en vertrouwde haar nog steeds. Het deed Ingrid goed dat Hella haar nog niet was vergeten. 'Je hebt drie pups! Wat een brave meid!' Hella tilde haar snuit op, waardoor Ingrid zag dat er nog een jong tussen haar voorpoten lag. Ze had het net schoongelikt. 'Nee, het zijn er vier. Je zult vast een fantastische moeder zijn.'

Terwijl ze op haar hurken ging zitten, pakte ze een van de pups op. Toen moest ze ineens denken aan de manier waarop die andere jager had gecontroleerd of een pasgeboren hondje sterk genoeg was. Dat zou Mitsoq vast ook doen. Ze pakte de pup bij zijn achterpootjes en hield hem ondersteboven. Het diertje piepte en begon te kronkelen. Terwijl hij worstelde om los te komen tilde hij zijn kopje op. Ze legde hem terug bij zijn moeder.

De volgende twee, allebei vrouwtjes, doorstonden de proef ook. Maar de vierde pup, weer een mannetje, had een iets grotere kop dan de andere. Hij was bijna helemaal zwart met een paar grijze en blonde vlekjes onder zijn kin en op zijn bef. Toen ze hem ondersteboven hield, kronkelde hij wel, maar hij kon zijn kop niet optillen. Zijn gepiep klonk boos. Mitsoq zou deze pup afmaken. Verdrietig legde Ingrid hem weer bij Hella, die haar zoon likte om hem te troosten en gerust te stellen terwijl hij op zoek ging naar een tepel.

Ingrid dacht koortsachtig na. Het diertje zou geen dag meer te leven hebben als Mitsoq Hella's hol vond. Hij zou hem aan zijn andere honden voeren en zijn pels gebruiken om wanten van te maken. Ingrid knabbelde op haar lip en dacht aan Loki. 'Wat moeten we nou doen, Hella?' Het teefje tilde haar kop op en keek Ingrid aan. Ze jankte zacht, alsof ze wilde zeggen dat ze geen flauw idee had, maar erop vertrouwde dat Ingrid een oplossing zou vinden. 'Je begrijpt me wel, hè? Help me dan eens nadenken.'

Langzaam maar zeker begon er een plan bij haar op te komen. Ze wachtte tot de pup uitgedronken was en in slaap viel. 'Ik moet hem even meenemen, Hella,' zei ze. 'Je vertrouwt me toch wel, hè? Ik breng hem later weer terug, maar anders gebeurt er iets veel ergers.' Ze pakte het hondje op en verborg hem onder haar loshangende hemd dat ze in haar broek stopte. Haar zomeranorak die ze erover droeg, hing tot op haar knieën, dus als hij niet begon te piepen kon ze hem wel een dag verborgen houden terwijl ze nadacht over wat ze moest doen. 'Waar moet ik je nou verstoppen, Boy?' Ze kon niet zomaar een ander hol voor hem graven, want afgezien van het gevaar dat hij dan door een wezel of een vos zou worden gevonden, zou hij zo gaan piepen dat Hella hem meteen weer op zou halen en terug zou brengen naar haar eigen hol. En de kans was groot dat Mitsoq hem zou vinden. Daarvoor hoefde hij alleen Ingrids sporen op de vochtige grond te volgen. Haar sporen! Hij zou meteen zien dat ze hier was geweest. Daar moest ze een goede verklaring voor vinden. Hij had haar niet verboden om zijn honden op te zoeken, ze mocht ze alleen niet voeren.

Ze liep terug naar het dorp en ging regelrecht naar het huis van haar vader. Vader en Leif waren nog steeds op jacht. Ole, die net als zij in de iglo van de ongetrouwde mensen woonde, hoefde niets te weten. Ze vond een lege zak en stopte er een paar lappen in. Nadat ze het slapende hondje onder haar hemd vandaan had gevist, streelde ze hem even. 'Ik breng je straks weer terug naar je moeder, als alles veilig is,' zei ze. Ze hing de zak aan een van de palen die het dak ondersteunden.

Toen de jagers weer terugkwamen, luisterde ze naar alle verhalen terwijl ze hielp de gedode zeehonden aan stukken te snijden. Mitsoq pochte over de manier waarop hij een walrus en haar jong had gevangen. Daarna vroeg hij: 'Heeft iemand mijn Hella gezien? Ze kan nu ieder moment jongen krijgen.' Ingrid wendde haar ogen af. Ole keek haar even aan. Als hij nadat hij terug was gekomen nog in de iglo van hun vader was geweest, had hij het hondje vast gevonden.

'Ik heb haar gezien,' zei Ingrid. 'Ze heeft buiten het dorp een hol gegraven, aan de westkant. Ze heeft al een nest met drie jongen.'

Mitsoq keek haar met samengeknepen ogen aan. 'Ben je bij haar in de buurt geweest? Ik wil niet dat Hella haar jongen verstoot omdat jij ze aangeraakt hebt.'

Ingrid deed haar best om haar stem vlak te houden, maar er klonk toch iets van ergernis in door. Hij zou alleen maar argwanend worden als dat niet het geval was. 'Ik ben zo dichtbij geweest dat ik ze kon tellen. En Hella zou dat helemaal niet erg vinden. Ik ben geen vreemde voor haar.'

Mitsoq deed net alsof hij die uitdagende opmerking niet had gehoord. 'Ik ga meteen kijken,' zei hij en liep naar buiten. Toen hij een tijdje later terugkwam zei hij: 'Drie sterke pups, twee vrouwtjes en een mannetje. Niet gek voor een eerste nest.'

Ingrid kuchte even in de tunnel van haar vaders iglo om haar komst aan te kondigen. Toen ze rechtop ging staan, zei haar vader meteen: 'Ik vroeg me al af wanneer je langs zou komen om een verklaring te geven voor het cadeautje dat je hier achter hebt gelaten.'

'Dat moest wel. Mitsoq zou hem gedood hebben, want de pup kan zijn kop nog niet optillen. Jullie verraden het toch niet aan Mitsoq, hè?'

Leifs stem klonk zacht toen hij antwoord gaf, maar aan de verbeten trek om zijn mond kon ze zien dat hij kwaad was. 'Dat kun je niet maken. Hella is van Mitsoq. Jagers moeten dat soort besluiten nemen. Als een pup niet sterk genoeg is om later een slee te trekken, eet hij voer op van honden die ervoor moeten werken.' Dus hij had ook gekeken hoe sterk Boy was. 'Je moet Mitsoq vertellen wat je hebt gedaan.'

'De pup wordt vanzelf sterker als hij groeit. Hoe kunnen ze nou weten wat voor soort hond het wordt als ze hem meteen de eerste dag de nek omdraaien? Hella was mijn hond. Hij had haar eigenlijk helemaal niet van me af mogen pakken.'

Halvard schudde zijn hoofd. 'Ingrid! Hou je mond en luister naar me. Wij bepalen hier de regels niet. Als de Inuit er niet zulke hardvochtige gewoonten op na hielden, zou er niemand in leven blijven. Dat heeft je moeder me zelf uitgelegd. Inuit-vrouwen mogen geen honden hebben. Hou je mond, zei ik!' Ze sloot haar mond en slikte het antwoord in dat op haar lippen had gelegen. 'Wil je in dit dorp blijven wonen of niet? Als je zo opstandig blijft en hun regels negeert, bestaat de kans dat ze ons allemaal wegsturen.'

Ingrid had hem niet meer zo boos gezien sinds de dag dat de priesters haar moeder hadden verbannen. 'Maar wat moet ik dan doen, vader? Ik wil niet dat ze Boy doodmaken. Wat maakt één pup nou uit? Ik breng hem wel weg. Misschien mag ik hem van Qisuk wel hebben.' Ze wist dat ze zich aan een strohalm vastgreep.

'En wat zou Qisuk vinden van een vrouw die een hond van een jager heeft gestolen?' informeerde Leif. Het was een retorische vraag.

'Vrouwen tellen helemaal niet mee in een Inuit-dorp,' zei Ingrid bijna pruilend. 'Zo ben ik niet opgevoed. Mijn moeder zou zich daar niet bij hebben neergelegd en dat doe ik ook niet.'

Halvard slaakte een zucht van ergernis. 'Het heeft geen zin om daarover te praten. We houden ons aan de manier waarop de Inuit leven, anders kunnen we het helemaal vergeten. Ga maar terug naar je huis. Ik moet eens goed nadenken hoe we dit moeten oplossen.'

'Eerst moet ik Boy terugbrengen naar Hella. Hij heeft haar melk nodig om sterker te worden.' Ze hielden haar niet tegen toen ze het hondje pakte en weer onder haar hemd stopte. Leif en Halvard keken elkaar somber aan toen ze door de tunnel was verdwenen.

'Ze heeft hem zelfs al een naam gegeven,' zei Halvard zwak.

'Wat een stijfkop, hè?' zei Leif. Het was alweer een retorische vraag.

Niemand hoefde Ingrid te vertellen welk risico ze liep. Als haar vader en broers zich de woede van Niroqaq op de hals haalden, was het haar schuld en daar zou het op uitdraaien als ze niet snel een oplossing vond.

Er waren drie dagen voorbij gegaan sinds ze Boy uit Hella's hol had meegenomen en Leif en Halvard hadden haar geheim bewaard. Op de vierde dag zette Halvard haar voor het blok: 'Als we niet samen met jou en die pup naar Niroqaq gaan, kunnen we dit dorp en elk ander vaarwel zeggen. Een fatsoenlijk meisje hoort haar vader of haar man te gehoorzamen. Ik ben verantwoordelijk voor alles wat jij doet.'

Ingrid richtte zich even in haar volle lengte op, maar viel toen op Halvards illeq neer. 'Hij kan inmiddels wel zijn kop optillen. Misschien kan ik hem bij een ander teefje leggen. Dan hoeft niemand er iets van te weten.'

'Hoe lang denk je dat je je sporen voor een jager verborgen kunt houden? Ik weet hoeveel je om Hella en die pup geeft, maar je bent een vrouw. En vrouwen hebben hier niets te vertellen over honden.' Ingrid keek hem strijdlustig aan, maar hield haar mond. 'Ik weet het,' merkte hij op. 'Jij bent niet als een Inuit opgevoed, maar we wonen nu wel bij hen.' Haar gedachten waren voor hem een open boek.

'We zullen samen gaan vragen of ze je het willen vergeven. Je hebt het alleen gedaan omdat je zoveel van Hella houdt. Misschien zijn Mitsoq en Niroqaq bereid je vergiffenis te schenken, maar verwacht niet dat ze die pup in leven laten. Volgens de gewoonten in dit dorp had hij vier dagen geleden al gedood moeten worden. We moeten hun manier van leven respecteren.'

'Wat zijn dat voor mensen die een onschuldig, pasgeboren dier doden?'

Toen Halvard haar aankeek, besefte Ingrid dat ze te ver was gegaan. 'Dezelfde mensen die een mensenbaby doden als het een vaderloos meisje is. Dit is een hard land met hardvochtige wetten. De gemeenschap kan zich alleen handhaven door zich van zwakke en onbeschermde leden te ontdoen.' De stilte die op zijn woorden volgde, was bijna tastbaar.

'Ga naar huis, Ingrid. We zijn nu te opgewonden om naar het dorpshoofd toe te gaan, maar veel langer kunnen we het niet meer uitstellen. Zodra ik daartoe in staat ben, zal een van ons tweeën je komen halen en dan gaan we naar Niroqaq toe om hem de waarheid te vertellen. En we zullen ons bij zijn besluit neerleggen. Probeer je niet te verzetten tegen de gebruiken van de Inuit. Dat verlies je toch.'

Ingrid knikte zonder iets te zeggen. Ze liep haastig terug naar de iglo van de vrijgezellen. Al die veranderingen, al die opwinding, alles wat ze verloren had... het werd haar even te veel. Desondanks was het feit dat ze niets in te brengen had bijna onverteerbaar. Gelukkig was er niemand die zich kon afvragen waarom haar ogen zo rood waren. Ze ging opgekruld op de illeq zitten wachten tot haar vader of Leif haar kwam ophalen.

Hoofdstuk 31

Ingrid zat op een rotsblok in het weiland en wachtte tot Halvard weer uit de iglo van het dorpshoofd zou opduiken. Hij had besloten om alleen met haar broers naar binnen te gaan en had tegen haar gezegd dat ze hier moest wachten. Ze keek hem na toen hij wegliep met Boy in zijn arm. Ze hoefde er in ieder geval niet bij te zijn als ze Boy als een gestrikte konijn de nek omdraaiden. Maar wat zou Niroqaq met hen doen? Wat zou hij met haar doen?

Ze kreeg gezelschap van Sigrid en Helga die haar vertelden dat Niroqaq en zijn raadslieden waarschijnlijk niet zouden besluiten om haar vader en haar broers weg te sturen. Per slot van rekening was Leif verloofd met de dochter van Qisuk en Halvard was zijn boezemvriend. 'Bedankt dat jullie me dat komen vertellen,' zei Ingrid. 'Weten jullie soms ook al wat hij met mij gaat doen?'

'Ingrid!' zei Helga alsof ze een kind berispte. 'Ga mee naar beneden en bied Mitsoq je excuses aan. Waarom wil je niet met hem trouwen? Dan stuurt Niroqaq je vast niet weg.'

'Wij hebben Hella meegebracht. Ze was het enige wat ik nog van thuis over had, tot Mitsoq haar van me afpakte. Het is ook zijn schuld dat Loki dood is. En nu gunt hij me niet eens een pup die hij zelf niet wil hebben. Hij draait hem nog liever de nek om.'

In de stilte die op Ingrids uitbarsting volgde, hoorde ze iemand de heuvel op lopen. Halvard en haar broers waren eindelijk uit de iglo van Niroqaq te voorschijn gekomen en Leif rende naar haar toe. 'Niroqaq wil je spreken. Wij hebben ons best gedaan.' Ingrid liep de heuvel af.

Na het felle zonlicht op het weiland leek het duister in de grote iglo. Toen haar ogen aan het donker waren gewend, zag ze dat ze omringd was door een groep streng kijkende mannen. Boy lag naast de muur op een gescheurd zeehondenvel te slapen. 'Ingrid,' zei Niroqaq. Ze keek hem aan en strengelde berouwvol haar vingers in elkaar. 'Heb je zelf een verklaring voor je gedrag?' vroeg hij.

Ze was verbaasd dat hij het goed vond dat ze zichzelf verdedigde. Zou Boy er iets mee opschieten als ze ging klagen of smeken, of zouden de mannen dan alleen maar minachting voor haar voelen? Ze zou nooit gedwee en gewillig genoeg zijn om een goede echtgenote te worden. En ze weigerde om zich te schikken naar ingeroeste gewoonten in plaats van haar verstand te laten bepalen wat ze deed.

'Hella was van mij,' zei Ingrid. 'Ik heb haar afgericht, net als Loki. Mitsoq had die beer nooit kunnen doden als hij hem niet geholpen had. Het enige wat ik vraag, is toestemming om Hella's pup in leven te houden, zodat ik iets heb wat me aan mijn oude huis doet denken. Hij wordt vast net zo groot en sterk als zijn vader en moeder.' Ze wilde niet smeken, dus meer zei ze niet.

'De honden waren van haar,' zei Leif. 'In ons land hadden veel vrouwen honden, die hen hielpen bij het hoeden van onze kuddedieren en wolven op afstand hielden.'

Niroqaq legde zijn vingertoppen tegen elkaar, keek de andere mannen in de iglo aan en zuchtte. 'Ik heb Halvards dochter nog één kans willen geven om zich nederig te verontschuldigen. Dagdroomster, je hebt je vergrepen aan de eigendommen van een jager. Vrouwen mogen geen honden hebben, niet in ons land. Je wist vanaf het begin dat onze gewoonten anders waren dan die in je oude land. Ik hoopte dat je zou veranderen.'

Dus dit gericht ging niet alleen over wat er met de pup moest gebeuren, maar ook over haar recht om in dit dorp te mogen wonen. Ingrid sloeg haar ogen neer en wachtte af.

'Ik heb naar iedereen geluisterd en mijn oordeel geveld. Jij bent de enige die zich heeft misdragen, Dagdroomster, daar kunnen we je vader en je broers niet de schuld van geven. De enige oplossing is dat jij vertrekt.'

Halvard zat op de rand van de illeq stil en verdrietig te luisteren. Hoewel haar niet was gevraagd om te reageren, zei ze: 'Dank u wel dat u mijn vader en mijn broers dit niet aanrekent. Ik had naar mijn vader moeten luisteren. Hij heeft meteen tegen me gezegd dat ik naar Mitsoq toe moest gaan om hem te vertellen wat ik had gedaan en mijn straf te aanvaarden.'

Niroqaq schraapte zijn keel. 'Dat heb ik allemaal al gehoord. Je vader en broers hebben ons een aanbod gedaan en Mitsoq heeft dat geaccepteerd.' Niroqaq wees met zijn voet naar Boy. 'Ole wordt de nieuwe eigenaar van de pup. In ruil daarvoor zal Mitsoq de eerste keus hebben uit het volgende nest van je vader. De pup kan inmiddels zijn kop optillen. Hij zal nooit een sledehond worden, maar misschien krijgt Ole er een goede jachthond aan.

'Ole wil naar het dorp van Qisuk verhuizen om te kijken of hij daar een vrouw kan vinden. Hij neemt jou mee naar het zuiden. Je vader gaat ook mee, om een bezoek te brengen aan zijn vrienden. Als je in Qisuks iglo woont, kunnen Padloq en je nieuwe zuster je misschien leren hoe je je behoort te gedragen.'

Ole pakte de pup met zeehondenvel en al op en wees naar de tunnel. Ingrid kroop voor hem uit naar buiten. Toen ze buiten gehoorsafstand waren, keek ze hem aan. 'Waarom heb je dat voor me gedaan?' Het was fijn om weer Noors te spreken en niet na te hoeven denken over elk woord, maar haar stem sloeg over. Ze was het niet gewend om Ole naar zijn bedoelingen te vragen.

Ole wierp haar een boze blik toe en wendde zijn ogen af toen hij met een schorre fluisterstem zei: 'Daar had ik mijn redenen voor. Als je het niet goed vindt dat de hond van mij is, vraag je maar of Mitsoq hem de nek wil omdraaien.'

'Dat zou gebeurd zijn als jij niet had ingegrepen en dat aanbod had gedaan. Waarom?'

'Eigenlijk gaat je dat niets aan, maar laten we het er maar op houden dat ik heel lang geleden heb gezworen dat ik voor je zou zorgen. En die eed wil ik niet verbreken.'

'Aan wie heb je dat beloofd?' Toen hij geen antwoord gaf, vroeg ze hem ronduit: 'Wil je die hond eigenlijk wel hebben?'

'Wie weet, heb ik wat aan hem als hij volwassen is.' Hij keek haar zuur aan. 'Misschien ruil ik hem wel voor een boog. In ieder geval mag hij blijven leven. Jammer dat je hem pas weer zult zien als hij van de moedermelk af is. Ik ga nu meteen met je naar het dorp van Qisuk. Vader zal de hond later naar me toe brengen.'

Ze keek even naar de anderen, die inmiddels ook uit Niroqaqs iglo te voorschijn waren gekomen. 'En als ik Mitsoq nu eens zover krijg dat hij ons Hella een tijdje leent? Hij heeft toch niets aan haar zolang ze nog zoogt. Dan kan vader haar later weer terugbrengen.'

Ole keek haar vanuit zijn ooghoeken aan. 'Wat voor leugens wil je nu weer verzinnen?'

'Helemaal geen leugens. Als ik hem zover krijg, mag ik Boy dan bij me houden?'

'In een Inuit-dorp? Je weet best dat ik eigenaar van Boy moet blijven, maar als je een manier kunt bedenken om Hella mee naar het zuiden te nemen en we een plek kunnen vinden waar ze er andere gewoontes op nahouden, mag jij Boy hebben. Maar je moet wel voortmaken. Ze willen zo snel mogelijk van je af.'

Toen ze Boy terugbracht naar Hella bedacht ze dat ze voor het eerst sinds ze door de wolven waren aangevallen weer een band met haar oudste broer voelde. Waarom was hij weer in zijn schulp gekropen, terwijl ze toen het idee had gehad dat ze vrienden zouden worden? Waarom sprong hij altijd voor haar in de bres en wie zou hem die belofte afgedwongen hebben?

Mitsoq zat met zijn vader op de rotsen boven het strand te praten. Ze wachtte bescheiden tot de mannen opstonden en haar zagen staan. Mitsoqs vader keek haar geërgerd aan en wilde zonder iets te zeggen langs haar heen lopen, maar Mitsoq zei: 'Dagdroomster. Ben je hierheen gekomen om me te bedanken dat ik die pup aan je broer heb gegeven? Wilde je je verontschuldigen voordat je weggaat?'

'Iyeh,' zei Ingrid terwijl ze hem aankeek. 'Ik wilde mijn excuses aanbieden en je bedanken. Het was aardig van je om rekening te houden met mijn gevoelens, terwijl dat helemaal niet nodig was, want jij bent een jager en ik ben maar een vrouw.'

'Dat is waar. Ik heb het alleen maar gedaan om jou een plezier te doen. Wil je bij nader inzien toch met me trouwen? Dan zal ik Niroqaq vragen om zijn bevel in te trekken.'

Had hij dat idee nou nog niet opgegeven? 'Ik zou een slechte vrouw voor je zijn,' zei Ingrid zacht. 'Ik zou je niet gelukkig maken, want ik kibbel altijd en ik kan me niet aan de regels houden. Echt waar,' voegde ze eraan toe toen hij haar argwanend en verward aankeek. 'Je verdient een vrouw die beter bij je past. Maar voordat ik wegga, wil ik je nog iets vragen. Misschien kan ik in ruil ook iets voor jou doen.'

Hij reageerde met onbegrip op haar verzoek om Hella mee te mogen nemen, maar ze legde uit: 'Ole wil dat hij zo snel mogelijk afgericht wordt. Als je het goed vindt, zal ik dat ook met jouw pups doen. Ik heb je de fluitsignalen al geleerd. En dan zal ik de Vrouw van de Zee vragen om je geluk te brengen bij de jacht.'

Mitsoqs vader keek haar argwanend aan. 'Waarom zou de Vrouw van de Zee meer aandacht schenken aan jouw gebeden dan aan die van mij of Mitsoq? Terwijl jij maar een vreemdeling bent, die niet eens begrip kan opbrengen voor onze manier van leven?'

Hij zocht meer achter haar opmerking dan ze bedoelde, maar dat kon ze ook niet helpen. 'Nerrivik hield van mijn moeder,' zei Ingrid. 'Mijn moeder woonde vroeger in het dorp van Qisuk en de Vrouw van de Zee heeft tot haar gesproken. Als dank heeft mijn moeder de Vrouw van de Zee daarna altijd vereerd. Omdat ik haar afstammeling ben, wil de Vrouw van de Zee misschien wel naar mijn gebeden luisteren. Ik zal haar vragen of ze ervoor wil zorgen dat Mitsoq en de andere jagers uit dit dorp voldoende voedsel zullen vinden.'

Mitsoqs vader beschouwde dat als een dreigement en vroeg of ze soms van plan was om de Vrouw van de Zee te vragen de dieren weg te lokken als zijn zoon niet aan haar verzoek voldeed, maar Ingrid ontkende dat. 'Ik heb alleen gezegd dat ik de Vrouw van de Zee zal vragen of ze jullie geluk wil brengen bij de jacht als Ole Hella een maand of twee mag lenen.'

Mitsoqs vader knipte met zijn vingers. 'Stuur die vrouw alsjeblieft weg. Geef haar haar zin, maar zeg dat ze morgen verdwenen moet zijn. Mijn hoofd tolt van al die beloften en vragen. Zorg alsjeblieft dat ik een brave schoondochter krijg, Mitsoq, zoals Natuk bijvoorbeeld. Dagdroomster lijkt op de geest van een beer die achterom kijkt en je meelokt. En als je dan op de ijsvlakte bent, verdwijnt ze, zodat jij verdrinkt of van de honger omkomt.' Hij draaide zich om en liep weg.

'Laat je vader Hella en de andere drie pups maar terugbrengen. En laat me verder met rust.' Mitsoq liep achter zijn vader aan.

Han en Helga kwamen haar en Ole samen met Sigrid en Kettil een goede reis wensen. Ole legde zijn armen om de schouders van de beide jongemannen. 'Ik ben julllie veel verschuldigd voor alles wat jullie voor mij hebben gedaan.' De broers woven die opmerking weg en wensten hem in de oude taal geluk. Leif kwam naar hen toe terwijl Halvard hun eigendommen op de slee legde die ze achter zich aan zouden trekken. 'Ik ga nu nog niet met jullie mee. Ik kom pas na mijn eerste jacht op zee naar het zuiden en dan zal ik vlees en geschenken voor Maki en haar familie meebrengen.' De tranen schoten Ingrid in de ogen toen hij haar omhelsde. 'Kleine zus van me,' zei hij. 'Ik heb je zien opgroeien. Het is niet gemakkelijk om je bij de manier van leven van de Inuit aan te passen, maar als je echt je best doet, lukt het je wel. Pas goed op jezelf.'

'Ik zal mijn best doen.' Ze drukte even haar hoofd tegen zijn schouder en keek hem na toen hij wegliep. Toen Ole ook afscheid van hem had genomen, zei Ingrid: 'Ik denk dat we nu maar moeten gaan, vader.'

Ole en Halvard pakten de lijnen op waaraan de slee moest worden voortgetrokken. De pups lagen op de slee, tussen de pakken bevroren vlees, de wapens en de extra kleren. Er kon af en toe nog een koude wind staan. Hella draafde naast de slee mee zodat ze een oogje op hen kon houden.

Toen ze op de top van de heuvel waren, draaide Ingrid zich om en wierp een laatste blik op het dorp van Niroqaq. Ze wist dat ze hier nooit terug zou komen.

Hoofdstuk

Terwijl Ole en Halvard de tent opzetten, gaf Ingrid Hella te eten. De hond was er inmiddels aan gewend om buiten te slapen, maar ze leek veel gelukkiger nu ze weer bij haar eigen mensen was. Ingrid vond het jammer dat ze terug zou moeten naar Mitsoq, maar daar was niets aan te doen.

Er stond nog een scherpe wind, maar Ole zei: 'Van die koude noordenwind zullen we snel af zijn. En als de ijsschotsen verdwenen zijn, kunnen de Inuit weer op jacht gaan naar dikke zeehonden en walvissen.'

'Vind je die dan zo lekker?' vroeg Halvard, die de opmerking van zijn zoon niet begreep.

'Nou ja, zo dol ben ik niet op taai kariboevlees, maar ik zal blij zijn als het zomer wordt. Het ijs en de sneeuw hangen me de keel uit.'

Halvard was het met hem eens. In de zomer zou Leif gaan trouwen en zouden ze de kans krijgen om hun nieuwe land te gaan verkennen, omdat het reizen dan een stuk gemakkelijker was. Als Ingrid veilig in het dorp van Qisuk zat, zou hij haar minder vaak zien, maar hij vertrouwde erop dat Padloq haar wel onder de duim zou krijgen. Padloq kibbelde wel vaak met Qisuk, maar ze wist toch dat hij altijd het laatste woord had. Dat accepteerde ze omdat het altijd zo was geweest en Ingrid moest daar ook maar mee leren leven.

Ole maakte een eind aan Halvards gepieker met zijn volgende opmerking. 'Ik heb aan die Groenlanders zitten denken die samen met Rolf Peterson naar het westen zijn gezeild. Denkt u dat ze Vinland hebben bereikt?'

Halvard krabde op zijn hoofd. 'Dat is best mogelijk. Sira Mars is met hen meegegaan. Hij weet het een en ander van geneeskunde af en hij heeft aanleg voor vreemde talen. Misschien heeft hij nog wel meer talenten waar wij niets van weten. Als Heer Rolf bereid was om naar zijn raad te luisteren en ze onderweg goed weer hebben gehad... nou, dan zou het best kunnen.' Hij haalde zijn schouders op. 'Ik hoop dat ze het gehaald hebben, maar dat zullen we nooit te weten komen.'

'Misschien wel,' zei Ole. Halvard keek hem verbaasd aan. 'De Inuit drijven toch handel met mensen van het vasteland, dat volk dat ze de Tabakstelers noemen?'

'Dat deden ze wel toen mijn moeder kennis met ze maakte,' zei Ingrid. 'Maar dat wil niet zeggen dat Qisuk dat ook van plan is. Het was toch zijn vader die daarmee is begonnen?' Ze keek haar vader aan.

'Volgens je moeder wel. Waarom begon je daarover, Ole?'

'Vanaf het moment dat we hier voet aan wal zetten, heb ik constant aan hen gedacht. Als Rolf met zijn mensen Schildpadeiland hebben bereikt, moet zich daar een Groenlandse nederzetting bevinden.'

Halvard keek verrast op. 'Wil je een Noorse vrouw gaan zoeken bij de christenen?'

'Dat heb ik niet gezegd, maar de meeste mannen van mijn leeftijd hebben al een gezin. Het zal wel door Leif en Sammik komen. Ze zijn allebei jonger dan ik en volgend jaar zal mijn broer al een kind hebben, terwijl ik nog steeds op zoek ben. Daar moet toch een keer een eind aan komen.'

'Zou oud ben je nog niet,' zei Halvard. Hij dacht even na voordat hij eraan toevoegde: 'Vierentwintig is niet oud.'

'Ik was drie toen jij net zo oud was als ik en Leif kon al lopen.' Ole wendde zijn gezicht af. Ingrid kon zich niet voorstellen dat Ole met een van de Inuit-vrouwen zou trouwen, maar waarschijnlijk zou dat wel gebeuren. Een Inuit-vrouw zou nooit vragen waarom hij iets deed. Ze zou zijn kleren maken en voor zijn huis zorgen en niet verwachten dat ze iets anders van hem kreeg dan voedsel en kinderen. Ze dacht na over de Groenlanders die in hun tweemaster naar het westen waren gezeild. 'Als ze niet gezonken zijn, moeten de Groenlanders verder naar het zuiden voet aan wal hebben gezet, niet in de buurt van de Tabakstelers.'

'Maar dat soort nieuws gaat als een lopend vuurtje rond,' zei Ole. 'Ik zou best willen weten of iemand iets van hen afweet. Zijn ze door de Skraelings van het vasteland verdreven, net als vroeger, of zou Sira Mars allemaal christenen van hen hebben gemaakt?' Het klonk bijna alsof hij het meende.

'Je bent stapelgek,' zei Halvard. 'Ze zijn allemaal bij een storm verdronken. Is het vlees al klaar, Ingrid?'

Padloq en Maki hadden een behoorlijke buit aan krabben en zee-egels opgevist uit de getijdenpoelen op het strand. Ze groetten de andere vrouwen die nog druk bezig waren en liepen terug naar het dorp. Padloq glimlachte haar dochter toe. Samen hadden ze het karwei in de helft van de tijd opgeknapt. 'Ik hoop dat je toekomstige man je op waarde zal weten te schatten. De vrouwen in zijn oude land leken waarschijnlijk meer op hem.'

'Met haar onder hun neus en om hun kin?' vroeg Maki plagend. 'Ik snap wel wat u bedoelt,' voegde ze er haastig aan toe. 'Maar ik weet zeker dat Leif een goede man voor me zal zijn. Hij vond me meteen aardig en ik hem ook. Hij zal extra zijn best doen om lief voor me te zijn, omdat hij zich hier nog niet echt op zijn gemak voelt.' Ze giechelde. 'Ik zal hem nog veel moeten leren.' Kennelijk had ze genoeg gezien om te weten waar ze het over had. Er bleef weinig verborgen voor Inuit-kinderen.

Padloq had gehoord dat Leif op bezoek was geweest bij de Vrouw van de Zee. Het feit dat hij over veel geestelijke macht beschikte, had hem al een bepaalde status bezorgd in het dorp van Niroqaq. Nog nooit eerder had een man die geen opleiding had gehad een angakkoq vergezeld op een reis in de geest. Iedereen had het erover en vroeg zich af waarom de Vrouw van de Zee zo'n voorkeur voor hem had.

'Kan een vreemdeling ook angakkoq worden?' vroeg Maki. 'Denkt u dat Nanoq Leif zal willen opleiden?'

'Hij is geen geboren Inuk. Ook al beschikt Leif over nog zoveel geesteskracht, dat zou te veel tegen de gewoonten indruisen,' verklaarde Padloq. 'Nanoq, de angakkoq van je vader, zal er nooit over piekeren om Leif op te leiden, maar Niroqaq mag Leif heel graag. Misschien wil hij een van de kinderen die jij en Leif krijgen opleiden. Die zullen die speciale macht van Leif wel erven.'

Bij de gedachte dat ze kinderen van Leif zou krijgen, begonnen

Maki's wangen te gloeien. 'Ik vraag me af hoe het zal zijn om samen met Leif onder de bontvellen pret te maken. Hebben Qallunaat overal op hun lichaam haar?'

'Sommigen wel,' zei Padloq terwijl ze haar hand op hief om haar glimlach te verbergen. 'Mijn buitenlandse vriendin, de moeder van Ingrid, heeft me dat zelf verteld na haar eerste nacht met Halvard. Eigenlijk zouden onze Qallunaatvrienden ons een bezoek moeten brengen nu er nog sneeuw genoeg ligt om een slee te trekken.' Ze zuchtte en concentreerde zich op de vis die ze op een geoliede platte steen aan het bakken was. 'Het zal wel niet eens bij ze opkomen. Mannen denken altijd alleen maar aan jagen.'

Toen de honden in het dorp aansloegen, haalde Padloq snel haar vis van de steen voordat die zou aanbranden. 'Wat mankeert die honden?' vroeg ze zich hardop af. 'Laten we maar even gaan kijken.'

Ze kropen door de tunnel naar buiten en tuurden tegen de zon in. 'Er komen drie bezoekers aan, met een slee en één hond.' Meteen daarna viel ze bijna om van verbazing.

Maki kwam naast haar staan en lachte. 'De Vrouw van de Zee heeft u gehoord, moeder. Ze zei bij zichzelf: "Ik heb al een tijdje niets meer voor mijn vriendin Padloq gedaan, dus laat ik haar maar eens verrassen."'

Toen de dorpshonden op hen af kwamen, trok Hella haar lip op en gromde. Ole, Halvard en Ingrid bleven stokstijf staan, met hun speren in de hand voor het geval een van de honden een uitval zou doen voordat hun eigenaars hen terug konden roepen. Maar de mannen riepen de dieren terug en een paar van hun liepen naar de bezoekers toe. Sammik was de eerste die hen herkende. Hij rende vooruit en sloeg enthousiast zijn armen om Halvard heen. 'Wat fijn om jullie weer te zien. Waar is Leif?'

'Die komt pas later, als hij heeft geleerd met een kajak om te gaan en zijn eerste zeehond heeft geharpoeneerd,' zei Halvard. 'Hij wil er zeker van zijn dat hij je zuster van vlees zal kunnen voorzien.'

Sammik knikte. 'Leif is pas laat begonnen om de vaardigheden van echte mannen onder de knie te krijgen. Maar hij is dapper en Nerrivik heeft een zwak voor hem. Meer kan mijn vader niet vragen. Ik zal wel kijken hoe goed hij is geworden als we samen voor de huwelijksplechtigheid op jacht gaan.'

Padloq had zich bescheiden op de achtergrond gehouden terwijl Sammik Halvard welkom heette, maar nu rende ze naar hem toe en wreef met twee vingers over zijn rode neus. 'Die moet ingevet worden. Verder zie je er gezond en welvarend uit. Je hebt de overtocht goed doorstaan. Ik zie dat je Ole en Ingrid bij je hebt, maar waar is Leif?'

Halvard gaf haar hetzelfde antwoord dat hij Sammik had gegeven en zei toen: 'Als jullie niet genoeg vlees hebben, gaan we wel weer terug.'

'Terug? Geen denken aan. Als je probeert weg te gaan, zeg ik tegen mijn man dat hij je maar moet vastbinden, net zoals de jagers deden toen ze je op de klif vonden. Kijk, daar komt Qisuk al aan. Op zijn gemak, hij lijkt wel een oude man. Wat zal hij blij zijn om je te zien!'

Qisuk straalde inderdaad toen hij zijn oude vriend zag en opnieuw moest Halvard uitleggen waarom ze Leif niet bij zich hadden. 'Dan vergeef ik hem dat hij niet mee is gekomen,' zei Qisuk. 'Laten we nu maar gauw naar mijn huis gaan, dan kunnen jullie me vertellen waarom jullie deze teef met haar pups hebben meegebracht naar mijn dorp.'

'Ik heb het teefje te leen van Mitsoq, een van de jagers van Niroqaq,' zei Ole. 'Ik heb met hem afgesproken dat de grootste pup van mij is, maar ik moest de moeder ook meenemen tot ze niet langer gezoogd hoeven te worden. Dan zal mijn vader de andere honden mee terug nemen.'

'Ga jij dan niet terug?' vroeg Qisuk meteen. 'Was je van plan om hier te blijven?'

'Misschien,' zei Ole.

Qisuk wreef over zijn kin. 'Misschien kun je met ons mee naar het Handelseiland. Ik heb het dorp van mijn vader nog niet gevonden. Als we de Tabakstelers ontmoeten, zullen zij ons wel kunnen vertellen of mijn vader nog in leven is en waar zijn dorp is gebleven.' Hij vertrok zijn mond. Niemand verwachtte dat zo'n oude man nog steeds in leven zou zijn, maar Qisuk wist natuurlijk niet wat zich de laatste vijftien jaar had afgespeeld. 'Wil je met ons mee?'

'Ja, graag,' zei Ole. 'Ik wil ze ook vragen of ze iets weten van de Groenlanders die over het grote water naar het westen zijn gezeild.'

'Nu snap ik het,' zei Qisuk. 'Je wilt een vrouw van je eigen volk. Dat lijkt me geen slecht idee. En hoe zit het met je dochter, Halvard? Ze is wel erg stil, veel stiller dan Padloq en Maki. Zo'n goed opgevoed meisje zal vast wel gauw een man vinden. Misschien wil een van onze jagers haar wel.'

Ingrid trok een gezicht en hoopte maar dat ze zouden denken dat het een glimlach was. Hier was het niet zo moeilijk om beleefd te zijn, omdat de mensen haar niet het gevoel gaven dat ze haar constant op de vingers keken. En vanaf het moment dat Qisuk over het Handelseiland was begonnen, hadden er allerlei gedachten door haar hoofd gespeeld. Toen hij tegen haar zei: 'En jij gaat ook mee', was dat een constatering, geen vraag.

'Iyeh. Ik zou graag samen met mijn broer het vasteland willen zien.'

'Het vasteland? Zover gaan we niet, maar als Ole daar naartoe wil, moet hij dat zelf weten. Je wilt natuurlijk het volk zien, waar je moeder vandaan kwam. Maki, jij gaat ook mee. Het zal je laatste grote avontuur zijn, voordat je gaat trouwen en mij meer kleinzoons zult bezorgen. Vrouwen, wanneer eten we?'

Ingrid bracht de nacht door in de iglo van Qisuk en sliep naast Maki op de zachte illeq. Het meisje babbelde honderduit en bestookte haar met vragen over Leif. Ze wist dat Leif zijn been had gebroken toen een kudde rendieren op hol was geslagen en vertelde Ingrid dat zij wist welke kruiden ze door zeehondenvet moest roeren om de pijn te verlichten. Ze wist ook welke kruiden goed waren tegen buikpijn en hoe je wonden moest verzorgen. Dat wilde ze Ingrid best leren.

'Ik ben Maki genoemd naar de moeder van mijn moeder, om haar geest in de familie te houden. Putu, de vrouw van Sammik, heeft dezelfde naam als Qisuks moeder. Mijn grootmoeders van beide kanten waren genezeressen en vroedvrouwen. Ze hielpen moeders hun baby's ter wereld brengen.'

Ingrid wist dat Maki trots was op haar grootmoeders en dat zij hetzelfde wilde bereiken. Helaas wist Ingrid ook dat zij het eerste kind van haar moeder hadden gesmoord en dat ze Qalaseq uit de baarmoeder van zijn moeder hadden gesneden, wat haar het leven had gekost. Ze hield haar mond, maar Maki merkte niets. Ze begon alweer ergens anders over. Was er in het dorp van Niroqaq geen jonge jager die Ingrid leuk vond? Ingrid omhelsde haar en zei nee, ze wilde wachten tot ze de juiste man had gevonden, precies zoals Maki Leif had gevonden. Uiteindelijk vielen de meisjes toch in slaap.

Na een paar dagen bouwden Halvard en Ole hun eigen kleine stenen iglo. Ingrid bleef bij Maki slapen. Dit was het soort gezin waar Ingrid naar had verlangd, met een moeder en een zuster in een dorp dat ervoor zorgde dat ze genoeg te eten hadden en dat de vrouwen geen gevaar liepen. Ingrid hielp zo goed mogelijk mee en deed alles wat Padloq haar opdroeg. 'Wat is dat toch met die grote pup, dat je als een moeder over hem waakt, Droomster?' vroeg ze een keer toen Boy bij Ingrid op schoot lag.

'Ik wil hem aan me laten wennen, zodat ik hem de fluitsignalen kan leren… voor Ole, natuuurlijk. Fluiten is verder te horen dan roepen. Ik kan ze op die manier vertellen of ze naar links of naar rechts moeten, of ze terug moeten komen of dat ze de beer een bepaalde kant op moeten drijven. Thuis, in het land van mijn vader, heb ik Hella ook afgericht.'

Padloq keek haar met samengeknepen ogen aan. 'Waarom doe jij dat? Hij moet toch wennen aan de stem van je broer?'

'Ik kan goed honden africhten.'

Het werd warmer en op een ochtend hoorden ze aan het geknal uit de richting van de oceaan dat de ijsvlakte brak en dat de schotsen over elkaar heen schoven. Daar hadden alle kinderen op gewacht. De zeekoeten ontvluchtten het geweld en vlogen in grote troepen naar de kust, waar de kinderen stonden te wachten met netten aan lange stokken. Ingrid deed net zo hard mee in haar korte zomerkamiks en haar korte broek, de *qulitsaq*. Ze sprong met de jongens en de meisjes uit het dorp van de ene rots op de andere om de vogels in de vlucht te vangen en ze de nek om te draaien.

De vrouwen stonden aan de voet van de kliffen langs de kust te wachten om de dieren schoon te maken en mee naar huis te nemen. Toen de vogels weer opvlogen om te wachten tot dit gevaar geweken was, liep Ingrid samen met Imina en Qalaseq, zijn oudere broer, naar huis.

Ze vroeg zich af of Imina wist dat hij haar halfbroer was. Maar hier ging men ervan uit dat hij de zoon van de man van zijn moeder was. Imina liep onderweg gezellig met haar te babbelen. De zon viel op zijn zwart-met-oranje vermengde haren en benadrukte het feit dat hij, net als zij, een halfbloed was. In tegenstelling tot de

Groenlanders trok niemand in het kamp van Qisuk zich daar iets van aan.

Toen hij haar hand pakte, voelde Ingrid zich meer verward dan ongerust omdat ze niet zo goed wist hoe ze daarop moest reageren. Het gesprek ging over vogels en zeehonden en het verschil tussen de lenige, intelligente herdershonden van de Groenlanders en de sterkere honden die de Inuit gebruikten om hun sleeën te trekken. Onder het lopen voelde Ingrid dat Qalaseq naar haar liep te kijken. Voordat ze bij Halvards iglo waren, kwam de jongeman naar haar toe lopen en pakte haar andere hand. 'Jullie moeten vanavond allemaal bij ons komen eten. Je hebt zelf ook genoeg vogels gevangen.'

'Ja, dat zullen we doen.' Ze wilde graag bevriend met hen raken, hoewel het idee dat Qalaseq de plaats van haar oudere zusje aan de borst van haar moeder had ingenomen haar dwarszat. Maar natuurlijk was het zijn schuld niet. En van de wetenschap dat Imina haar halfbroer was, werd ze een beetje zenuwachtig, omdat ze niet wist hoe ze op zijn vriendschappelijke houding moest reageren. 'Ik zal het tegen mijn vader zeggen.' Ze lieten haar los toen ze bij Halvards iglo waren.

's Avonds voor het eten kwam eerst Imina een babbeltje met haar maken en toen Qalaseq arriveerde, ging hij ook meteen naast Ingrid zitten. Hij klopte haar even op haar arm. Daarna keek hij naar Halvard en vervolgens naar Qisuk, zijn eigen vader, voordat hij haar hand vastpakte.

Niemand zei iets. Padloq die op de vogels aan het spit lette, keek even om. Het leek erop dat Qalaseq bijzonder veel belangstelling had voor Halvards dochter. Hij was twee jaar ouder dan zij. De kans dat zij samen een gezin zouden stichten was niet denkbeeldig. Ze vroeg zich af wat haar man en Halvard daarvan zouden vinden.

'Het eten is klaar,' riep ze. 'Putu, Maki en Droomster halen jullie de kommen maar even uit de iglo en zeg tegen de mannen dat ze naar buiten moeten komen om te eten.'

's Morgens stonden de dorpelingen boven op de heuvels langs de baai te kijken naar de gletsjers die ten noorden van het dorp met donderend geraas in het blauwgroene water stortten. Halvard stond bij het vuur met Ingrid te praten, toen Nanoq, de angakkoq van Qisuk, naar hen toe slenterde. Halvard kon zich nog herinneren dat Nanoq als jongetje de trommel had bespeeld op de dag dat hij met Astrid trouwde. Hij was toen de leerling van Minik, die hem opleidde tot geestelijk raadsman. Minik was een machtig man geweest, die in staat was diep in de ziel van mensen te kijken om te zien wat hen bewoog.

De ivoren amuletten van de jonge angakkoq klikten onder het lopen tegen elkaar. Zijn met olie ingesmeerde haar hing tot halverwege zijn rug. Omdat hij de angakkoq was, hoefde hij niet te jagen. Hij gebruikte zijn geesteskracht om dieren voor de jagers op te roepen.

Nanoqs vader, Minik, had voorkomen dat Qisuk zich moeilijkheden op de hals had gehaald toen het dorpshoofd nog jong en eigenwijs was. Nanoq moest zelf ook nog heel jong zijn geweest toen hij deze verantwoordelijke functie kreeg. Zijn ogen maakten een heel wat oudere indruk dan zijn wangen, hoewel hij qua leeftijd niet veel van Ole zou verschillen.

Nanoq richtte zich rechtstreeks tot Halvard. 'Je dochter heeft een bewonderaar. Twee zelfs.' Zijn toon was veelzeggender dan zijn woorden. Het was een waarschuwing. Halvard keek de man met de getatoeëerde wangen en de priemende ogen onderzoekend aan. Minik had Halvard opgedragen om met Astrid te trouwen en haar mee te nemen naar zijn gezin in het zuiden. Toen had hij opgelucht toegegeven, omdat hij zich ernstige zorgen over hen maakte. Nu wilde hij niet dat Nanoq zich met hen bemoeide.

'Dat zijn de zoons van Qisuk. Je kunt hen min of meer beschouwen als neven van mijn dochter,' zei Halvard kortaf. 'Er zijn nog meer jagers.'

'De vrouw die Droomster wordt genoemd mag geen intieme betrekkingen aanknopen met Imina, de zoon van Qisuk.' Met die uitspraak van de angakkoq was Halvard het roerend eens.

'Niemand twijfelt eraan dat Imina de zoon van Qisuk is,' zei Halvard, in de hoop dat zijn sussende opmerking Nanoq tevreden zou stellen.

'Het is ook beter dat ze uit de buurt blijft van Qalaseq.'

'Ik heb al gezegd dat ze bijna neef en nicht zijn.' De angakkoq kon de zielenroerselen van een man beter beoordelen dan in feite wenselijk was. Maar Nanoq nam niet de moeite om zijn boodschap over te brengen in de milde bewoordingen die zijn vader zou hebben gebruikt.

Halvard voelde dat Nanoq hem in de verdediging probeerde te dringen, zodat hij zijn innerlijke gevoelens en verlangens bloot zou geven. Om dat te voorkomen vulde hij zijn hoofd met allerlei on-belangrijke dingen zoals hij van Astrid had geleerd. Honden die achter schapen aan renden. Schapen die over hekken sprongen. Hij telde keer op keer tot tien in het Noors, tot Nanoq verward met zijn ogen begon te knipperen. Desondanks zou de angakkoq zijn pogingen om de waarheid te achterhalen niet opgeven. 'Waarom ben je naar dit dorp gekomen?' vroeg Nanoq ronduit.

'Omdat hier vrienden van ons wonen. Vertel me eens,' vroeg hij op zijn beurt, 'waarom het verkeerd zou zijn als er een band ont-staat tussen Qalaseq en Ingrid?' Hij had moeite om zijn gedachten onder woorden te brengen. 'Ze zijn geen familie van elkaar.' Daar moest hij het bij laten. De woorden 'broer en zus' durfde hij niet in de mond te nemen.

'Het meisje hoort niet bij hem en ook niet bij de rest van ons. Ze heeft andere denkbeelden dan onze vrouwen. Als de mannen weg-gaan om handel te drijven, neem haar dan mee en laat haar achter bij de Tabakstelers. Ze zal moeilijkheden veroorzaken in dit dorp en moet vertrekken.'

Halvard was met stomheid geslagen.

Nanoq liet hen staan en liep verder. Ingrid en Halvard keken hem na tot hij een eindje verder bleef staan om met een ander gezin te praten. Ingrid had kippenvel op haar armen. Ze sloeg ze over el-kaar en pakte haar ellebogen vast. De grond onder haar voeten leek te deinen alsof het de golven van de oceaan waren. 'Vader?' Ze kon alleen nog maar fluisteren. 'Wat gaat er nu gebeuren?'

Halvard wilde het liefst tegen haar zeggen dat hij haar zou be-schermen, dat hij haar echt niet achter zou laten bij vreemden, maar hij kon geen woord uitbrengen. Toen hij zijn armen om haar heen sloeg omdat ze stond te beven als een riet, merkte hij dat zijn eigen handen ook trilden. Op dat moment zagen ze dat Ole met een van woede vertrokken gezicht achter Nanoq aan rende. In die don-kere wolk leken zijn ogen te bliksemen.

Hoofdstuk 33

Ole stormde als een kariboebok achter Nanoq aan en greep de angakkoq bij zijn schouder. 'Waarom?' wilde hij weten. 'Ze heeft niets gedaan. Waarom moet mijn zuster weg uit dit dorp?'

Nanoq stapte achteruit, geschrokken door die ruwe behandelingen. Op zijn gezicht stond het ongeloof over Oles brutaliteit te lezen. Het was ongehoord dat iemand zijn besluiten in twijfel waagde te trekken en uitleg eiste van iets dat hij instinctief voelde. Het meisje hoorde niet bij hen, dat stond vast. Zelfs haar vader had zijn mond gehouden toen hij zei dat zijn dochter moest vertrekken, hoewel iedereen kon zien dat hij van zijn halfbloeddochter hield. Door zo te reageren had Ole ook zijn recht om bij hen te mogen wonen verspeeld. 'Durf je aan mij te twijfelen?' vroeg Nanoq.

'Iyeh,' antwoordde Ole. Hij sloeg zijn armen over elkaar en bereidde zich voor op de onvermijdelijke confrontatie.

Iedereen wist dat een angakkoq gedachten kon lezen. Hij kon dieren naar een bepaalde plek sturen en aan de jagers vertellen waar ze hen konden vinden. Qisuks dorpelingen waren voor hun bestaan afhankelijk van zijn speciale gaven. Waar haalde deze vreemdeling de moed vandaan om Nanoq met zo weinig respect te bejegenen?

De jagers gingen in een kring om beide mannen staan, omdat iedereen wilde zien hoe hun sjamaan met de vreemdeling zou afrekenen. Nanoq en de pezige, roodharige jongeman stonden hooguit een pas uit elkaar. De vonken leken van hen af te spatten. 'Gaan ze vechten?' fluisterde Ingrid terwijl ze haar vingers om de arm van haar vader knelde. 'Wat moeten we doen?'

'We kunnen niets meer doen.' Halvard was zo overdonderd door de uitspraak van Nanoq en de reactie van Ole dat hij niet meer wist hoe hij de situatie kon redden. Had hij net zo moeten reageren als zijn zoon? Hij had de mensen bij wie ze onderdak hadden gevonden niet tegen zich in het harnas willen jagen, want dan zouden Ingrids kansen om in het dorp van Qisuk te mogen blijven alleen maar afnemen. Misschien was hij iets te voorzichtig geweest, maar hij was trots dat Ole het er niet bij had laten zitten. 'Kom, laten we in ieder geval bij hem gaan staan.'

De spanning tussen de beide mannen leek alleen maar te groeien, terwijl de omstanders stiekem onder elkaar weddenschappen afsloten op de uiteindelijke winnaar. Omdat Sammik liet blijken dat hij de kansen van Ole hoger inschatte, begonnen een paar anderen ook te twijfelen. Iedereen wist dat Leif samen met Niroqaq op bezoek was geweest bij de Vrouw van de Zee. Misschien beschikte deze familie wel over bijzondere krachten.

Toen Qisuk een poging deed om tussenbeide te komen, omdat hij niet wilde dat zijn angakkoq gezichtsverlies leed en evenmin dat de zoon van zijn vriend iets zou overkomen, stak Nanoq zijn rechterhand op, zonder zijn blik van Ole af te wenden. Qisuk week achteruit.

Ze bleven elkaar strak aankijken en gaven geen duimbreed toe. De angakkoq leek mystieke krachten uit te stralen, maar Ole was een kop groter en vertrok geen spier. Ingrid betwijfelde of er iemand bestond die nog koppiger was dan haar oudste broer.

Ten slotte wendden ze zich allebei af, precies op hetzelfde moment. Een duidelijke winnaar was er niet. 'Je hebt een sterke geest, Qallunuk,' zei Nanoq zo luid dat alle dorpelingen hem konden verstaan. 'Maar het is nog niet voorbij,' voegde hij eraan toe. Als hij Ole niet in een rechtstreekse confrontatie kon verslaan, stonden hem nog wel andere methoden ter beschikking. 'Je bent niet een van ons en dat zul je ook nooit worden, maar je hebt een antwoord verdiend. Het vreemde meisje hoort niet in ons midden omdat ze in tweestrijd verkeert. Voordat de witte dagen terugkomen, moet ze verdwenen zijn en dat geldt ook voor jou. En dat zal gebeuren, wat je ook denkt.'

Tweestrijd. Het was een lang en ingewikkeld woord. Halvard wist niet precies wat het betekende, tot de angakkoq hem aankeek. Op de een of andere manier slaagde de man erin hem dat duidelijk te maken. 'Is tweestrijd dan ongeoorloofd?' wilde hij weten. 'Hebben de Inuit hun gevoelens altijd in de hand? Iedereen verkeert in zijn leven weleens in tweestrijd. Mijn dochter heeft zich sinds onze aankomst keurig aan de regels gehouden.'

'Het is niet alleen een kwestie van gedrag,' zei Nanoq. 'Je dochter straalt zowel haat als liefde uit. In het verleden heeft dat soort tweestrijd de woede van de Vrouw van de Zee opgewekt. En toen volgde een tijd waarin de mensen honger moesten lijden. Dat is toch zo, Qisuk?'

Er verscheen een donkere blik op het gezicht van het dorpshoofd toen hij aan die tijd terugdacht. Zijn moeder had de moeder van Qalaseq gedood om hem levend ter wereld te brengen. Aangezien zijn onderlichaam het eerst naar buiten was gekomen, was toen al te zien dat het om een jongetje ging. En iedereen wist dat een mannelijk kind meer waard was dan een vrouw. Helaas had Qisuk van zijn vrouw gehouden en hij had zijn moeder dat niet kunnen vergeven. De gemengde gevoelens van Qisuk hadden de Vrouw van de Zee ontstemd.

Toen Qisuk van kleur verschoot, begrepen de dorpelingen dat Nanoqs opmerking het gewenste effect had. Maar door over kwalijke gebeurtenissen te spreken kon je de ellende ook weer oproepen. Alle handen tastten naar amuletten die bescherming moesten bieden.

Nanoq zorgde ervoor dat zijn stem respectvol klonk toen hij opnieuw over die periode begon, maar het was duidelijk dat hij zijn volk voor een nieuwe ramp van die omvang wilde behoeden. Qisuk durfde hem niet in de rede te vallen. 'Tijdens die hongersnood was ik nog maar een jongen. Jij was de vader van twee jonge zoontjes. Ik heb oude mannen en vrouwen de ijsvlakte op zien lopen, zodat de jongeren meer te eten zouden hebben. Meisjes werden direct na hun geboorte gesmoord. We hebben zelfs onze honden opgegeten. Wil je opnieuw een dergelijke ramp riskeren door het vreemde meisje bij ons te houden?' De dreiging van een hongersnood en de vrees dat de Vrouw van de Zee zich tegen hen zou keren was genoeg om zelfs de dapperste mannen angstrillingen te bezorgen.

'Ik kan me die tijd nog heel goed herinneren,' antwoordde Qisuk. 'Maar daar houdt het verhaal niet op. Er kwam een eind aan de hongersnood toen Droomsters eigen moeder haar verdriet verwerkt had. Op die dag zorgde de Vrouw van de Zee dat de geest van onze vriendin terugvoer in haar lichaam en schonk haar begrip, zodat ze meteen onze taal kon spreken. Het was de moeder van Droomster die een eind maakte aan de tweestrijd en ervoor zorgde dat de Vrouw van de Zee het dorp van mijn vader vergiffenis schonk, zodat de jagers weer vlees konden vinden.'

Iedereen keek Ingrid aan. Halvard sloeg zijn arm om haar heen en zorgde ervoor dat ze trots rechtop bleef staan. Qisuk vervolgde: 'Ingrids moeder heeft voor jouw vader tekeningen gemaakt van dieren. Die tekeningen gaven hem de macht om de kariboes naar onze speren te lokken en de zeehonden naar onze harpoenen. Daarom zeg ik dat Droomster en haar broer hier mogen blijven, als ze dat tenminste wil. We laten haar niet aan haar lot over bij de mensen van het vasteland, die misschien niets van haar willen weten. Haar moeder heeft zoveel voor ons gedaan, dat we de dochter dat verschuldigd zijn.'

Ingrids knieën knikten van opluchting. Qisuk zou niet toelaten dat Nanoq haar wegstuurde. 'Dank je wel,' hoorde ze haar vader zeggen.

De vrouw van Nanoq, die vlakbij had staan toekijken en luisteren, pakte vriendelijk de arm van het meisje vast en zei dat ze met haar mee moest gaan. 'Een vrouw mag nooit in het centrum van de belangstelling staan. Kom de vrouwen maar helpen om de stoofpot te verdelen tussen de mannen en de kinderen. Daarna kunnen wij wel eten. Misschien vind je toch wel een jager die zijn illeq met je wil delen.'

Ingrid liep zonder protest mee naar de andere vrouwen waar ze eerst door Maki en daarna door Padloq omhelsd werd. 'Je blijft gewoon mijn tweede dochter,' zei Padloq. Er verscheen een kuiltje in haar wang toen ze glimlachte. 'We zullen heus wel een goede man voor je vinden, ook al ben je een vreemdeling.'

Ingrid besefte dat ze altijd 'een vreemdeling' zou blijven, ook al hielden ze nog zoveel van haar. Haar moeder had Ingrid verteld dat ze vanaf het moment dat ze haar geboorteland had verlaten een buitenbeentje was geweest. En Ingrid besefte nu pas wat ze daar precies mee bedoelde.

Toen ze 's avonds om het gemeenschappelijke kampvuur zaten, begonnen de mannen opnieuw herinneringen op te halen aan het oude dorp van Sorqaq. Iemand vroeg wat er met de magische jachttekeningen was gebeurd.

'Die hebben we in het dorp van mijn vader achtergelaten toen we aan de oversteek begonnen,' zei Qisuk. 'Waarschijnlijk zijn ze daar nog steeds en worden bewaakt door de oudere broer van Nanoq. Als hij nog in leven is, moet hij de angakkoq van het nieuwe dorpshoofd zijn. Na al die tijd zal mijn vader wel bij zijn voorouders zijn. Maar het zou fijn zijn om al onze oude vrienden terug te zien. Laten we nu maar naar binnen gaan om te slapen. Alle ijsschotsen zijn verdwenen, dus we kunnen in de umiaks naar het zuiden. Het is hoog tijd dat we genoeg ruilgoederen verzamelen om naar het Handelseiland te gaan.'

De volgende ochtend vertelde hij zijn dorpelingen dat hun vrouwen de bekleding voor de umiaks klaar moesten maken. 'We zullen alle bontwaren en ivoor meenemen die we kunnen missen, en warme wanten. Voor de winter kunnen we zelf wel weer nieuwe maken. In ruil daarvoor zullen we van de Tabakstelers boomtakken krijgen waarvan we bogen, pijlschachten, speren en peddels kunnen maken. En dan zullen we ook de toverbladeren wel zien die ze "tabak" noemen. De vader van Nanoq heeft ons verteld dat ze die bladeren verbranden om de geurende rook te krijgen, die hun gebeden omhoogdraagt naar hun geesten in de hemel.'

'Mijn vader vond het lekker om die rook uit een ivoren pijp op te zuigen,' zei Padloq tegen hem terwijl ze door het dorp liepen. 'Het is jammer dat we geen pijpen hebben gemaakt om te ruilen.'

'Misschien krijgen ze nog steeds amuletten en pijpen van het oude dorp van mijn vader. Wij hebben prima bontvellen, zowel van kariboes als van zeehonden. Ik zal eens kijken hoe het met de voorbereidingen gaat.'

'Ben je nog steeds van plan om ons ook mee te nemen?' vroeg Halvard toen Qisuk bij hem langs kwam om zijn voorraden te inspecteren.

Er verschenen lachrimpeltjes om Qisuks ogen. 'Dat heb ik toch al gezegd. Wil je het land niet zien waar je vrouw vandaan kwam?'

'Iyeh,' zei Halvard. 'Heel graag.' Zijn blik gleed naar Ole en Ingrid. 'Geldt dat ook voor hen?'

'Ik heb Maki beloofd dat ze nog één avontuur zou beleven voordat ze naar de iglo van Leif verhuist. Droomster kan Maki gezelschap houden. En Ole moet ook meekomen. Hij zal verrast opkijken van de Tabakstelers. Bovendien wil hij navraag doen naar die andere Dikke Wenkbrauwen. Als hij besluit naar het zuiden te trekken om hen te zoeken, zal Nanoq zijn zin hebben. Hij mag zelf bepalen wat hij wil.'

Terwijl de vrouwen ijverig bezig waren met de ondersteboven liggende umiak, waarvan ze de naden versterkten en de bekleding met vet insmeerden om ze waterdicht te maken, riep een van de kinderen plotseling: 'Umiaks! Er komen vreemdelingen aan!'

Ze zagen drie umiaks vol mensen om het schiereiland in het westen varen. De honden vlogen blaffend en grommend over het strand heen en weer, terwijl de dorpelingen haastig hun wapens pakten. Vriend of vijand, het was beter om op alles voorbereid te zijn. Ole en Halvard sloten zich bij hen aan toen ze zich langs het strand opstelden en bukten zich om niet boven de rest uit te steken. Nanoq ging naast Qisuk staan, terwijl Padloq samen met de andere vrouwen op de rotsen rond de baai ging staan. Vanaf die plek konden ze alles zien. 'Kijk,' riep Maki. 'Er zitten ook vrouwen in de boten, dus het zijn geen oorlogsschepen.'

Midden in de eerste umiak zaten een man en een vrouw, allebei met witte haren en een broos uiterlijk. Ze hadden kennelijk niet de leiding over de expeditie, maar hun metgezellen hadden duidelijk ontzag voor hen. 'Wie zouden dat zijn?' vroeg Padloq. 'Waarom komen ze me zo bekend voor? Het dorpshoofd en zijn angakkoq helpen de oude man uit de boot, iemand anders helpt de oude vrouw.'

Maki nam het verslag over, omdat haar ogen kennelijk beter waren dan die van haar moeder. 'De ogen van de oude man zijn wit, dus hij is blind. Nu stapt de hoofdman ook aan land en loopt naar mijn vader toe. Ze zetten allebei hun speerpunten in het zand, dus het moeten vrienden zijn. Een man met veel amuletten en tatoeages op zijn wangen en zijn kin brengt de blinde oude man naar mijn vader toe. Hoe kan een oude man zo belangrijk zijn dat hij met ons dorpshoofd mag praten?'

'Het lijkt mij dat de Vrouw van de Zee hun goed gezind is, als ze oude mensen meenemen op reis,' zei Putu, de vrouw van Sammik. 'Als dat het geval is, kunnen ze onze jagers misschien vertellen welke weg de kariboes nemen tijdens de trek.'

'Dat is een onderwerp waar alleen mannen over mogen praten,' zei de vrouw van Nanoq, terwijl ze naar de vreemdelingen bleef staren.

'Mijn schoondochter denkt alleen maar aan de magen van onze kinderen,' zei Padloq ter verdediging van de jonge Putu.

'Kijk nou eens naar mijn vader!' riep Maki. 'Hij doet heel raar!'

De vrouwen holden naar de rand om alles nog beter te kunnen volgen. Plotseling slaakte Padloq een kreet en klemde haar amulet in haar hand. 'Ik zie geesten,' fluisterde ze tegen de vrouwen. 'De man met het witte haar is Sorqaq, ons oude dorpshoofd. En hij heeft zijn vrouw, de oude Putu, bij zich. Hoe bestaat het dat ze nog steeds in leven zijn? Kom, dan gaan we gauw naar beneden.'

'Qisuk, mijn zoon,' kraste de oude vrouw. 'Sorqaq, Qisuk staat voor je.' Haar stem bereikte zelfs de toeschouwers boven op de rotsen.

Qisuk week achteruit en vroeg kreunend: 'Wat is dit voor tovenarij? Ze kunnen toch niet meer in leven zijn.'

'Dat moet wel, want ik kan niet door hen heen kijken,' verzekerde Nanoq hem. 'Dus heet je vader en moeder maar snel welkom.'

'Zoon?' Sorqaq stapte naar voren, ondersteund door zijn vrouw en legde zijn hand tegen Qisuks wang. Qisuk pakte de hand van zijn vader en drukte die tegen zijn voorhoofd. 'Mijn vader! Moeder! Wie zou hebben gedacht dat wij elkaar in dit leven weer zouden zien?' Hij sloeg zijn armen om zijn ouders en liet zonder zich te schamen zijn tranen de vrije loop.

De angakkoq van de reizigers stak zijn armen uit naar Nanoq. 'Mijn kleine broertje. Dat is lang geleden.' De twee mannen liepen langzaam en met een onderzoekende blik naar elkaar toe. Ten slotte omarmden ze elkaar. 'Ik kon je aanwezigheid voelen,' zei de oudste broer. 'Je dacht aan mij en ons oude dorp. Daardoor wist ik waar ik jullie zou kunnen vinden. Sorqaq en Putu wilden hun zoon en kleinzoons nog een keer zien voordat ze sterven, dus zijn we allemaal meegekomen.'

Halvard trok Ingrid mee en wenkte Ole dat hij mee moest gaan. 'Hier hebben wij niets mee te maken. Als ze ons zien, zullen ze vragen gaan stellen. Laten we dus maar naar huis gaan en deze reünie niet verstoren.'

De volgende ochtend kwam Qisuk met zijn ouders langs om Halvard, Ingrid en Ole aan hun voor te stellen. 'Vader, deze man komt uit het zuiden van ons oude land. Hij behoort tot de stam van de Qallunaat, voor wie je ons gewaarschuwd had. De meesten waren even slecht als jij ons had verteld, maar de Vrouw van de Zee heeft ze voorgoed uit ons land verdreven, dus ons volk hoeft geen strijd meer met hen te leveren. Maar Halvard is een goede vriend van me geworden.'

Halvard begroette Sorqaq en de blinde man hief zijn hand op om Halvards gezicht te betasten. Zijn vingers bleven op Halvards baard rusten. Qisuk vertelde zijn vader hoe hij eruitzag. 'Halvard is zo lang en zo groot als een beer. Zijn haar heeft de kleur van de ondergaande zon. Hij heeft twee van zijn volwassen kinderen bij zich. Dit is Ole, zijn oudste zoon.' Sorqaq betastte Oles gezicht en herhaalde zijn naam. 'En dit is zijn dochter. Ze wordt Droomster genoemd. Haar moeder is dood, maar zij was de vrouw die wij van het Handelseiland mee naar huis hebben genomen.'

Sorqaq stak zijn hand uit. Ingrid kwam naar hem toe, knielde voor hem neer en legde zijn hand op haar gezicht. 'Dat kan ik me nog goed herinneren,' zei hij. 'Ze was nog heel jong, maar ze droeg al een kind.' Putu stak haar hand uit. 'Dus jij bent haar tweede kind, Droomster. Dat is toch zo?'

Ingrid aarzelde even voordat ze de hand van Qisuks moeder aannam. Zij was een van de twee vrouwen die dat eerste kindje gesmoord hadden. 'Iyeh. Dat is zo.'

'Halvards zoon Leif woont tegenwoordig in het dorp van Niroqaq. De komende zomer gaat hij met Maki trouwen. Hij is een brave man, als je zijn vreemde uiterlijk even buiten beschouwing laat. Maki kan goed met hem opschieten.'

'Ik wou dat ik je kon zien, Halvard,' zei Sorqaq toen Qisuk uitgesproken was. 'Je zult wel verdriet hebben om je stamgenoten.'

'Inderdaad,' zei Halvard, verbaasd door het medeleven van de oude man. 'Maar ze hoeven niet allemaal dood te zijn. Een aantal van hen is per boot vertrokken naar andere landen. Als de Vrouw van de Zee voor een gunstige wind en een rustige zee heeft gezorgd kunnen ze nog best in leven zijn.'

De oude man knikte. 'Je moet heel bijzonder zijn, Halvard, als de Moeder van Alle Leven je heeft gespaard. En dat geldt ook voor je kinderen.'

Halvard wilde niet dieper ingaan op het lot van zijn landgenoten. 'Daar ben ik haar ook bijzonder dankbaar voor. Ik heb veel over u gehoord, Sorqaq, en ook over u, Putu. Mijn vrouw heeft het vaak over jullie gehad. Ze heeft me verteld dat u haar in uw dorp onderdak heeft gegeven.'

Ingrid zat nog steeds naast Qisuks moeder, die haar hand vasthield. De oude vrouw glimlachte en liet haar vrije hand over Ingrids kastanjebruine haren glijden. 'Wat zie je er vreemd uit,' zei de oude vrouw. 'Nog vreemder dan je moeder toen zij van de Tabakstelers naar ons toe kwam.'

'Morgen gaan we naar het zuiden om handel met hen te drijven,' zei Ingrid. 'Ik vraag me af of er stamgenoten van mijn moeder bij de handelaren zullen zijn.' Maar ze vertelde niet dat ze hoopte dat de Tabakstelers haar niet 'vreemd' zouden vinden.

Hoofdstuk 34

De kinderen hadden de pups al stukjes uitgekauwd zeehondenvlees gevoerd. Boy en de rest van het nest hadden de melk van Hella niet meer nodig. Ze luisterden al naar de fluitsignalen en de handgebaren waarmee Ingrid hen beval te gaan zitten, te komen en te apporteren. Mitsoq zou geen klachten hebben over hun opvoeding.

Toen ze Boy weghaalde bij Hella scheen de teef te weten wat haar vorige vrouwtje van plan was. 'Je zult het wel niet begrijpen,' had Ingrid tegen haar gezegd, 'maar het is voor zijn eigen bestwil dat we hem weghalen.' Hella had even gejankt toen Ingrid haar voor de laatste keer streelde. 'Maar je houdt de anderen nog over.'

De volgeladen, brede boten stonden klaar op het grindstrand. Padloq liep er samen met Ingrid en Maki naartoe en vocht tegen haar tranen. 'Denk erom dat jullie geen rare dingen doen,' zei ze voor de derde keer. 'Luister goed naar Qisuk. Let erop hoe je je gedraagt in het gezelschap van de mensen van het vasteland, anders denken ze nog dat jullie ook handelswaar zijn. Ze mogen niet in jullie wangen knijpen of naar jullie tanden kijken.'

Maki knikte, maar Ingrid was openlijk verbaasd. 'Wat kunnen ze nou aan mijn tanden zien?' vroeg ze ernstig.

'Dan weten ze hoeveel jaar je je nog nuttig kunt maken en hoe lang ze kunnen verwachten dat je op nieuwe huiden kunt kauwen om ze schoon te maken of op de randen van oude laarzen om ze weer soepel te maken. Zelfs de Tabakstelers zullen van hun vrouwen verwachten dat ze zich nuttig maken.'

Ingrid fronste bij dat onaantrekkelijke vooruitzicht. 'Padloq, ik ga heus niet op de oude laarzen van een of andere Tabaksteler kauwen.'

'Natuurlijk niet,' beaamde Padloq volmondig. 'Je blijft ook niet bij de Tabakstelers. Mijn man heeft gezegd dat je bij ons mag blijven. Wij zullen wel een goede man voor je zoeken, iemand tegen wie zelfs Nanoq geen bezwaar kan maken.'

'Als ik terugkom, mag u een man voor me uitzoeken,' bevestigde Ingrid. 'Maar u moet niet vergeten dat Nanoq heeft gezegd dat ik niet terug zal komen.'

Padloq keek om zich heen om er zeker van te zijn dat niemand meeluisterde. 'Hij heeft zich wel vaker vergist,' fluisterde ze. 'Hij is lang niet zo'n goede angakkoq als zijn vader, anders zou hij de komst van zijn broer wel voorspeld hebben. De Vrouw van de Zee zal bepalen wat er gebeurt, maar geen enkele gezonde jonge vrouw zal daar willen wonen. De mannen weten niet eens hoe ze een kajak moeten bedienen. Het enige wat ze in de zee vangen, is zalm. Hun maaltijden moeten wel heel saai zijn.' Ze omhelsde Ingrid en Maki opnieuw. 'Pas goed op. Denk aan alles wat ik jullie verteld heb.'

Padloqs gebabbel maakte het afscheid voor Ingrid gemakkelijker. Ze bleef zich toch afvragen of Nanoq echt in de toekomst kon kijken. Als hij gelijk had, zou ze niet meer terugkomen. Dat betekende ook dat ze haar vader niet weer zou zien. Dat was alleen al reden genoeg om hier te blijven. Bovendien hoefde ze echt niet te verwachten dat de Tabakstelers in de korte tijd dat ze op het eiland zaten zouden aanbieden om haar mee te nemen. Ze hadden geen enkel recht op haar. Ze was niet een van hen, ze hoorde bij een stam die ten zuidwesten van hun woonde. Daartussen lag nog het land van haar moeders vijanden. Als ze weer terug moest naar het dorp van Qisuk, zou ze er het beste van moeten maken.

Maar Ole had gezegd dat hij erachter wilde komen wat er met hun landgenoten was gebeurd. Ze wist dat Halvard het daar niet mee eens was. Misschien kon ze met Ole mee om het huishouden voor hem te doen. Maar dan zou ze toch afscheid moeten nemen van haar vader. Ze schudde haar hoofd en stapte in de umiak.

De meeste mannen waren al aan boord. Padloq omhelsde haar dochter voor de laatste keer en Maki stapte ook in.

Maki's broers, Sammik, Imina en Qalaseq, zaten in een van de andere boten, Halvard en Ole hadden samen met Boy plaatsgenomen in de derde. De Inuit beschouwden hem nog steeds als de eigenaar van de hond.

De umiaks werden het water in geduwd en voeren door de baai naar het punt waar het water van turquoise veranderde in donkerblauw. Voordat ze de oceaan op voeren, keken de meisjes nog één keer om. 'Je moeder staat ons nog na te kijken, samen met je grootouders,' wees Ingrid. 'Ik heb mijn grootouders nooit gekend. De vader van mijn vader stierf toen ik nog maar een baby was. En de vader van mijn moeder vond de dood in de slag waarbij zij ontvoerd werd.'

'En je grootmoeders?'

'De moeder van mijn vader was al dood toen ik geboren werd. Mijn vader heeft mijn moeder haar naam gegeven, Astrid.'

'Maar hoe zit het dan met de moeder van je moeder? Denk je dat zij nog steeds in leven is?'

Daar had Ingrid nog nooit over nagedacht. 'Zij zal ook wel dood zijn. Anders zou ze nu heel oud zijn. En ze waren in oorlog.'

Het laatste bruine heuveltje werd met elke peddelslag kleiner en verdween achter de horizon. De lichte wolkjes hoog aan de hemel vloeiden samen toen ze verder naar het zuiden voeren, tot de hele lucht bedekt was met een grijze deken. De zilte wind wakkerde niet echt aan, maar de golven werden hoger. 'Komt er storm?' vroeg Ingrid aan Maki.

'Ik denk dat het gaat regenen en dat er een beetje wind opsteekt. Geen storm, want dan zou mijn vader veel zorgelijker kijken. Maar we zijn op alles voorbereid. De hele lading is vastgesjord.'

Toen het begon te regenen, probeerde iedereen die niet peddelde of het roer bediende het water op te vangen in kommen. Ingrid dook weg in haar anorak en bond haar capuchon dicht. Ze voelde zich beroerd. Maki klikte vol medeleven met haar tong. 'Het regent niet erg. En het waait net hard genoeg om de zee een beetje woelig te maken. Word je misselijk?'

'Nee, dat niet,' antwoordde Ingrid. Ze wilde niet toegeven dat ze bang was. Ze keek over haar schouder om te zien hoe het haar vader en broer verging. Ole bleef stug doorpeddelen. Halvard tuurde door de regen alsof hij op zoek was naar land, maar dat was niet in zicht. De Inuit leken onaangedaan. Zij hadden kennelijk wel zwaarder weer meegemaakt.

'Jij bent niet voor de oceaan geboren, zoals wij,' zei Maki, die moest schreeuwen om boven het geluid van de golven en de regen uit te komen. 'Wees maar niet bang.' Ze peddelden langs pelikanen en meeuwen die op de schuimende golven zaten te dommelen. 'Kijk!' Ze raakte Ingrids schouder aan om haar aandacht te vestigen op de takken en de twijgjes die langs hen heen dreven. Op een verwarde bos takken met groene uitlopers stond een groep eenden met hun kop onder de vleugel te wachten tot de regen voorbij was. 'Verse takken en landvogels. Het land is niet ver weg, ook al kunnen we het nog niet zien.'

'Ben je wel eens eerder op de oceaan geweest? En dan heb ik het niet over de ijsvlakte die we overgestoken zijn.'

'Nee.' Ze glimlachte. 'Maar dat maakt toch niet uit? De Vrouw van de Zee is onze moeder. Zij houdt ons in haar armen.'

Na een tijdje werd de zee weer glad en de donkere wolken dreven weg naar het oosten, zodat de zon weer aan de hemel verscheen. Het water schitterde zo dat Ingrid haar ogen dicht moest doen.

Toen ze wakker werd, leek er een blauwe rookkolom omhoog te komen uit het water ten zuiden van hen. Maki stootte Ingrid aan. 'Dat moet het Handelseiland zijn. Vader heeft verteld dat degene die daar het eerst aankomt een vuur van drijfhout aansteekt. De Tabakstelers zijn er al.'

Voor hen uit voeren drie umiaks die kennelijk dezelfde bestemming hadden als zij. Qisuk floot op zijn vingers en maakte zijn mannen met een brede armzwaai duidelijk dat ze achter hen aan moesten peddelen. De zes boten voeren om het eiland heen naar het kiezelstrand waar de handelaren van het vasteland al op hen stonden te wachten.

De boten werden op het strand getrokken en nadat ze uitgeladen waren, werden er aan de kant van het water stenen tegenaan gelegd om te voorkomen dat ze weg zouden drijven. 'Vanavond slapen we onder de boot,' zei Maki, terwijl ze zich uitrekte en haar armen en benen wreef om de bloedsomloop weer op gang te brengen. Ingrid had het gevoel dat het land onder haar voeten golfde. Ze moest haar armen gebruiken om haar evenwicht te bewaren.

Halvard kwam naar Ingrid toe. Hij schudde zijn lange benen en sprong op en neer om er weer gevoel in te krijgen. 'Ik verheug me niet bepaald op de terugreis.' Hij hielp Ingrid met haar rugzak. 'Hou die hond bij je, Ole. Ik ruik vissoep. Een warme hap zal ons goed doen.' Hij liep samen met Ingrid en Maki naar een van de kampvuren.

Ingrid zette haar capuchon af en liet haar handen door haar haar glijden. De rode tint trok de aandacht van een van de mannen van het vasteland. De man stootte zijn metgezellen aan en wees naar haar en Maki. De meisjes deden alsof ze niets zagen en liepen naar het kookvuur om iets te eten te halen.

Ze bleven vlak bij Qisuk toen hij de mensen van het vasteland begroette. Hij verklaarde met tekens en een paar woorden dat Maki zijn dochter was en dat de andere jonge vrouw ook onder zijn bescherming stond. Ingrid wenste dat ze iets meer van deze gebarentaal had geleerd. Maar zolang de gebaren niet te ingewikkeld waren, kon ze de betekenis wel raden.

Terwijl de meisjes hun eten opaten, gluurden ze over de rand van de mokken naar de mannen uit het zuiden. Maki bestudeerde ze een voor een. 'Die daar moet een van hun aanvoerders zijn. En dat is een opperhoofd. Hij is al wat ouder, maar nog niet te oud. Die daar is jong, hij maakt de reis nu voor het eerst. Kijk eens hoe stiekem hij naar ons zit te kijken. Hij heeft vast nog nooit een Inuit-vrouw gezien en hij wil weten of we anders zijn dan zijn zusters.'

'Die ene ziet er een beetje anders uit dan de rest,' merkte Ingrid op. 'Ze klitten allemaal bij elkaar, maar hij blijft alleen. Ik vraag me af of hij voor hen een vreemde is, net zoals wij Groenlanders vreemden zijn voor de dorpelingen van je vader.'

'Hij staat naar je vader en je broer te kijken. Nu kijkt hij naar jou. Hij mag zijn mond weleens dichtdoen, hij lijkt zo net een vis.' Dat zag Ingrid net zo goed als Maki en ze voelde zich niet prettig onder de onderzoekende blik van de man van het vasteland. Maki trok Ingrid overeind. 'Kom, we gaan onze mokken in de branding omspoelen, dan lopen we ook niemand voor de voeten bij het handeldrijven.'

De meisjes liepen om de lage tenten van de Tabakstelers heen. Ze waren met touwen vastgezet. Toen ze terugkwamen, had iedereen zijn handelswaar uitgestald. Het geheel deed Ingrid een beetje aan de Althing denken, al waren hier lang niet zoveel mensen. Maki en Ingrid slenterden tussen de dekens met koopwaar door, terwijl ze de kleding van de Tabakstelers tot in de kleinste details bestudeerden. In plaats van capuchons droegen de mannen bontmutsen met lange oorflappen. Ze droegen geen broeken, maar beenstukken en lendedoeken. Dat konden ze zien toen een van hen zich bukte om een paar Inuit-amuletten beter te bekijken. Hun zware hemden hadden franje langs de naden en hun bontparka's waren versierd met patronen van opgenaaide schelpen, veren en verf.

'Blijf maar een beetje uit de buurt van de mannen van het vasteland,' raadde Halvard hen aan. 'Misschien kunnen jullie beter bij de boten wachten.' Ingrid had naar de Tabakstelers staan kijken en niet gezien dat hij naar hen toe kwam lopen.

'Ze hebben het veel te druk met hun handel, vader,' zei ze, omdat ze geen zin had om weg te gaan. 'Ze zullen ons heus geen kwaad doen. Qisuk heeft hen verteld dat Maki zijn dochter is.' Voordat hij kon aandringen, keek ze naar de plek waar ze haar broer het laatst had gezien. 'Heeft Ole Boy al geruild voor een boog?'

'Dat weet ik niet.' Halvard streek over zijn baard. 'Ze zullen het wel niet kunnen nalaten om naar jullie te staren, maar jullie hoeven niet terug te staren. Roep me maar als iemand te opdringerig wordt. Ik blijf in de buurt.' Hij liep naar een deken om de goederen uit het zuiden te bekijken.

Niemand gaf Ingrid een standje als ze de zuiderlingen aankeek. Een paar van hen glimlachten en woven naar de twee jonge vrouwen. 'Ze zijn langer dan mijn volk en ze hebben grotere neuzen,' zei Maki terwijl ze haar neusje even aanraakte.

De Tabakstelers waren ook slanker gebouwd dan de Inuit. Een van de handelaren keek op van zijn bundels tabaksbladeren. Het was de man die volgens Ingrid een vreemde voor de anderen was. Ze zou graag een houtskoolschets van hem hebben willen maken, om zijn onregelmatige trekken niet te vergeten. Zijn haar hing los en hij had er een paar meeuwenveren in gestoken. Het viel tot over zijn schouders. Zijn neus was even recht als de hare en hij had een brede, ernstige mond. 'Wat vind je van hen?' wilde Maki weten.

'Ze lijken me vriendelijk en nieuwsgierig. Ik heb gehoord dat het fatsoenlijke mensen zijn. Mijn moeder heeft een tijdje bij hen gewoond, voordat ze naar het dorp van je grootvader toe kwam. Als ik het wel heb, zijn dit Naskapi.' Ze had vergeten op gedempte toon te praten.

De man met de bundels gedroogde tabaksbladeren stond op en keek de vrouwen aan. 'Eskimo?' vroeg hij terwijl hij eerst naar de Inuit en toen naar Maki wees. Hij keek Ingrid recht in het gezicht, gebaarde naar haar haar, dat golvend over haar schouders hing en vroeg haar iets. Ingrid haalde haar schouders op om hem duidelijk te maken dat ze hem niet had begrepen.

Maki trok een beledigd gezicht. 'Ik ken het woord *Eskimo* niet.

Wij zijn Inuit,' zei ze terwijl ze trots op zichzelf en op de mannen uit het noorden wees. Daarna wees ze naar Ingrid, Halvard en Ole, die de bogen op een andere mat stond te bekijken. 'Zij zijn Qallunaat.'

Qisuk had alles gezien en kwam samen met Sammik en het opperhoofd van de mensen van het vasteland haastig naar Maki en Ingrid toe. Halvard liep achter hem aan. 'Waarom staat die man tegen je te praten?' wilde Qisuk weten. Hij gaf Maki geen kans om antwoord te geven. 'Jullie moeten allebei langzaam achteruitlopen tot hij jullie niet meer kan aanraken, Maki en Droomster. Ik heb jullie gewaarschuwd om niet zo dichtbij te komen.'

Maki gehoorzaamde meteen, maar Ingrid keek haar vader aan. 'Ik wil graag proberen met hem te praten. Misschien heeft hij mijn moeder gekend.'

Halvard beet op zijn lip. 'Hij is veel te jong. Hij moet nog een kind zijn geweest toen ze door zijn land trok. En als hij haar heeft ontmoet, is hij dat allang vergeten. Goed, probeer maar of je jezelf verstaanbaar kunt maken. Ondertussen kijk ik wel naar zijn bundels.' Hij keek de man met opgetrokken wenkbrauwen aan en wees op zijn handelswaar.

De man ging weer op zijn hurken zitten en knipoogde tegen Ingrid. 'Tabak,' zei hij terwijl hij een van de bundeltjes eerbiedig optilde. Hij klopte op zijn borst en wees drie keer naar het zuiden. Daaruit moesten ze kennelijk opmaken dat de tabak uit het verre zuiden veel beter was dan die uit het noorden. Zijn bladeren waren langer en breder dan de andere die aangeboden werden. De vreemdeling snoof aan de tabak, glimlachte en hield het geurende bundeltje onder Halvards neus.

Halvard snoof ook aan de gedroogde bladeren. Een paar Inuit en mannen van het vasteland kwamen naar hen toe drentelen om te kijken wat zich daar afspeelde. Een deel van de tabak uit het zuiden was fijngesneden en samengeperst om in pijpen gerookt te worden, maar er waren ook bladeren die stijf opgerold waren tot stokjes ter dikte van een duim. De handelaar demonstreerde het gebruik daarvan door een van de uiteinden aan te steken met behulp van een takje uit een vuurpot die voor zijn voeten stond. Hij inhaleerde tot het tabaksstokje begon te gloeien, pufte een paar keer en blies toen de rook uit zijn mond. 'Lekker,' zei hij en overhandigde het aangestoken rolletje aan een geïnteresseerde Inuk met een gebaar dat hij hetzelfde moest doen. De man pufte, kuchte en probeerde het nog een keer, voordat hij het doorgaf zodat de anderen het ook konden proberen.

Ondertussen stonden de handelaar en Ingrid elkaar aan te kijken. 'Hoe heet je?' vroeg hij. Ingrid dacht dat ze begreep wat hij bedoelde.

Ze wilde hem eigenlijk vertellen hoe ze werkelijk heette, maar in plaats daarvan zei ze: 'Droomster', de naam die de Inuit haar hadden gegeven. Ze maakte tegelijkertijd het gebaar voor slapen en zien. Kennelijk begreep hij haar niet alleen, maar hij scheen ook onder de indruk te zijn. De naam was eigenlijk een beetje spottend bedoeld geweest: door haar een dagdroomster te noemen hadden ze willen aangeven dat ze tijd verspilde in plaats van ijverig door te werken. Ze besefte dat dromen voor de handelaar iets heel anders betekende.

Hij wees naar Halvard en naar Ole en toen weer naar haar. 'Inuit?' Maki had hem verteld hoe haar volk zichzelf noemde. Het was duidelijk dat Ingrid en haar familie daar niet bij hoorden. Waarschijnlijk vroeg hij haar hoe haar volk heette.

'Geen Inuit.' Ze schudde haar hoofd en hoopte dat hij zou begrijpen dat ze 'nee' zei. 'Wij zijn Groenlanders.' Ze wees een paar keer naar het oosten om aan te geven dat haar land heel ver weg was. 'Ben jij Naskapi?'

De man schudde ontkennend zijn hoofd, net zoals zij had gedaan. 'Niet Naskapi. Ganeogaono,' zei hij en wees een paar keer naar het zuiden. Waar had ze dat woord eerder gehoord? Ingrids hart begon sneller te kloppen. 'Wegsneller,' zei de man, terwijl hij met zijn duim naar zijn borst wees. Hij vertelde haar kennelijk hoe hij heette. 'Wegsneller.' Hij maakte met zijn vingers het gebaar van hardlopen, liet ze een sprongetje maken en toen weer hardlopen. Hij had kennelijk een lange reis gemaakt en in korte tijd een grote afstand afgelegd. Het gesprek ging beter dan Ingrid had verwacht. Maar ze wilde geen al te intieme vragen stellen, anders zou de man haar misschien brutaal vinden.

Ze herhaalde het woord dat volgens haar de naam van zijn stam aanduidde en sprak het langzaam uit om er zeker van te zijn dat ze het goed zei. 'Ganeogaono?' Ze glimlachte flauw en wenste dat ze hem kon vragen dat uit te leggen.

De man klikte met zijn tanden en er verscheen een berekenende blik in zijn ogen. Hij keek naar Halvard en kneep zijn lippen op elkaar, alsof hij wilde zeggen: Hij is je vader, maar wie was je moeder? Toen keek hij haar weer aan. 'Mohawk?'

Ingrids hand vloog naar haar mond en haar ogen werden groot. 'Mohawk!' Dat was het vreselijke woord dat de mannen die haar moeder gevangen hadden genomen voor haar hadden gebruikt, het woord dat ze zo had gehaat. Zei hij dat haar moeder Mohawk was? Wat bedoelde hij daarmee?

Halvard kwam naar hen toe, zijn rechterhand op het heft van zijn stalen mes. Hij wees naar Wegsneller. 'Algonquian?'

Wegsneller stak beledigd zijn beide handen op. 'Nee. Wegsneller geen Algonquian.'

'Mohawk?' vroeg Halvard. Ingrid luisterde naar de vragen van haar vader, terwijl hij erachter probeerde te komen of er gevaar bestond en zo ja, hoe hij daarmee moest afrekenen.

Wegsneller trok zijn donkere wenkbrauwen op en bewoog zijn beide handen alsof hij iets woog. 'Mohawk. Ganeogaono.' Hij probeerde hen kennelijk te vertellen dat het verschillende namen waren voor dezelfde stam.

'Wacht even, vader,' zei Ingrid. Ze herinnerde zich nog een woord uit de taal van haar moeder, haar woord voor deze kant van de oceaan, haar wereld. Ze wees naar het zuiden. 'Schildpadeiland?'

Wegsneller keek even achterom voordat hij zijn blik weer op haar richtte. 'Wie heeft je dat geleerd?' Hij vroeg haar kennelijk iets. De hoofdman van het andere Inuit-dorp kwam naar hen toe, samen met Sammik en Qisuk en het opperhoofd van de Naskapi, die even met Wegsneller stond te praten. Daarna gaf hij aan de hoofdman van het westelijke dorp door wat de zuiderling had gezegd en die vertaalde het voor de anderen.

'Hij is een handelaar uit het diepe zuiden, niet een van die Tabakstelers die zichzelf Naskapi noemen,' zei de hoofdman. 'Hij heet Wegsneller. Hij zegt dat je de verkeerde kleur hebt, Droomster, maar dat je eruitziet als iemand van zijn volk, dat door vrienden Ganeogaono wordt genoemd en Mohawk door de Algonquian. Ik ken die stammen niet,' bekende hij. Hij keek Halvard aan. 'Zeggen die namen jou iets?'

'Mijn vrouw was Ganeogaono. Ze heeft ons verteld dat ze eerst door het land van de Algonquian is getrokken en vervolgens door dat van de Naskapi. Daarna is ze bij de Inuit gaan wonen en ik heb haar uiteindelijk in het land aan de andere kant van de oceaan gevonden.' Hij wees naar het oosten. De hoofdman zette grote ogen op bij zijn verhaal.

'Mijn moeder was een krijgsgevangene van de Algonquian,' voegde Ingrid er in het Inuit aan toe, om dat ook door te laten geven aan het Naskapi-opperhoofd. Wegsneller kon zijn ogen niet van haar afhouden. Hij stond kennelijk na te denken over wat zij probeerde te vertellen.

Ole, die een eindje verder op het strand was geweest, had eindelijk gezien dat er steeds meer mensen om zijn vader en zuster kwamen staan. Hij wilde weten wat er aan de hand was. 'Ik denk dat hij afkomstig is van dezelfde stam als mijn moeder,' legde Ingrid uit. Ole tastte naar het heft van zijn mes dat hij tussen zijn gordel had gestoken.

Wegsneller onderkende het gevaar en stak meteen zijn beide handen op om te laten zien dat hij ongewapend was. Hij zei iets tegen het opperhoofd van de Naskapi, die het vertaalde. 'Hij zegt dat hij niemand kwaad wil doen. Hij is een handelaar, geen krijger. Hij is nieuwdgierig naar de roodharige mensen, vooral naar dit meisje dat hem bekend voorkomt.'

Ingrid knipperde met haar ogen. Haar moeder had haar verteld dat haar stam uit krijgers bestond, met uitzondering van de mannen die met een lichamelijke afwijking geboren werden en dat gold niet voor deze man. Ze sloeg haar armen over elkaar. 'Waarom is hij geen krijger?' vroeg ze. 'Wilt u dat alstublieft aan hem vragen?' De mannen praatten opnieuw met elkaar.

'Hij zegt dat er in het zuiden oorlog is. Hij houdt er niet van om mensen te doden.' Halvard en Ingrid keken elkaar zwijgend aan. Het gesprek tussen de beide mannen ging nog een tijdje door. 'Wegsneller zegt dat Droomster naar het zuiden moet om bij de stam van haar moeder te gaan wonen. Hij biedt aan om haar daarnaartoe te brengen.'

'Wát?' zei Ole. 'Vader, je mag Ingrid geen toestemming geven om met een vreemde mee te gaan. Hij kan best van plan zijn om haar te ruilen voor meer van die stinkende bladeren, die hij dan volgend jaar hier weer kan verhandelen.'

Wegsneller zei opnieuw iets. Het opperhoofd van de Naskapi keek Ingrid aan om zijn vraag aan haar door te geven. 'Ben je gelukkig bij de Eskimo's?'

Waar haalde hij de brutaliteit vandaan om haar dat te vragen? Ze was zelf verrast toen ze onomwonden antwoord gaf. 'Nee.'

'Ga dan met me mee. Het volk van je moeder zal daar blij om zijn. Je hoort bij hen, waar je graankoeken en snoepjes van esdoornsiroop kunt eten.'

'Wat zegt hij?' wilde Halvard weten.

Het opperhoofd van de Naskapi vertaalde de opmerking zo goed mogelijk. 'Hij zei dat je met hem mee moet gaan naar het volk van je moeder en nog iets over eten. Ik ken die woorden niet: *graankoeken en snoepjes van esdoornsiroop*. Volgens mij kun je dat eten.' Hij keek Ingrid aan, die haar hersens pijnigde om zich te herinneren of haar moeder die woorden weleens had gebruikt.

'Ik laat je niet gaan,' zei Halvard ruw. 'Die handelaar bedriegt ons en hij probeert jou te verleiden,' voegde hij eraan toe. 'Waarom wil hij plotseling naar huis, hoewel hij bij de Naskapi woont? Waarom zou hij zijn volk in het zuiden verlaten hebben als hij geen misdaad heeft gepleegd? Wat is hij werkelijk van plan?'

Ingrid kneep zichzelf in haar armen. Het was eigenlijk maar een droom geweest dat ze ooit het volk van haar moeder zou vinden. Al die verhalen van haar moeder over grootmoeders en nichtjes waren alleen bedoeld geweest om haar aandacht tijdens de lange winters af te leiden van de honger en de eenzaamheid.

Wegsneller begon opnieuw te praten en vertaling volgde. 'Hij meent het echt. Hij zegt dat hij er al lang naar verlangt om weer naar huis te gaan. Hij zegt dat ze een verloren stamlid hartelijk zullen ontvangen.'

'Nee,' zei Halvard, terwijl hij van kleur verschoot. 'Ik verbied het.'

'Ik moet erover nadenken,' zei Ingrid zacht, alsof de woorden van haar vader niets te betekenen hadden. Ze liep naar de waterkant. Boy kwam naar haar toe rennen en drukte zich tegen haar benen, piepend om opgetild te worden. 'Dus Ole heeft je nog niet geruild,' mompelde ze. 'Of ben je bij je nieuwe baasje weggelopen?' Ze bukte zich en tilde hem op. Hij vlijde zich tegen haar aan, met zijn kin op haar schouder. Over een paar maanden zou hij zo groot zijn dat ze hem niet meer zou kunnen dragen.

Ingrid ademde de zilte lucht in en keek over de golven naar de horizon. Wilde ze echt weg bij haar vader? Kon ze echt het besluit nemen om haar broers en Maki nooit weer te zien? Als ze nu wegging, zou dat voorgoed zijn. *Voorgoed.* Het woord bleef hardnekkig door haar hoofd spelen en vermengde zich met het geluid van de golven die kabbelend op de kust sloegen. Voordat het winter werd, zou Leif Maki tot vrouw nemen. Samen zouden ze Halvard kleinkinderen geven. Qisuk en Padloq waren ook familie van haar vader en hetzelfde gold voor Imina, de zoon die niet als de zijne werd erkend.

Dus over haar vader hoefde Ingrid zich geen zorgen te maken, maar had Wegsneller de waarheid gesproken? Waarom was hij door vijandig gebied getrokken en zo ver weg gereisd? Wat voor soort man liet weloverwogen zijn volk in de steek om naar verre streken te reizen? Een vredelievend man? Zou hij haar tijdens de reis wel voldoende bescherming kunnen bieden? Of zou hij haar misbruiken en vervolgens in de steek laten? Ze staarde over het water. Vanaf de zon die in het zuiden stond, viel een lichtstraal over het water die een glinsterend gouden spoor achterliet. 'Moeder,' zei ze tegen de wind, 'vertel me wat ik moet doen.'

Achter haar vloog een donkere vogel omhoog. Hij scheerde over de golven en toonde zijn adembenemende vliegkunst toen een van zijn vleugels bijna het water raakte. Ingrid keek hem na toen hij weer omhoogschoot en door de gouden lucht zeilde tot hij zich tussen haar en de zon bevond. Het licht was zo fel dat ze haar ogen dicht moest doen, maar het leek alsof ze het dier gewoon bleef zien. De brede vleugels van de vogel wiekten door de wolken, tot ze besefte dat het een adelaar was, de koning der vogels. Ze zag hem in gedachten, niet met haar ogen. De adelaar stak de oceaan over en vloog verder over bossen en rivieren, meren en bergen.

Hij cirkelde drie keer rond om te gaan landen, strekte toen zijn klauwen uit en greep zich vast aan de hoogste tak van een enorme dennenboom. De wortels van de boom strekten zich uit in vijf richtingen. Ze kon ze onder de aarde zien groeien. Daarna vouwde de adelaar zijn machtige vleugels dicht en slaakte een doordringende kreet. Het schrille gekrijs vermengde zich met dat van de vogels boven haar hoofd. De zon was in de zee verdwenen. Toen Ingrid haar ogen opendeed, begon het al te schemeren. Het water was grauw geworden. Meeuwen, stormvogels en pelikanen zwierden door de lucht en doken in de golven, waaruit ze weer omhoogkwamen met een vis in de snavel.

Ze schudde haar hoofd, knielde neer en waste haar gezicht in het koude water. Ze had het gevoel dat ze had gedroomd, hoewel ze

niet had geslapen. Wat betekende dat moeder? vroeg Ingrid in gedachten. Moet ik mijn vader verlaten en met de vogel meegaan
naar het vasteland? Ze kon het beeld niet van zich afzetten. Wat
zou ze daar aantreffen?

Ingrid liep terug naar haar vader en Ole. Ze had nog meer vragen die beantwoord moesten worden. 'Ole,' zei ze, 'je was van plan
om Boy te ruilen voor een boog. Waarom vind je het nog steeds
goed dat hij bij me blijft?'

Haar broer wendde zijn ogen af. Waarom kon hij Nanoq wel
aankijken en haar niet? Maar toen draaide hij zich weer om en zei:
'Ik bedenk wel een andere manier om aan een boog te komen. Boy
blijft bij jou. Nanoq heeft gezegd dat je toekomst op het vasteland
lag. Ik geloof hem, al wilde ik niet dat ze je zouden dwingen om te
vertrekken. En waar je ook naartoe gaat, ik ga met je mee om je te
beschermen.'

'Om me te beschermen? Wie heeft jou tot mijn beschermer benoemd?'

Ole keek haar recht aan en het leek er even op dat hij haar dat
niet wilde vertellen. Maar toen zei hij met een diepe zucht: 'Onze
grootvader, vlak voordat hij stierf. Dus ik moet wel met je meegaan. Ik hou me aan mijn belofte.' Ze wierp even een blik op Wegsneller, die druk bezig was om zijn tabak te ruilen voor harpoen-
punten en anoraks met een warme bontvoering. Hij scheen hun
gesprek volkomen vergeten te zijn, tot hij leek te voelen dat ze naar
hem keek en even zijn wenkbrauwen optrok.

Ingrid liep naar hem toe. Zijn laatste klanten waren verdwenen
en hij keek haar aan. 'Ga je met me mee naar Schilpadeiland?'
vroeg hij in gebarentaal.

Ze had de vraag verwacht en ze begreep hem ook onmiddellijk.
Maar ze schokschouderde om aan te geven dat ze nog geen besluit
had genomen.

Hij wees op zichzelf. 'Ik ga wel. Jij komen – goed. Jij niet komen
– ook goed.' Hij haalde zijn schouders op om aan te geven dat het
hem niets uitmaakte.

Later lag Ingrid samen met Maki onder hun umiak. Het Inuit-
meisje probeerde haar over te halen om niet met de Tabaksteler
mee te gaan. 'Je weet niets van hem. Misschien bedriegt hij je wel.
Hoe weet je dat hij niet van plan is om je te verkrachten en achter
te laten om door de beren opgegeten te worden?'

Ingrid sloeg haar armen om haar vriendin. 'Misschien heb je wel gelijk. Laat me maar proberen of ik kan slapen, dan kan ik het aan mijn moeder vragen.'

'Aan je moeder vragen?' Maki klikte met haar tong alsof ze wilde zeggen dat Ingrid toch moest weten dat je niet zo gemakkelijk antwoord kon krijgen van een geest, maar ze draaide zich om nadat ze even haar wang tegen die van Ingrid had gedrukt.

Het duurde even voordat Ingrid slaap kon vatten. De zeewind blies met een griezelig geluid door de stenen die naast de umiak opgestapeld waren. Ze smeekte haar moeder om een teken. Wat stond haar in het zuiden te wachten? Wat moest ze de volgende ochtend tegen Wegsneller zeggen, voordat de Inuit terugpeddelden naar hun eiland en de mensen van het vasteland weer naar het zuiden voeren? Moeder was jong en sterk in Ingrids droom, zoals ze was geweest toen Ingrid zeven was en de zwarte schaduwen nog niet over hun leven waren gevallen. Ze kon zich nauwelijks herinneren dat haar moeder zo zinderend en vol leven was geweest, vrolijk en stralend van gezondheid in plaats van mager en ziek.

'Ga met me mee, Ingrid. Er is een plek die ik je wil laten zien.' Ze liepen samen door een zomerse wei langs de oever van een brede rivier. Moeders glanzende, loshangende haar viel tot op haar heupen. Ze droeg een hertenleren tuniek met mouwen. Langs de naden zat franje en de schouders waren versierd met kleurig borduurwerk. Ze nam Ingrid mee naar een beschutte inham aan de rivier. Purperen vruchten groeiden aan de lange takken van lage struikjes. Een hoge boom met brede takken en grote bladeren wierp zijn schaduw aan een kant over het water en aan de andere kant over de open plek. Aan de takken hingen vruchten in groene schalen.

'Moet ik met Wegsneller meegaan naar het zuiden, moeder?' vroeg Ingrid. 'Kan ik hem vertrouwen?'

Moeder keek haar nadenkend aan. 'Ze hebben je nodig in mijn land. Jouw tekeningen zullen de mensen op andere gedachten brengen.'

'Míjn tekeningen?' Ingrid had het gevoel dat het al heel lang geleden was dat ze de tekeningen van haar moeder had gekopieerd. Ze had ook hun tent voor de Althing versierd, maar ze had nooit zo goed kunnen tekenen als haar moeder.

Moeder glimlachte. 'Die van jou zullen anders zijn, maar hun uitwerking niet missen. Laat je vader maar achter. Onze vrienden zullen voor hem zorgen. Wegsneller van een Gevecht zal zijn best doen om je naar huis te brengen. Hij is uit op eerherstel.' Haar ogen werden groot en ernstig. 'Er zal gevaar dreigen voordat je mijn land bereikt, maar niet van de kant van Wegsneller. Blijf op je hoede. Zorg dat je deze plek en deze vruchten herkent als je ze weer ziet. Dit was mijn lievelingsplekje toen ik nog jong was.' De groene tint van de heuvel werd dieper, tot Ingrid koude rillingen van angst kreeg. 'Hier ben ik gevangengenomen.' Ingrid onderdrukte een kreet. Het beeld van haar moeder vervaagde, tot ze alleen nog maar het zonbeschenen strand en het water onder de rand van de umiak zag.

Ingrid ging rechtop zitten en wreef de slaap uit haar ogen. Ze had het gevoel dat haar blaas op springen stond. Nog rillend van het laatste deel van haar droom, liep ze haastig naar de achterkant van hun schuilplaats. Daar vond Maki haar een paar tellen later. 'Wat heb je besloten?' vroeg ze.

'Ik ga naar het zuiden,' zei Ingrid terwijl ze haar anorak recht trok. 'Mijn moeder heeft gezegd dat ik dat moest doen, maar de rest heb ik niet begrepen. Ik ga het nu aan mijn vader en Ole vertellen.'

Ze trof hen aan bij het kampvuur, waar ze zaten te ontbijten. Halvard zag er vermoeid uit, alsof hij slecht had geslapen, maar Ole was de eerste die reageerde. 'Je wilt op zoek gaan naar een plek waarover je hebt gedroomd. Je bent bereid om die vreemdeling te vertrouwen. En als hij nou inderdaad de schooier blijkt te zijn die hij op het eerste gezicht lijkt, een zwervende handelaar?'

Daar keek ze van op. Ze dacht dat haar broer waarschijnlijk alleen op pad wilde om hun verdwenen landgenoten te zoeken. Hij probeerde haar kennelijk op andere gedachten te brengen, maar hij moest ook denken aan de gelofte die hij had afgelegd en aan al die onbekende gevaren.

'Terwijl ik sliep, heb ik mijn moeder gezien zoals ze was toen ik nog klein was. Ze heeft me een plek laten zien waarvan ze in haar jeugd veel heeft gehouden, met hoge bomen. Het is de plek waar ze gevangen is genomen. Ze zei dat ik daar nodig was.' Ze haalde haar schouders op. 'Waarom weet ik niet, vader, maar ze zei ook dat het iets met tekeningen te maken had. Ze zei dat jullie gezamenlijke vrienden jou onderdak zouden bieden.'

Halvard haalde diep adem en er verscheen een boze blik op zijn gezicht. 'Hoe weet je dat die dromen van jou waar zijn?' wilde hij weten. 'Hoe weet je dat ze niet gewoon het gevolg zijn van je eigen verlangen, zodat je minder moeite zult hebben met het besluit dat je toch al had genomen?'

'Moeder zei dat de naam van de handelaar Wegsneller van een Gevecht is. Als dat waar is, wilt u me dan uw zegen geven en me laten gaan?'

'Wegsneller van een Gevecht? Betekent dat soms dat hij een lafaard is? Verwacht je dat hij dat toe zal geven?'

De tijd begon te dringen en ze moest het nog aan Wegsneller vertellen. Ze keek haar broer aan. 'Je hoeft niet mee te gaan. Ik ontsla je van je belofte. Ik wens je veel geluk met je handel, Ole. Zorg dat Boy een goed tehuis krijgt. Ik zal jou en Leif nooit vergeten.'

Ze wilde opstaan, maar Ole hield haar tegen. 'Jij kunt me niet van mijn belofte ontslaan,' zei hij. Hij keek haar strak aan. 'Ik heb grootvader Gunnar vlak voordat hij stierf mijn woord gegeven. En daar houd ik me aan.'

Halvard kneep zijn ogen dicht, maar dat voorkwam niet dat er een dikke traan langs zijn neus biggelde. 'Ik hoop dat mijn vader wist wat hij deed, toen hij jou die taak gaf, Ole. Als de Mohawk erkent dat hij zo heet, raak ik jullie allebei kwijt.'

'Mijn grootvader wist altijd wat hij deed,' antwoordde Ole. 'Ingrid. Probeer erachter te komen hoe hij heet. Als je droom waar blijkt te zijn, zeg dan maar tegen Wegsneller dat hij ons allebei kan vergezellen op die tocht naar Schildpadeiland. Ja, ik weet hoe je moeder haar wereld noemde. Ik kende haar al voordat jij er was.'

Ingrid liep over het strand op zoek naar Wegsneller. Met het geluid van de golven die over het grove zand spoelden op de achtergrond zei Halvard tegen Ole: 'Mijn vader zou nooit van je hebben verwacht dat je haar tot in de uithoeken van de wereld volgde. Wat moet er van jou worden als Ingrid je bescherming niet meer nodig heeft en je alleen achterblijft in een land vol vreemden? Dan zul je je eigen volk nooit terugzien. Wil je dan met een vrouw van Astrids volk trouwen?'

'Dat hebt u ook gedaan.' Halvard deinsde achteruit alsof hij een klap in zijn gezicht kreeg. 'Misschien kom ik er wel achter wat er met onze mensen is gebeurd. Ik ben hier ook niet gelukkig, vader. Ik zit er al maanden over te denken om naar het vasteland te gaan. Als Ingrid kan bewijzen dat die handelaar echt zo heet, staat er meer dan Ingrids geluk en mijn nieuwsgierigheid op het spel. Haar moeder zei dat er een reden was. Laat ons gaan, vader.'

Wegsneller luisterde naar de vertaling van het opperhoofd van de Naskapi toen Ingrid hem vertelde dat zij en Ole van plan waren om met hem mee te gaan. 'Ik heb je broer niet uitgenodigd,' zei Wegsneller geprikkeld. 'Ik heb hem niet nodig.' De Naskapi vertaalde dat en wachtte op Ingrids antwoord.

'Mijn dode moeder heeft me verteld hoe je werkelijk heet.' Ingrid lette goed op zijn reactie, toen ze zijn naam zorgvuldig in de taal van haar moeder uitspraak, precies zoals haar moeder had gezegd. 'Wegsneller van een Gevecht.'

Wegsneller balde zijn vuisten. 'Hoe kon ze dat weten?'

Dat was voldoende. 'Als jij me naar het land van mijn moeder wilt brengen, ga ik samen met jou naar Schildpadeiland. Mijn broer gaat met ons mee om me te beschermen voor het geval er onderweg gevaar dreigt.' Het opperhoofd vertaalde dat.

Ole keek zijn vader aan, die een meter van hen af stond. Halvard had zijn handen voor zijn ogen geslagen en steunde. Zijn schouders schokten toen hij zich omdraaide.

Wegsneller sabbelde op zijn lip en wierp een blik op de boten. Hij zag er niet bepaald verheugd uit, maar terwijl hij zoekend om zich heen keek, zei hij: 'Ik zal tegen onze kapitein zeggen dat er nog twee passagiers voor zijn kano zijn.'

'Drie,' verbeterde Ingrid. 'Mijn hond gaat ook mee.'

Hoofdstuk

Halvard hielp de umiaks weer recht te leggen en de nieuwe goederen vast te binden. Hij weigerde zijn dochter aan te kijken. Qisuk, Sammik, Qalaseq en Imina waren ook druk bezig. Maki zat op een rotsblok in de buurt met haar kin op haar handen toe te kijken. Ingrid probeerde haar vader te dwingen haar aan te kijken, maar het was net alsof hij haar al had vergeten. De tranen zaten haar hoog.

Ze keek om en zag dat Maki naar haar keek. Ze holde naar het meisje toe. 'Jij begrijpt toch wel waarom ik naar het vasteland moet?' Maki wendde zich niet af, maar haar gekwetste toon beschuldigde Ingrid van verraad.

'Nanoq zei dat jij niet met ons terug zou komen naar het dorp. Mijn moeder en ik wilden dat niet geloven. Jullie zijn weliswaar vreemdelingen, maar we houden toch van jullie. Van mijn vader had je mogen blijven, ook al had dat de woede van Nanoq gewekt. Bij ons was je veilig geweest. En nu zullen we je nooit weerzien.'

'In jullie dorp doe ik alles fout. Niet met opzet, maar het is wel waar. Mijn moeder weet hoe ongelukkig ik ben. Ze heeft me een visioen gestuurd en me verteld dat ik moet proberen haar land te vinden. Zou jij de geest van je moeder negeren als die je iets vertelde?'

'Hoeveel macht kan de geest van een moeder hebben? Lang niet zoveel als die van een vader.'

Ingrid kon het haar niet aan haar verstand brengen. Maki geloofde dat de geest van een vader meer gezag had dan die van een moeder. Waarom? Het was dat verschil in opvatting dat Ingrid ertoe had gebracht de kans te grijpen die haar geboden werd. 'In het land van mijn moeder beslissen vrouwen zelf wat ze doen.' Maki krabde onthutst op haar hoofd. 'Mijn vader was eerst een vreemdeling, maar nu is hij een van jullie. Dat geldt ook voor Leif. Maar Ole en ik blijven vreemden.' Ze hoopte dat Maki haar kon vertellen waarom.

'Jij en Ole denken verkeerd, daarom kunnen jullie geen Inuit zijn. Nanoq heeft zijn macht bewezen. Ik vind het jammer dat je mijn zusje niet wordt.'

Ingrid liet haar hoofd hangen toen ze zag hoe verdrietig Maki was. 'Onze moeders voelden zich ook zusters. Maar hoewel je vader en je moeder allebei van haar hielden, hebben ze haar toch weggestuurd naar het land van mijn vader.'

'De Vrouw van de Zee heeft jouw vader en moeder bij elkaar gebracht, zodat je moeder naar het zuiden zou gaan. Ik heb gehoord dat de Vrouw van de Zee je moeder nodig had om haar boodschap door te geven aan de Inuit in het zuiden en hen weer hoop te schenken.' Het drong met een schok tot Ingrid door dat daar enige waarheid in school. 'Alles verloopt volgens een bepaald plan.' Maki was daar kennelijk vast van overtuigd. 'Denk jij dat de Vrouw van de Zee ervoor heeft gezorgd dat jij met die Tabaksteler meegaat? Voel je je ook maar een klein beetje tot hem aangetrokken?'

Ze dwong zichzelf om over Maki's vraag na te denken. De huid van Wegsneller had een diepere kopertint dan die van de Inuit, dezelfde huidkleur als haar moeder had gehad, en zijn lange gladde haren hingen tot over zijn schouders. In zijn donkere ogen stond niets te lezen, behalve toen ze groot waren geworden van verbazing omdat ze zijn hele naam kende. Hij bood haar een kans, anders niet. 'Nee. Als de goden een bedoeling met hem hebben, dan is het dat hij mij en Ole naar het land van mijn moeder kan brengen. Als we daar veilig zijn aangekomen, wordt hij gewoon weer handelaar en zal ik hem nooit weerzien. Ik denk dat hij meer voor ons verborgen houdt dan alleen zijn naam.' Ze wist niet hoe ze het anders moest uitdrukken.

'Waarschijnlijk wel. Ik maak me zorgen bij het idee dat je met die man meegaat. Het is lief van je broer om aan te bieden ook mee te gaan, zodat hij je kan beschermen en bewaken.'

'Ja,' erkende Ingrid. 'Zeg tegen Leif dat het me spijt dat we geen afscheid van hem konden nemen.' Maki knikte. Toen Ingrid probeerde haar te omhelzen, verstijfde ze, dus raakte Ingrid alleen even haar koude hand aan. 'Het spijt me,' fluisterde ze. 'Ik wou dat ik ook een Inuit-ziel had kunnen krijgen.' Maki ontspande meteen, maar ze klikte even met haar tong. 'Je vader is te trots om naar je toe te komen, maar daar zal hij later spijt van krijgen. Jij bent zijn dochter. Ga niet weg zonder hem precies te vertellen wat je op je hart hebt. Gauw, nu het nog kan.' Waarschijnlijk had iedereen Ingrids gedachten kunnen lezen, maar alleen Maki had de moeite genomen. Leif zou een goede vrouw aan haar krijgen.

Ingrid sprong van het rotsblok, trok haar kleren recht en veegde de tranen van haar wangen. Ze liep naar Halvard toe en pakte zijn hand. Toen hij zich probeerde los te trekken, hield ze hem nog steviger vast. 'Papa, alsjeblieft?' Zo had ze hem niet meer genoemd sinds hun vertrek naar de Westelijke Nederzetting. Hij draaide zich zo plotseling om dat ze hem los liet. Ze schrok van zijn roodomrande ogen. Hij keek haar aan alsof hij haar gezicht in zijn hoofd wilde prenten. Ze was de afgelopen winter alweer gegroeid en nu kwam haar kruin tot aan zijn mond. 'Ik moet een plek vinden waar ik niet als een vreemde word beschouwd. Alsjeblieft, papa. Laat me gaan.'

'Je besluit staat immers al vast,' zei hij. Zijn adem stokte. 'Je luistert naar de raad die de geest van je moeder je in je dromen heeft gegeven. Daar kan ik niet tegenop. Ik kan je geen eigen huis aanbieden. Ik ben ook een vreemdeling.'

'Jij niet, papa. Jij hoort hier thuis op een manier die voor mij niet is weggelegd. Jij hebt familie: Qisuk en Padloq, Leif en Maki, Sammik en zijn broers. Ik hoor niet thuis in het land van de Inuit en dat weet iedereen. Nanoq heeft het zelf gezegd.' Ingrids toon was triest maar overtuigend. 'Ik ga op zoek naar het volk van mijn moeder en zal mijn huis ergens in het zuiden vinden.'

'Maar zul je een huis of de dood vinden?' Zijn gezicht vertrok, maar direct daarna trok hij haar hard tegen zich aan en sloeg zijn armen om haar heen. Ze vertelde hem niet dat hij haar pijn deed, want de pijn deed haar goed omdat daaruit bleek hoeveel hij om haar gaf. 'Ik hoop dat Ole zijn leven niet weggooit. Ik moet ook met hem praten.'

'Ja, papa,' zei ze. 'Je moet ook met Ole praten.' Ze liet hem met tegenzin los en probeerde de tranen te verbergen die over haar wangen biggelden.

Halvard liep samen met Ole langs het water, diep in gesprek. Ze leken sprekend op elkaar, een oudere man en zijn jongere evenbeeld. Alleen iemand die hen goed kende, kon zien hoe verschillend ze waren. Halvard was een open boek, terwijl Ole zijn gevoelens zo diep wegstopte, dat het leek alsof hij ze zelf niet meer kon vinden. Ingrid vroeg zich af wat ze tegen elkaar zouden zeggen, maar ze kon hen niet verstaan.

Ze bleven staan. Halvards rug was gebogen. Hij leek in één nacht jaren ouder geworden. Ingrid zag dat haar vader zijn stalen mes met het ivoren heft had getrokken. Hij hield het omhoog in het zonlicht. Maki had zich bij Ingrid gevoegd en pakte haar hand. Ingrid wees naar haar vader en haar broer. 'Wat zijn ze aan het doen?' vroeg ze schor.

'Halvard houdt zijn sterrensteen-mes omhoog, dat hij in het oude land van je moeder heeft gekregen,' antwoordde Maki zonder te aarzelen. 'Dat had zij uit haar land meegebracht. Mijn vader heeft het bijpassende mes. Jaren geleden werden ze hartsbroeders door elkaar hun messen te geven. Je hoort wel dat ik alle oude verhalen ken.'

'Wat doet mijn vader met zijn mes?'

'Hij toont het aan de zon,' zei Maki. 'Hij spreekt tegen de hemel. Ik denk dat hij jullie goden verzoekt om een gelofte te bezegelen.'

Halvard liet het mes zakken, kuste het lemmet en gaf het aan Ole. Plotseling begreep Ingrid wat zich net voor haar ogen had afgespeeld. Door Ole het mes te geven dat het huwelijk met haar moeder had bezegeld, gaf hij hun een stukje van zichzelf mee. En wat er daarna gebeurde, sloeg haar helemaal met stomheid. Halvard en Ole stapten naar elkaar toe en omhelsden elkaar innig. Daarna liepen ze arm in arm terug naar de boten.

'Maki!' riep Ingrid uit. 'Wat ben ik daar blij om!' Voordat Maki op die uitroep kon reageren, voegde ze eraan toe: 'De handelaren stappen al in hun kano's. Ik moet me haasten, want ik moet nog afscheid nemen van je familie en hen bedanken voor alles wat ze voor me hebben gedaan.'

Ze omhelsde iedereen en Sammik deed geen moeite om zijn tranen te verbergen. 'Je hebt een lange weg voor de boeg. Ik zal de Vrouw van de Zee in mijn gebeden smeken om op je te passen.'

De laatste van wie ze afscheid nam, was Qisuk. 'Wilt u alstublieft tegen Padloq zeggen dat het me spijt? Ik zal haar nooit vergeten. Maar ze zal het wel begrijpen.'

'Misschien wel.' Qisuk kneep zijn ogen samen. 'Moge de Vrouw van de Zee je behoeden en ervoor zorgen dat je niets overkomt terwijl je over haar rijk reist,' zei hij vroom. Hij stak twee vingers in zijn mond en floot schel om zijn mannen te waarschuwen. 'We vertrekken.' Ingrid besefte dat ze waarschijnlijk al weg waren geweest, als hij niet had gewacht tot ze met Halvard had gesproken. De kano's konden elk moment vertrekken. Halvard bracht Ole en Ingrid naar hun boot, omhelsde Ole en bukte zich toen om een kus op haar voorhoofd te drukken. Ze sloeg haar armen om hem heen. 'Veel geluk op het vasteland. Pas goed op jezelf, allebei.'

'Ik zal mijn best doen,' zei Ole terwijl hij op het heft van zijn nieuwe mes klopte. 'Ik wens u veel geluk in het noorden.'

Wegsneller, die vlakbij stond, draaide zich om en wachtte tot de oude man zou vertrekken. Hij leek niet in het minst aangedaan door het roerende tafereeltje. Voordat Halvard wegliep, riep hij hem toe: 'Mohawk!' Wegsneller keek geschrokken op. 'Als je mijn dochter bedriegt, zal mijn geest je kelen.' Hij sprak in het Noors en zijn woorden waren eigenlijk voor Ole en Ingrid bestemd, maar ze hoefden niet vertaald te worden. Wegsneller raakte zijn borst aan en balde zijn vuist, de beste manier om een belofte af te leggen bij gebrek aan een taal die ze allebei verstonden.

Nadat het opperhoofd van de Naskapi op rituele wijze afscheid had genomen van de beide Inuit-dorpshoofden, gaf de kapitein van hun kano eindelijk het bevel om te vertrekken. De kano's voeren de baai in en Boy, die tussen Ingrids knieën zat, begon zacht te janken toen het tot hem doordrong dat ze weer op het water zaten.

Ingrid keek achterom naar de brede umiaks die terugpeddelden naar hun dorpen. Maki zat met haar gezicht naar achteren om de kano's na te kijken tot ze uit het zicht waren. Het laatste wat Ingrid van de umiaks en hun inzittenden zag, was het doffe rood van haar vaders haar dat los in de wind wapperde. Ze stootte Ole aan en wees. 'Ze zijn weg.'

Zijn gezicht stond grimmig. 'Ja,' zei hij in het Noors. 'Vanaf nu kunnen we beter vooruitkijken.'

Ze brachten de nacht door op een eilandje dat kleiner was dan het eerste. Ze vroeg zich af wanneer ze de eerste bomen zouden zien. In de schemering keek Ingrid toe hoe een stel wolven in de verte een grijsbruine sneeuwhaas ving. De Naskapi legden een vuur van drijfhout aan, kookten vis bij wijze van avondeten en zetten hun lage tenten op. Voordat ze gingen slapen, begon Wegsneller het eerste deel van zijn belofte in te lossen. Hij leerde hen de woorden voor het vuur, het vlees en het strand.

Ingrid besefte ineens hoe afhankelijk ze van hun gids zouden zijn tot ze zijn taal spraken. 'Als de Naskapi hem aardig vinden, kan hij toch niet zo slecht zijn,' fluisterde ze in het Noors tegen haar broer.

'Schooiers zijn geboren bedriegers,' antwoordde Ole. 'Maar we hebben hem nodig. We moeten de taal van je moeder leren spreken en leren hoe we in een bos moeten jagen om te overleven. Hij kan ons de weg wijzen naar het land van je moeder, maar hij zal er niet voor kunnen zorgen dat je door de mensen daar geaccepteerd wordt. Als ze hem gedwongen hebben om te vertrekken, zal hij bij hen geen enkele status hebben.' Ole zei hardop waar zij niet over na had willen denken. De kans bestond dat ze niet toegelaten zouden worden. Ze kon er niets tegenin brengen, want ze deelde Oles twijfel.

Laat in de middag werden de tenten opgezet op een landtong. 'Hier woont niemand. Morgen Naskapi-dorp,' vertelde Wegsneller.

Hun kamp werd aan drie kanten omringd door water, maar het binnenland was begroeid en groen. 'Alle goden, wat staan hier hoge bomen,' zei Ingrid.

Wegsneller keek haar aan. 'Je zei *bomen* in het Ganeogaono. Wie heeft je dat woord geleerd?'

'Mijn moeder, lang geleden,' zei Ingrid, blij dat het woord haar te binnen was geschoten. Haar moeder moest het uitgesproken hebben op de manier van haar volk. Het leed geen twijfel dat de handelaar en haar moeder bij dezelfde stam geboren waren. En daarom zou Wegsneller ook heel anders over vrouwen denken dan de Naskapi of de Inuit. Misschien zou hij haar er ook bij betrekken als er overleg gepleegd moest worden. Hij had in ieder geval weinig reden om alleen met Ole te praten.

Boy, die blij was dat hij niet meer in de kano hoefde te zitten, blafte tegen de vogels en joeg ze weg. Toen de kapitein iets tegen haar zei, wijzend op de hond, begreep Ingrid meteen wat hij bedoelde. Ze gaf Boy een stevige tik op zijn neus en beval hem op scherpe toon dat hij stil moest zijn. De hond begreep snel wat ze bedoelde, maar hij bleef happen naar alle vogels die in de buurt kwamen. Gelukkig kon hij vrijuit rondrennen op het schiereiland.

Ingrid vroeg zich af hoe ze een halsband voor hem kon maken en een lijn om hem vast te houden. Ze had niet meer meegenomen dan ze kon dragen, in de hoop dat ze door middel van ruilhandel alles zou kunnen krijgen wat ze nodig had voor de reis. Toen ze hen in gebarentaal duidelijk maakte wat ze zocht, gaf een van de mannen haar onmiddellijk de spullen die ze nodig had.

Ze probeerde haar excuses aan te bieden voor het enthousiaste gedrag van de jonge hond, maar de mannen woven haar woorden weg en haalden hem aan. Boy reageerde op ieder woord en scheen de taal van de Naskapi sneller op te pikken dan zij en Ole.

'Hij leert snel,' bracht Ole haar in herinnering. 'Hij wordt al behoorlijk groot en hij is een geboren jager. We zullen veel plezier van hem hebben.'

'Ja,' beaamde Ingrid. Mitsoq zou Boy gedood hebben omdat hij niet aan de eisen voor een sledehond voldeed. Het feit dat ze zich tegen die gewoonte had verzet, was de directe aanleiding geweest voor haar vertrek uit het dorp van Niroqaq, maar ze had zich al lang daarvoor niet prettig gevoeld. Ze had geweten dat ze ondanks de risico's de eerste de beste kans om te vertrekken zou aangrijpen. Wat ze ook van Wegsneller mocht denken, de man had haar die kans geboden. Ze besloot dat ze aardig voor hem moest zijn en hem moest vertrouwen tot zou blijken dat hij dat niet waard was.

's Avonds glipten een paar Naskapi weg, gewapend met harpoenen en netten. Ze kwamen terug met een stel jonge zeehonden, genoeg om het hele kamp van voedsel te voorzien. De jagers trokken zich terug in hun tenten om nog een paar uurtjes te rusten, terwijl de anderen hun buit zouden koken. Ingrid greep de gelegenheid aan om haar reis te verdienen en de Naskapi te bedanken omdat ze hun meegenomen hadden. Ze ging aan het werk met haar ulu en vilde de dieren netjes. Van de dikke, waterdichte huiden konden warme dekens gemaakt worden. Nadat het hart en de longen teruggegooid waren om de zeehonden te bedanken voor hun offer, stapelde ze het vlees in plakjes op om gekookt te worden. Daar zorgden de mannen voor, zodat Ingrid de tijd kreeg om de binnenkant van de huiden schoon te wrijven met zand en de laatste restjes bloed en vet weg te spoelen. Nadat ze de huiden had uitgewrongen en binnenstebuiten op stenen had gelegd om te drogen, bewaarde ze de blazen en de magen om als voorraad- en waterzakken te dienen.

Het duurde niet lang voordat de Naskapi ontzag kregen voor de vaardige manier waarop Ingrid gebruikmaakte van het ronde lemmet van haar ivoren Inuit-mes. Wegsneller wreef nadenkend over zijn kin toen de jagers haar toestonden om de huiden te houden. 'Hij zit na te denken waar hij de huiden voor kan ruilen en hoe hij van jou diensten gebruik kan maken om andere dingen te krijgen,' merkte Ole in het Noors op.

'Hij zal wel merken dat ik net zo goed kan handelen,' zei Ingrid in dezelfde taal. 'We moeten goed opletten en zoveel mogelijk Naskapi-woorden leren. Dat zal ons helpen om door het gebied van de Algonquian te komen, zodat we niet helemaal aan Wegsneller zijn overgeleverd.'

Ole trok zijn wenkbrauwen op. 'Wegsneller weet dat we het over hem hebben. Hij is er al achter hoe zijn naam in onze taal klinkt. In ieder geval weet hij niet wat we zeggen. Hij kijkt nu al boos.' Hij krabde aan zijn neus en plukte er een dikke mug vol bloed af. 'Hij houdt niet van geheimen, tenzij het de zijne zijn.' Ingrid keek hem aan en bedacht dat er bepaalde overeenkomsten waren tussen de handelaar en haar broer.

De volgende ochtend vertelde Wegsneller hen dat ze hun warme Inuit-kleren in het dorp van de Naskapi moesten ruilen voor andere kleren, omdat ze daar in de zomer niets aan zouden hebben. Ze moesten bovendien zo min mogelijk bagage meenemen, zodat ze in de maanden zonder sneeuw een zo groot mogelijke afstand konden afleggen. Ingrid hoopte dat ze haar kamiks zou kunnen ruilen voor het lichte schoeisel dat de plaatselijke bevolking droeg. Terwijl ze daar over zat na te denken, wees Wegsneller op Oles baard en zei dat die eraf moest. Ole protesteerde.

'Sufferd,' zei Wegsneller minachtend. 'In gevecht, krijger pakt, rukt.' Hij deed net alsof hij een keel doorsneed. 'Geen Ole meer.'

Ole fluisterde in het Noors tegen zijn zusje: 'Moet ik mijn haar ook zwart verven en mijn gezicht donker maken? Niemand zal ons voor inboorlingen houden.' Hij betastte zijn baard en keek naar Wegsneller die zich niet had verroerd. 'Maar hij heeft wel gelijk.'

Voordat ze opnieuw in hun kano's stapten, knipte Ole zijn baard af met de geoliede, ijzeren schapenschaar die hij aan een leren band onder zijn hemd droeg. Ingrid wist niet eens dat hij die nog steeds had. Daarna pakte hij een stuk zachte leisteen ter grootte van een hand van het strand en spoelde het schoon in de zee. Hij sleep zijn stalen mes tot het scherp genoeg was om zich te kunnen scheren en nadat hij zijn wangen en kin had ingesmeerd met gestold vet ging hij aan de slag, zonder zich iets aan te trekken van de nieuwsgierige blikken van de Naskapi. Toen hij klaar was, spoelde hij eerst zijn mes af en pas toen dat weer veilig in de schede zat, waste hij zijn blote gezicht met zeewater. Hij trok een grimas toen het zoute water in de wondjes beet die hij had veroorzaakt. Ingrid staarde hem met grote ogen aan. Haar broer zag er weer uit als een baardeloze jongeling.

Wegsneller knikte tevreden. 'Veel beter,' zei hij.

Toen ze in het dorp aankwamen, waren de feestelijkheden al in volle gang. Wachtposten langs de kust hadden hen aan zien komen. Kariboes werden boven lage vuurtjes geroosterd en in grote lemen potten sudderde een visschotel om de handelaren welkom thuis te heten. Een sjamaan zwaaide met een pijp vol brandende tabak en tekende met de rook patronen in de lucht om hun Manitou te danken voor het feit dat ze weer veilig thuis waren. Ze begrepen meteen de betekenis van dit ritueel en dankten op hun beurt de Vrouw van de Zee voor de veilige overtocht. Ole bedankte Thor omdat hij zijn donderwolken in toom had gehouden.

Ingrid en Ole bleven vlak bij hun gids. Voor zover Ingrid begreep, vertelde Wegsneller iedereen precies wat ze waren: bezoekers uit het noorden, vrienden van de Eskimo's, die eigenlijk uit een heel ander land kwamen, ver weg in het oosten. Ingrid was blij dat niemand hen vroeg waarom ze bij hun eigen volk waren weggegaan.

Wegsneller vertelde hen dat de ronde, met dierenhuiden bedekte hutten 'wigwams' heetten. Hij wees hen erop dat wigwams heel anders waren dan de langehuizen waar zijn volk in woonde. 'Langehuizen,' herhaalde ze. 'Dat woord heb ik ook weleens van mijn moeder gehoord.'

De vrouwen waren verrukt van Ingrids roodbruine vlechten en tilden ze op om ze te bestuderen. Ingrid besloot om daar haar voordeel me te doen. 'Mag ik je schaar even lenen?' vroeg ze aan Ole. Als voorbereiding op hun reis knipte ze resoluut haar haar af ter hoogte van haar wangen, zodat ze niet door een vijand bij haar vlechten kon worden gepakt. Ze bond de losse vlechten af met leren bandjes en ruilde ze met een van de vrouwen voor een paar mocassins en voedsel voor onderweg.

'Pemmican' heette dat volgens Wegsneller. Het bestond uit hertenvlees en vet dat in schoongemaakte darmen was gestopt en aan een dwarsbalk in een wigwam boven geurende bladeren eerst was gerookt en vervolgens gedroogd. Als ze genoeg tijd hadden, kon er een voedzame soep van gemaakt worden, maar het kon ook zo gegeten worden.

Tijdens hun tweede dag in het dorp slaagde Ole erin om zijn schaar te ruilen voor een nieuwe en soepele boog, die in het midden omwikkeld was met leer zodat hij mooi rond stond. Hij kreeg er ook nog twee goede, extra pezen bij die hij zorgvuldig in zijn rugzak opborg. De Naskapi waren zo onder de indruk van de schaar dat ze er bovendien nog een pijlkoker met twintig goede, van ganzenveren voorziene pijlen bij deden. Ole oefende met zijn boog door pijlen af te schieten op bomen die hij de helft van de keren raakte.

'Maar nu ben je je schaar kwijt,' zei Ingrid, die dat verlies maar moeilijk kon verwerken. Hoewel ze niet verwachtte ooit nog een schaap onder ogen te krijgen, was het een aandenken aan thuis. 'Ik zal meer aan mijn boog hebben dan aan die schaar als de pemmican op is,' zei hij met een klopje op zijn draagband. 'Ik kon het niet verdragen om de schaar thuis of in het noorden achter te laten, maar ik had nooit verwacht dat ik hem hiervoor zou gebruiken.' Hij wreef over zijn blote kin en trok een gezicht. Hij schudde zijn hoofd. 'Maar het zou heel onverstandig zijn om de mensen hier op het vasteland aan het schrikken te maken. De Inuit wisten in ieder geval van ons bestaan. Vergeet niet hoe bang je eigen moeder was toen ze vader voor het eerst zag. Het ziet ernaar uit dat ik mijn gezicht bloot moet houden en moet proberen om door te gaan voor een Vinlandse Skraeling.'

'Als je dat zo erg vindt, kun je nog altijd teruggaan,' merkte Ingrid op, hoewel ze niet zeker wist of ze zijn aanbod om haar te beschermen en haar laatste band met thuis wel kwijt wilde raken. 'Niemand zal je tegenhouden. De Naskapi blijven ieder jaar nadat het ijs gesmolten is handel drijven met de Inuit.' Ze vroeg zich af wat zijn antwoord zou zijn. Ze was bang dat hij het haar kwalijk nam dat hij dit offer had moeten brengen. Hij had de kans om zijn eigen leven te leiden opgegeven om haar veilig naar het land van haar moeder te brengen. 'Je hebt genoeg gedaan. Dat weet grootvader ook,' voegde ze eraan toe.

'Ik heb die belofte niet aan jou gedaan, dus jij kunt me er ook niet van ontslaan,' antwoordde hij. 'Ik heb je al eerder gezegd dat ik je net zolang zal beschermen als dat nodig is. Voorzover ik daartoe in staat ben.' Hij ging er niet verder op in, maar Ingrid was toch opgelucht.

Ze ruilde haar kamiks voor een leren jurk en beenstukken, plus een jasje met mouwen. Voor haar ivoren ulu kreeg ze een vuurstenen mes met een houten heft en een stenen schraper met inkepingen voor haar vingers.

Iemand bood haar in ruil voor haar anorak een houder met leren schouderriemen voor haar rugzak aan, gemaakt van rechte, van schors ontdane takken. De warme, dikke anorak zou haar tijdens de zomer alleen maar tot last zijn. Als het winter werd kon ze weer iets ruilen of zelf een geschikt kledingstuk maken. Wegsneller had gezegd dat zijn land ver weg lag. Ze zouden heel voorzichtig moeten zijn, wat inhield dat ze in de buurt van vijandige steden en kampen 's nachts zouden moeten reizen. Het zou best kunnen dat ze de komende winter nog steeds onderweg zouden zijn.

Een man bood Ole een tweede paar mocassinlaarzen aan voor zijn stalen mes, maar Ole schudde zijn hoofd. Hij raakte met de platte kant van het lemmet de plek van zijn hart aan om duidelijk te maken dat hij er geen afstand van wilde doen.

Als afscheidsgeschenk gaf de vrouw van het opperhoofd Ingrid een stuk vuursteen en een grijze steen met ijzererts waarmee ze vuur kon maken. Zoals hij al had voorspeld, vond de Naskapivrouw het jammer dat haar gasten alweer zo snel zouden vertrekken.

Voordat de zon onderging, zei Wegsneller tegen hen dat ze bij het krieken van de dag op moesten staan. Hij tekende een kaart voor hen in het zand waarop te zien was dat het land in het zuiden ver naar het oosten boog. 'Wij gaan zo,' zei hij en trok de weg die ze zouden volgen met een twijgje. 'Vijf dagen lopen,' zei hij. 'Bos. Kleine rivier.' Hij voegde nog een paar lijnen en bomen aan zijn kaart toe. 'Na kleine rivier, gebied van Algonquian.'

DEEL IV

De reis naar huis

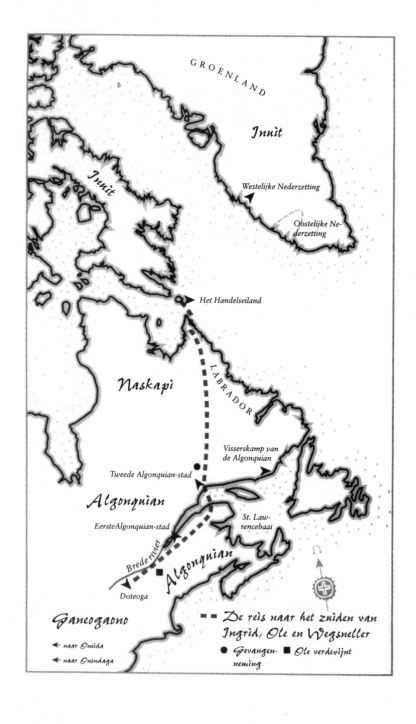

GROENLAND

Inuit

Inuit

Westelijke Nederzetting

Oostelijke Ne-
derzetting

Het Handelseiland

LABRADOR

Naskapi

Visserskamp van
de Algonquian

Tweede Algonquian-stad

Algonquian

EersteAlgonquian-stad

St. Law-
rencebaai

Brede rivier

Algonquian

Doteoga

Ganeogaono

De reis naar het zuiden van
Ingrid, Ole en Wegsneller

● Gevangen-
neming

■ Ole verdwijnt

← naar Oneida

← naar Onondaga

In Groenland groeiden ook bomen, kleine, iele berken en wilgen, maar die waren niet te vergelijken met deze hoge lariksen, dennen en zilversparren die met hun spitse toppen de hemel leken te raken. Toen ze de open plek achter zich hadden gelaten, liep Ingrid omhoog te kijken tot ze pijn in haar nek kreeg in een poging het bos en de levende wezens die het vormden te begrijpen. Ze bleef onder een slanke lariks staan en liet haar vingers over de ruwe schors glijden. Er zaten druppeltjes gele hars op. 'Hoe heet die?' vroeg ze.

'Boom. Maar dat weet je al.' Wegsneller had haar vraag niet begrepen. Ze wilde weten hoe deze bomen heette. Er stonden allerlei soorten door elkaar, sommige met brede, gevlekte bladeren. Andere leken meer op deze, met bosjes lange naalden aan de uiteinden van de korte takken.

Ze legde uit wat ze bedoelde. 'De naam. Ik ben een vrouw en ik heet Droomster. Dit is een boom en die heet...' Ze wachtte tot hij de naam zou invullen.

'Lariks,' zei hij toen hij begreep wat ze bedoelde. 'Goede vezels om kano's te maken.' Dat was de aanleiding om nog meer woorden te leren. Langzaam maar zeker konden Ingrid en Ole zich steeds beter verstaanbaar maken, maar ze beperkten zich tot een stuk of tien nieuwe woorden per dag. De reis zou lang genoeg duren.

Ingrid herkende kruizemunt en vertelde hoe dat in haar taal heette. Hij leerde haar zijn woord. 'Kruizemunt,' herhaalde ze, terwijl ze het blad proefde. In de schaduw van een hoge es was de vochtige bodem begroeid met een groot aantal plantjes met glanzende blaadjes, drie aan een tak. Ze vroeg zich af hoe die zouden ruiken en of je er thee van kon zetten. Ze stak haar hand uit om er een paar te plukken.

Wegsneller greep haar vast en duwde haar ruw weg. Ole trok meteen zijn mes. 'Ik neem haar in bescherming, stommeling,' zei Wegsneller tegen hem, maar Ole verstond hem niet. Wegsneller begon geërgerd te gebaren. Het leek er even op dat er een probleem zou ontstaan, maar Ingrid besefte al snel dat Wegsneller had willen voorkomen dat ze de plant aanraakte. 'Heel slecht. Azijnstruik. Niet vergeten.' Wegsneller deed net alsof hij zich krabde, trok een pijnlijk gezicht en wees op zijn hoofd om te benadrukken dat ze dat niet mochten vergeten.

Boy huppelde naast hen op lange, halfvolgroeide poten en deed zoals alle dominante honden zijn best om bij elke grote boom een geurvlag achter te laten. Hij kon prima opschieten met Ole en Wegsneller, maar hij beschouwde Ingrid duidelijk als zijn vrouwtje en sliep iedere nacht naast haar. Toen ze een paar dagen onderweg waren, besloot Wegsneller dat hij best een lichte zadeltas op zijn rug kon dragen en wat sprokkelhout voor hun kampvuren. Omdat Wegsneller een marmot en een slang had gevangen hadden ze die dag meer dan genoeg te eten, maar Boy bedelde toch om meer. Wegsneller en Ole zouden snel weer op jacht moeten. Maar Boy sloop 's nachts weg uit het kamp en toen hij bij het krieken van de dag terugkwam, zag Ingrid bloedsporen en wat verdwaalde veertjes op zijn snuit. Als hij voor zijn eigen voedsel kon zorgen, zou dat hen tijd en werk schelen.

Verderop kwamen ze bij een dorp dat Wegsneller kende. De dorpelingen gaven hun te eten en ze mochten zelfs in de wigwam van het opperhoofd slapen. Ingrid luisterde goed en probeerde een paar van de meest gebruikte woorden van hun gastheren op te pikken. Wegsneller had kennelijk tijdens zijn handelsreizen heel wat kennissen gemaakt.

De zalm die ze te eten kregen, was doortrokken met de geur van notenhout. De Naskapi waren goede vissers, maar Padloq had geen gelijk gehad: vis was niet het enige wat ze aten. Hun eten smaakte beter dan slangen en marmotten, maar de reizigers moesten al snel weer verder.

Als ze niet in dorpen overnachtten, bouwden ze schuilhutten van dennentakken. Terwijl de maanden voorbijgingen, werd Boy steeds groter. Hij bedelde inmiddels zelden om voedsel, al pakte hij het vlees dat Ingrid hem aanbood wel aan. Ze verzamelden ook bessen om hun voedsel wat gevarieerder te maken. Inmiddels hadden Ingrid en Ole al veel wortels en bladeren leren kennen die eetbaar waren en op een dag vonden ze een klimplant die zich om een jonge beuk had geslingerd. De takken zaten vol met de malse, paarse druiven die in de oude verhalen over Vinland werden beschreven. Ole bleef staan en wees ernaar. 'Daar hebben onze voorouders dit land naar vernoemd,' zei hij zacht tegen Ingrid.

'Denk je dat dit Vinland is en dat Leif de Gelukkige hier zijn huis heeft gebouwd?' vroeg Ingrid in het Noors.

'Nee,' zei Ole kortaf. 'We zitten al te ver naar het zuiden.'

Ingrid vroeg zich af hoe hij dat kon weten. 'Zouden de Groenlanders ook zover zijn gekomen?' vroeg ze zich hardop af. Voordat Ole iets kon zeggen, zei ze: 'Rolf was een goede leider. Het is best mogelijk dat we hier Groenlanders aantreffen. Als dat zo is, blijf jij dan bij hen?' Ze keek om zich heen alsof ze verwachtte dat er ieder moment een blonde man met een baard tussen de bomen op zou duiken.

'Ik heb gezegd dat ik ervoor zou zorgen dat je veilig in het land van je moeder zou aankomen,' zei hij bestraffend en ze werd rood.

'Daarna, bedoel ik.'

'De Vrouw van de Zee heeft de Groenlanders met stormen bestookt. Als ze al voet aan de wal hebben gezet, verwacht ik niet dat we hen in dit uitgestrekte land zullen vinden.' Ole wierp haar zijn gebruikelijke sombere blik toe. 'Hou toch eens op met dromen, Droomster,' zei hij tegen haar. 'Rolf, Sira Mars en de anderen zijn al lang geleden door de vissen opgegeten.' Af en toe bekroop Ingrid de wens dat haar halfbroer bij de Inuit was gebleven. Dit was zo'n moment.

Ze kwamen weer bij de kust en liepen een vissersdorpje binnen. Ingrid wist dat ze naar het zuiden waren gelopen, dus het land moest eerst naar het oosten buigen en daarna weer naar het westen. Een groep mannen met een vloot uit holle boomstammen gemaakte kano's was net teruggekomen. Ze laadden hun volle netten uit. 'Dat moeten Algonquian zijn,' zei Wegsneller tegen hen.

Ingrid deinsde achteruit. 'Waarom stoppen we hier dan?'

'Ze weten niets van ons volk af. Ze kennen alleen de gebruikelijke verhalen en die zijn niet in ons voordeel. Zeg maar niets. Ik zal hen vertellen dat ik een Abenaki ben om mijn accent te verklaren. En ik zeg wel dat jullie mijn bedienden zijn.'

Ole had zich weer geschoren en zijn haar ingesmeerd met een aftreksel van walnoten, waardoor het donkerder leek. Ingrid hield Boy aan zijn halsband vast en vertelde hem dat hij zich rustig moest houden. Ze liepen het dorp in en werden begroet door krijgers die wilden weten tot welke stam ze behoorden en waar ze naartoe gingen. Wegsneller legde uit dat hij een reizende Abenaki-handelaar was. Hij liet ze verschillende vossenhuiden en –staarten zien en demonstreerde een benen fluitje. Boy begon meteen te janken en de vrouwen schoten in de lach, waardoor hun argwanende houding verdween. De mannen lieten hun wapens los. 'Jullie mogen dat fluitje hebben voor een nacht onderdak en iets te eten. We moeten morgen alweer verder.'

De volgende ochtend ruilde Wegsneller een paar met snijwerk versierde pijpenkoppen voor een overtocht over de monding van de rivier. Voordat ze vertrokken, bood een vrouw hen allemaal een kom pap van moeraszaden met stukjes zalm aan. Terwijl ze zaten te eten fluisterde ze iets tegen haar man. Hij wees naar Ole en vervolgens naar Boy.

Wegsneller wreef over zijn kin en liep naar Ole. 'Die man zegt dat zijn vrouw de hond graag wil hebben om de slee met hun eigendommen te trekken als het dorp weer verhuist. In ruil voor hem kun je een heleboel pemmican en sneeuwschoenen krijgen.'

Ole wees naar zijn zuster en fluisterde: 'Boy is van haar.'

Het was de eerste keer dat Ole dat had toegegeven. 'Boy is niet te koop,' fluisterde Ingrid tegen Wegsneller. 'Ik zal zelf wel sneeuwschoenen voor ons maken.' Ze had daar in de wigwams meer dan genoeg voorbeelden van gezien. Wegsneller vertelde het echtpaar dat ze de hond niet wilden ruilen.

De visserskano was niet zo groot als de kano's waarmee ze de zee waren overgestoken. Ze moesten vlak achter elkaar zitten, met de benen tegen de rug van de persoon voor hen. Ole ging achter Ingrid zitten, achter hem zat de eigenaar van de kano en Wegsneller zat achterin. Boy zat ineengedoken in de boeg en verroerde zich niet. Hij bleef janken tot ze aan de overkant waren.

'Wij hebben veel betere kano's,' zei Wegsneller met een minachtende blik op de terugpeddelende Algonquian.

Daarna werd Wegsneller met de dag prikkelbaarder. Hij waarschuwde hen dat ze alleen op gedempte toon met elkaar mochten praten, omdat het gevaarlijk was als iemand hen hier de taal van de langehuisstammen hoorde spreken, het Haudenosaunee dat ze inmiddels helemaal onder de knie hadden. Hij liep zo snel dat ze hem nauwelijks konden bijhouden. Toen ze bij een beekje stopten om te drinken, kreeg Ingrid de kans om even alleen met haar broer te praten. 'Hij wil zo snel mogelijk dit land door.'

Ole plensde water over zijn gezicht en droogde het af met zijn hertenleren mouw. 'Dit zal snel dichtvriezen,' zei hij. 'Wegsneller wil geen Algonquian meer tegenkomen, hoewel hij tot nu toe zijn afkomst prima wist te verbergen. Hij kan toch weer zeggen dat hij een Abenaki is.'

'Toen waren we nog verder naar het noorden en het oosten. Daar wekte een rondreizende Abenaki-handelaar geen argwaan, maar we zijn nu verder in het binnenland en dichter bij het grondgebied van mijn moeders stam. Misschien kunnen de Algonquian hier aan zijn accent horen dat hij een Mohawk is. Hoe verder zuidelijk we komen, des te gevaarlijker het wordt, tot we de Brede Rivier overgestoken zijn.'

Ole keek om zich heen. 'Dat zou best kunnen.'

Wegsneller kwam terug en siste dat ze de taal moesten spreken die hij hen had geleerd. 'Geen Eskimo. Daar hebben jullie niets aan.'

'Het was geen Eskimo. Het was Noors.' Eskimo was het Naskapi-woord voor Inuit, precies zoals de Algonquian het volk van Wegsneller Mohawk noemden. Ingrid wist dat Eskimo 'mensen die rauwe vis eten' betekende, maar ze wist niet zeker wat de verklaring voor Mohawk was. Wegsneller wimpelde haar vraag af toen ze daarnaar informeerde. Ze moest hem toch eens zover zien te krijgen dat hij haar dat vertelde. 'Je hebt gelijk, Wegsneller. We zullen eraan denken. Wat moeten we doen als de Algonquian ons ontdekken?'

'Jij moet je stil houden. Algonquian-vrouwen zijn heel bedeesd. En Ole moet ook niets zeggen. Ik zal het woord doen, maar het is beter als we niet ontdekt worden.' Broer en zuster keken elkaar bezorgd aan.

De rode en gele bladeren in het bladerdak boven hun hoofd werden bruin en vielen af. 'Wat gebeurt er met die bladeren?' vroeg Ingrid angstig. 'Gaan de bomen dood? Wat betekent dat?'

Wegsneller schudde zijn hoofd over die onwetendheid. 'De bomen gaan niet dood. Hemelbeer is vorige maand gedood, dus zijn bloed en vet verven de bladeren rood en geel. Alleen de bladeren gaan dood, niet de bomen.' Hij schopte de dode bladeren omhoog. 'Ieder jaar hetzelfde. Het betekent dat het winter wordt. Hoe komt het dat je de tekens van de komende winter niet herkent?'

'In het noorden hadden we andere tekens,' vertelde Ingrid hem. Ze betwijfelde of ze ooit weer zulke strenge winters mee zouden maken als die in Groenland en op de Inuit-eilanden ten noorden van het vasteland.

Het leek alsof de zon met de dag sneller langs de hemel vloog, maar de volgende dag had de blauwe lucht plaatsgemaakt voor grijze wolken in de kleur van leisteen. Aangezien de grote bomen hen tegen de ergste windvlagen beschutten, hadden ze nauwelijks gemerkt dat er slecht weer dreigde. Het zou hard gaan regenen en als ze naar de lucht keken, zou dat best gepaard kunnen gaan met onweer en hagel. Er flitste iets wits langs de donkergrijze wolken en in de verte klonk het gerommel van de donder. 'Moeten we geen hut bouwen?' vroeg Ingrid bezorgd.

Wegsneller keek om zich heen. 'Het is slecht onder de bomen als Heno boos is. Hij maakt pijlen van vuur.' Hij liep voor hen uit naar een overhangende rots, de steile helling van een berg waarvan de top verborgen was in het nevelige grijs.

'Is dit beter?' vroeg Ole.

'Zie je die grot? We wachten daarbinnen, waar Heno's pijlen ons niet kunnen raken.' Ze liepen het donkere hol in op hetzelfde moment dat het begon te stortregenen. Wegsneller liep voor hen uit, dieper de grot in. Binnen konden ze alleen iets zien als het bliksemde. Ze huiverden, omdat ze toch nat waren geworden. 'Als het brandhout nog droog genoeg is, kunnen we vlak bij de ingang van de grot een vuur maken,' zei Wegsneller. 'Dat kan niemand zien.'

Het duurde niet lang voordat Ingrid een kampvuur had aangestoken en ze trokken hun natte bovenkleren uit om die op de rotsen rond het vuur te laten drogen. Ole maakte een fakkel en liep naar de achterwand van de grot om te zien hoe groot die was. Toen hij terugkwam keek hij bezorgd. 'Ik heb berenmest gevonden. Als de beren hier op het vasteland lijken op die in het noorden kunnen we hier beter weggaan. Ik heb ook de botten van zijn laatste prooi gevonden, een klein hert. Misschien komt hij zo terug.'

Wegsneller liep naar de plek die Ole had aangewezen en snuffelde. 'Oude geuren. Oude botten.' Hij woof Oles bezorgdheid met een achteloos gebaar weg. 'We blijven hier vannacht slapen.'

Ze hadden zich al in hun dekens gerold toen ze het diepe gegrom hoorden. Boy, die naast Ingrid lag, sprong op. Zijn nekharen stonden overeind, maar hij tuurde zenuwachtig naar de ingang, met opgetrokken lippen. Het enige licht kwam van het smeulende vuur, maar in de ingang van de grot konden ze het silhouet van de beer zien. De warme geur van gevaar drong hun neusgaten binnen.

'Stook het vuur op!' fluisterde Ole schor.

Ingrid was binnen vijf tellen bij het vuur en schopte droge takjes op de smeulende asresten. De vlammen weerkaatsten in de rode ogen van de grote bruine beer en van zijn puntige tanden.

'Vlucht!' riep Wegsneller terwijl hij achteruitweek.

Ingrid keek niet om. In haar achterhoofd vroeg ze zich af waar Wegsneller naartoe wilde vluchten. Ze greep instinctief Oles uitgedoofde fakkel op en stak de toorts in hun zak met gestold vet. Daarna hield ze hem boven het vuur tot de vlammen eraf sloegen en stak hem omhoog. Nu konden ze de beer goed zijn. Hij was zo groot dat hij bijna de hele ingang vulde.

Ole tastte op de grond naar zijn speer. 'Ga met je rug tegen de muur staan,' gebood hij. 'Als we het vuur tussen ons in houden, gaat hij misschien weg. Wegsneller, waar is jouw speer?' Hij keek naar de plek waar Wegsneller een ogenblik geleden nog had gestaan.

'Waar is hij in vredesnaam gebleven?' vroeg Ingrid.

De beer liet zich op vier poten zakken en schudde zijn ruige kop heen en weer, alsof hij de toestand in zich opnam. Ingrid kreeg het vreemde idee dat hij op zijn eigen berenmanier de mogelijkheden afwoog en zich afvroeg of het de moeite waard was om zijn grot met geweld te verdedigen.

Boy gromde dreigend. Ingrid bleef met haar fakkel zwaaien, terwijl Ole zijn speer op de hals van de beer richtte en klaar stond om te gooien als de grizzly dichterbij kwam. Wegsneller dook weer op en schuifelde zijdelings naar hen toe. 'Waar zat jij?' beet Ole hem toe. Hij verloor de beer geen moment uit het oog.

'Ik keek of er nog een andere uitgang was. Maar dat is niet zo.'

'Zou je dan nu zo vriendelijk willen zijn om je boog te pakken en te helpen?' informeerde Ole. Hij deed geen moeite om zijn boosheid te verbergen.

Boy kroop centimeter voor centimeter naar voren en bleef tussen het vuur en de beer stil staan. Ingrid liep achter hem aan en ging met haar hoog opgeheven fakkel naast de hond staan. Ze bleef strak naar de beer kijken. Toen ze hem zo dicht genaderd was als ze durfde, zei ze op bevelende toon in het Noors, de enige taal die ze zich op dat moment herinnerde: 'Ga weg. Je hoeft niet met ons te vechten. Als jij weggaat, hoeft niemand te sterven. Ik beloof je dat we zodra het licht wordt uit je grot weggaan. Alsjeblieft.'

Ingrid was niet meer zo bang geweest, sinds de keer dat de Engelsen de kinderen van Ludmilla hadden overvallen. Ze dwong zichzelf om stil te blijven staan. De beer schuifelde een paar keer heen en weer. Toen verdween hij even plotseling als hij was opgedoken. De bleke nachthemel was het enige wat er te zien was op de plek waar hij had gestaan. De wind rook weer fris en schoon en een stuk beter dan de beer.

'Wat heeft Droomster gedaan?' Wegsneller stond als aan de grond genageld met zijn rug stijf tegen de stenen achterwand gedrukt. 'Wat heeft ze gezegd?'

Ingrid voelde haar knieën knikken en ze moest zich aan de wand vasthouden om te blijven staan. Ole trok de fakkel uit haar trillende hand voordat ze op de grond zonk. 'Mijn zuster kan toveren,' zei hij tegen Wegsneller. 'Pas maar goed op dat je haar nooit boos maakt.'

Hij bracht Ingrid terug naar haar slaapplaats en stopte de warme bontdeken goed om haar in. Boy bukte zich en likte haar neus. 'Hij is weg,' hijgde Ingrid in het Noors. 'Die beer is echt weggegaan.'

'Natuurlijk is hij weggegaan,' antwoordde Ole streng in het Haudenosaunee, terwijl hij over zijn schouder een blik wierp op het slappe gezicht van Wegsneller. Zijn stem klonk ongewoon hartelijk toen hij zich weer tot zijn zuster richtte. 'Je hebt je Noorse toverkunst gebruikt en hem verteld dat hij moest vertrekken.'

Hoofdstuk

Ze zaten in hun bontdekens gewikkeld op de grond in de grot en leunden vermoeid tegen hun bepakking. Boy was nog steeds op zijn hoede en bleef regelmatig in de lucht snuffelen of hij gevaar rook. Zijn grote kop lag op zijn gestrekte voorpoten en hij hield de ingang van de grot met argwanend samengeknepen ogen scherp in de gaten.

'We kunnen net zo goed iets warms eten terwijl we wachten tot het licht wordt,' zei Ole. Hij zette de kookpot klaar en goot water uit zijn leren fles over de gemalen maïs.

'Koken is vrouwenwerk,' mopperde Wegsneller vanuit zijn deken.

Ole wierp hem een korte blik toe en zei: 'Dan hoor jij dit te doen.' Wegsneller reageerde alsof hij een klap in zijn gezicht had gekregen. Hij keek de boze Ole even aan, zuchtte en liet zijn hoofd weer zakken. 'Waar ik vandaan kom, verdedigen mannen hun vrouwen,' vervolgde Ole zonder hem aan te kijken. 'Mijn zuster heeft zich vanavond meer als een man gedragen dan jij.' Het bleef doodstil in de grot. Alleen het geknetter van het vuur en het geluid van Ole die in de pruttelende pap roerde waren te horen. Het duurde niet lang voordat Ole Ingrid haar ontbijt in een kom van boomschors gaf en daarna zijn eigen kom vulde.

Ze nipte van de dunne pap die warm genoeg was om haar een behaaglijker gevoel te geven. Na het vertrek van de beer was ze weer een beetje tot rust gekomen, maar ze begon nog steeds te beven bij de gedachte dat ze maar op het nippertje aan een groot gevaar waren ontsnapt. Wegsneller pakte ook een beetje pap en kroop weer terug in zijn hoek, waar hij als een geslagen hond bleef zitten.

'Hier schieten we niets mee op,' zei Ingrid toen ze genoeg begon te krijgen van de gespannen sfeer. 'We hebben elkaar nodig. Ole, hij leert ons de taal en hoe we gebruik kunnen maken van het bos. Zonder zijn hulp waren we nooit zover gekomen en zouden we geen schijn van kans hebben om het volk van mijn moeder te vinden.'

'Verdedig je hem nog steeds?' vroeg Ole met een geërgerde zucht. Hij deed net alsof ze alleen waren. 'Hij heeft geen enkele poging gedaan om je te beschermen.'

'Als we samen verder willen trekken, moeten we begrip voor elkaar kunnen opbrengen. We moeten gebruikmaken van onze sterkste punten,' hield Ingrid vol. Ze zette haar mok neer en ging op haar zij liggen. 'Wegsneller, terwijl we wachten tot het licht wordt, moet je ons maar eens vertellen waarom jij zo ver van je eigen stam bij de Naskapi woonde. En je mag niets achterhouden. Anders,' voegde ze eraan toe toen hij geen antwoord gaf, 'moeten Ole en ik maar proberen om zonder jou onze weg te vervolgen. We kunnen niet samenblijven tenzij je ons de waarheid vertelt.' Ze was blij dat Ole zijn mond hield, hoewel hij dezelfde risico's liep als zij. Ze keken allebei naar hun metgezel.

Het duurde even voordat Wegsneller zijn hoofd optilde en hen aankeek. In het vage schijnsel van het vuur kon ze zijn gezicht nauwelijks onderscheiden, maar het wit van zijn ogen weerkaatste de rode gloed van de smeulende asresten. Met een gesmoorde en nauwelijks verstaanbare stem zei hij: 'Ik zal jullie vertellen waarom ik niet meer bij mijn volk woon.'

Stevig ingepakt tegen de kille ochtendlucht luisterden ze zwijgend toe. 'Bij de Ganeogaono leren jongens dat ze nooit angst mogen tonen. Zelfs baby's leren al dat ze niet mogen huilen en dat ze stil moeten blijven als er gevaar dreigt. Huilen kan de aandacht van vijanden trekken of een vertoon van zwakte zijn. De veiligheid van de stam komt altijd op de eerste plaats.'

Ingrid knikte. Dat had haar moeder haar ook geleerd. Ze had haar hele jeugd haar best gedaan om zich niet op de kop te laten zitten wanneer Ole haar pestte. Ze had ook geprobeerd om niet te reageren op de plagerijen van de Groenlandse kinderen die haar een halfbloed en een Skraeling hadden genoemd. Het was haar niet zo goed gelukt als eigenlijk zou moeten en ze voelde zich nog steeds schuldig bij de gedachte aan al die keren dat ze niet stil had kunnen blijven en toch in tranen was uitgebarsten.

Ole kon zich ook nog herinneren dat Ingrids moeder hen verteld had hoe belangrijk het was om stil te zijn wanneer ze door hun woud liepen. Hij begon een beetje slaperig te worden, maar hij dwong zichzelf wakker te blijven en naar het verhaal van Wegsneller te luisteren, maar ondertussen bleef hij zich afvragen waarom zijn stiefmoeder erop had gestaan dat ze naar haar land gingen. Ingrid had gezegd dat het volgens Astrid om meer ging dan om het geluk van haar dochter.

'We oefenden om goede krijgers te worden, onder leiding van onze ooms die tot dezelfde clan behoren. We zwommen, we vochten en we hielden hardloopwedstrijden met onze leeftijdsgenoten die later onze oorlogsbroeders zouden worden. Jullie weten toch nog wel wat het woord *oorlog* betekent? Zolang iedereen zich kon herinneren, waren er altijd wel kleine oorlogjes geweest, maar toen ik volwassen werd, brak er een grote oorlog uit. De aanstichters waren de Onondaga, een andere langehuisstam waarvan het grondgebied ten westen van Ganeogaono ligt. Hun opperhoofd en sjamaan besloot dat hij alle andere langehuisvolkeren wilde overwinnen om als meester over ons te heersen. Begrijpen jullie wat ik zeg? Als ik woorden gebruik die jullie niet verstaan, moeten jullie dat meteen zeggen.'

'Ik ken het woord *oorlog* en ik weet wat het betekent,' zei Ole kortaf. 'In onze taal zouden we zeggen dat die man koning wilde worden. Wij hebben ook verhalen over koningen die over vele landen willen heersen. Ga verder.'

'Goed. We oefenden in het vechten met messen. We leerden perfect met pijl en boog, met de speer en met strijdknotsen om te gaan. We brachten onszelf lichte snijwonden toe in onze armen en op onze borst om te leren niet te schreeuwen als we gewond raakte. Ik blonk echt uit in onze sport en dacht dat ik klaar was om ten strijde te trekken. Toen ik vijftien was, ging ik voor het eerst met de mannen mee om strijd te leveren. En toen leerde ik dat de oorlog geen spelletje tussen neefjes is. Op het slagveld wil de vijand je van het leven beroven.' Hij sloeg zijn armen om zijn knieën en huiverde, terwijl hij daaraan terugdacht.

'Ga verder,' drong Ingrid aan. 'Wat is er gebeurd?'

'Ik dacht dat ik er klaar voor was, maar toen mijn beste kameraad geveld werd door een klap met een strijdbijl en ik de binnenkant van zijn schedel zag, hield ik het niet meer uit. Hoewel hij vrijwel zonder een zucht te slaken stierf, schreeuwde ik het uit in zijn plaats. Ik was niet eens gewond. Om me heen waren de krijgers in een dodelijke strijd verwikkeld en ze vielen bij bosjes, maar het enige wat ik hoorde, waren mijn eigen kreten.

'Ik rende terug naar mijn langehuis, waar ik me onder mijn deken verstopte als een klein kind dat bang is voor de maskers van de Valse Gezichten, trillend van angst over wat Beverstaart was overkomen. Dat had mij ook kunnen gebeuren. Er wordt van ons verwacht dat we alleen denken aan victorie voor de clan. In plaats daarvan dacht ik eerst aan mijzelf en dan pas aan mijn clan en mijn stam. Ik hoorde er niet bij. Ik was destijds al alleen.

'Toen de krijgers terugkwamen van het slagveld en de clanmoeders vertelden wat er was gebeurd, wilden ze me onmiddellijk dwingen om te vertrekken. Maar het oudste krijgshoofd nam me in bescherming. Hij zei dat de clanmoeders niet mochten vergeten hoe jong ik nog was. De volgende lente, toen de oorlog werd hervat, gaven ze me opnieuw een kans om mijn clan niet tot schande te zijn. Toen ik ook weer wegliep bij de volgende slag, wist ik wat ik was. Ik kon de oorlog ontvluchten, maar ik kon niet weglopen voor wat ik was.' Hij kromp onder zijn deken in elkaar. 'De clanmoeders veranderden mijn naam om iedereen duidelijk te maken hoe schandalig ik mij had gedragen. Mijn moeder kon de schande van mijn aanwezigheid niet aan. Ze verbande mij uit ons land en verbood me om terug te keren tot ik had geleerd om dapper te zijn. Ik pakte een deken, een kom, wat voedsel en mijn pijl en boog en vertrok.

'Op weg naar het noorden verzamelde ik alles wat ik kon ruilen voor voedsel en leerde om te gaan met stammen die de Ganeogaono niet kenden. Vandaar dat jullie mij op het Handelseiland aantroffen.'

'Omdat je bang was dat je zou sneuvelen?' vroeg Ole, die het niet bepaald een leuk verhaal vond en zelf ook niet echt verrukt was van het idee dat je kon sneuvelen.

'Ja, ik was absoluut bang om dood te gaan,' bekende Wegsneller. 'Toch vond ik het ook heel erg dat ik mijzelf en mijn clan tot schande maakte. Maar ik kon niet tegen de haat die ik in de ogen van mijn vijanden zag. Ik vond het naar om anderen te doden, maar als ik bij mijn volk wilde blijven had ik geen keus. Om mijzelf te bewijzen dat ik een krijger was, moest ik niet nadenken maar doen. Desondanks bleef ik onwillekeurig nadenken. En ik was nog veel banger dat ze me gevangen zouden nemen.'

'Waarom?' vroeg Ingrid bij wijze van aanmoediging om zijn verhaal af te maken.

'Onze vijanden martelen hun gevangenen bij wijze van eer. Krijgers horen zelfs dat te ondergaan zonder dat er een kreet over hun lippen komt. Vrouwen gebruiken die martelingen om hun woede en hun verdriet over hun eigen mannen van zich af te zetten. Voor die eer was ik nog banger dan voor de dood op het slagveld.'

'Wát deden ze met hun gevangenen bij wijze van eer?' vroeg Ole. 'Ik heb dat woord niet begrepen. Zeg het nog eens.'

'Martelen.' Toen Wegsneller uitlegde wat dat betekenden, deinsden Ole en Ingrid geschrokken achteruit. 'Met kapotgeslagen schelpen zagen ze vingers van handen. Ze branden ogen uit met roodgloeiende stokken. Ze villen mannen alsof het beesten zijn. Ik heb gehoord dat er mocassins van mensenhuid worden gemaakt. Een jachtprooi wordt tenminste nog eerst gedood. Soms mogen de dapperste krijgers die geen kik geven in leven blijven. Dan worden hun wonden geheeld en zijzelf worden in de stam opgenomen. Ik kende mijzelf goed genoeg om te weten dat ik nooit zo dapper zou zijn. Ik zou al gaan schreeuwen voordat ze mij die eer bewezen.'

Ole staarde Wegsneller gefascineerd aan. 'Maar als je nooit krijgsgevangen bent geweest, hoe weet je dan dat dat waar is? Heb je weleens mensen gesproken die eraan zijn ontsnapt?'

'Ik weet het gewoon,' zei Wegsneller dof, 'omdat onze vrouwen precies hetzelfde doen als de Ganeogaono krijgsgevangenen maken.'

Buiten de grot begon het lichter te worden. 'Jij kent mijn geheime naam, Droomster. Die heb je in een droom van je moeder gehoord. Je weet nu ook waarom ik mijn naam heb ingekort. Alleen als ik iets dappers doe, zal mijn clanmoeder me toestaan om weer naar huis te komen. Ik ging ervan uit dat mijn schande uitgewist zou zijn als ik jou mee naar huis bracht. Ik wist dat ik je mee zou moeten nemen over vijandig grondgebied en dat ik je tegen allerlei gevaren zou moeten beschermen. Natuurlijk hoopte ik dat we niet in gevaar zouden komen. Ik kan je de weg wijzen en je alles leren wat je nodig hebt, maar daarna zal ik mijn ballingschap weer voort moeten zetten. Je moet zelf maar beslissen of je nog steeds met me mee wilt gaan.' Die laatste opmerkingen waren alleen tot Ingrid gericht, maar hij keek hen allebei aan voordat hij zijn hoofd boog en de beslissing over wat er met hem zou gebeuren aan hen overliet.

'Ik wil nog één ding weten voor we vertrekken,' zei Ole. 'Heb je, toen je voor het eerst het grondgebied van de Ganeogaono verliet, het land van de Naskapi weten te bereiken zonder dat je Algonquian bent tegengekomen?'

'Ik heb ze gemeden en dat hoop ik nu weer te doen. Het bos is groot en er lopen verborgen paden door. Verder naar het noorden heb ik wel gelogeerd bij Algonquian-stammen die ons volk niet kennen en nooit oorlog tegen ons hebben gevoerd. Het heeft me één winter gekost om hun taal te leren.'

Ingrid kon zich niet meer inhouden. 'Je zou er veel voordeel van hebben gehad als je je volk had verraden en de vijand van hun plannen op de hoogte had gesteld. Heb je dat nooit gedaan?'

Wegsneller legde zijn handen op zijn hart. 'Als ik nu de witte wampum in mijn handen had, zou ik op de Grote Geest Orenda zweren dat ik mijn volk nooit heb verraden en dat ook nooit zal doen.' Hij keek zijn metgezellen aan. 'Natuurlijk hoeven jullie me niet te geloven. Jullie weten al dat ik een leugenaar en een lafaard ben. Maar ik zou er nooit over piekeren om de Algonquian te helpen in hun oorlog tegen de Ganeogaono. Daarom ben ik zo ver naar het noorden getrokken, waar niemand mijn stam kent.' De treurige manier waarop hij dat zei, sprak boekdelen. 'Ik dacht dat ik nooit meer één van mijn eigen mensen zou zien, tot ik jou op het Handelseiland ontmoette, Droomster.'

'Hij probeert je medelijden op te wekken. Hoe kunnen we hem nou geloven?' vroeg Ole. Wegsneller draaide zich om en vroeg, met zijn gezicht naar de muur: 'Gaan jullie zonder mij verder?'

'Dat weet ik nog niet,' zei Ingrid ferm. 'Maar ik heb tegen de beer gezegd dat we zodra het licht was, zouden vertrekken.' Ze liep naar de ingang van de grot. Wegsneller had hen geleerd hoe ze zelfs zonder hulp van de zon hun richting konden bepalen. Boomstammen waren aan de noordzijde begroeid met mos en aan die kant zaten ook minder takken, omdat die het meest te verduren hadden van de noordenwind die ze zo vol sneeuw pakte, dat ze afbraken. De ingang van het nest van een specht was altijd op het oosten. In heldere nachten wees de poolster aan waar ze vandaan gekomen waren. Dan konden ze een merkteken aanbrengen op een boom of met behulp van een tak de richting aangeven waaruit ze waren gekomen, zodat ze niet in kringetjes zouden rondlopen als het de volgende dag zwaar bewolkt was.

Toen ze een tijdje op weg waren, met Wegsneller voorop, zei Ole tegen zijn zuster: 'Wegsneller zal altijd proberen om gevaar te vermijden, dus waarschijnlijk zullen wij ook niet in problemen komen als we bij hem blijven. Maar dit is jouw expeditie en hij is jouw gids, dus ik zal me bij jouw beslissing neerleggen.'

Ingrid had inmiddels ook genoeg tijd gehad om na te denken. Ze hadden samen al een hele reis achter de rug. Wegsneller had hen geleerd hoe ze zich in leven moesten houden, hij had hen de weg gewezen en hen de taal van de langehuisstammen geleerd. Hij kende de gewoonten van de Algonquian op wie ze waarschijnlijk zouden stuiten en hij kon hun aanwezigheid beter verklaren dan zij zelf. 'We blijven bij elkaar,' zei ze vastberaden.

Wegsneller rechtte zijn rug. Met zijn opgeluchte glimlach zag hij er weer net zo knap uit als in het begin, toen zijn zelfvertrouwen gespeeld was. Ze liepen verder door de regen.

Toen ze bij een tweesprong kwamen, stak Wegsneller zijn hand op om hen tegen te houden en zei dat ze moesten wachten terwijl hij vooruitging om de weg te verkennen. Ole en Ingrid maakten met behulp van hun dekens een tent en keken naar Boy die onrustig heen en weer liep en de onbekende luchtjes opsnoof. Ze praatten over de dieren die ze onderweg hadden gezien. 'De enige grazers zijn herten en rendieren en die beesten met hun grote geweien die Wegsneller "elanden" noemt,' zei Ole. 'Ik zou er alles voor over hebben als ik nu een paard kon krijgen. Weet jij nog hoe paarden eruitzagen of was je te jong toen de laatste opgegeten werd?'

Ingrid dacht fronsend na. 'Paarden? Die heb ik alleen op plaatjes gezien. Ik herinner me vooral de ruigharige pony's. Die waren te klein om bereden te worden, maar ze konden wel karren trekken. Osmund had een ponykar. Het is een treurige gedachte dat iedereen thuis dood is. Misschien hebben de IJslanders toch nog voor de winter een schip gestuurd om hen op te halen.'

'Daar geloof ik niets van. Osmund is dood. Hij wist wat hem te wachten stond toen hij besloot om te blijven.'

De laatste bladeren werden bruin en vielen van de bomen en ze konden hun adem zien wanneer ze met elkaar praatten. Toen ze een paar dagen later opnieuw een kamp hadden opgeslagen, pakte Ole zijn stalen mes en voelde of het nog scherp genoeg was. Hij had zich aangewend om de schede aan een leren bandje om zijn nek te dragen. 'Jij hebt me verteld dat jouw mes van staal is gemaakt,' zei Wegsneller tegen hem. 'Ik ken wel koper, maar staal is een metaal dat ik niet ken. Hebben de mensen van jouw volk allemaal zulke messen?'

'De meesten hebben speerpunten en messen van ijzer. Staal is sterker en duurzamer. Een van mijn voorvaders heeft dit geleend van een stam uit het zuiden en vergeten het terug te geven.' Ingrid knipperde met haar ogen en duwde haar tong in haar wang. Wat hij bedoelde, was dat het tijdens een strooptocht van de vikingen geroofd was, maar waarschijnlijk had Ole Wegsneller toch niet om de tuin geleid. 'Ik heb je trouwens al verteld dat ik geen volk meer heb. Ons land is dood en de inwoners zijn ook dood of verdreven.'

Wegsneller liet zich niet afleiden. 'De Naskapi vonden dat stalen mes van jou veel te mooi. Het ziet er ook veel aantrekkelijker uit dan dat zwarte dubbele mes waarmee je je baard hebt afgeknipt.' Hij bedoelde de schapenschaar. Ingrids roodbruine haar was inmiddels alweer lang genoeg om gevlochten te worden en dat deed ze ook, maar ze sloeg de vlechten dubbel en verstopte ze onder haar muts met de lange flappen. 'De Algonquian zullen niet vragen of je het wilt ruilen. Ze pakken gewoon wat ze willen hebben en laten jou dood achter.'

'Bedankt voor de waarschuwing,' zei Ole. Hij schoor zich snel en stopte het schoongemaakte en geoliede mes terug in de schede onder zijn hemd.

De volgende dag ging de wind liggen en het begon te sneeuwen. Na een poosje bonden ze hun sneeuwschoenen onder. Ole en Ingrid hadden hun dikke anoraks geruild voor parka's, maar nu begonnen ze daar spijt van te krijgen. Ingrid had voor iedereen wanten van konijnenbont gemaakt. Ze ploeterden verder, maar het bleef sneeuwen en het werd steeds kouder, dus ze schoten niet veel op. Wegsneller zei dat het verstandiger zou zijn om een wat steviger onderkomen te bouwen, waarin ze konden wonen tot de omstandigheden wat gunstiger werden, dus ze gingen op zoek naar een goede plaats om hun wigwam neer te zetten. Ze kozen een plek in de buurt van een bevroren beek, waar ze het ijs konden breken om aan water te komen.

Ze hadden genoeg voedsel voor een paar dagen en het was niet moeilijk om brandstof te vinden voor een klein vuur. Ze hadden inmiddels genoeg huiden verzameld om hun wigwam behaaglijk en winddicht te maken, zodat de warmte van het vuur binnen bleef. Maar de rook trok omhoog en bleef hangen op de plek waar de tentstokken aan elkaar gebonden waren en daar maakte Wegsneller zich zorgen over. Nadat ze een paar dagen goed geslapen en gegeten hadden, voelden ze zich alweer een stuk beter, maar de kou bleef aanhouden.

Toen ze hun vlees hadden opgegeten, moesten de mannen weer op jacht. Wegsneller en Ole gingen ieder een andere kant op. Ole had Boy meegenomen, dus Ingrid was alleen toen de Algonquian opdoken. Ze week achteruit tot ze tegen de wand stond. 'Ga weg!' schreeuwde ze. 'Dit is mijn huis.'

De twee krijgers maakten niet rechtsomkeert zoals de beer had gedaan. Ingrid pakte haar mes en hield dat vlak tegen haar lichaam zoals Wegsneller haar had geleerd, want dan kon het haar niet zo gemakkelijk afgepakt worden. Maar de eerste man was haar toch te snel af. Ze bezorgde hem alleen een paar krassen, waardoor hij nog bozer werd. Hij brak bijna haar arm toen hij haar het mes afpakte.

Ingrid besefte dat ze waarschijnlijk de rook van het kookvuur hadden gezien, of de sporen hadden gevolgd die Ole of Wegsneller in de sneeuw hadden achtergelaten. Ze hoopte dat het om het spoor van Wegsneller ging, want die zou zich beter voor hen kunnen verstoppen. Ze zeiden niets over de hond.

De tweede Algonquian pakte Ingrids vuurstenen mes dat de andere man haar had afgenomen en bekeek het, voordat hij het in een zak van zijn parka stopte. 'Waar is het maanmes, vrouw? Waar zijn je mannen?'

Ze schudde haar hoofd en trapte hard op de voet van de man die haar vasthield. Voordat ze nog iets anders kon doen, voelde ze een stekende pijn in haar achterhoofd. De kleine ruimte werd donker en ze zakte op de grond.

Ole was de eerste die terugkwam, met Boy op zijn hielen en een eenjarig hert over zijn schouder. Zodra hij de wigwam in het oog kreeg, wist hij dat er iets mis was. Er kwam geen rook uit het ventilatiegat tussen de tentpalen. Hij liet het hert vallen om sneller te kunnen lopen.

Er liepen twee stel voetsporen van de wigwam, maar het ene stel lag dieper in de sneeuw dan het andere. Ole nam aan dat een van beiden Ingrid had gedragen. Dat betekende dat ze niet dood was, tenzij ze haar lichaam ergens voor wilden gebruiken. Hij kon het zich niet veroorloven om op Wegsneller te wachten, nu Ingrid in gevaar was. 'Achter ze aan, Boy,' beval Ole. 'Zoek Ingrid.' Boy snuffelde, piepte even en begon met grote sprongen het spoor van de vreemden te volgen.

Op een afstandje van de wigwam waren de sporen met sneeuw bedekt, maar Boy bleef het geurspoor volgen. Iedere keer als ze van richting veranderden, knakte Ole een takje om zodat Wegsneller kon zien welke kant ze op waren gegaan. Hij hoopte dat de Mohawk de moed kon opbrengen om achter hen aan te gaan. Hij lachte even bitter omdat hij de Algonquian naam voor Ganeogaono had gebruikt. Op een avond was Wegsneller verplicht geweest hen te vertellen wat de naam Mohawk betekende, omdat ze dat inmiddels genoeg Algonquian verstonden om dat te kunnen raden. Het betekende 'menseneter'. Hij had Ole en Ingrid verteld dat de naam die hun vijanden zijn volk hadden gegeven de Algonquian afschrok. Het was verstandig om hen niet te verbeteren, zeker niet omdat hij zich voordeed als een Abenaki.

Boy snuffelde in de lucht en jankte opnieuw. Oles aandacht was volledig op het spoor gericht. Hij keek op toen hij een uil hoorde roepen. Het was te laat om de knuppel af te weren die hem bewusteloos sloeg en de pijl waarmee Boy werd neergeschoten zag hij evenmin.

Hoofdstuk 38

Ingrids hoofd bonsde en haar oren gonsden alsof ze midden in een zwerm vliegen zat. Toen ze haar hand tegen haar pijnlijke slaap wilde drukken, kwam ze verdwaasd tot de ontdekking dat haar armen haar niet gehoorzaamden. Ze kon haar handen niet voelen en niet eens haar vingers bewegen. Haar polsen waren op haar rug vastgebonden. Ze kneep haar ogen samen tegen het felle licht op het punt waar de tentpalen bij elkaar kwamen en probeerde zich te herinneren hoe ze op deze onbekende plek terecht was gekomen.

Het laatste wat ze nog wist, was dat een stel geverfde mannen de kleine wigwam die ze met Ole en Wegsneller deelde, waren binnengedrongen. Ze had zich nauwelijks kunnen verzetten. Als de mannen niet weg waren geweest, hadden ze haar kunnen verdedigen. Ze schudde haar hoofd licht en vertrok haar gezicht bij de pijnscheut die dat veroorzaakte. Ole zou haar verdedigd hebben. Wegsneller zou gevlucht zijn als hij de kans had gekregen.

Iemand had haar vastgebonden, in bontvellen gewikkeld en op de aangestampte zandvloer achtergelaten. Ze kon de uit huiden gemaakte wand onderscheiden van een wigwam die niet veel groter was dan hun tijdelijke winteronderkomen. Buiten hoorde ze mensen Algonquian spreken. Waarom hadden de mannen die haar gevangen hadden genomen haar in leven gelaten? Om haar metgezellen en hun wapens te kunnen vinden? Haar ademhaling versnelde. Nu ze hulpeloos in handen van de vijand was gevallen, bekroop haar een angst die ze nooit eerder had gevoeld.

Ze rolde op haar zij en kon op die manier meer van het interieur van de wigwam zien. Het vuur was uit. Aangezien de Algonquian haar met bont hadden toegedekt, wilden ze kennelijk iets van haar. Ze hield haar adem in om te horen wat haar bewakers zeiden, maar ze dacht er te laat aan dat haar veranderde ademhaling hen erop attent zou maken dat ze bijgekomen was.

Twee warm geklede mensen kropen de wigwam binnen, waardoor er een ijzige windvlaag over haar gezicht sloeg. De tweede persoon draaide zich om en bond de loshangende tentflap weer dicht. Wegsneller had haar vaak genoeg gewaarschuwd dat pijn erger werd als je bang was. Ze haalde diep adem en liet de lucht langzaam ontsnappen, voordat ze haar ogen opendeed en naar de gespierde man keek die zich over haar heen boog. Ze kon zijn zweet ruiken en keek naar de spottende trek om zijn lippen toen hij tegen de persoon achter hem praatte.

Zonder zijn ogen van haar gezicht af te wenden, bukte hij zich, pakte een lok van haar roodbruine haar en wreef die tussen zijn vingers. Hij neuriede zacht toen haar blik de zijne kruiste. Hij vond het kennelijk leuk dat ze begon te beven toen hij eerst haar wenkbrauwen betastte en vervolgens zijn vingers langs haar neus liet glijden. Hij lachte toen ze haar lippen optrok. 'Wou je me bijten, bleke hond? We weten wel hoe we met honden moeten omgaan.'

Ingrid wenste dat ze hem niet had verstaan. Ze probeerde achteruit te schuiven, maar er was niet genoeg ruimte om aan zijn onderzoekende handen te ontkomen. Zijn hand gleed onder de bontdeken en betastte haar borsten, een vrijheid die nog geen enkele man zich had veroorloofd.

Ingrid slikte haar protest in en probeerde aan iets anders te denken om de vernedering te negeren. Toen zijn hand over haar buik naar de tere plooi tussen haar benen gleed, snakte ze naar adem. Haar gevangenbewaarder lachte en zei iets tegen zijn metgezel.

Toen hij zich omdraaide, viel zijn kariboeparka open zodat ze de ketting zag die hij eronder droeg. 'O!' riep ze uit. Ze kon haar verbazing niet verbergen bij de aanblik van het gouden kruis ter grootte van een hand en het figuurtje dat er met gespreide armen op hing. 'Waar heb je dat vandaan?' wilde ze weten, zonder eraan te denken dat ze Noors sprak. 'Wat heb je met mijn mensen gedaan?'

Achter de krijger gaf een hoge vrouwenstem antwoord in dezelfde taal die Ingrid had gebruikt. 'Ze zijn als een stel schapen afgeslacht. De anderen zijn allemaal dood.' De man viel uit tegen de vrouw, die hem onderdanig antwoord gaf in het Algonquian. Ze scheen hem iets aan zijn verstand te willen brengen. Hij kneep zijn lippen samen, leek even na te denken en stapte toen achteruit om plaats voor haar te maken.

De vrouw boog zich over Ingrid heen en trok haar donkere muts af, waardoor haar blonde haren als een waterval naar beneden vielen. 'Ik dacht dat ik de laatste van onze vrouwen was. Jij hebt je kennelijk verstopt toen ze ons overvielen. Vertel hem maar waar jullie je ijzeren wapens verborgen hebben, dan is hij misschien bereid je in leven te laten. Hij heeft mij gespaard vanwege mijn goud.'

Ingrid staarde de vrouw aan, terwijl de vragen door haar hoofd tolden. 'Ken ik jou? Hoe heet je?'

'Thuis was ik een non. Daar heette ik zuster Marie.'

Ingrids adem raspte in haar keel. Zuster Marie was de jongste van de nonnen geweest, het meisje dat ze in de kathedraal met een smoesje de keuken uit had gestuurd om haar vader en Leif te bevrijden.

Marie wist de man ervan te overtuigen dat ze er misschien in zou slagen om met een zoet lijntje de inlichtingen te krijgen die hij wilde hebben. 'Ze kan je toch geen kwaad doen,' bracht ze hem in herinnering. 'Maar ze is koppig, zoals zoveel van onze mensen. Met dreigementen bereik je niets. Met een beetje vriendelijkheid kom ik veel meer te weten. Laat ons maar een tijdje alleen.'

Tot Ingrids verbazing kroop de man de wigwam uit nadat hij daar even over had nagedacht. Zuster Marie maakte meteen Ingrids gebonden handen los en pakte een wijde, lemen kom. 'Arm kind,' mompelde ze terwijl Ingrid over haar pijnlijke armen en handen wreef. 'Kom. Je hebt niet veel tijd. Misschien kan ik je helpen.' Ze liep de wigwam uit nadat ze Ingrid had verzekerd dat ze snel terug zou komen met iets te eten en te drinken. Maar hoe vriendelijk en meevoelend de voormalige non ook was, Ingrid begreep heel goed dat Marie niet vrij was. De Algonquian zou geen genade kennen als Marie er niet in slaagde de inlichtingen te krijgen die hij wilde hebben. Ingrid bad dat ze slim genoeg zou zijn om Marie aan het lijntje te houden tot haar broer kwam. Als Ole niet dood is, zal het niet lang duren voordat hij hier is, zei ze bij zichzelf.

Toen ze het hertenvlees en het water dat Marie voor haar had gehaald naar binnen werkte, besefte Ingrid dat de Algonquian hen al een tijdje gevolgd moesten hebben en hadden gewacht op het moment dat Ole en Wegsneller haar alleen achter hadden gelaten. Zouden ze weten dat Ole haar broer was? En hoeveel mocht ze aan Marie vertellen? Ze moest ervoor zorgen dat ze haar metgezellen en zichzelf niet in nog groter gevaar zou brengen. Als de Algonquian hen al lang hadden gevolgd, hadden ze ongetwijfeld Oles stalen mes gezien. Dachten de Algonquian soms dat ze nog meer van dat soort wapens hadden?

'Vertel me eerst maar eens hoe je heet,' zei Marie, nog steeds in het Noors.

'Ingrid.' Zou de non haar nog kennen? Ingrid dacht van niet.

'Heb je begrepen wat ik tegen hem heb gezegd? Heb je de taal van die Skraelings leren spreken?'

'Skraelings? Zijn ze dat dan?' Ingrid wilde zelf antwoord hebben op haar vragen. Als ze de voormalige non nuttige informatie kon ontfutselen, zou ze er misschien in slagen om te ontsnappen of Ole te waarschuwen.

'Niet hetzelfde soort als we thuis hadden, maar hoe moet ik ze anders noemen? Het zijn wilden die nergens respect voor hebben en die weigerden om zich te laten bekeren toen Sira Mars hun over onze Heiland vertelde. Ze hebben iedereen gedood, behalve de jonge kinderen en ons tweeën.' Er schoot haar kennelijk iets te binnen, want ze zei: 'Jij was niet bij ons op het schip. Hoe ben je hier gekomen? Zijn er echt nog meer landgenoten van ons hier? Om hoeveel mensen gaat het en vechten jullie mannen ook met kruisbogen, net als de Engelsen die ons aangevallen hebben?' Marie klemde haar handen ineen, alsof ze op die manier haar smeekbede kracht kon bijzetten. 'Wil je Sira Mars, de kinderen en mij niet meenemen naar jullie kamp, als ik je kan helpen om aan deze duivels te ontsnappen?'

'Leeft Sira Mars nog? Is hij ook hier?' De vraag ontglipte haar. Ze was stomverbaasd dat juist hij nog in leven was.

'Deze Skraelings dachten dat hij door hun luchtgeesten naar hen toe was gestuurd. En ik denk dat hetzelfde voor mij geldt, omdat wij niet meevochten toen ze kwamen om ons onze ijzeren wapens af te pakken en alleen maar zaten te bidden. O, ik doe dit helemaal niet goed.' De voormalige zuster Marie zag eruit alsof ze ieder moment in tranen uit kon barsten. 'Hij zal heel boos zijn als ik je niet zover krijg dat je antwoord geeft op zijn vragen. Ze weten dat je man een stalen mes bij zich heeft. Ze weten ook dat jullie in het gezelschap reizen van een Abernaki-handelaar. Hebben jullie nog meer van dat soort wapens?'

Ingrid had de andere vrouw het liefst willen troosten, maar ze was ervan overtuigd dat het verstandiger was om haar niet te veel te vertellen. 'We hadden maar één mes. Verder kan ik je echt niets vertellen,' zei Ingrid. Ze wist zeker dat de vrouw haar niet geloofde.

'Dat moet je wel doen, anders zullen de Algonquian ons allebei pijn doen. Vertel me dan maar of de Groenlander je man is. En is die Abernaki jullie slaaf? En zijn er nog andere landgenoten hier die nu naar jou op zoek zullen gaan?'

Ingrid vertelde haar de waarheid. 'De Groenlander is niet mijn man, maar gewoon een reisgenoot. En de Abernaki is niet onze slaaf, maar onze gids.'

'Waarheen? Waar brengt hij jullie naartoe?'

'Naar een veilige plaats die hij kent en waar ons niets kan overkomen.'

'Zijn daar nog meer Groenlanders?'

'Dat weet ik niet. Ik hoop het. Onze gids heeft gezegd dat hij mij en mijn metgezel naar zijn volk zou brengen. We waren op weg naar de Brede Rivier.' Ze gebruikte de Algonquian-naam. 'Weet jij waar die is?'

Zuster Marie schudde haar hoofd. 'Hier voorkomen we niet mee dat we gestraft worden. Je moet vertellen waar de mannen die ons gevangen hebben genomen meer ijzeren wapens en gereedschap kunnen vinden.'

Ingrid voelde dat ze wit wegtrok. Ze strengelde haar vingers ineen om te voorkomen dat ze zouden gaan trillen. 'Het enige ijzeren of stalen wapen dat ik ken, is het mes dat mijn... mijn metgezel bij zich heeft. We hebben bij een stam in het noorden een schapenschaar geruild voor voedsel en schoenen. We hebben geen kruisbogen. Hoe groot is dit dorp? Waar zijn mijn reisgenoten? Zijn zij ook gevangengenomen?'

'Wat zegt ze?' Zonder dat ze het gemerkt hadden, was de man teruggekomen.

Ingrid ging haastig rechtop zitten. Ze kon zich tegen deze krachtige man die haar zo wreed aan stond te kijken alleen maar verzetten door te zwijgen.

'Ze zegt dat ze maar met hun drieën zijn. Ze hebben geen andere wapens dan het mes dat jullie hebben gezien. Deze vrouw weet niet of er nog meer landgenoten van haar zijn en waar die zich dan zouden bevinden.'

De man stak zijn koude hand weer in haar hemd. Ze verstrakte en beet op haar lippen om het niet uit te schreeuwen. 'Jullie zijn wel met meer mensen. Waar zijn die?' wilde hij weten.

Ingrid was zo bang dat ze alleen nog maar Noors kon praten. 'Zeg tegen hem dat er geen andere mensen zijn.'

Marie vertaalde wat Ingrid had gezegd. Hij haalde uit en gaf Ingrid een klap op haar mond, waardoor ze achterover sloeg. Haar kin deed pijn en het bloed liep uit haar lippen. Hij rukte haar gescheurde hemd opzij, pakte haar tepel tussen zijn duim en wijsvinger en hield zijn mes tegen haar borst alsof hij het knopje eraf wilde snijden. 'Waar zitten die anderen! Spreek!'

Ingrid beet haar tanden op elkaar en bereidde zich voor op de pijn. Ze wilde Ole en Wegsneller niet verraden. Als Ole haar vond, zou hij haar met zijn leven verdedigen. Ze twijfelde geen moment aan zijn trouw, al kwam die alleen voort uit de belofte aan zijn grootvader. Hij had zijn eigen toekomst opgeofferd door met haar mee te gaan en haar de kans te geven de bestemming te vinden die ze nu wel kon vergeten. Ze hoopte dat hij haar niet zou vinden, want als dat wel zo was, zou hij sterven.

'Niet doen!' riep Marie uit. Ze sloeg vanachteren haar armen om de Algonquian heen en probeerde hem weg te trekken. 'Ze heeft gezegd dat er hier niet meer mensen van ons ras zijn. De Abenaki wilde haar alleen maar naar een van hun dorpen brengen. Ze hebben jouw volk geen kwaad gedaan. Ze waren alleen op zoek naar een plek om te wonen.'

'Die hebben ze dan niet gevonden.' De man lachte spottend om zijn eigen grapje. Er verschenen rimpeltjes in de verf op zijn gezicht. Plotseling kneep hij hard in Ingrids tepel. Zonder dat ze er iets aan kon doen, gilde ze het uit, omdat ze het mes had verwacht. De man lachte om haar angst. Hij rukte haar handen weer op haar rug en bond ze opnieuw vast. 'Ik zal er eens over nadenken hoe ik haar aan het praten kan krijgen. Jij mag niet meer terugkomen om haar eten te geven.'

Zodra ze weg waren, kreeg Ingrid jeuk aan haar neus. Het was zo'n klein ongemak vergeleken bij het gevaar waarin ze verkeerde, dat ze er bijna om moest lachen, maar het werd wel erger. Ze wreef haar gezicht over de grond. Waar waren Ole en Wegsneller?

Ole deed zijn ogen open. Zijn hoofd deed verschrikkelijk pijn en zijn lichaam voelde aan alsof iemand hem een heel stuk had meegesleept. Hij kwam tot de ontdekking dat zijn handen op zijn rug waren gekneveld. Zijn benen waren bij de enkels met leren riemen vastgebonden. Hij lag op een koude aarden vloer, met zijn hoofd tegen een mand. Door zijn pijnlijke hoofd te draaien kon hij zien dat hij alleen was. Dit was een rookwigwam, bestemd voor het roken en opslaan van vlees en vis. Maar het vuur was uit. Iemand had een halfgelooide huid over hem heen gegooid. Dus ze wilden hem voorlopig nog wel in leven houden.

Wat hadden ze met Ingrid gedaan en wat waren ze van plan? Hoeveel Algonquian zouden in dit dorp wonen? Ole had zo'n dorst dat zijn keel pijn deed. Hij kroop als een rups naar een spleet in de wand van de tent. Hij slaagde erin om het gat met zijn tanden iets groter te maken zodat hij wat sneeuw op kon likken. Hij bevochtigde zijn gebarsten lippen en liet een beetje in zijn mond smelten zodat het langzaam in zijn uitgedroogde keel drupte. Waar was Wegsneller? Was hij teruggekeerd bij hun verlaten wigwam en had hij hun spoor gevolgd? Of hadden ze hem ook gevangengenomen? Als dat niet zo was, wat was er dan met hem gebeurd? Ole bad dat Wegsneller van een Gevecht zijn naam niet opnieuw eer aan zou doen.

Hij bleef met zijn oor tegen de wand liggen luisteren en probeerde te raden hoeveel mensen er in dit dorp woonden, maar de stemmen die hij hoorde, waren te ver weg om ze te kunnen verstaan. In de verte klonk een regelmatig gebonk, waarschijnlijk iemand die gedroogde maïs stond te stampen. Hij hoorde voetstappen in de bevroren sneeuw kraken. Ze kwamen dichterbij. Ole rolde weg bij de wand en keek net op tijd naar de ingang om de twee mannen te zien die achter elkaar naar binnen kropen. Toen ze opstonden, zag hij dat ze allebei lang waren. Hun wangen en kin waren beschilderd met rode strepen en punten.

'Waar kom je vandaan?' vroeg de ene in de taal van de Ganeogaono. Wegsneller had hen niet verteld dat ze in de buurt van een Mohawk-stad waren. Dit zou een truc kunnen zijn. Ole antwoordde in moeizaam Algonquian: 'Ik versta je niet.'

De man neuriede en maakte een gebaar naar zijn metgezel, die op Ole neerkeek. Hij lachte spottend en haalde zijn schouders op, alsof hij erkende dat de argwanende vreemdeling niet in zijn valstrik was getrapt. De eerste man hield op met neuriën en herhaalde de vraag in het Algonquian.

'Ik ken niet veel woorden in uw taal,' zei Ole, die erin slaagde hun dat aan hun verstand te brengen. 'Ik kom via het verre noorden uit het oosten, aan de andere kant van de oceaan.' Hij gebaarde met zijn hoofd en wenste om meer dan één reden dat zijn handen los waren.

'Waar is de rest van je mensen?'

Ole begreep de vraag en deed zijn best om die zo goed mogelijk te beantwoorden. 'Dat weet ik niet. Ik geloof dat ze dood zijn.' Zou een aantal van zijn landgenoten de oversteek overleefd hebben en zo ja, waren ze dan nog steeds in leven? Zou hij hier in Vinland een paar van zijn landgenoten terugzien? De eerste man kneep zijn ogen weer samen en hij begon weer te neuriën.

'We hebben je vrouw,' zei de andere man. Ole keek fronsend op toen hij dat hoorde. Dus ze dachten dat Ingrid zijn vrouw was. Dat betekende dat ze nog leefde en ergens in dit dorp verstopt zat. Dat was in ieder geval iets. 'Vertel ons maar waar je je wapens hebt verborgen. Dan mogen jullie misschien blijven leven om ons te dienen.'

Ole worstelde om zijn polsen los te krijgen, maar de touwen zaten te strak. Hij probeerde onder zijn jas van kariboeleer te kijken en richtte toen zijn blik weer op de Algonquian. Als hij daarmee zijn en Ingrids leven kon redden, mochten ze zijn stalen mes hebben. 'Hier. Om mijn nek. Pak het maar.'

De eerste man hield opnieuw op met neuriën. 'Je liegt. Je had niets anders bij je dan een vuurstenen mes en je pijl en boog. Waar is je maanmes? Nadat we je vrouw gevangen hebben genomen, hebben we je hele wigwam doorzocht.'

Ole moest zijn uiterste best doen om te begrijpen waar de Algonquian het over had. Hij sprak de taal van de mannen die hem gevangen hadden genomen lang niet zo goed als het Ganeogaono, maar hij durfde niet te bekennen dat hij de taal sprak van de gezworen vijanden van dit volk. 'Mijn vrouw? Waar is ze?' kon hij nog net in het Algonquian uitbrengen.

'Ze is veilig,' zei de tweede man met een glimlachje dat zijn gezicht niet vrolijker maakte. 'Denk maar eens goed na. Daarna moet je praten. Zo niet, dan ga je naar Manitou.' Hij liet een vinger over zijn keel glijden. Ole bestudeerde de oorlogsverf en de kleding van de Algonquian. De man droeg een halsketting die hem om de een of andere reden tegen de borst stuitte.

De man zag hem staren en bukte zich zodat hij iets dichterbij kwam. 'Vingers zijn beter dan berenklauwen. Vingers van rode en gele haren met witte gezichten.' Tussen de uitgedroogde vingers die aan de veter waren geregen hingen ijzeren kruisjes van het soort dat veel christelijke Groenlanders om hun nek droegen. Ole kreunde onwillekeurig bij de gedachte aan zijn landgenoten die trots door de fjord voeren op een schip dat onder bevel stond van zijn vriend Rolf. Ze hadden gehoopt dat zij de gevaren van Vinland het hoofd konden bieden, hoewel hun voorouders daar niet in waren geslaagd, maar het had niet zo mogen zijn.

'Denk maar goed na, Rood Haar,' zei de man die had geneuried nog een keer voordat de twee Algonquian uit de koude wigwam kropen en wegliepen.

Wegsneller vond de grote, zwart-witte hond half begraven onder de smerige sneeuw, roerloos en stil. Twee pijlen staken in zijn ruige vacht, een in zijn nek en de ander op zijn kop. Toen hij dichterbij kwam, zag hij dat de flanken van het dier en zijn poten licht bewogen. Hij knielde naast de hond neer. Boys vacht zat onder het geronnen bloed en er lagen ook bevroren bloedplasjes op de grauwe sneeuw. Wegsneller liet zijn blik over de grond tussen de hoge dennenbomen dwalen en keek naar de kleine wigwam die twintig passen verderop stond. 'Een weggedragen. Een weggesleept,' fluisterde hij. Hij schudde zijn hoofd treurig en richtte zijn aandacht weer op de hond.

Boy trok zijn lip op en gromde dreigend. Hij was bij kennis, hoewel hij kennelijk pijn had en niemand vertrouwde. 'Ik ben het, Boy,' zei Wegsneller zo rustig mogelijk. 'Je kent me toch. We zijn vrienden, weet je nog wel? Laat me je nou maar helpen en bijt me niet.' Hij bleef zacht doorpraten in de hoop dat het dier kalmer zou worden van zijn bekende stem en zijn geur. Hij liet Boy voorzichtig aan zijn knokkels ruiken. 'Ik ben het, Wegsneller.' De hond jankte en kwispelde flauw met zijn staart.

Wegsneller tastte naar de schacht van de pijl die uit Boys nek stak. De vuurstenen pijlpunt stak nog grotendeels boven het vlees uit en ging schuil onder de dikke vacht. Het was geen diepe wond.

Boy gromde zacht en trok opnieuw zijn lip op. Wegsneller trok de pijl met een snel gebaar los en de wond begon meteen weer te bloeden. De hond huiverde en piepte toen de man de wond met zijn handen dichtdrukte en zacht tegen hem bleef praten tot het bloeden ophield.

De tweede pijl zou fataal zijn geweest als hij de schedel van de hond had doorboord, maar hij had het bot nauwelijks geraakt. Waarschijnlijk had hij hem met zo'n klap geraakt dat het dier bewusteloos was neergevallen. Gelukkig ging het verwijderen van de tweede pijl veel gemakkelijker. 'Je hebt een harde kop,' prees hij Boy. 'In dat opzicht lijk je op je vrouwtje. Vind je het goed dat ik je draag?'

Wegsneller ging op zijn hurken zitten om de hond op te tillen, maar op hetzelfde moment viel zijn oog op een glinsterend voorwerp dat tussen de dode takken op de grond lag. 'Blijf nog even liggen,' zei Wegsneller tegen de hond. Een tel later bukte hij zich en raapte Oles mes op. Het zweet parelde op zijn lip toen hij het koude staal betastte en hij kreeg een brok in zijn keel.

'Hier waren ze op uit en ze hebben het over het hoofd gezien,' fluisterde hij. Hoe vaak had hij het mes van de Groenlander niet bewonderd als Ole het uit de schede had getrokken. Hij kende het verhaal van het mes. Ingrids moeder had het gekregen van een oude verhalenvertelster van de Algonquian, die het weer van haar grootmoeder had geërfd. De tekens vormden de naam Ole, waarschijnlijk een van de voorvaders van deze Ole. Met dit mes had Oles vader zijn huwelijk met Ingrids moeder bezegeld.

Wegsneller zat op zijn hurken en betastte het slanke lemmet en de runen op het ivoren heft. Hij had gezien hoe Ole het schoonmaakte en met vet insmeerde. Kennelijk had het mes voedsel nodig om zijn macht te behouden. Het zou een schande zijn als een mes met zoveel toverkracht in verkeerde handen zou komen. De clanmoeders in zijn stad zouden in ruil voor dit geschenk zeker bereid zijn hem weer in hun midden op te nemen. Hij kon hen vertellen dat hij het had veroverd in een gevecht met een vijand. Hij kon zeggen dat hij zijn metgezellen dapper had verdedigd tegen de krijgers van de Algonquian. Dan zou zijn clan zeker bereid zijn om hem weer een plaats te gunnen te midden van hun krijgers zodat hij bij hun volgende oorlog weer naar het slagveld gestuurd kon worden. Hij zuchtte bedroefd en schudde zijn hoofd.

Hij wilde zijn leven niet op leugens bouwen. Zijn aard zou hem uiteindelijk toch verraden. Als hij niet de moed kon opbrengen om zijn reisgenoten te helpen, verdiende hij het ook niet om weer in het langehuis van zijn clan opgenomen te worden. Dan kon hij net zo goed teruggaan naar het noorden en een vrouw bij de Naskapi zoeken. Maar dat zou betekenen dat hij Ingrid nooit meer zou zien. Boy leek hem met donkere, verdrietige ogen aan te kijken. 'Je ligt me zo aan te kijken, Boy van de Eskimo's, ben je soms een sjamaan?' vroeg hij aan de hond. 'Zal ik de rest van mijn leven een lafaard blijven? Kun jij me dat vertellen?'

Hij moest even zoeken, maar binnen de kortste keren zag hij ook de schede van het mes en de gebroken leren veter tussen de gevallen bladeren liggen. De toverkracht en het lot van dit mes lagen nu in zijn handen. Hij hield het omhoog alsof het iets heiligs was, een offer. 'Orenda,' bad hij, 'je hebt me een uitdaging voorgeschoteld en me een wapen gegeven waarmee ik mijn vrienden kan helpen en eerherstel voor mijzelf kan bedingen. Wil je me nu ook de moed daarvoor schenken?'

Hij kreeg geen speciaal gevoel en ook geen teken waaruit hij kon opmaken dat zijn gebed verhoord was. Misschien verwachtte hij wel te veel. Het mes was immers al een teken dat de Grote Geest Orenda wilde dat hij het zou gebruiken? Hij stopte het mes terug in de schede en bond de veter om zijn kuit, zodat het verstopt zat in de schacht van zijn laars.

Wegsneller bleef tegen Boy praten in de hoop dat de hond niet zou janken als hij hem over zijn schouder legde. Als er vijanden in de buurt waren, zou dat hoge gepiep ongetwijfeld hun aandacht trekken. Toen het dier rustig bleef liggen, slaakte hij een zucht van opluchting en stond nog even te luisteren of hij iets hoorde dat er op zou duiden dat iemand hem in de gaten hield. Maar hij hoorde alleen normale bosgeluiden, het zachte gefladder van vogels en dieren die langs droge takken streken of in de sneeuw krabbelden op zoek naar voedsel.

Wegsneller liep langzaam door op zijn grote sneeuwschoenen en bestudeerde de sporen. Een paar passen verderop stuitte hij op het karkas van het hert dat Ole op de grond had gegooid. Dat het daar nog steeds lag, was veelzeggend.

'Oles hert. Die pijl is van hem,' fluisterde hij tegen Boy. 'Hij vermoedde dat er iets aan de hand was.' Wegsnellers blik dwaalde over het dode hert en de sporen en hij had al snel zijn conclusies getrokken. 'Ze wachtten hem op. Jij kwam tussenbeide.' Hij gaf de grote hond een klopje en was opgelucht toen Boy heel zacht piepte en begon te hijgen. De hond had zo stil en roerloos over zijn schouder gehangen dat hij even vreesde dat hij dood was. 'Boy. Eskimohond. Jij bent veel te taai om zomaar dood te gaan, hè? Laten we hopen dat hetzelfde geldt voor Droomster en Ole.'

Wegsneller bukte zich om de paar sporen die niet door de opgewaaide sneeuw waren bedolven wat beter te bekijken. Hij veegde wat sneeuw weg met zijn want en vond een donker plekje dat alleen bevroren bloed kon zijn, maar het was niet veel. 'Ole leeft nog, anders hadden ze hem hier wel achtergelaten in plaats van dat hert. Dat betekent dat ze maar met z'n tweeën waren. Hun kamp moet een behoorlijk eindje weg liggen, anders waren ze wel teruggekomen om het vlees op te halen. Dan is het nu voor ons.' Boy liet opnieuw een zwak gepiep horen en kwispelde met zijn staart.

Toen ze bij de kleine wigwam kwamen die hij samen met Ole had opgezet, liep Wegsneller eromheen en bleef even staan kijken en luisteren. Toen er geen geluid te horen was, ging hij ernaartoe en opende de flap. 'Laten we ons eerst maar even gaan warmen en iets te eten maken,' zei hij. 'Onze vijanden zijn ver weg, dus voorlopig zitten we hier veilig.' Hij legde de hond op Ingrids slaapzak en ging terug om het hert van Ole op te halen.

Zodra Wegsneller het vuur had aangemaakt, vulde hij een lemen kom met sneeuw, die binnen de kortste keren gesmolten was. Hij dronk er de helft van op en zette de kom toen bij Boy neer die de rest van het water gretig op slobberde. Dankzij het mes van Ole was het hert al snel gevild en aan stukken gesneden. Ze hadden genoeg huiden voor de rest van de reis, dus hij hoefde niet voorzichtig te doen. Hij gaf de restjes aan Boy en legde een paar stukken hertenvlees op het houtvuur om ze te roosteren.

Daarna ging hij weer naar buiten om nog een keer goed rond te kijken. Hij waste zijn bebloede armen en gezicht schoon met sneeuw en liep weer terug. De hond kwam onzeker en wankelend de wigwam uit om een plasje te doen. 'Je loopt alweer. Goed zo,' merkte Wegsneller op. Toen het dier weer binnenkwam, had Wegsneller besloten wat hem te doen stond.

Voordat de zon de grauwe winterlucht vaarwel had gezegd, was de kleine wigwam al afgebroken. Wegsneller gebruikte de touwen opnieuw om de huiden vast te zetten tussen de twee langste tent-palen en op die manier een simpele slee te maken. Boy lag languit toe te kijken.

Ze hadden een lange weg af te leggen voordat het weer ochtend werd, ondanks de winterse kou en de sneeuw. Hij bad tot Orenda dat Ole en Droomster nog steeds in leven zouden zijn. Het had geen zin om zonder háár verder te gaan. Wegsneller wist dat hij net zo goed bij klaarlichte dag een vijandelijk kamp binnen kon lopen om zichzelf over te geven, als zonder Droomster naar huis te gaan. Vanaf het moment dat hij begreep dat zijn metgezellen door vijandige Algonquian gevangen waren genomen had Wegsneller geweten dat hij zijn vrienden moest bevrijden, al zou het hem zijn leven kosten.

Hoofdstuk

Het was zo donker dat Wegsneller nauwelijks een hand voor ogen zag. Er stonden twee jonge mannen op wacht, waarschijnlijk om hem op te vangen, maar Wegsneller maakte geen geluid en wist hoe hij zich moest verstoppen. De kou sneed in zijn handen en zijn gezicht terwijl hij verborgen lag onder een hoop opgewaaide bladeren en sneeuw en het dorp scherp in het oog hield. De halve maan die af en toe schuilging achter donkere wolken bood hem voldoende licht.

In haar eenzame wigwam lag Ingrid bevend onder de bontdeken die zuster Marie over haar heen had gelegd. Zo bleef ze haar in gedachten nog steeds noemen. Ze had de indruk gehad dat de vrouw onder haar lange, ruimvallende parka een dikke buik verborg. Als de voormalige non inderdaad zwanger was, dan had ze een reden te meer om gehoorzaam te zijn aan de mannen die haar gevangen hadden genomen en dat kon Ingrid haar niet kwalijk nemen. Desondanks had ze haar uiterste best gedaan om haar landgenote te beschermen en daar was Ingrid haar dankbaar voor.

Ze vroeg zich af wat de Algonquian met haar zouden doen. Zouden ze haar doden? Of zouden ze een slavin van haar maken, net zoals ze kennelijk met de voormalige non hadden gedaan? Ze vroeg zich af wat ze liever zou willen als ze voor de keus kwam te staan.

Ondanks de kou en haar wanhoop was Ingrid toch in slaap gesukkeld. Toen er een hand over haar mond werd gelegd, werd ze met een schok wakker. In het vage schijnsel van de maan dat door het ventilatiegat naar binnen viel, zag ze het silhouet van een lange man die zich over haar heen boog. Ze onderdrukte de neiging om te gaan gillen. En de touwen zaten te vast om zich te kunnen verzetten. De man trok de bontdeken van haar af. Ingrid begon heftig te beven, gedeeltelijk van de kou, toen hij de boeien rond haar polsen doorsneed en haar naar de ingang duwde. 'Sla dit om je heen en kruip naar buiten,' gebood hij ruw in het Algonquian terwijl hij de deken om haar schouders legde. Ze probeerde hem zo goed en zo kwaad als het ging met haar pijnlijke handen vast te houden.

Hij bleef vlak achter haar. Ze overwoog om hem te schoppen en hem op de een of andere manier buiten gevecht te stellen, zodat ze in het donker weg kon vluchten, maar haar ledematen waren stijf van de kou en een dergelijke poging zou haar dood alleen maar verhaasten. Toen ze buiten was en opstond, zag ze nog vier andere wigwams, waarvan er een zo klein was dat de tent waarschijnlijk alleen maar diende om vlees te roken of op te slaan. Eigenlijk was dit niet eens een dorp, maar een kamp.

Ze draaide zich om en zag dat haar bewaker ook was gaan staan. 'Hou je stil,' fluisterde hij streng. Hij greep haar arm en liep met haar door het dorp in de richting van de verste wigwam. Maar toen ze daar waren aangekomen, pakte haar bewaker haar koude hand vast en sleepte haar bijna mee naar het pad achter het dorp. Ze vroeg zich af of hij van plan was om haar in het bos te verkrachten. Ze was zo bang dat ze niet helder kon nadenken.

Het dorp lag al snel achter hen. Hij bleef staan, bukte zich om zijn wang tegen de hare te drukken en sloeg zijn armen om haar heen. 'Nee,' smeekte ze. 'Alsjeblieft niet.' In haar angst had ze weer Noors gesproken.

'Ben je de taal die je behoort te spreken nu alweer vergeten, Droomster?' fluisterde een bekende stem in haar oor. 'Ik weet zeker dat ik je die goed genoeg heb geleerd.'

'Wegsneller!' Tranen van opluchting sprongen in haar ogen, waardoor hij in het maanlicht leek te golven toen hij een stapje achteruit deed.

Hij hield haar handen nog steeds vast toen hij vroeg: 'Had je niet verwacht dat ik zou komen?' Ze was niet in staat om antwoord te geven, maar ze trok haar handen los en pakte hem bij de schouders. 'Had je de hoop al opgegeven?' drong hij aan. 'Vertel me de waarheid.'

Als antwoord trok ze hem naar zich toe. Ze bleven zich even stijf aan elkaar vastklampen, tot haar gejaagde ademhaling tot rust kwam. Hij streelde haar haar en hield haar om haar middel vast tot ze gekalmeerd was. 'Ik wist het niet,' mompelde ze. 'Ik hoopte dat je zou komen en je bent er. We moeten er gauw vandoor, voordat ze merken dat ik weg ben.'

'Nee,' zei hij. 'Dat kan niet, want ze hebben Ole nog. Ik breng je nu naar een veilige plek waar je op me kunt wachten tot ik met hem terugkom.' Hij aarzelde even en zei toen: 'Boy is gewond geraakt.' Toen ze van schrik haar adem inhield, voegde hij er snel aan toe: 'Hij wordt wel weer beter. Doe nu precies wat ik tegen je zeg. Als je dit pad af loopt, zie je aan je rechterhand een groepje struiken. Daartussen heb ik Boy neegelegd, op de slee die ik van onze wigwam heb gemaakt. Als ik Ole heb gehaald, moeten we er onmiddellijk vandoor, maar mochten we bij het aanbreken van de dag nog niet bij je zijn, pak dan de slee en vlucht naar het zuidwesten tot je bij de Brede Rivier komt. Daarna moet je langs de oever naar het westen trekken, tot je het gebied van de Ganeogaono bereikt. Je kunt Doteoga herkennen aan de palissade die eromheen staat en de uitkijkposten die je zullen vragen wat je komt doen. Ze zullen allemaal kaalgeschoren hoofden hebben, met uitzondering van een strook haar van voor naar achter. Ga rustig voor de ingang zitten en wacht tot je uitgenodigd wordt om binnen te komen. Ga nu maar gauw.'

Ze bewoog zich niet. 'Zul je voorzichtig zijn?' vroeg ze. Het leek een belachelijke vraag.

'Zo voorzichtig als maar kan,' beloofde hij. 'Je weet toch dat ik niet van gevaar hou.' In het halfduister kon ze zijn verontschuldigende lachje niet zien.

'Zorg dat ze je niet doden,' riep ze uit. Ze sloeg haar armen om zijn nek, trok zijn gezicht omlaag en kuste zijn wang.

Hij legde een hand op de plek, waar hij haar warme adem op zijn huid had gevoeld. 'Wat is dat nou?'

'Dat is de manier waarop mijn volk dank je wel zegt.' Ze wachtte even voordat ze eraan toevoegde: 'En het betekent ook dat ik je lief vind.' Ze was blij dat ze elkaar nauwelijks konden zien, zodat hij niet merkte dat het bloed haar naar de wangen steeg.

'Dat vind ik een leuke gewoonte. Ik kom bijna in de verleiding om nog even te blijven zodat je me nog een keer kunt bedanken, maar ik moet Ole ophalen.'

Natuuurlijk wilde ze hem niet tegenhouden, maar tegelijkertijd bekroop haar de angst dat ze hem nooit weer zou zien. 'Ik ben bang dat je iets zal overkomen.' Ze stak haar handen op alsof ze hem niet wilde laten gaan.

Hij pakte haar handen voorzichtig in de zijne en drukte ze omlaag. 'Ik ben ook bang dat me iets zal overkomen. En ik heb veel meer ervaring in bang zijn dan jij. Doe nu maar wat ik je heb gezegd, dan hoef ik me tenminste over jou geen zorgen te maken. Wacht tot het aanbreken van de dag. Als we dan nog niet terug zijn, moet je alleen verder trekken.'

Ze draaide zich met tegenzin om en liep het pad af. Toen ze nog een keer omkeek, was hij verdwenen.

Ole lag door het ventilatiegat boven in de wigwam naar de lucht te kijken en zag twee lichtjes door de donkere lucht flitsen. Toen hij nog heel klein was, had zijn moeder hem verteld dat een vallende ster betekende dat er iemand dood zou gaan. Twee doden, dacht hij verdrietig. Ingrid en ik. Ik heb mijn best gedaan. Vergeef me, grootvader.

Achter hem klonk een bons tegen de boomschorswand en daarna werd er op een van de tentpalen getikt. Hij was meteen op zijn qui-vive. Het seintje kon niet van een van de Algonquian komen. Zou Ingrid ontsnapt zijn en ontdekt hebben waar hij gevangen zat? Hij schoof haastig achteruit en drukte zijn gebonden vuisten tegen de wand.

'Ole?' fluisterde Wegsneller van buitenaf.

'Ja. Ik ben hier,' fluisterde hij terug. Een moment later had de Mohawk een gat in de tent gesneden en was binnen. Hij sneed Oles boeien door.

Ole wreef over zijn enkels en polsen, maar toen hij op zijn knieën ging liggen, werd hij al duizelig. Wegsneller liet zich op de grond zakken en sloeg zijn armen om hem heen. 'Je bent toch gekomen,' fluisterde Ole met zijn gebarsten lippen. Hij hoopte dat de verbazing niet in zijn stem zou doorklinken, maar eigenlijk betwijfelde hij dat. Ze wisten allebei dat Ole nooit had verwacht dat Wegsneller zijn leven zou riskeren.

'Zachtjes,' waarschuwde Wegsneller terwijl hij Ole overeind hees.

'Waar is mijn zus?' fluisterde Ole.

'Verstopt. Ik heb tegen haar gezegd dat ze in een bosje struiken ten westen van het dorp moest wachten. Ik heb net gedaan of ik een van de Algonquian was en haar stiekem in het donker het dorp uit geloodst.' Hij gaf hem zijn waterzak en wachtte tot Ole die half leeg had gedronken. 'Ga nu maar gauw mee. We moeten weg voordat ze ons ontdekken.'

De maan ging schuil achter de wolken, maar de sneeuw weerkaatste genoeg licht, zeker nu hun ogen helemaal aan het donker gewend waren. Ze staken de open plek over en wilden net tussen de bomen verdwijnen toen ze iemand hoorden schreeuwen dat de gevangenen ontsnapten. 'Ze hebben ons gezien,' kreunde Wegsneller.

'Ik heb geen wapen,' zei Ole toen ze zich omdraaiden om hun aanvallers het hoofd te bieden. 'Ik heb mijn mes ergens in het bos verloren.'

'Ik heb er twee,' antwoordde Wegsneller. 'Gebruik dit maar.' Hij overhandigde Ole zijn eigen mes net voordat een paar mannen onder het slaken van bloedstollende oorlogskreten de achtervolging inzetten. Ole ging samen met Wegsneller met de rug tegen een brede eik staan en dacht: we zullen vechtend sterven. Hier in de buurt waren een heleboel Groenlanders om het leven gebracht en deze Algonquian hadden deelgenomen aan die slachtpartij. Dat konden de Noorse goden toch niet op zich laten zitten.

Toen de schreeuwende Algonquian op hen af kwamen, antwoordde Ole met zijn eigen oorlogskreet, die tegelijk een gebed inhield: 'Grote Thor. Geef mijn arm kracht met je hamer.'

Het liep uit op een handgemeen met een van de vijandige krijgers, die een paar ogenblikken later hulp kreeg van een ander. Ole wist net op tijd weg te duiken voordat de strijdknots zijn schedel verpulverde.

De eerste man wilde net weer een uitval doen met zijn mes toen er iets door het donker zoefde dat de man met de knots tegen de grond deed slaan. Ole bleef worstelen met de eerste aanvaller die erin slaagde om hem een wond in zijn arm toe te brengen, waardoor zijn mes op de grond viel. Maar hij slaagde erin het weer met zijn linkerhand op te pakken, sloop in het donker om de boom heen en stortte zich op zijn tegenstander. Er volgde opnieuw een korte worsteling tot Ole er eindelijk in slaagde zijn stalen mes tot aan het heft in de borst van zijn tegenstander te planten. Toen hij het terugtrok, spoot het bloed uit de wond en zijn vijand stond niet meer op.

Ole kroop weg achter de boom en probeerde snakkend naar adem Wegsneller in het strijdgewoel te ontdekken. Hij hoorde opnieuw dat zoevende geluid, alsof er iets door de lucht vloog. Het zou een pijl kunnen zijn. Ten slotte werd het weer stil in het bos. Ole keek om zich heen. Er waren nog maar twee mannen die overeind stonden. Hij kon hun gezichten niet zien, maar een van hen was Wegsneller, zoals hij al had gehoopt. Maar wie was de ander? Hij durfde niet te roepen en bleef strak naar de beide silhouetten staren.

'Ole?' De stem van Wegsneller verbrak de stilte.

'Ja,' antwoordde Ole, die zijn goden dankte dat ze allebei nog leefden. Hij had gedacht dat de andere man er wel vandoor zou gaan nu hij aan hun stemmen had kunnen horen dat zij de vijand waren. In plaats daarvan riep hij vol blijdschap: 'Ole, jij oude wildeman! Ik had nooit gedacht dat ik dat eigenwijze smoel van jou weer zou zien.'

Ole schudde zijn hoofd, want hij had durven zweren dat de man Noors had gesproken. Wegsneller kwam naar hem toe. 'Wie is dat?' vroeg hij.

'De stem komt me bekend voor, maar ik had niet verwacht dat ik die aan deze kant van de Regenboogbrug nog eens zou horen. Of weten christenen niets af van Asgard en het Walhalla? Behoort die stem uit mijn verleden echt toe aan Sira Mars?'

De priester liep naar de twee mannen toe. 'Inderdaad.' Hij klopte op zijn boog. 'Uiteindelijk heb ik toch de kans gekregen om tot op zekere hoogte de dood van onze landgenoten te wreken. Hopelijk vergeeft God me dat ik vannacht mensen om het leven heb gebracht, maar in onze heilige schrift staat dat Hij wel eerder uitzonderingen op Zijn regels heeft gemaakt in gevallen als deze. Ik weet zeker dat Onze Lieve Heer heeft geholpen om mijn pijlen in het donker doel te laten treffen.'

Ole omhelsde de Groenlander. 'En u was altijd zo'n vredelievend man,' zei hij, terwijl hij zonder succes probeerde in het donker zijn gezicht te onderscheiden. 'Ik kan nauwelijks bevatten dat u van al onze mensen de enige bent die in leven is gebleven. U bent nooit een krijger geweest. Hoe hebt u zo goed leren schieten?'

'Ze hebben me juist gespaard omdat ik geen krijger was. En aangezien we geen geiten hadden meegebracht moest ik wel leren jagen,' voegde hij eraan toe.

De vriendelijke en verstandige stem van Sira Mars leek een echo uit het verleden, maar herinnerde hem ook aan wat de Algonquian met de Groenlanders hadden gedaan. Die vingers! Rolf en zijn mannen waren brave mensen geweest. Ole zweeg even, keek om zich heen en zag Wegsneller een paar meter verderop staan. Hij stond nog steeds te hijgen en het bloed stroomde uit een snee in zijn wang.

'Dit is mijn vriend en reisgenoot Wegsneller. Kunnen we hier wel veilig praten?' vroeg Ole terwijl hij tevergeefs in de duistere schaduwen tussen de bomen zocht naar eventuele vijanden.

Sira Mars sloeg een kruis. 'We hebben samen iedereen die ons kwaad zou kunnen doen al naar de hel gejaagd, als er tenminste zoiets in dit land bestaat. Voordat jullie verder trekken, moet je samen met je metgezel maar even meegaan naar het kamp, dan kan ik de vrouwen vragen om jullie wonden te verzorgen. Dat zal niet veel tijd in beslag nemen. We hebben nog wel wat maïsmeel en pemmican voor jullie over. Niemand zal je tegenhouden. De man die jij hebt gedood was een rebellenleider die de anderen heeft overgehaald zich van een grotere gemeenschap af te scheiden. Hun vrouwen zullen blij zijn dat ze weer naar huis kunnen.'

De vrouwen zaten bij een klein vuur te wachten op degenen die terug zouden komen. Toen hij samen met Wegsneller en Sira Mars de open plek op liep, vroeg Ole: 'Hebt u na alles wat er is gebeurd nog steeds vertrouwen in uw liefhebbende Jezus?'

'Natuurlijk. Als Hij ons niet had bijgestaan, zouden jij en ik allang onze laatste adem hebben uitgeblazen. Marie en ik gaan met hen terug. Onze mildheid heeft er al voor gezorgd dat de anderen minder oorlogszuchtig zijn geworden. We hebben die arme heidenen uitgelegd welk offer onze Heiland heeft gebracht. Als er opnieuw christenen naar deze contreien komen, zullen ze met meer mededogen ontvangen worden, want dan zullen wij het zaad van begrip en vergiffenis al bij de Algonquian hebben geplant.'

Sira Mars bracht de beide mannen naar de vrouwen toe. Een van hen, de moeder van een paar kinderen, richtte zich verlegen tot Ole en Wegsneller en bood de laatste een mand van boomschors aan. 'Voedsel en water,' zei ze. 'Jullie hebben onze mannen gedood. Wat gaan jullie met ons doen?'

'Niets,' antwoordde Wegsneller, die zich nog niet helemaal op zijn gemak voelde in de rol van overwinnaar. 'Wij moeten onze reis naar mijn geboorteland hervatten. Jij kunt samen met de anderen gaan en staan waar je wilt. Zorg maar dat jullie betere mannen krijgen.'

Ze boog onderdanig en bood aan hun wonden te verzorgen. Terwijl ze bezig was, kreeg Ole van Sira Mars de rest van het verhaal te horen. 'Er zijn nog maar een paar van ons in leven, voornamelijk kleine kinderen, die zich ons oude land nauwelijks kunnen herinneren, en Marie die samen met mij zat te bidden terwijl de anderen de dood vonden. Ze is zelf nauwelijks meer dan een kind. De Algonquian geloofden dat zij en ik aan God toebehoorden, daarom hebben ze ons gespaard. Daarna heeft een van de mannen, die zachter van aard was dan de rest, het arme meisje tot een van zijn vrouwen gemaakt. Het opperhoofd stond ons toe om voor de kinderen te zorgen, die inmiddels door Algonquian-gezinnen zijn geadopteerd. We hebben ook hun gewonden verzorgd.'

'Dus het meisje is niet slecht behandeld?' vroeg Ole.

'Haar eigen man behandelde haar goed, maar ze werd gestolen door deze schooiers omdat ze zo'n sterke geest had. Maar ik denk niet dat je nog weet wie ze is.'

Ole wreef over zijn kin. 'De jongste van de nonnen? Die kan ik me wel herinneren. Blond haar.'

'Ja,' beaamde Sira Mars. 'Deze rebellen hebben zich van de anderen afgescheiden en ons als gijzelaars gebruikt. Vroeg of laat waren de anderen wel achter ons aan gekomen, daarom hebben we geen weerstand geboden. Je kunt niet mee naar het grotere dorp, zelfs al zouden wij garant voor je staan. Iedere man van weerbare leeftijd wordt onherroepelijk door hen gedood.'

'Ik heb ook geen enkele behoefte om nog meer Algonquian te ontmoeten,' verzekerde Ole hem. 'Wij zijn op weg naar een andere bestemming. U zult zich wel afvragen hoe we hier terecht zijn gekomen, aangezien wij niet aan boord waren van Rolfs schip. Mijn familie heeft zich aangesloten bij de Inuit, die door u in de oude wereld Skraelings werden genoemd, en met hen zijn we de ijsvlakte overgestoken. Mijn vader en broer zijn bij hen gebleven. Nu probeer ik samen met deze man mijn zuster terug te brengen naar het volk van haar moeder. Wegsneller is onze vriend en gids.'

Wegsneller had zich afzijdig gehouden terwijl de Groenlanders met elkaar zaten te praten, maar toen hij zijn naam hoorde, tilte hij Ole op de schouder. 'We moeten weg. Droomster wacht op ons.'

'Zo meteen,' bevestigde hij en wendde zich weer tot de priester. 'Ik hoop dat u samen met Marie weer veilig terug zult keren, zodat jullie die kinderen kunnen helpen.'

'Daar zorgen we wel voor.'

De voormalige zuster Marie had zwijgend zitten luisteren, maar ten slotte zei ze tegen Ole: 'Dus die halfbloed is je zuster.'

'Ja,' beaamde Ole in hun eigen taal. 'Wij zijn op weg naar de Ganeogaono, die door de Algonquian Mohawk worden genoemd.'

'Mohawk?' vroeg Marie huiverend. 'De Algonquian zeggen dat de Mohawk monsters zijn, die bij wijze van ontbijt kinderen eten.'

Hij wees haar op het feit dat de leider van de Algonquian een halssnoer van mensenvingers had gedragen. 'Dan wens ik jullie veel geluk,' zei ze nog niet overtuigd. 'Maar aangezien jullie naar het land van de Mohawk gaan die veel waarde hechten aan wampum kunnen jullie dit beter meenemen.' Ze pakte iets uit de rugzak die voor haar voeten stond en hield het omhoog. 'Dit is voor de Skraelings meer waard dan goud. De mannen die ons gevangenhielden, hebben het net als ons meegestolen uit hun gemeenschap om te voorkomen dat ze aangevallen zouden worden. Volgens hun is wampum heilig.'

Bij het licht van de vlammen zag Ole drie lange slierten van aaneengeregen bewerkte, paarse en witte schelpen. 'Ze zijn gemaakt van mosselschelpen.' Ze snufte en wreef in haar ogen. 'Wat kunnen die schelpen nu voor waarde hebben? Ik mis onze groene weiden. Deze Skraelings weten nergens van.' De heimwee naar haar vaderland klonk door in haar stem. 'En voor de kinderen is het nog veel erger. Zij zullen onze gewoonten helemaal vergeten.'

'Zij zullen al die dingen veel minder missen dan jij of ik, dus het zal hen ook veel minder verdriet doen,' zei Ole vriendelijk voordat hij de wampum aanpakte. 'Je moet ze over een poosje maar verhalen gaan vertellen over ons oude land aan de overkant van de oceaan en over geiten en schapen. Het zal niet lang duren voordat ze Groenland als een legende gaan beschouwen, precies zoals wij dat met Vinland deden. Ga nu maar gauw terug naar je man en de kinderen. Bedankt voor de wampum, maar het is voor ons echt tijd om weg te gaan. Ik hoop dat jullie veilig thuiskomen.' Sita Mars had hun eigendommen al verzameld en de vrouwen stonden klaar om te vertrekken.

'Ze heeft de waarheid gesproken,' zei Wegsneller toen Ole hem vertelde wat Marie had gezegd. Uit beleefdheid sprak hij Algonquian. 'Mijn volk hecht veel waarde aan wampum. Paars komt zelden voor, dus deze zullen wel heilig zijn. Van witte wampum wordt gezegd dat degenen die ze met slechte bedoelingen aanraken hun vingers eraan branden. Het oog van Orenda ziet iedereen die de witte wampum bij zich draagt.'

Ole had het grootste deel verstaan. 'Het oog van Orenda,' herhaalde hij en knipoogde tegen Sira Mars die hem verwijtend aankeek. 'Net als het oog van Odin?'

'Je bent onverbetelijk. Ik zie wel dat je voorgoed een heiden zult blijven,' merkte Sira Mars op. 'Je hebt tijdens het gevecht ook Thor aangeroepen. Is het weleens bij je opgekomen dat al die goden van jullie misschien in werkelijkheid afspiegelingen van God zijn?'

Ole haalde zijn schouders op. 'Als dat zo is, dan is Heno Thor en Orenda Odin. Ik denk dat ik geen problemen zal krijgen met de goden uit het land van mijn zuster. Ingrid heeft lang genoeg gewacht. We moeten weg.'

'Ga in vrede, zoon,' zei Sira Mars terwijl ze elkaar omarmden. 'Ik hoop dat je zult ontdekken dat de wreedheid van de Mohawk overdreven wordt.' Voordat ze het pad op liepen, hief Sira Mars zijn hand op en scheen zich toen te bedenken. In plaats van een kruis te slaan, groette hij hen met zijn platte hand. 'Vrede,' zei hij. 'Dat is voor iedereen een zegen.'

'Ik wens u hetzelfde,' zei Ole en wendde zich tot Wegsneller. 'Hou jij deze maar bij je,' zei hij terwijl hij hem de aaneengeregen wampum gaf. 'Jij weet het best wat ze waard zijn.' Wegsneller hing de strengen om zijn hals en stopte ze onder zijn dikke parka.

Toen Ole en Wegsneller bij Ingrid kwamen, zagen ze dat ze samen met Boy op de slee lag te slapen. Ze had haar armen om de gewonde hond geslagen en was dicht tegen zijn warme lijf gekropen. Er lag een dun laagje sneeuw op het stel. 'Wanneer we in jouw woonplaats aankomen,' fluisterde Ole, 'moet je een nieuwe naam krijgen.'

'Welke naam dan?'

'Ingrid en ik zullen aan je clanmoeders en aan de krijgshoofden vertellen wat je vannacht gedaan hebt. Ik vind dat ze je voortaan

Wegsneller naar Vrienden in Nood moeten noemen.' Hij stak zijn rechterhand uit.

'*Vrienden,*' herhaalde Wegsneller. 'Dat klinkt goed.' Hij pakte Oles arm boven de pols vast en grijnsde breed.

Hoofdstuk 10

Ingrid begon Wegsneller op een andere manier te bekijken, een manier die ze zelf niet helemaal kon verklaren. Ze dacht dat het wel iets te maken zou hebben met dankbaarheid en het groeiende respect dat ze voor hem voelde nadat hij zijn leven voor hen op het spel had gezet, maar er kwam meer bij kijken en daar was ze nog niet helemaal uit.

De laatste paar maanden was het niet nodig geweest om vaak een rustpauze in te lassen, maar de reis bleek allesbehalve gemakkelijk. Boy had zich aangewend om te grommen als er jagers in de buurt waren, zodat ze tijd hadden om zich te verstoppen of over konden schakelen op de taal van de Algonquian. Wegsneller had zijn beroep van handelaar weer opgepakt en wist met zijn rappe tong vaak moeilijkheden te vooorkomen. Boy was inmiddels bijna zo groot als een wolf en zo zag hij er ook uit. Hij week niet van Ingrids zijde en als ze andere handelaren of jagers tegenkwamen, beval ze hem altijd om te gaan liggen, anders zou niemand zich in hun buurt hebben gewaagd.

Na het invallen van de dooi verschenen de eerste uitlopers van asparagus en varens boven de grond. Wanneer ze ergens kampeerden, zat Ingrid vaak de strengen wampum te bestuderen. Ze vroeg Wegsneller of ze de langste mocht hebben.

'Wat wil je daar dan mee doen?'

'Als ze ons binnenlaten, wil ik de clanmoeders van jouw stad als dank een geschenk geven. En als ik hen het verhaal van mijn moeder vertel, weten ze misschien waar zij vandaan kwam en dan zou ik op zoek kunnen gaan naar mijn eigen familie.'

'Je mag de streng pakken die je het mooist vindt.' Wegsneller vertelde haar niet dat haar moeder een van de vele jonge meisjes was geweest die gevangengenomen waren terwijl ze langs de rivier op zoek waren geweest naar waterkers of te ver waren afgedwaald als de vrouwen in het bos bessen of wortels verzamelden. Hoe moesten ze erachter komen uit welke stad ze ontvoerd was? Droomster zou tevreden moeten zijn met een willekeurige Ganeogaono-stad die bereid was haar op te nemen.

Op een avond zag Wegsneller ineens dat Ingrid de schelpkralen van de wampum op kleur had gesorteerd. Met behulp van een paar stokjes had ze een weefgetouw gemaakt dat aan een boomtak kon worden opgehangen en nu was ze bezig met een brede gordel waarin ze bepaalde patronen aanbracht. De gordel had inmiddels al de lengte van een halve arm. 'Wat is dat?' wilde hij weten.

'Heb je nog nooit een weefgetouw gezien?' vroeg ze. In plaats van het werktuig uit te leggen, probeerde ze hem te vertellen wat ze precies wilde maken. 'Ik weef een tekening van het visioen dat ik op het Handelseiland heb gehad, voordat mijn moeder tegen mij zei dat ik met jou mee moest gaan. Zie je die adelaar boven in de boom?'

Hij hield zijn hoofd scheef en bekeek haar werk van verschillende kanten. 'Ja, nu wel,' zei hij. 'Ik zie de vleugels. Waar heb je al die draden vandaan?'

'Toen Boys wintervacht begon uit te vallen heb ik de haren opgespaard en er met behulp van een paar stenen en stokken een draad van gesponnen. Die is sterk genoeg om de schelpen te houden.'

'Sinds wanneer ben jij geïnteresseerd in vrouwenwerk, Wegsneller?' wilde Ole weten. Hij deed geen moeite om zijn bezorgdheid te verbergen. Wegsneller begon veel te veel aandacht voor Ingrid te krijgen.

'Ik ben een handelaar, was je dat soms vergeten? Dit zou weleens een nieuw artikel kunnen zijn om te verhandelen.' De stem van Wegsneller klonk geërgerd. 'Waarom zou ik er niet in geïnteresseerd mogen zijn?' Was haar broer soms bang dat hij Droomster het hof wilde maken? En was die vrees terecht? Wegsneller veranderde van onderwerp en begon over het laatste deel van hun reis.

'Wanneer we in jouw stad aankomen, denk je dan dat het merendeel van jullie krijgers is vertrokken om oorlog te voeren?' vroeg Ingrid.

'In ieder geval zal de helft zijn achtergebleven om de vrouwen en de kinderen te verdedigen. Maar wie zal het zeggen?' zei Wegsnel-ler. 'Het is best mogelijk dat onze krijgshoofden inmiddels vrede hebben gesloten met de Onondaga. Vroeger duurden oorlogen nooit zo lang. Deze is al begonnen toen ik nog klein was.'

'Ik zal al tevreden zijn als je clanmoeders me toestaan om op be-zoek te komen,' merkte Ingrid op. 'Maar ik zou het liefst het dorp van mijn moeder willen vinden. Misschien zijn er nog wel nichtjes van me in leven. Het zou toch jammer zijn als ik zo dichtbij was en hen dan toch niet ontmoette.'

Ole wreef over de rode stoppeltjes die weer op zijn kin en bo-venlip waren verschenen en zei: 'Weet je zeker dat je je geen namen van familieleden van je moeder kunt herinneren?'

'Als ze me die ooit heeft verteld, ben ik dat vergeten,' bekende Ingrid. 'Ik heb na haar dood zoveel beleefd dat ik dat soort dingen gewoon niet meer weet.'

'Als je op de naam van haar dorp kunt komen, zou Wegsneller je naar je familie kunnen brengen voordat hij naar zijn eigen stad gaat.'

'Waarom zou ze me die hebben verteld? Ze wist dat ze nooit meer naar huis zou gaan en ze had gelijk.' Ze keek haar halfbroer tartend aan. 'Ze heeft jou voor mijn geboorte meer over haar leven verteld dan mij.'

'Nee, maar Leif wel.' Niettemin had Ole die verhalen net zo goed gehoord, al had hij altijd net gedaan alsof hij niet luisterde. Hij was negen jaar geweest toen zijn vader met zijn destijds veer-tienjarige vrouw naar huis was gekomen. Ze was een banneling ge-weest die nooit meer naar haar eigen land terug zou kunnen. Ole was verscheurd geweest door zijn sympathie voor de jonge vrouw van zijn vader, want daardoor had hij het gevoel gekregen dat hij zijn eigen moeder verraadde. 'Ze praatte over de oorlog en ze heeft ook verteld hoe ze gevangen is genomen, maar ik kan me geen na-men herinneren,' bekende hij.

'Ze heeft wel een beschrijving gegeven van haar stad,' zei Ingrid hoopvol. 'Er waren vijftien langehuizen. En boomstammen met scherpe punten vormden een pallisade die als bescherming moest dienen. Ze woonden vlak bij een rivier. Daarnaast hadden de vrou-wen hun maïsvelden.'

'Die beschrijving geldt voor elke grote stad bij een rivier,' zei Wegsneller. 'Je kunt maar beter in mijn stad blijven als ze ons bin-nenlaten.'

De volgende dag pakte hij de draad van het gesprek weer op. 'We kunnen het best rechtstreeks naar Doteoga gaan om te zien of iemand daar misschien weet wie je bent. Als dat niet zo is, wil een van onze clanmoeders je misschien wel adopteren.'

'Maar hoe zit het dan met Ole?' vroeg Ingrid. 'Zullen ze hem ook binnenlaten?' Hij had zoveel voor haar gedaan dat ze vond dat hij maar bij haar moest blijven als ze een woonplaats vond. Ze voelde zich net zo goed verantwoordelijk voor hem als omgekeerd.

De gedachten die Ole de laatste tijd door het hoofd hadden gespeeld begonnen hun tol te eisen en even laaide zijn oude boosheid weer op. 'Ik hoef niet geadopteerd te worden. Misschien ga ik wel terug naar vader als jij veilig bij het volk van je moeder bent afgeleverd, want dan heb je mij niet meer nodig. Dan heb ik mijn belofte aan grootvader vervuld.'

Wegsneller zag aan de blik in Ingrids ogen dat ze gekwetst was. Ze had zich meteen omgedraaid, maar hij hoorde een ingehouden snik en zag dat ze haar neus afveegde. Hij kwam nooit tussenbeide wanneer Ole ruziemaakte met Droomster. In zijn land was de band tussen een man en zijn zuster vaak inniger dan de band tussen een man en zijn vrouw. Hoe kon Ole zoveel offers hebben gebracht en zoveel gevaren hebben getrotseerd als hij geen genegenheid voor zijn zuster voelde? Hij geloofde niet dat de belofte die hij zo lang geleden aan zijn grootvader had gedaan de enige reden was. De twee hadden niet dezelfde moeder, dus eigenlijk behoorden Ole en Droomster tot verschillende clans. Wegsneller wenste dat hij wist tot welke clan de moeder van Droomster had behoord. Hij hoopte maar dat het niet de Berenclan was, want dan zou hij een neef van Droomster zijn en mocht hij haar nooit het hof maken.

Hij schrok op toen Droomster op dezelfde kille toon tegen haar broer zei: 'Je hebt gelijk. Ik heb je niet langer nodig. Wegsneller kan best voor me zorgen. Je kunt gaan en staan waar je wilt.'

'Hou op!' Wegsneller begon genoeg te krijgen van hun eeuwige gekibbel, hoewel hij best gevleid was door de opmerking van Droomster. Maar hij wenste dat het stel eindelijk eens eerlijk tegen elkaar zou zijn. Hij wist dat ze ontzettend veel van elkaar hielden, al wilden ze dat geen van beiden toegeven. 'We moeten ons kamp opslaan en proberen of we voor het avondeten wat vis kunnen vangen. Hadden we maar een kano, dan zouden we veel eerder in Doteoga kunnen zijn. We zijn nu nog bij de monding van de rivier en die is heel moerassig, maar het water zal snel breder worden.'

Hij wees naar een kleine inham omgeven door lage struikjes. 'Slaan jullie daar ons kamp maar op, dan ga ik vissen.' Hij deelde bevelen uit alsof hij de leider van de expeditie was, maar ze protesteerden geen van beiden.

Boy liep het bos in om zijn eigen maaltje bij elkaar te scharrelen. Hij kwam terug met bloed op zijn snuit en ging tevreden liggen, terwijl de mensen hun vis opaten. Wegsneller liet de lijnen in het water liggen in de hoop nog een paar vissen voor hun ontbijt te verschalken. Ze vielen in slaap bij het geluid van de golfjes die tegen de bemoste oever kabbelden.

De volgende ochtend bij zonsopgang was Ole nergens te vinden. 'Hij zal zo wel terugkomen. Hij kan niet ver weg zijn,' zei Ingrid. Maar tegen de tijd dat ze klaar waren om te vertrekken, was Ole nog steeds niet terug. Ze vermoedden dat hij ergens door opgehouden werd.

Wegsneller bestudeerde de sporen rond hun kamp, maar het was Ingrid die de platgetrapte kattenstaart vond. Ze riep Wegsneller. 'Kijk.' Ze wees naar het spoor dat naar de rivier liep en daar ophield.

'Het lijkt wel alsof hij in de rivier is gesprongen en is weggezwommen,' zei Wegsneller. Hij moest Ingrid uitleggen wat zwemmen was. Ze had nog nooit gehoord dat mensen dat ook deden.

'Ole kan niet zwemmen. Ik ook niet.'

Boy liep achter hen aan naar de rivier om te drinken. Terwijl het water van zijn snuit droop, keek hij eerst naar links en toen naar rechts. 'Waar is hij? Waar is Ole, Boy? Zoek!' Boy snuffelde langs de oever van de rivier waar geen planten meer groeiden en jankte. Ingrid beval hem door middel van een fluitsignaal om te apporteren. Boy snuffelde aan elke plant, zette toen zijn voorpoten in het water en begon te graven, alsof hij verwachtte dat hij Ole onder de modder zou aantreffen. Hij jankte opnieuw en keek zijn vrouwtje verslagen aan.

'Hij kan hem niet vinden, Droomster, omdat hij er niet is,' zei Wegsneller. 'Hij is weggevlogen.'

Ingrid had hem het liefst toe willen schreeuwen dat hij niet zo belachelijk moest doen. Hoe kon ze Wegsneller in vredesnaam aan zijn verstand brengen dat ze weliswaar een hekel aan Ole had, maar dat ze tegelijkertijd ontzettend veel van hem hield? Ze ging op haar hurken zitten en legde haar gezicht op haar over elkaar geslagen armen. Haar keel brandde van de ingehouden tranen. 'Wegsneller! Wat is er met hem gebeurd?'

'Ik weet het niet.' Hij trok zijn kleren uit en dook in het koude water. Ingrid keek ongelovig toe. Maar een tijdje later kwam hij terug naar de oever, huiverend en kletsnat, met klapperende tanden. 'Ik heb niets onder water gevonden waar we houvast aan hebben. Iets moet hem meegenomen hebben. Misschien was het een zijn goden. Bid maar voor hem tot Orenda of je eigen goden, want ik weet niet wat we anders moeten doen.' Wegsneller wist niet hoe hij haar moest troosten, hij wist alleen dat ze zich zo snel mogelijk uit de voeten moesten maken. Hij raakte even haar elleboog aan.

Ze stond nog een tijdje over het water te staren. In het midden van de rivier dreven bladeren en takken die door de sterke stroming meegesleurd werden naar het oosten. 'Ole?' fluisterde ze alsof ze tegen de rivier stond te praten. 'Ik wilde helemaal niet dat je wegging. Had je dan zo'n hekel aan me?' Ze moest iets wegslikken.

'Kijk.' Wegsneller hield haar zijn vislijn voor, waaraan bij wijze van haak een gebroken schelp was vastgebonden. Er zat nog een stukje worm aan. 'Hij is naar de lijn toe gelopen om hem binnen te halen, maar hij is bij de rivier gebleven.'

'We moeten terug om hem te zoeken.'

'Dat is niet veilig. Ik breng je eerst naar Doteoga en dan ga ik weer terug. Ik wil niet het risico lopen dat je opnieuw in handen van de Algonquian valt.'

Dat argument gaf de doorslag, maar toch wilde Ingrid nog niet weg. 'Wat is er dan volgens jou gebeurd?' wilde ze weten.

'Ik denk dat mannen in een kano hem zagen vissen. Hij had alweer een flinke baard. Hij verstopt zijn haar wel onder een muts, net als jij, en hij heeft leren banden om zijn vlechten gewikkeld, maar hij kan dat vreemde uiterlijk niet verbergen. Bij de Algonquian wemelt het van verhalen over maanmessen. Ze weten dat jou stam die heeft. Een andere verklaring kan ik niet bedenken.'

'Als ze hem weer gevangengenomen hebben, moeten we achter hem aan!' De stem van Droomster sloeg over. 'En als hij nou is gevonden door Ganeogaono-mannen? Zou dat niet kunnen?'

'Maar die hadden ook niet geweten wat hij is. Als Ole had kunnen schreeuwen, denk je dan dat hij zijn mond had gehouden? Dat had Boy toch gehoord?' Wegsneller wenste dat hij iets kon verzinnen om haar gerust te stellen. 'Ik probeer wel uit te zoeken wat er is gebeurd zodra jij veilig bent. Als het moet, kan ik me weer voordoen als Abernaki-handelaar. Niemand zal het vreemd vinden als ik vraag of iemand een man met rood haar heeft gezien. Laten we nu maar gaan.'

Ze bedekten de restanten van hun vuur, pakten hun rugzakken op en vervolgden de reis, met de opkomende zon in hun rug en de rivier rechts van hen. Wegsneller zei dat ze nog steeds op visserskampen van de Algonquian konden stuiten, maar de volgende dagen verliepen zonder incidenten.

Op de derde dag na Oles verdwijning regende het hard en het begon te onweren. Wegsneller bouwde een schuilplaats tegen een rots, met een schuin dak om het water weg te laten lopen. Ze aten koud vlees. Toen de regen ophield, zaten ze naar de rozerode wolken te kijken waarachter de ondergaande zon zich verschool. 'Had je eigenlijk een vrouw toen je van huis wegging?' vroeg ze. De vraag had al een tijdje door haar hoofd gespeeld.

Wegsneller glimlachte triest. 'Mijn krijgshoofd had me een lafaard genoemd,' zei hij even later. 'Er was geen vrouw te vinden die mij wilde hebben. Ik had mezelf nooit in een gevecht bewezen.'

'Je hebt je tegenover mij wel bewezen,' zei Ingrid zo zacht dat ze bijna fluisterde. 'Als je mij vroeg, zou ik wel je vrouw willen zijn.' Ze keek langzaam naar hem op en sloeg toen haar ogen weer neer. Ze was geen bescheiden Inuit-vrouw, ze zei wat haar op de tong lag. En ook nu had ze precies gezegd wat ze bedoelde. Maar ze was bang dat hij haar zou afwijzen. Misschien was dat idee zelfs nooit bij hem opgekomen en had ze zich als een dwaas gedragen. Zou een vrouw van zijn stam ooit zo openhartig zijn tegenover een man? Ze was blij dat ze met haar gezicht in de schaduw zat.

Wegsneller zat zo dicht bij haar dat hun schouders en heupen elkaar raakten. 'Als ik wist dat je hetzelfde zou zeggen als er nog andere mannen waren uit wie je kon kiezen, zou ik meteen ja zeggen.' Hij pakte een van de wampumstrengen uit zijn rugzak en hield die in zijn hand. 'Dan zou ik je voor Orenda tot mijn vrouw nemen. Daar heb ik al maanden naar verlangd, zelfs al voordat je door de Algonquian werd ontvoerd.' Ingrids mond viel open toen het tot haar doordrong hoe diep zijn gevoelens gingen. 'Ik zou nooit een betere vrouw kunnen vinden, maar ik durf je niet aan te raken voordat we thuis zijn. Je hebt geen moeder die de mijne kan benaderen en geen clan die voor je kan zorgen als ik dood zou gaan. Je bent Ganeogaono. Wij zijn...' – hij moest even naar de juiste woorden zoeken – 'wij zijn geen beesten.'

'Mijn moeder is dood,' zei ze zacht. Ze voelde geen enkele vorm van schaamte tegenover Wegsneller. Ze waren al bijna een jaar samen. En daar zou binnenkort een eind aan komen, tenzij zij het heft in handen nam. Maar ze wist niet hoe.

'Je moeder is bij Orenda. Ze heeft je een visioen gegeven en je hebt haar in je dromen gezien. Jij bent de Droomster. De naam die de Eskimo's je hebben gegeven zal door mijn mensen geëerd worden. Zij beschouwden het niet als een compliment, maar mijn stam weet wel beter. Wat zou je moeder zeggen als je het haar zou vragen?'

Ze keek naar de lucht. Hij twijfelde er kennelijk geen moment aan dat ze antwoord zou krijgen op zo'n vraag. Maar Ingrid was daar niet zo zeker van. Ze had zich in het verleden vaak afgevraagd of haar dromen niet gewoon het uitvloeisel waren van wensen en niets te maken hadden met het feit dat haar moeder over haar waakte.

Plotseling leek Wegsneller te schrikken. Boy had niet gegromd. De hond lag een paar passen verderop languit te soezen, half in slaap. 'Wat is er aan de hand?' vroeg Ingrid toen ze merkte dat hij zich zorgen maakte.

Hij keek om zich heen, naar de lucht, naar de rivier, naar de grond. Er was iets mis, maar Ingrid had geen flauw idee wat. 'Wat is jouw clan?' vroeg hij.

'Mijn clan?' herhaalde Ingrid. Maakte hij zich daar zo druk over? 'Hoezo? Dat weet ik niet. Als mijn moeder me dat ooit heeft verteld ben ik het weer vergeten. Ik had immers nooit verwacht dat ik in haar land terecht zou komen. Dat is toch niet belangrijk?'

'Het is héél belangrijk. Als je moeder tot de Berenclan behoorde, zijn wij neef en nicht. Dat zou een huwelijk tussen ons onmogelijk maken.'

Hoe konden ze nou neef en nicht zijn? Maar hij meende het wel degelijk en hij was doodsbang dat ze inderdaad tot de Berenclan zou behoren. Terwijl ze erover nadacht, begon het belang ook tot haar door te dringen. Als ze door zijn stam geaccepteerd wilde worden, moest ze zich aanpassen aan hun gewoonten. Ze pijnigde haar geheugen. 'Ik weet het niet meer. Ik heb geen idee.' *Hoe heet onze clan, moeder?*

Ver weg, aan de overkand van de rivier, klonk het maanlied van de wolf. Ingrid sloot haar ogen toen de laatste noten wegstierven en ze zag het gezicht van haar moeder. *Wij zijn van de Wolvenclan, dochter. Dat heb ik je een keer verteld.*

Maar dat is al zo lang geleden, murmelde Ingrid in zichzelf. Ben je het eens met mijn keus voor Wegsneller? Vertel me dat alsjeblieft, vroeg Ingrid in gedachten, zonder te weten dat haar lippen bewogen. Op dat moment telde de wereld niet. Ze zag haar moeder glimlachen voordat het beeld in duisternis oploste.

Wegsneller keek strak naar Ingrids gezicht. Ze bevond zich in een wereld waarin hij haar niet kon volgen en hij was ook zo verstandig om dat niet te proberen. Hij bleef op zijn hurken zitten en wachtte geduldig. De wolf in de verte begon aan een nieuw lied. Boy stak zijn neus in de lucht en gaf antwoord met een galmende kreet die nog in hun oren naklonk toen hij ophield. Vlak daarna draafde Boy weg in de richting van het geluid. Tijdens hun reis hadden ze het maanlied van de wolf vaak gehoord. Wegsneller wist niet wat hij moest denken van de manier waarop Ingrid nu reageerde.

Ten slotte deed ze haar ogen weer open. De maan toverde een zilveren glans op zijn wangen en in zijn ogen. Ze kon zijn uitdrukking niet zien, maar zijn warme adem streek over haar wang. Ze voelde dat hij aarzelde en vroeg zich af waarom toen ze opstond en zich uitrekte. Moeder had haar al jaren geleden verteld dat dromen soms een boodschap bevatten. Nu twijfelde ze daar niet meer aan. Haar stem klonk sereen toen ze zei: 'Ik hoor bij de Wolvenclan. Mijn moeder is het eens met mijn keus voor jou.'

Op eenzame plaatsen kunnen de doden en de levenden elkaar bijna aanraken. De geest van Ingrids moeder moest wel heel sterk zijn als ze zo dicht in de buurt kon blijven, dacht Wegsneller. Hij droeg alleen zijn lendendoek. Zijn beenstukken en mocassins zaten in zijn rugpak, samen met zijn warme hemd en parka. De haartjes op zijn armen gingen rechtop staan en hij rilde, maar niet van de kou.

'Hoe oud ben je, Droomster?'

'Ik ben aan mijn zestiende jaar begonnen,' zei ze. 'En jij?'

'Ik was zestien toen ik verbannen werd.' Het leek alsof hij al een hele tijd niet meer aan zijn leeftijd had gedacht. 'Dus dit is mijn tweeëntwintigste zomer,' concludeerde hij. 'Als ze mij bij aankomst in Doteoga toestemming geven om weer terug te komen, zal ik aan de Moeder van de Wolvenclan vragen of ze bereid is om je in haar clan op te nemen, vanwege je moeder. Wanneer het juiste seizoen aanbreekt, kunnen zij en mijn moeder met de toverpriesters regelen dat wij man en vrouw worden. Ze zullen dat aankondigen bij het volgende feest, als ze de eerste maïs binnenhalen.'

Ze voelde dat hij achteruitstapte en vroeg zich af of ze daar echt op moest wachten. Ze wilde niet dat hij haar op afstand hield. 'Ga niet weg. Ik heb het gezicht van mijn moeder gezien. Zij geeft ons nú al toestemming.'

Hij legde zijn hoofd in zijn nek zoals Boy af en toe ook deed en tuurde naar de bladeren alsof hij de hemel in kon kijken. Hij stak zijn hand uit en wachtte tot ze naar hem toekwam. In het licht van de ronde maan dat door de rivier weerkaatst werd, pakte ze zijn uitgestoken hand aan en legde vervolgens haar warme vingers tegen zijn koude wang.

'Je hebt me beloofd dat je me zou laten zien wat je nog meer met een kus kunt doen als we genoeg tijd hadden,' zei hij. De herinnering toverde een glimlach om haar lippen toen ze samen op hun bontvellen neerzonken. Zijn armen gleden om haar heen. Hij voelde hoe zacht haar lippen waren toen ze hem aanraakten en ze deinsde niet terug toen hij hetzelfde deed. Hij hoopte dat hij haar de angst over haar gevangenschap en het verdriet over haar broer kon laten vergeten, ook al was het maar voor even. Toen hij zijn gezicht in haar haar begroef en zijn tong over haar hals liet glijden was het besef dat Droomster de zijne wilde zijn het enige waar hij aan kon denken.

Toen het licht werd, ging Ingrid met een ruk rechtop zitten. Het duurde een paar tellen voordat ze besefte waar ze was. Ze had naakt geslapen en lag dicht tegen Wegsneller aan, die er al even bloot bij lag. Hij had zijn arm om haar heen geslagen en zijn lippen krulden omhoog in een flauw, intiem glimlachje. Terwijl ze zich herinnerde wat er was gebeurd, verscheen er een roze gloed op haar gezicht, maar ze had geen tijd om zich te generen, want de laatste stukjes van haar droom begonnen al wazig te worden.

Wegsneller ging meteen bezorgd rechtop zitten en zijn glimlach verdween. 'Je hebt gedroomd. Vertel me maar gauw waarover,' zei hij.

'Ik zag Ole. Het water droeg hem mee naar een donkere plek. Hij kwam tot rust in een moeras waar lange takken en wortels in modderig water staken. Hij is ten oosten van deze plek. Je moet hem gaan zoeken en hem bij me terugbrengen.' Ze stak haar handen uit alsof hij meteen aan haar verzoek kon voldoen en besefte toen hoe onwerkelijk dat gebaar was.

'Zodra jij veilig bent, zal ik mijn uiterste best doen.' Ze knikte. 'Als Orenda wil dat ik hem vind, zal hij ervoor zorgen dat Ole niets overkomt tot ik bij hem ben. We moeten nu eerst ons best doen om zo snel mogelijk in Doteoga te komen. Ga je maar gauw wassen.'

Als Wegsneller dacht dat dit gedeelte van de rivier veilig was, dan was dat waarschijnlijk ook zo. Hij had meestal gelijk. Tijdens de nacht waren de leren banden van haar vlechten los geschoten. Ze maakte haar haren los en liet haar vingers door de golvende roodbruine manen glijden. Het was alweer een stuk gegroeid sinds ze het had afgeknipt en het viel nu tot over haar schouders.

Ze liep achter Wegsneller aan het koude water in. Boy, die op de oever stond toe te kijken, besloot hun voorbeeld te volgen en sprong in het water, waarin hij zonder enige moeite rond begon te zwemmen. Toen Ingrid zich bukte om ook haar haar en haar bovenlichaam nat te maken, nadat ze zich met zand had ingewreven, kon ze zich maar met moeite staande houden. 'Zo moet je dat doen,' zei Wegsneller. Hij haalde diep adem en dook omlaag.

Ze keek hem na door het groen getinte water terwijl hij zich vlak boven het met grind bedekte rivierbed voortbewoog door gelijktijdig met zijn armen en zijn benen halve cirkels te maken. Daarna hurkte hij op de bodem en zette zich af, waardoor hij door het water omhoogschoot naar de oppervlakte. Hij blies de adem uit die hij had ingehouden en ademde de frisse lucht in. 'Nu jij. Haal diep adem, zodat je borst met lucht is gevuld. Als je onder water bent, laat je de lucht voorzichtig ontsnappen. Voordat je weer moet ademhalen, moet je jezelf met je handen naar boven duwen.'

Ze deed precies wat hij zei. Nu ze eraan gewend raakte, leek het water niet koud meer. Ze was verrukt toen ze ontdekte dat ze precies hetzelfde kon doen als hij en durfde zelfs haar ogen open te doen voordat ze weer boven water kwam. Het gedempte zonlicht weerkaatste van gekleurde stenen aan haar voeten. Ze duwde zich omhoog naar de oppervlakte en haalde diep adem. 'Dat was heerlijk,' zei ze.

'Nu moeten we ons laten opdrogen. Ga jij maar eerst.' Ze stapte op de oever en wrong haar haar uit. Toen ze in de zon ging zitten, stak er een briesje op dat de waterdruppeltjes op haar huid droog blies. Wegsneller en Boy, die nog even met hem in het water had gestoeid, schudden zichzelf uit en holden weg. Maar hij dook al snel weer op, gekleed in zijn lendendoek. Hij liet zijn lange haar ook loshangen zodat het in de zon kon drogen en hees zijn rugzak op zijn schouders.

Ingrid trok haar uit huiden gemaakte jurk en haar mocassins aan. Ze dronk nog een beetje water, pakte haar rugzak ook op en ze liepen over het pad waar iedereen hen kon zien. Ze hoefden zich niet meer te verbergen, want ze bevonden zich op het grondgebied van de Ganeogaono. Ze wilden ontdekt worden.

'We zullen eerst langs de maïsvelden komen. Daar zullen vrouwen aan het werk zijn. Misschien zul jij binnenkort ook je eigen heuvels kunnen bewerken.'

Een gevoel van verwachting welde in haar op. 'Ik moet nog zoveel leren. Ik hoop dat ik een goede Ganeogaono-vrouw kan worden. Ik wil niet dezelfde fouten maken als bij de Inuit.'

Zou ze er wel in slagen om als een echte Ganeogaono te denken, ook al had ze haar hele leven in een andere wereld gewoond? Zat het in haar bloed? Binnenkort zou ze het weten.

Wegsneller vertelde nog eens precies wat ze moest doen. 'Als we voor de ingang plaats hebben genomen, mogen we niet praten of eten tot iemand ons aanspreekt, of tot het donker wordt. Als dat nodig mocht zijn, blijven we buiten slapen en proberen het morgen opnieuw. We mogen niet langer dan drie dagen blijven wachten. Als er dan nog niemand is die ons heeft aangesproken, moeten we weer vertrekken. Zeg tegen Boy dat hij niemand mag bedreigen. Zal dat lukken?'

'Ik zal het tegen hem zeggen. Hij zal niets doen, tenzij hij denkt dat iemand me kwaad wil doen.'

'Niemand zal ons bedreigen als we rustig blijven zitten wachten. Het ergste wat ons kan overkomen, is dat ze ons niet welkom heten. Als ze zien dat ik het ben, zou dat weleens het geval kunnen zijn, vrees ik.'

'Ben jij ook bang?' Ze had meteen spijt van die vraag, maar hij werd niet kwaad.

'Een mens verandert nooit helemaal,' bekende hij. 'Ik kan alleen maar hopen dat we thuis zijn. Loop nu maar achter me aan.'

Ze liepen langs de maïsvelden. De ranken van de bonenplanten slingerden zich omhoog langs de jonge maïsstengels en over de brede bladeren van de kalebassen, waarvan de uitlopers over de grond kronkelden. Ingrid kon haar moeder bijna horen zeggen: *De Drie Gezusters!* Ze maakte een beleefde revérance voor de planten, een gebaar dat de mensen die naar hun keken niet ontging. 'Alles is goed,' zei ze tegen Boy, omdat ze bang was dat hij de vrouwen of de baby's die naast hen stonden in hun uit takken en boomschors gemaakte draagmanden zou laten schrikken. Een paar kleine hondjes blaften tegen hen, maar toen Boy zijn tanden liet zien en gromde, bleven ze op afstand.

De puntige zilverkleurige en grijze stammen van de palissade leken op naar buiten wijzende speren, een beeld dat iedere vreemdeling wel angst moest aanjagen. De elkaar overlappende uiteinden van de omheining voorkwam dat er meer te zien was dan de daken van de langehuizen. Grijze rooksliertjes kronkelden lui omhoog uit de rookgaten.

'Denk aan alles wat ik je heb verteld, Droomster. Leg de wampumstreng op je schoot, net zoals ik.' De gordel met het ingeweven patroon zat diep weggestopt in haar rugzak. 'Wees geduldig. Dat is een van onze sterkste punten. Zeg niets tot iemand je aanspreekt. En praat alleen tegen mij als het niet anders kan.'

Ze gaf Boy met een fluitsignaal opdracht om te gaan zitten en de hele procedure van een afstandje gade te slaan. Ze had nog geen moment spijt gehad van de dag dat ze hem onder haar hemd had verstopt om zijn leven te redden. Mede dankzij die kleine overtreding was ze nu in het land van haar moeder. Ze wenste alleen dat Ole, die zo zijn best had gedaan om haar tijdens de reis te beschermen, nu bij hen was.

Wegsneller zette zijn rugzak neer, legde zijn pijlenkoker, zijn boog en zijn mes erbij en liep een stukje verder, waar hij zich met een gracieuze beweging op de grond liet zakken en zijn benen kruiste. Ingrid deed precies hetzelfde met haar rugzak en Oles pijl en boog. Toen ze om zich heen keek, zag ze mensen die zwijgend en kritisch stonden toe te kijken. Ze ging naast Wegsneller zitten en legde de wampum in een cirkel op haar schoot.

'Nu moeten we afwachten,' zei hij.

Hoofdstuk 11

Na de lange reis viel het niet mee om stil te zitten en niets te doen. Ingrid probeerde haar ongerustheid en twijfel van zich af te zetten en er ontspannen maar ernstig uit te zien. Vroeger was het een spelletje geweest om haar gevoelens niet bloot te geven, maar dat was het allang niet meer. Ze vroeg zich af wat Wegsneller, op wiens gezicht alleen geduld stond te lezen, zou denken.

De kinderen stonden openlijk over de grote hond te praten en zich af te vragen of hij gevaarlijk zou zijn. Een paar van hen hadden stenen opgepakt toen de honden uit de stad om de nieuwkomer heen begonnen te draaien. Boy, de kruising van een Noorse en een Inuit-hond, was groter dan het grootste plaatselijke exemplaar en hij had een dikkere vacht. Hij zou ze stuk voor stuk aan kunnen, maar niet allemaal tegelijk. Een aanval leek onvermijdelijk, maar zou het slechts één hond zijn of de hele meute?

Het gedrentel hield op. Een moment later viel de leider van de meute Boy aan. De twee honden raakten in een fel gevecht gewikkeld. Ingrid keek om maar ze kon niet precies zien wat er gebeurde zonder op te staan. Ze was niet bang voor Boy, maar ze hoopte wel dat hij de andere hond niet zou doodbijten. Dan zou de eigenaar misschien zo boos worden dat hij zou eisen dat ze weggestuurd zouden worden. Maar zelfs als ze zich vrijuit had kunnen bewegen, had ze toch niets kunnen doen.

Ze maakten zo'n lawaai dat er nog meer mensen door de ingang naar buiten kwamen om naar het gevecht te kijken. 'Wacht,' zei de stem van een man achter haar. 'Laten we maar eens zien wat die nieuwe kan.' Toen hij naar de jongens toe liep, zag Ingrid een breedgeschouderde, lange man met een slordige, grijzende oorlogskuif. De jongens gehoorzaamden onmiddellijk en legden hun stenen neer.

Inmiddels was bijna de hele stad uitgelopen om de voorstelling te zien. Boys dikke vacht en zijn snelheid voorkwamen dat de andere reu zijn tanden in hem kon zetten. Met een grote sprong smeet Boy de aanvaller ondersteboven en drukte hem met zijn grote poten tegen de grond. Hij zette zijn kaken in de keel van de kleinere hond, maar toen de stadshond begon te janken ging Boy achteruit zodat de verslagen hond kon opstaan. De voormalige leider sprong op en snuffelde met de staart tussen de poten aan Boys achterste en aan zijn bek voordat hij zijn snuit likte. Binnen de kortste keren stoof de hele meute naar de bomen toe, waarbij de kleinste honden zich verdrongen om naast de zegevierende Boy te mogen lopen. Ingrid zag dat hij meteen geurvlaggen begon uit te zetten. Ze begroette zijn overwinning met een flauwe glimlach.

De mannen, vrouwen en kinderen kwamen vlak om het stel heen staan, tot Ingrid alleen maar knieën, met franje versierde zomen, blote voeten en mocassins zag. Plotseling klonk er gemompel en er kwam beweging in de menigte, die achteruitweek om de weg vrij te maken voor drie bejaarde vrouwen, die met bundels samengebonden veren in de hand statig tussen de mensen door schreden. Ingrid nam aan dat dit de clanmoeders waren. Dit was het drietal dat alle belangrijke beslissingen in de stad voor hun rekening nam. Zij moesten beslissen of Wegsneller en Ingrid mochten blijven.

Ze liepen langzaam om Wegsneller en Ingrid heen. Een van hen lachte kort. 'Wegsneller van een Gevecht is terug. Na zes jaar was ik bijna vergeten hoe hij eruitziet. Wat dapper van hem dat hij ons weer onder ogen durft te komen.'

Aangezien ze tegen elkaar spraken, hield Ingrid haar mond, maar ze begon wel te begrijpen waarom haar vriend zijn naam zo graag wilde veranderen. De tweede vrouw betastte Ingrids golvende haar. 'Van welke stam zou deze vrouw afkomstig zijn? Ik heb nog nooit zulk haar gezien. Het glanst alsof de ondergaande zon eronder schuilt.' Ingrid keek op in het gelooide gezicht van de oude vrouw.

'Groene ogen!' riep de derde vrouw uit. 'Wie heeft er ooit groene ogen gezien? Zelfs haar huid ziet er vreemd uit. Is ze een geest of een van de legendarische stenen mensen?' De vrouw pakte Ingrids kin tussen haar duim en wijsvinger en drukte met haar andere hand zacht tegen haar wang en tegen haar borst. 'Nee, ze is zacht en warm. Ze is een mens, maar wat ziet ze er vreemd uit! De grote hond luisterde naar haar. Dit is een raadsel, mijn zusters.'

De vrouw pakte de leren veter met de ivoren zeehond die Ingrid van Sammik had gekregen en legde de duimlange amulet op haar hand om hem aan de anderen te laten zien. Ingrid bleef roerloos zitten.

'Dit is een dier dat in de zee woont,' zei de vrouw tegen de andere clanmoeders. Ze had haar de amulet in ieder geval niet van de hals gerukt, zoals Sira Pall Knudson had gedaan. Na een poosje liet de oude vrouw de hanger weer op Ingrids borst vallen. Ze tilde Ingrids kin op en keek haar nadenkend aan. 'Deze jonge vreemdelinge komt van een volk met een vreemde huidkleur, maar ze weet wel hoe ze zich onder deze omstandigheden dient te gedragen.'

'Afgezien van die vreemde kleur komt ze me toch bekend voor,' zei een van de andere twee tegen de laatste vrouw. 'Ze doet me op de een of andere manier aan jou denken toen je nog een meisje was.'

De clanmoeder tegen wie de opmerking gericht was, woof de opmerking weg. 'Zo ver gaan jouw herinneringen niet terug, oude vrouw,' antwoordde ze vol genegenheid. 'Ik zal haar eens goed bekijken.' Ze ging op haar hurken zitten en keek aandachtig naar Ingrids gezicht, met name naar haar ogen. Het kostte Ingrid de grootste moeite om zich te beheersen. Maar ze zat al zo lang dat ze stijf begon te worden en de bijkomende emoties zorgden ervoor dat de tranen in haar ogen sprongen. Ze wreef ze weg met de rug van haar gebruinde hand.

'Ik kan mijn ogen niet geloven,' zei de oude vrouw. 'Dochter,' zei ze op scherpe toon tegen een andere vrouw die vlak bij haar stond. 'Pompoenbloesem, kom eens hier en vertel me wat je ziet.'

Pompoenbloesem was ouder dan Ingrids moeder nu zou zijn geweest en ze was ook veel dikker. Haar donkere haar hing in één dikke vlecht over haar schouder. De dochter van de clanmoeder ging op haar hurken zitten en bestudeerde Ingrids gezicht in de toenemende schemering. De zon was achter de bomen verdwenen, Pompoenbloesem schudde even met haar hoofd en draaide zich om alsof ze een schok had gekregen.

'Nou?' drong de oudere vrouw aan. 'Wat zie jij?'

'Mijn ogen houden me voor de gek. Ze lijkt op mijn zuster die ons ontstolen is, maar dat kan gewoon niet. Dat is al veel te lang geleden.' De oudere vrouw gaf geen antwoord. 'Broer,' riep Pompoenbloesem. 'Kom eens hier.'

Een volwassen krijger met jongensachtige ogen kwam naar hen toe en keek op Ingrid neer. De oorlogskuif maakte dat hij er angstaanjagend uitzag, maar uit zijn gedrag sprak alleen nieuwsgierigheid, geen kwaadaardigheid. 'Ik kan me mijn oudere zuster nauwelijks herinneren,' bekende hij. 'Ik was nog een kind toen de Algonquian kwamen.'

'Verkenner?' De naam ontglipte Ingrid. Ze sloeg verschrikt haar hand voor haar mond. Ze had gesproken voordat ze haar een directe vraag hadden gesteld. De man leek aanvankelijk een beetje verbaasd, maar toen glimlachte hij en knikte, voordat hij zijn moeder aankeek alsof zij daar een verklaring voor had.

'Hoe weet je dat?' snauwde de oude vrouw. 'Wegsneller heeft je verteld hoe mijn zoon heet, hè?'

'Nee,' fluisterde Ingrid en schudde ontkennend haar hoofd. Ze kon zich nauwelijks herinneren waar die naam vandaan kwam. Waarschijnlijk uit een van de verhalen die haar moeder haar lang geleden tijdens een winternacht had verteld.

De krijger begon opnieuw te praten. 'Ik weet wat je denkt, moeder, maar deze vrouw kan mijn zuster niet zijn.' Zijn stem klonk zacht, het was nauwelijks meer dan een gefluister. 'Zij zou nu veel ouder zijn geweest. Dit is een jonge vrouw. Mijn zuster had haar moeder kunnen zijn, als ze in leven was gebleven en niet door onze vijanden was gedood.'

Wat gebeurde er toch allemaal? Ingrids adem schuurde in haar keel en ze slaakte een zachte kreet. Moeders geest was zo dichtbij dat Ingrid haar bijna kon zien. Dit moest haar woonplaats zijn en deze mensen waren waarschijnlijk haar eigen familieleden. Als dat waar was, dan... Ineens schoot haar een woord te binnen dat ze van Wegsneller had geleerd. Als ze zich vergiste, als ze zouden denken dat ze zich met bluf een plaats in hun midden probeerde te verwerven, dan zou haar weleens een erger lot kunnen wachten dan weggestuurd te worden. Ze schraapte haar keel. *'Uc-sote?'* vroeg ze. Het was het Ganeogaono-woord voor grootmoeder.

'Grote Geest Orenda!' riep de oude vrouw uit en ze kwam bijna boos overeind. 'Hoe heette je moeder? Dat kan Wegsneller niet geweten hebben. Hij was nog maar een kind toen de Algonquian ons overvielen. Als jij denkt dat ik jouw *uc-sote* ben, vertel me dan

maar hoe je moeder heet. Ik ben de Moeder van de Wolvenclan.'
Het was een bevel, geen verzoek.

Ingrid schudde bedroefd haar hoofd en keek omhoog in het gezicht van de oude vrouw. 'Mijn vader noemde haar Astrid. De Inuit noemden haar Mikisoq.' Ze wist dat die namen allebei niet klopten. De vrouw stond nog steeds te wachten, net als de anderen. 'Ik weet het niet.' Ze wilde het liefst onder de grond kruipen. Ze wilde deze familie niet teleurstellen, maar ze wist niet hoe de naam van haar moeder in haar eigen taal luidde. 'Ik zei altijd moeder tegen haar. In de zomer dat ze stierf, was ik elf jaar.'

De Moeder van de Wolvenclan draaide Ingrid haar rug toe, waardoor het meisje dacht dat ze verloren was. Ze kon het juiste antwoord niet geven. Het zou best kunnen dat dit haar grootmoeder was, maar dat kon ze niet bewijzen.

'Wie ben je?' vroeg een van de andere oude vrouwen.

'In mijn vaderland heette ik Ingrid,' antwoordde ze. 'Mijn volk is verdreven of dood. Ze woonden ver weg van Ganeogaono-land, aan de andere kant van het Grote Water. Mijn vader nam ons mee naar de Inuit, de zeejagers die in het noorden wonen.' Ze wierp een blik op de rug van de Moeder van de Wolvenclan. De vrouw stond gebukt en haar schouders schokten. Ze zag er broos uit. Haar dochter en zoon stonden nog steeds vlak bij Ingrid.

'Toen ik bij hen woonde, kreeg ik van de mensen uit het noorden een andere naam. Zij noemden me Droomster. Hun sjamaan zei dat ik niet bij hen hoorde, dat ik terug moest gaan naar het volk van mijn moeder. Ik heb veel seizoenen moeten reizen om hier te komen.'

De Moeder van de Wolvenclan draaide zich om en staarde Ingrid aan. 'Droomster? Dat is een heilige naam, maar die heb je gekregen van vreemdelingen die niets van onze gebruiken af weten,' zei ze. Op haar gezicht waren de sporen van tranen te zien. 'Ik weet niet wat ik moet denken,' bekende ze.

Een vrouw van ongeveer dezelfde leeftijd als Ingrids moeder kwam naar haar toe. 'Het meisje dat je moeder had kunnen zijn, werd ons lang geleden ontstolen. Ze was mijn nichtje en mijn beste vriendin. Heeft je moeder je verteld hoe ik heet? Doe maar rustig aan. Denk goed na.'

Ingrid keek op en stond op het punt om nee te zeggen. Ze kon zich de namen van de vriendinnen van haar moeder niet herinneren. Moeder had Ingrid wel verteld dat ze aan de andere kant van de oceaan veel nichtjes had en dat ze meer dan genoeg vriendinnetjes zou hebben als ze terug konden keren naar haar stad aan de Brede Rivier, maar dat was al zo lang geleden.

De brede wangen van de vrouw puilden uit alsof ze op het punt stond in lachen uit te barsten, hoewel haar ogen ernstig stonden. Ingrid wendde even haar blik af en keek toen weer op. 'Lachend Meisje?' vroeg ze. Ze verwachtte niet anders dan dat ze weggestuurd zou worden.

De vrouw slaakte een gilletje en haar ogen werden groot. 'Dit is de dochter van Gahrastah. Dat kan niet anders.' Ze bukte zich om Ingrid overeind te trekken.

Een andere vrouw kwam bij hen staan. 'Ik ben de jongere zuster van je grootmoeder. Weet je hoe ik heet?'

Ingrid schudde haar hoofd. 'Er waren zoveel namen. Mijn moeder praatte zo vaak over haar familie en het land waar ze thuishoorde, heel ver weg van het land waar ik ben geboren. Ze bleef altijd verlangen naar haar woonplaats in het bos bij de rivier. In het land van mijn vader waren geen bomen. Ik weet niet of de Moeder van de Wolvenclan mijn grootmoeder is. Ik wil ook helemaal niet beweren dat ik belangrijk ben. Ik heb geen vader of moeder die bij u een goed woordje voor mij kunnen doen.'

'Wie heeft je onze taal geleerd?' vroeg de Moeder van de Wolvenclan. 'Wie heeft je vanuit het land van de zeejagers helemaal hierheen gebracht?' Ze was nog steeds niet overtuigd.

Ingrid wees naar Wegsneller, die zich tijdens alle gesprekken niet had verroerd. Niemand had nog een woord tegen haar vriend gezegd. Ze wenste dat hij het woord voor haar kon doen. Ze had een vreemd accent en haar kennis van het Ganeogaono was gebrekkig. 'Een van mijn twee oudere broers is meegekomen om te helpen mij onderweg te beschermen, maar hij is vijf dagen geleden uit ons kamp aan de oever van de Brede Rivier verdwenen. We weten niet wat er met hem is gebeurd.'

'Had je moeder ook zoons?' vroeg de vrouw met de brede wangen.

Ze hadden haar verkeerd begrepen. Ingrid had moeten zeggen dat ze haar halfbroers waren. 'Twee zoons en vier dochters, maar ik was de enige die in leven bleef. Mijn broers waren de zoons van de eerste vrouw van mijn vader, die stierf voordat hij mijn moeder leerde kennen. Oles haar is roder dan het mijne.' Ze wist niet precies hoeveel ze hen moest vertellen. Als ze over zijn baard begon, kwam ze misschien ongeloofwaardig over. 'We zijn twee jaar lang onderweg geweest.'

'Ben je dan niet op Schildpadeiland geboren?' vroeg de Moeder van de Wolvenclan.

Ingrid boog haar hoofd. 'Nee.' Hun stilzwijgen gaf haar de moed om verder te gaan. 'Het land van mijn vader ligt hier ver vandaan, aan de oostkant van de oceaan. Mijn vader en mijn broer Leif wonen nog steeds bij de zeejagers. Mijn vader is oud en Leif is met een van hun vrouwen getrouwd. Wegsneller bood aan om mijn broer Ole en mij naar het land van mijn moeder te brengen en ons de taal van de langehuisvolken te leren. Hij beloofde dat hij me thuis zou brengen.'

Ze keken allemaal naar Wegsneller toen ze dat zei. Ze moest hem belonen voor alles wat hij voor haar had gedaan. 'De Algonquian namen ons gevangen en wilden ons doden omdat ze het stalen mes van mijn broer wilden hebben. Wegsneller kwam naar het dorp van de Algonquian toe om ons te redden. Hij heeft mij naar een veilige plaats gebracht en ging toen terug om Ole te halen.'

'En?' vroeg een oudere man.

'Wij zijn hier. Zij zijn dood.'

Een andere man, met lang grijs haar dat tot halverwege zijn rug reikte, had vlakbij staan luisteren. Tot op dat moment had hij niets gezegd, maar nu begon hij in een zich steeds herhalend ritme met een schildpadratel te zwaaien. Hij liep één keer om Ingrid en Wegsneller heen voordat hij ophield met zijn geratel en de clanmoeders toe knikte.

'Moeder van de Wolvenclan,' vroeg hij. 'Bent u bereid om de vrouw die Droomster wordt genoemd in uw clan en uw huis op te nemen?'

'Ik ben bereid om haar op te nemen,' zei ze met een gesmoorde stem. Wegsneller stak de priester zijn wampumstreng toe. Ingrid volgde zijn voorbeeld en de man pakte ze allebei aan en liet zijn hand over de gladde schelpen glijden.

'Mooi, dan is dat in orde,' zei een van de andere clanmoeders. Ze legde haar benige hand op de schouder van Wegsneller. 'Je hebt gezegd dat je Droomster naar huis zou brengen. Sta op en doe dat dan. Iedereen heeft honger, waar wacht je nog op?'

Wegsneller wreef over zijn knieën en stond op. Hij keek langzaam om zich heen en zijn blik dwaalde van Ingrid naar de mensen uit de stad. Ten slotte keek hij de oude vrouw aan die hem had aangesproken. 'Ik groet u ook, moeder. Als u ons eerder had uitgenodigd om binnen te komen, hadden we ons eten nu op gehad.'

De Moeder van de Wolvenclan en de Moeder van de Schildpadclan liepen samen naar de Moeder van de Berenclan toe. 'Je zoon heeft zijn schuld ingelost,' fluisterde de Moeder van de Schildpadclan. 'Je hoeft je niet meer voor hem te schamen. Hij is als held teruggekeerd.'

Ingrid pakte de uitgestoken hand van Wegsneller aan. Het was de eerste keer dat ze elkaar sinds de avond ervoor aanraakten. De blik waarmee ze elkaar aankeken, ontging de mensen om hen heen niet. Hij bleef haar hand vasthouden en liep met haar naar de opening in de palissade, waar de uiteinden van de omheining elkaar overlapten. 'Ik breng je naar het huis waar de Moeder van de Wolvenclan zelf woont,' zei hij. 'Dan ga ik naar het mijne. Mijn moeder en jouw grootmoeder moeten beslissen of ik ook in haar huis mag komen wonen als jouw man. In de tussentijd ga ik weer terug om te proberen of ik Ole kan vinden.'

Ingrid wilde niet tegen hem zeggen dat ze doodsbang was dat hem iets zou overkomen. Maar ze moest weten wat er met Ole was gebeurd en Wegsneller zou dat raadsel waarschijnlijk wel kunnen oplossen. 'Pas goed op jezelf. Zorg dat je weer bij me terugkomt.' Ze kenden elkaar inmiddels zo goed dat woorden eigenlijk overbodig waren.

Onder het embleem van de Wakende Wolf dat boven de ingang hing, keken ze elkaar nog één keer diep in de ogen. Toen draaide hij zich om en liep weg.

Ingrid maakte een diepe revérence voor haar grootmoeder. De ogen van de oude vrouw werden groot bij dat vreemde eerbetoon. Hoewel dit meisje waarschijnlijk haar kleindochter was, waren ze toch vreemden voor elkaar. Het kind kwam uit een totaal andere wereld. 'Welkom in mijn huis,' zei ze, terwijl ze het gordijn dat als deur diende opzij schoof en voor Ingrid uit liep. 'Ga maar meteen mee naar mijn woongedeelte, Droomster. Ik zal je iets te eten geven en daarna mag je naast mij op mijn bedbank slapen.'

Hoofdstuk

Zo lang Ingrid zich kon herinneren had haar moeder verhalen verteld als ze hun bescheiden maaltijden verdeelde. Wanneer de wind om het huis huilde, had moeders stem hen verwarmd zodat ze hun lege maag vergaten. Een van die verhalen was speciaal voor Ingrids oren bestemd. Dat ging over het huis van haar moeder in het woud bij de rivier. Ze had een grote familie die bestond uit neven en nichtjes en ooms en tantes. Aan het hoofd stond een oude vrouw, de clanmoeder. 'Thuis genoten we altijd van de winter in plaats van er met angsten en beven naar uit te kijken,' had moeder gezegd. 'Er was altijd meer dan genoeg te eten en de hele avond lang werden er verhalen verteld. Je grootmoeder zou je verwennen met gepofte maïs, gepelde noten en gebakken maïskoekjes die druipen van de esdoornsiroop. Siroop is zoeter dan de allerzoetste bes. Er bestaat niets dat daarmee vergeleken kan worden.'

Als je moeder hoorde, leek het alsof ze wolken en sterren te eten had gekregen. Ingrid had al heel gauw, nog voordat ze verbannen werden naar de Westelijke Nederzetting, besloten dat ze er niets van geloofde. Wie kon zich nou voorstellen dat zoveel familieleden allemaal in één huis woonden? En de winter was de hongertijd, dan had je toch geen zin in feesten en spelletjes? Nu verwarmden de gloeiende sintels van de centrale kookplaats de eerbiedwaardigste bewoonster van het langehuis en haar kleindochter. Ingrid hapte in een maïskoek en likte de restanten van de zoete esdoornsiroop van haar lippen.

Ze nam een slokje van haar kruizemunthee en zette haar aardewerk mok neer. Al voordat ze haar eten op had, kwamen alle vrouwen en meisjes in een kring om hen heen zitten. Ze hadden hoog-

457

geplaatst bezoek en grootmoeder had de Moeder van de Berenclan en de Moeder van de Schildpadclan een plaatsje op haar bedbank aangeboden. Pompoenbloesem kwam aanlopen met een kom gepelde walnoten en bosbessen voor hun bezoek en zette die tussen hen in. Daarna klom ze zelf ook op de bedbank van haar moeder en ging op een vacht zitten.

'Droomster,' zei grootmoeder. 'Wegsneller heeft je al het een en ander over onze gebruiken verteld. Misschien weet je al dat we elkaar alleen in de winter, als we toch binnen moeten blijven, verhalen vertellen. In de lente, de zomer en de herfst wordt er gewerkt en gevochten. Uit respect voor de Schepper zal ik je niet vragen of je een verhaal wilt vertellen, maar ik heb een verzoek dat erop lijkt. Ik wil graag dat je mij en ons allemaal alles vertelt wat je over het leven van je moeder weet. Ze moet je toch veel verteld hebben over de dagen en de jaren nadat ze ontvoerd werd.'

'Wat wilt u precies weten?' vroeg Ingrid. Met al die mensen om haar heen, inclusief het hoge bezoek, had ze weer het gevoel dat ze terechtstond. Grootmoeder keek de anderen even aan voordat ze om bijzonderheden vroeg. 'Hoeveel jaar heeft je moeder bij de Algonquian gewoond voordat ze naar de Inuit ging? Hoe is ze door de Algonquian behandeld?'

'Mijn moeder sprak niet graag over die tijd. Toen ik oud genoeg was om naar dat soort verhalen te luisteren, had ze de gedachte eraan van zich afgezet. Ik weet alleen dat ze heel ongelukkig was en naar huis probeerde te vluchten, maar ze kregen haar altijd weer te pakken. Een paar jaar nadat mijn moeder was gestorven, heeft mijn vader me iets meer over haar leven verteld.'

'Hoe heeft je moeder de Inuit ontmoet? Wat voor soort leven leiden zij?'

Ingrid vertelde hun dat de mannen het voor het zeggen hadden in de dorpen van de Inuit en dat haar moeder maar al te graag bereid was om met hem mee te gaan, toen ze Ingrids vader had ontmoet.

'Zijn de Inuit sterke mensen? Hoeveel personen wonen er in een dorp? Vertel ons maar alles wat je weet.' Grootmoeders ogen boorden zich met een felle blik in die van Ingrid.

'Ze zijn kleiner dan de Ganeogaono of de Groenlanders, maar ze zijn heel sterk en ze worden niet gauw moe. Ik heb zelf ook meer dan een jaar bij de Inuit gewoond, nadat we uit het land van mijn vader weg moesten. Hun dorpen zijn klein, er wonen maar drie tot tien families. Voor meer mensen kunnen ze niet genoeg voedsel vinden. Er groeit niets anders dan gras en lage struiken. Er zijn wel berken en wilgen, maar die zijn zo klein dat je er niet eens een boog van kunt maken. Ze bekleden hun boten met de huiden van zeedieren, zoals deze.' Ze trok de ivoren zeehond die ze om haar hals droeg te voorschijn en toonde het aan de vrouwen die haar amulet nog niet eerder hadden gezien.

'Wat eten ze dan als er geen maïs kan groeien?' vroeg de Moeder van de Schildpadclan.

'Zeehonden en vis. Eerst krijgen de jagers en hun honden te eten, dan de jongens en de zogende moeders. Als er niet genoeg te eten is, moeten meisjes en oude mensen hongerlijden en sterven.'

Dat antwoord beviel grootmoeder allerminst. 'Je hebt me verteld dat jouw moeder je vader leerde kennen op een eiland ten noorden van het land van de Algonquian. Hoe is dat gebeurd?'

'Nee, ik heb Wegsneller op het Handelseiland ontmoet. Mijn moeder leerde daar de Inuit kennen, maar niet mijn vader. Ze kwam hem pas later tegen, nadat de Inuit over de bevroren oceaan naar hun land in het oosten waren getrokken. Voordat mijn moeder Schildpadeiland verliet, heeft ze overwinterd in een Naskapidorp. Daar werd ze goed behandeld, maar ze is toch weggegaan en naar het noorden getrokken.'

'Waarom?'

Ingrid moest even slikken. Geloofden ze haar niet? Moest ze echt alle ellende herhalen die haar moeder had doorgemaakt? 'Mijn vader heeft me dat verteld. Moeders meester had haar zwanger gemaakt.' Ze zweeg even om na te denken hoe ze de rest moest vertellen. Wegsneller had haar genoeg woorden geleerd, maar hiervoor was meer nodig dan woorden. 'Hij wilde een zoon van haar, een jongen die ze konden leren om tegen jullie, haar volk, te vechten. Daarom vluchtte ze naar het noorden, waar de Algonquian haar niet zouden zoeken.' Grootmoeder bedekte haar ogen met een van haar donkere handen.

'Hoe is ze aan haar meester ontsnapt?' vroeg de Moeder van de Schildpadclan.

Ingrid wist niet hoe ze op de waarheid zouden reageren. Ze was niet van plan geweest hen dat te vertellen, maar nu het haar rechtstreeks werd gevraagd, antwoordde ze even onomwonden. 'Ze heeft zijn mes gepakt en hem in zijn slaap gedood.'

Grootmoeders lippen ontspanden in iets wat op een glimlach leek. 'Dat klinkt als Gahrahstah. En toen?'

'Ze nam zijn boog en zijn pijlenkoker mee en wat voedsel. Een verhalenvertelster had medelijden met haar en gaf haar alles wat ze verder nodig had, plus een stalen mes. Ze heeft het mes aan mijn vader gegeven, die het later aan mijn broer gaf om mij in het nieuwe land te beschermen.' Haar stem klonk gesmoord toen ze aan Ole dacht. Ze wreef even in haar ogen en slikte. 'Onderweg naar het noorden heeft ze gejaagd om in leven te blijven. Toen ze geen pijlen meer had, at ze alles wat ze kon vinden...' Ingrid zweeg even. De clanmoeders en Pompoenbloesem luisterden geboeid toe.

'Het duurde bijna twee maanden voordat ze een dorp vond. De Naskapi waren goed voor haar. Ze had gedacht dat ze nooit een mens meer zou zien en dat ze in het dennenwoud zou sterven. Ze heeft mijn vader verteld dat ze tijdens haar reis beschermd werd door wolven die haar ook voedsel brachten. Zij hielden haar in leven tot ze werd gevonden door de Naskapi-dorpelingen die haar in huis namen.'

'Hebben wolven haar voedsel gebracht?' De Moeder van de Schildpadclan verslikte zich en spuugde een half opgekauwde noot in haar hand. Pompoenbloesem gaf haar een kom water die ze gretig leegdronk.

'Weet je dat zeker?' vroeg de Moeder van de Berenclan met een strenge uitdrukking op haar gezicht.

'Dat heeft ze zelf aan mijn vader verteld,' zei Ingrid. 'Ik heb er nooit aan getwijfeld.'

Het bleef even stil. De Moeder van de Berenclan nam ook een slokje water. 'Waarom kon ze niet bij de mensen blijven die haar hadden gered? Waarom heeft ze Schildpadeiland verlaten om bij de Inuit-zeejagers te gaan wonen als die zulke wrede gewoonten hadden?'

'Naskapi spreken dezelfde taal als Algonquian. Als Wegsneller terugkomt, kan hij u dat ook vertellen. Hij heeft jarenlang bij hen gewoond. Mijn moeder was bang dat ze weer gevangengenomen zou worden. Ze wilde niet dat de Algonquian haar zouden vinden en haar het kind zouden afpakken.'

'Het kind. Was het een jongen?'

'Het was een meisje, maar de Inuit accepteren geen vreemde baby's die geen vader hebben. De dorpsvrouwen smoorden de baby terwijl mijn moeder sliep.'

Grootmoeder wendde haar gezicht af. Het duurde even voordat ze vroeg: 'Heeft je moeder je dat verteld?'

'Nee. Mijn vader.' Ingrid vroeg zich af of de rest van het verhaal grootmoeder verdrietig zou maken of haar zou troosten, maar ze besloot het toch te vertellen. 'Mijn moeder werd geestesziek nadat haar dochter was vermoord. Haar grootmoeder stuurde haar geest naar haar toe om met haar te praten en haar te helpen met het verwerken van haar verdriet.'

De drie vrouwen staarden haar ongelovig aan. De Moeder van de Wolvenclan stak haar hand uit en legde haar knoestige vingers op Ingrids gladde hand. Terwijl ze haar stevig vasthield, zei ze: 'Hoe kan dat nou?'

Het was zo'n vreemd verhaal dat zelfs Ingrid haar twijfels had. 'Dat weet ik niet. Vader zei dat mijn moeder de geur van brandende tabak rook. Wij kenden geen tabak. Ik vertel u alleen maar wat mijn vader heeft gezegd.'

'Het meisje kan dit verhaal toch niet hebben ingestudeerd, hè?' fluisterde de Moeder van de Berenclan. 'Zoveel fantasie heeft Wegsneller niet.'

'Ik denk dat ze eerlijk is,' zei de Moeder van de Schildpadclan. 'Maar dit gaat alle verbeeldingskracht te boven.' Ze keek de Moeder van de Wolvenclan aan. 'Het meisje zegt dat jouw moeder haar geest op reis heeft gestuurd.'

'Als dat zo is, dan heeft ze mij dat niet verteld. Misschien waren de toverpriesters wel op de hoogte, maar die geven hun geheimen nooit prijs. Mijn moeder was destijds sterker dan ik, omdat ik op één dag zowel mijn man als mijn dochter had verloren. Het nieuws over de dood van die kleindochter zou ondraaglijk zijn geweest zonder de kracht die een vrouw pas met de jaren krijgt.'

'Mag ik u nog iets vertellen?' vroeg Ingrid. Ze keken haar weer aan. 'Toen mijn moeder stierf, leek het net alsof ze iemand zag. Mijn vader zei dat ze vaak met haar vader sprak. Hij dacht dat hij naar haar toe was gekomen om haar naar huis te brengen.'

Grootmoeder sloeg haar handen voor haar gezicht. Nadat ze even had nagedacht zei Ingrid: 'Ik heb iets dat ik u wil laten zien. Dat kan u misschien helpen om mij te geloven. Het is een soort tekening.' Ze wist niet wat 'tekening' in hun taal was, dus gebruikte ze het Noorse woord.

'Wat bedoel je?'

'We hebben twee strengen wampum aan de toverpriester gege-ven. Ik heb de schelpen van een andere streng gebruikt om iets spe-ciaals te maken, een geschenk dat ik aan de familie van mijn moe-der wilde geven als ik hen zou vinden. Ik heb een gordel gemaakt met behulp van een klein weefgetouw, zoals de Groenlanders ge-bruiken.' De moeders en Pompoenbloesem keken haar afwachtend aan. Ingrid wist niet of het volk van haar moeder ook weefgetou-wen kende, dus gebruikte ze het woord uit haar eigen taal.

'Ik wil u een tekening laten zien die ik van mijn droom heb ge-maakt. Of eigenlijk was het geen droom, want ik was wakker,' ver-beterde ze. 'Op het Handelseiland heb ik moeder gevraagd of ik met Wegsneller mee moest gaan. Ik stond op de zuidelijke oever en keek uit over de oceaan. De zon stond op het punt onder te gaan en het zonlicht viel in een lange baan over het water. Ik werd erdoor verblind, maar toen ik mijn ogen sloot, was het net alsof ik naar de vlucht van een grote vogel keek. De vogel veranderde in een ade-laar die over de oceaan naar het land vloog en zijn reis vervolgde tot hij uiteindelijk op een hoge dennenboom neerstreek. Ik heb daar voor u met behulp van mijn weefgetouw een voorstelling van gemaakt in paarse en witte wampum.'

Zoveel informatie ineens konden ze niet verwerken en ze had te veel woorden gebruikt die ze niet kenden. Maar Ingrid wist niet hoe ze het anders uit moest leggen. 'Op welke boom streek hij dan neer?' vroeg de Moeder van de Berenclan, die alleen het laatste stuk had begrepen.

'Ga maar even mee naar buiten,' zei ze. 'Het duurt niet lang.' Grootmoeder gebaarde dat de anderen moesten wachten en de drie clanmoeders liepen met Ingrid mee. Ingrid wees naar de hoogste dennenboom die buiten de omheining stond. Hij torende boven de gepunte berkenstammen uit. 'Die daar.'

'Heb je een adelaar in de top van die boom zien zitten?' vroeg grootmoeder. Ingrid knikte. 'Ik begrijp niet wat je ons probeert te vertellen. Wat betekent *weefgetouw*? Wat heb je van de wampum gemaakt?'

'Dat zal ik u laten zien. Het is bijna af.' Ingrid liep terug naar grootmoeders bedbank en bukte zich om haar rugtas te pakken die eronder stond. Op regelmatige afstanden viel het zonlicht door de rookgaten naar binnen. Ingrid haakte de bovenkant van haar pri-mitieve weefgetouw achter een knoest in de middenste steunpaal van het huis, zodat de gordel in de lengte omlaaghing. Grootmoeder wenkte dat iedereen moest komen kijken. 'Dus dit is een droom van wampum,' zei ze met een verwonderde stem.

Ingrid tilde de gordel op en hield hem plat. 'Ziet u wel? Ik heb de wampumschelpen aan de scheringdraden geregen om de tekening te maken. Hier staan de adelaar en de boom in het paars op een witte achtergrond.' De afbeelding was gestileerd om zonder al te veel details aan te geven wat de maker voor ogen stond.

'Ze maakt tekeningen,' zei de vrouw met de brede wangen die de avond ervoor had verteld dat zij een nichtje van moeder was en haar beste vriendin. *'Zij Maakt Tekeningen.'* Een tekening was een afbeelding. Ingrid begreep wat het woord betekende. En samen vormden die drie Ganeogaono-woorden de naam Gahrahstah. Eindelijk had Ingrid ontdekt hoe haar moeder werkelijk heette.

Blauwe Ster, de dochter van Pompoenbloesem, liet haar vinger over de afbeelding van de boom en de adelaar glijden. 'Dit soort dingen maakte mijn tante toch ook voordat ze werd ontvoerd?'

Pompoenbloesem liet haar tong over haar lippen glijden. 'Je kent de tekening van de wolf die boven de ingang van ons huis hangt, Blauwe Ster. Die heeft mijn zuster met houtskool op boomschors gemaakt. Door op deze manier schelpen in een gordel te verwerken is gebruikgemaakt van een andere techniek, maar ja, Droomster maakt ook tekeningen. Moeder, volgens mij is dit toch echt het bewijs dat deze vrouw de dochter van Gahrahstah is.'

Ingrid keek van de een naar de ander. Ze had haar hand op de achtergrond van witte wampum willen leggen om hen ervan te overtuigen dat ze de waarheid sprak en dat deed ze nu met de woorden: 'Alles wat ik u heb verteld is waar, grootmoeder.'

De oude vrouw deed even haar ogen dicht om de glinsterende tranen te verbergen. 'Ook zonder de witte wampum wist ik vanaf het begin dat er geen oneerlijkheid in je schuilt. Ik geloofde al dat je moeder tot de Wolvenclan behoorde. Ik geloof ook dat ze is ontvoerd, maar al zou ik het nog zo graag willen, we kunnen er geen van beiden zeker van zijn dat jouw moeder mijn dochter was. Ik had de hoop al lang voor jouw komst opgegeven. Maar zelfs als je deze gordel niet had gemaakt, zou ik je toch tijdens het Feest van de Groene Maïs geadopteerd hebben.'

Ingrid was er in haar hart wel van overtuigd dat de Moeder van de Wolvenclan haar grootmoeder was. Ze geloofde even vast dat de mensen in dit langehuis haar familieleden waren, maar ze vroeg zich af of er een manier zou zijn om een eind aan alle twijfel te maken. Ze dacht het niet en ze hield zichzelf voor dat ze tevreden moest zijn. Ze wenste alleen dat Ole bij haar kon zijn om van haar thuiskomst te genieten. Nu dreigde haar verdriet haar blijdschap daarover te bederven. Ze kon er maar beter niet meer aan denken.

Ingrid liet de vrouwen zien hoe ze de schelpen aan de draden reeg om haar afbeelding te maken. Onder leiding van Ingrid regen haar nichtjes om de beurt schelpen aan de draden, knoopten ze vast en draaiden het werk om, zodat ze aan de volgende toer konden beginnen. Ze was al bijna klaar, dus zo nauwkeurig hoefden ze niet meer te werken.

Een van de jonge moeders was net aan de beurt om schelpen te rijgen, toen haar baby in zijn hangwieg begon te huilen. 'Zal ik hem even oppakken?' bood Ingrid aan. 'Dan kun jij de toer afmaken. Het gaat heel goed.' De moeder gaf Ingrid toestemming om haar kind op te pakken.

Ingrid tilde het kind uit de wieg en nam hem op schoot. 'Je moeder komt zo weer bij je,' zei ze. De baby keek haar onderzoekend aan en begon te blèren. Ze herinnerde zich een slaapliedje dat haar moeder altijd zong om haar eigen baby's in de ijzige Groenlandse hongerwinters te kalmeren en begon te neuriën. Toen ze zich de melodie weer herinnerde, zong ze er de woorden bij die ze al zo lang niet meer had gehoord. In de tijd dat ze het liedje had geleerd, waren het gewoon onbekende klanken geweest, maar nu ze de tekst weer begon te zingen begreep ze de betekenis. 'Wees niet zo verdrietig, kleine zoon van me. Als de sneeuw valt, komen je ooms terug. Je oudere broer kent de weg naar huis. Je zult je vader zien, met wiens hulp ik je heb gemaakt. Als ze terugkomen, trakteren we op bosbessen. En als ze weer thuis zijn smeren we zoete esdoornsiroop op hun maïsbrood. Binnenkort is de oorlog voorbij. Let maar op.' Ingrid zong zacht en wiegde de baby. Het jongetje begon te lachen en sperde zijn tandeloze mond wijd open.

'Geef hem maar hier.' Ingrid had niet gezien dat de moeder naar haar toe was gelopen, maar toen ze haar de baby gaf, zag ze dat alle vrouwen om haar heen stonden. Een paar van de oudere vrouwen hadden hun ogen stijf dichtgeknepen of hadden van verbazing hun hand voor hun mond geslagen.

De Moeder van de Wolvenclan pakte Ingrids handen. 'Het is al jaren geleden dat ik dat liedje heb gezongen,' zei ze. 'Droomster, waar heb je dat in vredesnaam geleerd?' Er stond een nieuwe uitdrukking op haar gezicht, ditmaal zonder een spoor van argwaan.

'Mijn moeder zong dat altijd om de baby's in slaap te krijgen,' antwoordde ze. 'Ik begrijp nu pas wat de woorden betekenen. Is het een liedje dat de Ganeogaono-moeders vaak voor hun kinderen zingen?'

Dit keer was er geen misverstand mogelijk. Er welden grote, stille tranen op in grootmoeders ogen, die over haar holle wangen biggelden. Waarom had Ingrids opmerking ervoor gezorgd dat de Moeder van de Wolvenclan haar ijzeren zelfbeheersing had verloren?

'Tijdens de eerste zomer van de oorlog, toen we nog niet wisten of we onze mannen ooit terug zouden zien, heeft mijn hart me die woorden ingegeven. Ik zong dat liedje om onze vrouwen te troosten en hen hoop te geven. Zoals jij je dromen in beelden vertaalt, vertaalde ik de mijne vroeger in liedjes. Ik heb Orenda gebeden om mij een teken te geven. Niemand anders dan Gahrahstah kan jou dat liedje hebben geleerd. Ik heb het niet meer gezongen sinds de dag dat haar vader stierf en zij werd ontvoerd. Jij bent werkelijk door Orenda naar mij toe gestuurd.'

Er gleed een rilling over Ingrids rug, waardoor de haartjes op haar armen rechtop gingen staan. 'Dus ik ben echt thuis?' fluisterde ze.

'Je bent echt thuis, kleindochter,' antwoordde de Moeder van de Wolvenclan. 'En dat geldt ook voor je broer als Wegsneller hem vindt en bij ons brengt.'

Hoofdstuk

In opdracht van Ingrids grootmoeder letten haar nichtjes op haar en leerden haar de dingen die ze moest weten. Ze werkte samen met Blauwe Ster op de golvende maïsvelden van de Wolvenclan en keek vol opwinding toe toen volmaakte kolven voor het Feest van de Groene Maïs werden geplukt en aan de toverpriesters overhandigd.

Halverwege de ochtend van de volgende dag kwam er een kano van puur witte berkenschors vanuit het westen over de rivier aan varen. De beide inzittenden peddelden naar de steiger van Doteoga, legden hun kano vast en stapten vol zelfvertrouwen aan wal. Het nieuws van hun komst ging als een lopend vuurtje rond, zodat de vrouwen vanaf hun velden en de mannen vanachter de omheining toestroomden om een blik op de vreemdelingen te werpen. Er werd druk overlegd, maar niemand kende de beide mannen. De krijgshoofden stuurden iemand om het hoofd van de toverpriesters op te halen, want het merendeel was ervan overtuigd dat dit geen gewone reizigers waren.

Het hoofd van de toverpriesters liep al samen met een oudste van iedere clan naar de nieuwkomers toe voordat ze plaats hadden kunnen nemen op de open plek voor de omheining. Nadat ze even met elkaar hadden gesproken leidde dit viertal de twee bezoekers het dorp binnen. Een van de toverpriesters zei iets tegen de clanmoeders, die verstomd van schrik leken.

Ingrid had het idee dat er iets heel belangrijks aan de hand was. Ze liep naar haar nichtje Blauwe Ster toe en vroeg: 'Wie zijn dat? En waarom hebben de oudsten hen meteen begroet als niemand hen kent?'

'Ik weet het niet zeker, maar ik kan er wel naar raden.' Blauwe

Ster trok Ingrid mee naar een plekje waar ze rustig konden praten. 'Aan de manier waarop de toverpriester en de clanoudsten de bezoekers begroetten, maak ik op dat minstens een van hen het paar uit een droom herkent. Kijk, daar komt een van de oudere ooms aan. Laten we maar gauw gaan luisteren wat hij te vertellen heeft.'

De jonge mensen gingen bij elkaar staan en wachtten op een verklaring. 'De jongere man is een Huron die Deganawida heet. Hij zegt dat hij door Orenda is gezonden om een eind aan de oorlog te maken. De komst van een dergelijke man is al jaren geleden door onze toverpriesters voorspeld. Deganawida beweert dat hij die man is. Toen ze zijn naam hoorden, hebben ze hem uitgenodigd om binnen te komen.'

'Maar wie is zijn metgezel, de oudere man met haren in de kleur van oude sneeuw?' vroeg Verkenner.

De oudere oom keek om zich heen en kneep zijn ogen samen. 'Dat is Hiawateh.'

Er klonk een kreet van protest. 'Die verschrikking! Waar haalt hij de moed vandaan om naar Doteoga te komen?' Een oude vrouw stak haar armen in de lucht. 'Orenda redt ons!'

De kinderen snapten er niets van en vroegen of de oom hun alsjeblieft kon uitleggen waarom de oude vrouw zo bang was. 'Hiawateh is gek, want de boze sjamaan die de oorlog is begonnen heeft hem onmenselijk gemaakt. Hij sprak een vloek over hem uit, waardoor hij genoodzaakt werd door het bos te dwalen. Als er reizigers in de buurt van zijn hol komen, denkt Hiawateh dat het dieren zijn. Hij slacht ze, kookt hun vlees en eet het op.' Iedereen, van krijger tot klein kind, bracht hun hand naar hun mond en blies tussen de duim en wijsvinger om het kwaad te weren.

'Waarom doen ze dat?' vroeg Ingrid.

'Om te voorkomen dat het kwaad ons aantast. Maar zelfs als Deganawida is wie hij beweert te zijn, hoe haalt hij het dan in zijn hoofd om Hiawateh mee te brengen naar Doteoga? Zo toont hij ons de macht van de boze sjamaan.' Voordat Ingrid verder kon vragen, legde de oom uit: 'De leider van de Onondaga heeft een goede man veranderd in een hersenloze verschrikking omdat hij het waagde zich tegen hem te verzetten.' Maar Ingrid snapte nog steeds niet waarom Deganawida dacht dat de aanwezigheid van Hiawateh hem zou helpen om de oudsten en de clanmoeders zover te krijgen dat ze akkoord gingen met zijn plan.

'Ik ga naar binnen. Ik wil zelf zien waar dit op uitloopt,' zei Verkenner. Hij ging vastberaden op weg naar de omheining.

'Dat lijkt me een goed idee,' zei de oom. Ingrid pakte de hand van Blauwe Ster en liep samen met haar achter de menigte aan het dorp in.

Op de plek die was vrijgehouden voor het feestvuur hadden de krijgshoofden zich verzameld om de bezoekers te ondervragen. Deganawida stond rustig te wachten. Hiawateh had zijn armen over elkaar geslagen en bleef strak naar zijn metgezel staren. Een paar vrouwen protesteerden heftig tegen zijn aanwezigheid, terwijl anderen met een mengeling van fascinatie en afschuw naar de oudere man stonden te kijken. Een van de oudere opperhoofden stak zijn handen op. Toen de menigte eindelijk stil werd, nodigde hij Deganawida uit om plaats te nemen op de boomstronk die als spreekgestoelte diende.

'Deganawida, je moet ons eerst vertellen waarom je Hiawateh als metgezel hebt gekozen en hoe je in staat bent geweest hem te genezen.'

Overal op het plein richtten mannen en vrouwen, Ingrid incluis, hun aandacht op de knappe Huron, die ondanks zijn jeugdige leeftijd een tijdloze indruk maakte.

Deganawida sprak de taal van de langehuisvolken met een vreemd accent, waardoor Ingrid het gevoel kreeg dat ze iets gemeen hadden. Zijn stem was indringend en duidelijk, zonder dat hij zich daarvoor moest inspannen. 'Ik zal u uitleggen wat mijn missie is en hoe we samen een eind aan de oorlog kunnen maken. Maar omdat u me hebt gevraagd uit te leggen waarom mijn keus op deze metgezel is gevallen, zal ik daarmee beginnen.' Hij glimlachte en Ingrid voelde zijn warmte.

'Een vrouw die op het punt woont waar de oorlogspaden elkaar kruisen, vertelde me het verhaal van Hiawateh. Zij geneest krijgers van hun wonden, zodat ze weer kunnen vechten. Ze wordt de Moeder van de Krijgers genoemd.'

Een paar mannen merkten op dat zij de vrouw kenden. Een aantal van hen was door haar genezen. 'Voordat ik verder trok, ging ik naar hem op zoek. Ik wist dat Orenda mij de kracht zou geven om het kwaad te vernietigen dat nu al twee generaties lang de levens eist van veel mannen van de langehuisvolkeren als ik hem van zijn vloek kon bevrijden.'

'Hoe heb je hem genezen?' riep het hoofd van de toverpriesters. 'Niemand kan dat beter uitleggen dan Hiawateh zelf.' Meteen daarna stapte hij van de boomstronk en nodigde de voormalige gek met een handgebaar uit zijn plaats over te nemen. De menigte deinsde achteruit, alsof ze bang waren dat de vloek hen ook zou treffen.

Hiawateh sprong op de boomstronk en spreidde zijn armen uit alsof hij iedereen aan zijn borst wilde drukken. 'Clans van Dote-oga,' zei hij. 'Wij zijn naar jullie toe gekomen om jullie als eersten op de hoogte te stellen van de plannen van de Vredestichter. Ik heb mijn verstand terug en dankzij deze Huron ben ik weer een mens in plaats van een monster. Als hij dat voor mij heeft kunnen doen, zal hij zeker ook de man die deze oorlog is begonnen van zijn waanzin kunnen genezen.' Er klonk geroezemoes na die opmerking en Ingrid begon te begrijpen waarom Deganawida Hiawateh meege-bracht had.

'Er is op het hele Schildpadeiland ten oosten van de watervallen van Niagara niemand die de macht van deze Onondaga met zijn leugenachtige hart beter kent dan ik,' vervolgde hij. 'Hij heeft er-voor gezorgd dat ik alles heb verloren wat mij lief was, zelfs mijn menselijkheid. Hoor mij aan, dan zal ik jullie het hele verhaal ver-tellen.

Elk kind weet inmiddels wat er met mijn gezin is gebeurd. Ze stierven een voor een. Dat heeft hij gedaan om mij te dwingen me aan zijn macht te onderwerpen. Onze oudsten en krijgshoofden waren bereid om geloof te hechten aan zijn visioenen en beloften, maar ik niet. In zekere zin had hij misschien wel gelijk. Hij wilde alle langehuisstammen samenvoegen tot één grote stam bestaande uit de Vijf Volkeren. Hij voorspelde dat ons een groter kwaad te wachten stond dan wat hij ons heeft aangedaan. Als we niet voor-bereid en sterk zijn als die tijd aanbreekt, zal de ramp uit het oos-ten de meeste volken van Schildpadeiland vernietigen. Dan zal de wereld zoals wij die kennen in vergetelheid raken.'

De mensen maakten opnieuw het teken om het kwaad af te wen-den. Ingrid voelde een koude rilling over haar rug lopen. Het leek te veel op wat het volk van haar vader was overkomen. Hij had vast de Groenlanders niet bedoeld, maar hoever had deze boze droom zich verspreid? Hadden de Algonquian daarom Rolf en zijn schip vol Groenlandse vluchtelingen uitgeroeid?

'Ik bleef koppig en weigerde me naar zijn plan te schikken, omdat ik het niet eens was met zijn methode. Elk langehuisvolk kiest zijn eigen leiders. Het zou verfoeilijk zijn als er maar één opperhoofd aan het hoofd van de Vijf Volkeren zou staan. Eén man kan niet beslissen dat er oorlog of vrede met andere volkeren zal zijn zonder overleg te plegen met krijgers en clanmoeders. Dat is een inbreuk op onze vrijheid en die is iedere man en vrouw die in een langehuis woont te lief.

Door mij begonnen ook anderen zich langzaam maar zeker te verzetten tegen de manier waarop Tododaho zijn overwinning wilde behalen. Hij had de hele gemeenschap zijn wil opgelegd. Hij joeg de mensen zoveel angst aan, dat ze hem wel moesten gehoorzamen. Toen ik mij weer openlijk tegen hem verzette, stierf eerst mijn vrouw en daarna mijn dochters, een voor een. Mijn jongste kind, de mooie en trouwe Mini bewaarde hij tot het laatst. Hij was bereid haar te sparen, maar alleen als ik mijn openlijke protest staakte. Dat kon ik niet.

Mijn Mini, die met haar lach het water zelf kon laten meelachen, werd vertrapt toen iedereen naar de adelaar stormde die Tododaho met zijn pijl had gedood. Iedereen weet dat de adelaar de vogel van Orenda is, maar Tododaho wilde niet dat de Grote Geest zou ingrijpen. Mini stierf niet meteen, maar ze kreeg koorts. Ik heb op alle manieren die ik ken geprobeerd haar te genezen, maar de koorts verteerde haar. Dat was de laatste klap, de reden waarom ik mijn verstand verloor. Maar haar dood heeft in ieder geval ook de man die ervoor verantwoordelijk was zwaar getroffen. Op dezelfde dag dat we Mini's lichaam aan de aarde toevertrouwden, verdween zijn eigen dochter. Het gerucht gaat dat Jekonsaseh niet zonder haar beste vriendin verder wilde leven en haar dood tegemoet sprong. Haar lichaam is nooit gevonden, alleen haar haren, die ze uit verdriet had afgesneden. Ondanks zijn verlies zette haar vader zijn plannen door. De enige die hij ooit had liefgehad was zijn dochter. Toen hij haar verloor, dreef de machtswellust hem tot waanzin, precies zoals ik gek was geworden van verdriet.'

'Hoe heeft Deganawida je genezen?' vroeg de oudere oom. Inmiddels waren zelfs de meest geharde krijgers en moeders tot tranen toe geroerd. Ingrid had al evenveel medelijden met hem als de rest. Nadat iemand Hiawateh een kom koel water had gebracht, ging hij verder.

'Ik wou dat ik jullie een ander verhaal kon vertellen, maar het is niet anders. Ik was mijzelf niet meer, maar ik kon nog steeds goed omgaan met pijl en boog. Tijdens mijn omzwervingen vond ik verdwaalde pijlen. Ik woonde in een grot. Op de ochtend dat Deganawida me vond, was ik ervan overtuigd dat ik net een hert had gedood en aan stukken had gesneden. Ik roosterde de ledematen en het bovenlijf boven mijn vuur, maar ik besloot het hoofd te koken om er soep van te maken. Het lag te sudderen in een stevige aardewerk pot op mijn vuur, in de schaduw van een wilg. Terwijl ik zat te wachten tot het vlees gaar zou zijn, zat ik op een goed doorbakken arm te knabbelen, zonder me te realiseren dat herten geen armen hebben.'

Ingrid werd er misselijk van, maar ze onderdrukte haar afschuw om de rest van het verhaal te horen.

'Deganawida klom in de wilg en kroop over de dikke tak die zich tot boven mij en mijn walgelijke feestmaal uitstrekte. Hij boog zich voorover tot ik zijn gezicht zag dat weerkaatst werd door het water in de pot. "Mohawk," zei hij. Daarmee beschuldigde hij me er in zijn eigen taal van dat ik een menseneter was. De Algonquian gebruiken hetzelfde woord als ze over de Ganeogaono spreken.' Er klonk weer wat geroezemoes en sommige mensen moesten lachen.

'Ik keek naar zijn weerspiegelde gezicht. "Wat zei je daar?" vroeg ik.

"Ik zei dat je een Mohawk bent. Zo noemen de Huron een man die het vlees van andere mannen eet."

"Je vergist je. Dit is bijzonder lekker hertenvlees," antwoordde ik lachend. "Hoe ben je trouwens tot leven gekomen?" vroeg ik, terwijl ik nog steeds naar het hoofd keek. Jullie moeten goed begrijpen dat ik nog steeds niet wist dat Deganawida boven me zat.

"Ik ben hier om die arme jongeman die jij hebt gedood te troosten," zei hij. Ik staarde naar het wijze en serene gelaat dat me vanuit mijn eigen pot aankeek en hervond mijn verstand. Plotseling besefte ik wat ik in mijn hand had en gooide het vol afschuw van mij af. Ik wist wie ik was en wat ik had gedaan. Met mijn blote handen gooide ik de pot om en groef met mijn vingers een graf voor de trieste overblijfselen van mijn laatste slachtoffer.

Toen ik dat had gedaan, pakte ik mijn vuurstenen mes om mijn aders open te kerven en een eind te maken aan mijn leven. Deganawida sprong uit de boom om me het mes af te pakken. "Je hebt het recht niet om nu al te sterven," zei hij. Toen ik protesteerde, hield hij me vast en omarmde me. "Je moet me helpen om anderen van mijn missie te overtuigen. Je moet de schade herstellen die je in je waanzin hebt aangericht. Niemand anders dan jij is daartoe in staat."

Hij vertelde me dat Orenda wilde dat ik weer gezond werd. Hij legde uit wie hij was en wat de bedoeling was van zijn missie als Vredestichter. Zijn woorden brachten zoveel troost, dat ik weer hoop kreeg en begon te geloven dat ik de ellende die ik had veroorzaakt weer goed zou kunnen maken. Met Orenda's hulp zal Deganawida ook Tododaho weer menselijk maken.'

Iedereen begon door elkaar te praten toen Hiawateh uitgesproken was. De oudere oom bracht de mensen tot zwijgen door zijn hand op te steken. 'Ben je niet bang om de naam van de boze tovenaar uit te spreken na alles wat hij je heeft aangedaan? Ben je niet bang meer voor zijn vloek?'

'Orenda is sterker dan welke vloek ook. Orenda heeft Deganawida helemaal vanaf het Huronmeer naar de langehuisvolken gestuurd. Kijk naar hem. Kijk naar die vastberaden blik in zijn ogen. Twijfel je er dan nog aan dat hij hier naartoe is gestuurd om ons allemaal weer gezond verstand te geven?'

De drie clanmoeders overlegden met elkaar en lieten toen takken uit hun eigen haardvuren halen om het grote en heilige feestvuur aan te steken. Het was een lange dag geweest, maar het was zomer. De zon zou nog lang niet ondergaan.

Nadat het feestvuur was aangestoken, bleef het doodstil onder de toeschouwers. De toverpriesters kwamen aanlopen met gedroogde tabaksbladeren, die ze op het met stenen omringde vuur legden om witte rook te maken. Een lichte wind blies de geur van de brandende tabak over de menigte. Het was een aangename en kruidige lucht.

'Kan iemand me een pijl geven?' vroeg Deganawida. Hij hoefde er niet lang op te wachten. 'Ik hoop dat je me dit niet kwalijk neemt,' zei hij tegen de eigenaar. Hij legde de pijl over zijn knie en brak de schacht zonder moeite doormidden. 'Nu heb ik vijf pijlen nodig.' Die werden hem ook snel overhandigd. 'De Vijf Volkeren zijn verwikkeld in een zinloze oorlog. Ieder voor zich kunnen ze moeiteloos gebroken worden.' Vervolgens somde hij achter elkaar de namen op van de stammen, van oost naar west: Ganeogaono,

Oneida, Onondaga, Cayuga en Seneca. Bij ieder naam tilde hij een van de pijlen op. Daarna trok hij een leren band uit zijn haar en bond die om de schachten. Toen hij ze dwars over zijn knie legde en er aan weerszijden druk op uitoefende, braken ze niet. Integendeel: hij kon de bundel niet eens buigen.

Het oudste opperhoofd zei precies hetzelfde wat Ingrid dacht: 'Ik begrijp je les, maar zelfs jij kunt vijf landen die met elkaar in oorlog zijn toch niet zover krijgen dat ze hun krachten bundelen?'

Deganawida glimlachte en het leek alsof de rook hem met een nevelig licht overgoot. 'Ik heb de oplossing gedroomd en ik geloof dat mijn droom zal uitkomen. Volg mij en het zal gebeuren. De Ganeogaono zullen de Bewakers van de Oostelijke Deur worden en de Seneca die van de Westelijke Deur. We zullen één langehuis vormen. Elke stam zal afgevaardigden sturen naar het vuur van de centrale raad, zoals elke clan hier heeft gedaan. Beslissingen die alle langehuisstammen aangaan zullen pas na overeenstemming worden genomen en, of het nu om oorlog of vrede gaat, iedere stam zal zich daaraan moeten houden.'

'Het centrale vuur, de centrale raad. Waar zullen die zich bevinden?' vroeg de oudste.

'Pas als jullie vrede hebben gesloten, niet eerder, zal de eeuwige vlam in Onondaga branden. En zolang die brandt, zullen de Vijf Volkeren blijven bestaan. Alleen de stam in het midden, de Onondaga, kunnen de Houders van het Vuur worden.'

Die mededeling werd met gemompel ontvangen. De mensen wisten niet of ze dat wel zo leuk vonden. 'Wat hebt u nog meer gezien, Ziener?' vroeg de Moeder van de Schildpadclan vanaf haar bank.

'De Vijf Volkeren zullen hun strijdbijlen begraven onder de wortels van een hoge dennenboom, de boom waarop de adelaar van de Grote Geest zal neerstrijken.'

De Moeder van de Wolvenclan sprong op en slaakte een kreet, een soort combinatie van een gil en een schreeuw. Ze zocht tussen de mensen van haar clan tot haar oog op Ingrid viel. 'Kind!' riep ze. 'Gauw! Haal de wampumgordel die je voor mij hebt gemaakt en toon die aan de Ziener.' Er klonk geroezemoes toen Ingrid naar het langehuis van haar grootmoeder holde, maar het werd onmiddellijk stil toen ze terugkwam met de gordel in haar handen.

Ingrid kon nauwelijks geloven dat zij, een vreemdeling, hetzelfde visioen had gehad als de Ziener. Hij was een heilige man, een man die door de Schepper was gestuurd. Deganawida was de boodschapper die een door oorlog verscheurde wereld het wonder van vrede bracht. Ze hield hem de wampumgordel met de afbeelding voor.

Deganawida pakte de gordel aan en bekeek hem aandachtig. Daarna draaide hij hem om, zodat de mensen die vlak bij hen stonden ook de paarse afbeelding van de adelaar en de boom met zijn wortels op de stralend witte achtergrond konden zien. 'Wie heeft je deze kunst bijgebracht?' vroeg hij.

Blozend van verlegenheid antwoordde ze hakkelend: 'Ik heb leren weven in het land van mijn vader, Groenland. De Inuit, de zeejagers van de noordelijke eilanden, hebben me geleerd met naald en draad om te gaan. Het visioen dat u ook hebt gezien, had ik toen ik bij de Naskapi was. Ik heb het gekopieerd met behulp van deze wampumschelpen van de door ons verslagen Algonquian. Dankzij alle lessen die het leven me heeft geleerd heb ik deze gordel kunnen maken. En de kunst om afbeeldingen te maken heb ik geërfd van mijn moeder.'

'De langehuisvolken zullen je voortaan Dromenweefster noemen,' zei hij. 'Je bent teruggekeerd naar het volk van je moeder.' Hij kende haar verhaal, hoewel niemand het hem had kunnen vertellen. 'Wij delen deze droom, maar jij hebt hem tastbaar gemaakt.'

Boy, die instinctief voelde dat er iets met zijn vrouwtje aan de hand was, kwam vanaf de palissade naar haar toe draven. De mensen gingen opzij om de grote hond door te laten. 'Dit is Boy,' zei Ingrid, die hem aan Deganawida en Hiawateh voorstelde alsof de hond een menselijk wezen was. Deganawida stak hem zijn hand toe, met de vingers naar beneden. Boy piepte zacht, ging zitten en likte de hand van de Ziener. Toen dat gebeurde, was Ingrid bereid om alles te geloven. 'Boy heeft nog nooit zo snel vriendschap met iemand gesloten. Hij is een pup van een teef uit het land van mijn vader die gekruist is met de grootste hond van een zeejager, de leider van zijn sledehonden.'

'Dus Boy is het resultaat van het beste uit twee werelden, net als jij. Denk je ook niet?'

'Ja,' zei ze, terwijl ze knipperde met haar ogen omdat het leek alsof de Huron omgeven was door een stralend licht. Zou de Ziener echt geloven dat er buiten Schildpadeiland nog meer werelden bestonden? Ingrid wees opnieuw naar de wampumgordel. 'Ik moet u wel vertellen dat ik nog nooit zo'n boom had gezien toen ik dat visioen kreeg. Die groeien niet op de eilanden van de zeejagers en evenmin in het land van mijn vader.'

'Niemand mag jouw visioen in twijfel trekken, want het heeft je een andere wereld getoond. Orenda wil dat je woont waar je thuishoort. Maar er was nog iemand bij je, die hier samen met jou had moeten aankomen. Waar is hij gebleven?'

Ole! Deganawida wist van zijn bestaan af. 'Dat weet ik niet. Het leek alsof mijn broer in de rivier is verdwenen. Onze gids en vriend, Wegsneller naar Vrienden in Nood, is teruggegaan om hem te zoeken.' Het deed haar goed om Wegsneller bij zijn volle naam te noemen. De Moeder van de Berenclan keek op en glimlachte toen Ingrid de naam uitsprak. 'Wegsneller en ik vrezen allebei dat mijn broer dood is, maar Wegsneller zei dat hij overal navraag zou doen, ook al zou zijn speurtocht hem weer naar het gebied van de Algonquian brengen.'

De mensen vertelden haar verhaal aan elkaar door alsof het iets te maken had met Deganawida en de belangrijke gebeurtenissen die hier werden besproken. Ingrid probeerde zich te excuseren. Ze had geen recht om zich in het gezelschap van leiders en gezaghebbende personen op te houden. Ze was al tevreden als ze onkruid mocht wieden op de maïsvelden van haar clan. 'Zal ik nu weer teruggaan naar mijn familie?' vroeg ze zacht. Ze wilde hen niet beledigen door uit eigen beweging weg te gaan.

'Nee. Wacht nog maar even,' raadde Hiawateh haar aan, glimlachend om haar verlegenheid. Ingrid keek op en kwam tot de ontdekking dat ze teruglachte. Ineens klonk er lawaai buiten de omheining en iedereen draaide zich om. Honden blaften alsof ze terugkerende jagers verwelkomden. 'Luister,' zei Hiawateh. Er stonden binnen en buiten altijd krijgers op wacht om ervoor te zorgen dat niemand binnenkwam die hier niet thuishoorde. Ze hadden de nieuwkomers niet tegengehouden.

Boy blafte en barstte los in een vreugdegehuil. Hij stoof naar de ingang toen Wegsneller door de omheining naar binnen kwam. Hij was in het gezelschap van twee jongelingen en een vrouw. Ze was nog te ver weg om haar goed te kunnen zien. En er was ook een man bij, met een uiterlijk dat nooit eerder op het grondgebied van de Ganeogaono was gezien. Zijn rode vlechten hingen over zijn schouders op zijn borst en een korte rode baard bedekte zijn kin.

'Grootmoeder! Mijn broer! Het is Ole!' Ingrid was zo verbijsterd dat ze de hand van de oude vrouw vastpakte. 'Mag ik hem alstublieft bij u brengen?'

'Blijf waar je bent, Dromenweefster,' zei ze. Ze sprak Ingrid aan met de naam die Deganawida haar had gegeven. De Moeder van de Wolvenclan gaf opdracht om Wegsneller en Ole naar het midden van het plein te brengen. 'Zo meteen zullen we wel meer horen.'

Ole keek langzaam om zich heen en nam het hele tafereel in zich op: de menigte, de omgeving en de mensen die in het midden rond het feestvuur stonden. Hij aarzelde, keek Wegsneller aan die naast hem liep en fluisterde hem iets toe.

'Loop maar door,' zei zijn metgezel. 'Ik kom achter je aan. Je zuster wacht op je.'

Ole liep alleen verder tot hij Ingrid zag. Toen hij het midden van het plein had bereikt maakte hij een buiging voor alle hoogwaardigheidsbekleders en bewaarde de Moeder van de Wolvenclan en Ingrid tot het laatst. Hij bleef voor hen staan en knielde. Toen haar grootmoeder haar een zetje gaf, pakte Ingrid Oles handen vast en smeekte hem om op te staan. Hij bleef haar handen stijf vasthouden. 'Ingrid,' zei hij, alsof hij ontwaakt was uit een lange droom. 'Kun je me al die nare dingen vergeven die ik de afgelopen jaren heb gezegd en gedaan? Het was niet alleen vanwege de belofte die ik had afgelegd dat ik met je mee wilde om je te beschermen. Ik kon de gedachte niet verdragen dat je iets zou overkomen, hier of in onze oude wereld.'

Ze keek haar halfbroer verwonderd aan. Het was net alsof zijn hardheid was verdwenen. 'Ole? Wat is er met je gebeurd? Je bent heel anders.'

'Ja,' antwoordde hij.

'Waar ben je die ochtend naartoe gegaan? Mijn grootmoeder en deze mensen willen dat ook graag horen.' Ze knikte naar de Huron, Hiawateh, de clanmoeders en de oudsten.

'Je grootmoeder? Heb je echt je grootmoeder gevonden?'

'Ik heb haar gevonden. Orenda heeft me thuisgebracht, met jouw hulp en die van Wegsneller. Maar vertel ons nu eerst waarom je voetspoor ophield bij de rivier.'

'Er dreef een kano langs, vlak bij de oever. Je weet toch nog wel dat Wegsneller tegen ons had gezegd dat we veel sneller thuis zouden zijn als we een kano hadden? Hij was zo dichtbij dat ik hem bijna kon aanraken. Ik spande me in om de boot voor jou te pakken en klom erin voordat ik besefte dat er geen peddel in lag. De stroom voerde me mee.'

Hij keek om en wees naar de vrouw die zich in de schaduw probeerde te verschuilen. 'Zij vond me vlak voordat een waterslang me in mijn enkel beet. Als zij er niet was geweest, zou ik nu dood zijn. Ze heeft me in leven gehouden. Tot wij elkaar vonden, woonde ze alleen en genas krijgers.' Toen hij even zweeg, zag Ingrid nog iets anders aan haar broer, iets dat zo nieuw was dat ze niet wist hoe ze het moest noemen.

'Wegsneller vond ons en wist haar over te halen om mij te laten gaan. Jarenlang heb ik tegen beter weten in gewenst dat jij en je moeder nooit in ons leven waren verschenen. Ik had die strijd al lang voordat we uit Groenland vertrokken verloren, maar dat begreep ik pas nadat ik Jekonsaseh had leren kennen.'

Had Ole eindelijk zijn vrouw gevonden? Het leek er wel op. 'Dan moet ik haar bedanken, wie ze ook is,' zei Ingrid. 'Mijn verlangen naar vriendschap met jou was net zo groot als mijn verlangen om naar huis te gaan.' Ze maakte een gebaar dat heel Doteoga en alle inwoners omvatte.

Hiawateh tuurde naar de donkere vrouw en een vreemde, treurige uitdrukking flitste over zijn gezicht. 'Ben jij het echt, Jekonsaseh? Ben je geen geest?' De vrouw lachte. Hiawateh keek beurtelings Deganawida, de oudsten, Ole en Ingrid aan. 'Volgens mij kende ik deze vrouw toen ze nog een meisje was, voordat ik mijn gezin verloor. Ik dacht dat Jekonsaseh was gestorven toen mijn Mini overleed.' Hij stak zijn armen uit en de vrouw viel hem om de hals.

In alle opwinding van haar weerzien met Ole had Ingrid de naam van de vrouw niet verstaan. Plotseling begreep ze dat dit de vrouw was die krijgers genas, de vrouw die Deganawida de Moeder van de Krijgers had genoemd. Hield dat in dat zij ook de dochter van de boze tovenaar van de Onondaga was?

Jekonsaseh liet Hiawateh eindelijk los en begon op zachte, hese toon te praten. 'Ik dacht ook dat ik dood was. In ieder geval was het meisje dat vast in haar vader geloofde gestorven. Daarom woonde ik alleen en steunde de oorlog van mijn vader. Omdat ik alle mannen haatte, genas ik de wonden van de krijgers, zodat ze weer door konden gaan met moorden. Ik haatte de hele mensheid tot Orenda Ole naar me toe stuurde. Het lijkt erop dat we elkaar hebben genezen. Er schuilt veel liefde in hem, alleen wist hij dat zelf niet.' Jekonsaseh keek even naar Ole en glimlachte, voordat ze zich weer tot Hiawateh wendde. 'Maar hoewel ik verteerd werd door haat was er één man tegen wie ik nooit haat kon koesteren. Dat was jij, Hiawateh. Al die jaren heb ik met je mee geleden.'

Deganawida sprak eerst met haar en Hiawateh en vervolgens met Ole en Ingrid voordat hij de oudsten en de clanmoeders toestemming vroeg of hij alle aanwezigen mocht toespreken. 'Spreek,' zei een van de oudsten.

'Inwoners van Doteoga, Jekonsaseh is de dochter van Tododaho.' Heel even leek iedereen naar adem te snakken of de Schepper aan te roepen. 'Ze is hier om ons te helpen een eind te maken aan de Grote Oorlog. Is er nog iemand van jullie die twijfel koestert, nu jullie met eigen ogen hebben gezien hoe de Schepper haar bij ons heeft gebracht? Is er nog iemand van jullie die niet genoeg heeft van het vechten en de verliezen als gevolg van de waanzinnige machtswellust van de vader van deze vrouw?'

'Moeten we onze doden dan niet wreken?' riep een van de krijgers die in een groepje bij elkaar stonden. 'Ik heb neven en vrienden verloren.' Er klonk een instemmend gemompel.

'Dat geldt ook voor de Onondaga,' zei Deganawida. 'En hoeveel meer mensen ben je bereid om op te offeren tot alle doden zijn gewroken? Ik bied jullie de mogelijkheid een eind te maken aan de strijd tussen de langehuisvolkeren. Tododaho's dochter staat hier bij ons en keert zich tegen haar eigen vader. Met Orenda's hulp en jullie instemming zal de vrede overwinnen.'

'Maar wat hebben die roodharige vreemden daarmee te maken?' protesteerde een andere man. 'Zij komen uit een andere wereld.'

'Ze hebben er net zoveel mee te maken als deze Huron, die het leven dat hij had kunnen leiden heeft opgeofferd om Orenda's bevel op te volgen. Hij is hierheen gestuurd om vrede te stichten tussen de Haudenosaunee,' zei Hiawateh. Er klonk opnieuw een gemompel toen de mensen de voor- en nadelen van het voorstel bespraken.

Deganawida pakte Ingrid en Ole bij de hand en tilde die op zodat ze met hun drieën een soort brug vormden, met hem in het midden. 'Hier staan een zuster en een broer. Het bloed van ons volk stroomt door haar aderen maar niet door de zijne. En toch hebben ze dezelfde vader. Als zij één familie kunnen vormen, kunnen onze volkeren, van de Ganeogaono tot de Seneca, zich dan niet verenigen in één Spiritueel Langehuis?' Hij verhief zijn stem zodat ook de man die het verst van hem afstond kon verstaan. 'Zijn jullie bereid om samen met mij naar vrede te streven?'

Langzaam maar zeker begonnen mannen en vrouwen instemmend te knikken. Ingrid keek naar Ole en Jekonsaseh en zag dat ze onverbrekelijk met elkaar verbonden waren. Ineens dook Wegsneller achter haar op en ze voelde zich plotseling weer een compleet mens, alsof er tijdens zijn afwezigheid iets aan haar had ontbroken. 'Koester je nog steeds dezelfde gevoelens voor me?' vroeg hij fluisterend.

'Dat zal nooit anders worden,' fluisterde ze terug. Zijn arm gleed om haar heen. Ze pakte zijn hand en legde haar hoofd tegen zijn borst.

De oudsten spraken met de groepjes mannen en vervolgens met de clanmoeders. Toen ze terugkwamen bij Deganawida, die in het midden van de kring met de armen over elkaar op hen stond te wachten, overgoten de laatste roze zonnestralen de top van de hoogste dennenboom met een gouden glans. 'Stemt men voor of tegen vrede?' vroeg hij formeel.

Om de beurt gaven de krijgshoofden de beslissing van hun clans door. 'Voor de vrede.' Het zinnetje werd drie keer herhaald, een keer voor iedere clan. Toen de laatste woorden wegstierven, hoorden ze vleugels fladderen. Een grote vogel kwam uit het noorden aanvliegen en zweefde boven de hoofden van de menigte over Doteoga. Een kind wees ernaar en riep: 'Het is de adelaar!' De vogel cirkelde drie keer over de bijeenkomst voordat hij over de westelijke omheining gleed en op de hoogste tak van de dennenboom neerstreek.